CARL A. RUDISILL
LIBRARY
LENOIR RHYNE COLLEGE
HICKORY, N.C.
1891
Gift of
Dr. Charles Bishop
W9-AUV-748
629.2222
B54f
116677
DATE DUE
WITHDRAWN
L. R. COLLEGE LIBRARY

CHARLES W. BISHOP
DOCTEUR DE L'UNIVERSITÉ DE LYON

LA FRANCE ET L'AUTOMOBILE

Contribution française au développement économique et technique de l'automobilisme des origines à la deuxième guerre mondiale

ÉDITIONS M.-TH. GÉNIN
LIBRAIRIES TECHNIQUES
26, rue Soufflot
PARIS

Dépôt légal. — 2e trimestre 1971

AVANT-PROPOS

L'attitude de l'Université face au problème de l'automobile apparaît dans l'ensemble comme négative. On pourrait à la rigueur expliquer ou excuser ce manque d'intérêt par la nouveauté relative du sujet. L'objection disparaît si l'on songe au traitement de faveur accordé à l'aviation.

Pour autant que nous ayons pu le déterminer, et en excluant les enseignements purement techniques qui ont pu être prodigués par les écoles spécialisées, il n'y a eu qu'un seul cours sur l'automobile offert par une Université française, et ce fut à Bordeaux à la Faculté des Sciences, pendant un ou deux ans, vers 1905. Ce cours fut créé par le Pr Lucien Marchis ; sa promotion à la Sorbonne, où il entreprit alors un cours d'aéronautique, semble renforcer l'opinion exprimée ci-dessus.

L'histoire est accoutumée à traiter d'individus, de grandes personnalités, de dirigeants qui laissent leur marque sur les nations. Les historiens se meuvent sans doute avec moins de sûreté dans le domaine complexe des comités, conseils d'administration, praesidia, *congrès, etc., ce qui nous amènerait à penser que c'est cette absence de « héros » qui a fait négliger l'histoire de l'automobile. Mais là encore le parallèle de l'aviation infirme notre théorie.*

Si la France, en tout cas, ou ses universités n'ont fait que fort peu pour l'automobile, le reste du monde en a fait encore moins. Sur les quelque 2 000 établissements d'enseignement supérieur que comptent les Etats-Unis, pas un seul n'offre de cours sur la révolution culturelle provoquée par l'automobile. Oublie-t-on que les bouleversements mondiaux qui se sont produits depuis cinquante ans ont été facilités par l'automobile ?

Il est par conséquent dommage que le présent ouvrage n'ait pas été entrepris sur des bases plus larges, avec une idée directrice plus audacieuse. C'était bien pourtant, au départ, notre intention. Mais, tandis que nos recherches prenaient forme, il devint rapidement évident que nous ne pourrions faire autre chose que de préparer le terrain. Même un tel espoir peut paraître déraisonnable ou présomptueux.

Au moment même où nous écrivons cet Avant-Propos, les Etats-Unis viennent de lancer trois hommes autour de la Lune, préparant ainsi, mais sans encore le réaliser, le rêve splendide conçu par Jules Verne voici un siècle ; l'U.R.S.S. vient d'envoyer un véhicule vers la lointaine Vénus.

Arrêtons-nous un instant et savourons la superbe ironie de tels efforts dans un monde où le premier Etat que nous avons cité n'a pas encore entamé la solution du problème des transports urbains, tandis que le second n'a pas encore appris à fabriquer suffisamment d'automobiles pour avoir un problème de transports ! Il semble à l'auteur de ces lignes que la France, elle, possède un net avantage sur les Etats-Unis en ce qui concerne les transports, mais le précédent établi dans l'affaire Bonnemain paraît indiquer un esprit d'imitation aveugle de l'étranger de bien mauvais augure.

La plupart des traitements synoptiques de l'histoire introduisent le cheval comme facteur important du renversement des dynasties égyptiennes hautement civilisées entre 1600 et 1200 avant Jésus-Christ, et des dislocations concomitantes au Moyen-Orient. Les historiens de l'avenir attribueront sans nul doute une signification similaire à la prolifération des automobiles après 1900.

Considérant l'ensemble de ces facteurs avec attention, il a semblé plus sage de regarder le travail que nous présentons comme les préparatifs d'un voyage en territoire inconnu. De même que l'explorateur fait souvent une sortie préliminaire en pays inexploré et en revient avec une esquisse de carte pour guider ses explorations futures, de même nous n'avons guère fait plus, ici, que de dessiner un brouillon de carte. Il est dans nos intentions de continuer sur cette voie, mais si nous ne pouvons mener cette tâche à bout, il faut espérer que la carte servira à de futurs explorateurs.

INTRODUCTION

Le mot *automobile* est un mot français. Les Anglais, avec leur esprit insulaire, s'accrochent au mot *motor car*, mais le mot automobile est dans leur lexique et n'est plus considéré comme étranger. Les Italiens énoncent six syllabes pour la même orthographe, et le mot est reconnaissable en néerlandais en dépit de l'inversion des deux dernières lettres : *automobiel*. Les Allemands, après une courte rébellion qui tenta d'imposer *selbstfahrer* ou encore *motorwagen*, se fixèrent sur *automobil*, sans *e*; les Espagnols et les Portugais acclimatèrent le *b* en *v*, ce qui donne *automovil* dans la péninsule Ibérique et en Amérique du Sud. Même les Américains renoncèrent vite à *horseless carriage*, et pratiquement le monde entier, du moins celui qui roule sur route, en vint à utiliser le mot français. Bien des mots français servent à désigner des pièces mécaniques; *carburateur*, *châssis* suffiront à illustrer les mots que l'anglais a empruntés, et l'emploi allemand du mot *volant* est significatif. Cet aspect mériterait une étude détaillée, qui n'entre pas dans le cadre de la nôtre.

Le plus grave problème qu'affronte le chercheur dans le domaine automobile est peut-être que tout le monde sait ou croit savoir ce qu'est une automobile : une connaissance vague ou superficielle est confondue avec la science, ce qui donne souvent une fausse science. On pense que, parce que l'on connaît une automobile, on les connaît toutes. Cette supposition semble avoir empêché une étude sérieuse de l'automobilisme. Quelques Congrès scientifiques furent tenus au début du siècle en Europe, et l'esprit qui les habitait était français. Nous y reviendrons.

Dans toute étude de l'automobile, il est difficile de passer sous silence les colossales *corporations* établies aux alentours du lac Michigan, et qui sont aujourd'hui à l'apogée de leur gloire. Mais nous verrons qu'il y eut des époques où leurs fondements n'étaient pas encore aussi fermement établis. De nos jours encore, l'exemple du livre d'un avocat inconnu, Ralph Nader, *Ces voitures qui tuent*[1],

1. Flammarion, 1966.

où il attaquait la General Motors, qui perdit en quelques semaines un tiers de sa valeur en bourse, mérite d'être médité.

L'empire de l'automobile américaine commença pendant le grand bond en avant industriel qui précéda la grande dépression de 1929. Un des signes avant-coureurs fut le renversement de Henry Ford par une marque qui portait un nom français : Chevrolet. En 1939, les grandes industries automobiles rénovées lancèrent une vaste croisade pour obtenir des autoroutes de longue distance : le slogan était « Bigger and Better Highways » (Les routes plus larges, et meilleures). Jusqu'à ces dernières années, le jeu semblait avoir été gagné, mais cette entreprise, la plus grosse affaire commerciale de tous les temps, montre depuis quelque temps des symptômes alarmants; il se peut qu'elle ait semé les graines de sa propre destruction. Ceci n'entre pas dans le cadre de notre étude, sauf que le virus n'a pas encore complètement infesté l'Europe. Réduite à une impossible brièveté, la publicité ne dit au public que ce qu'elle veut (ou, plutôt, que ce qu'elle offre) et quand une voix s'élève pour critiquer, la réponse est : « Nous ne donnons au public que ce qu'il demande. »

La pétition de principe de la publicité, c'est que les gens ont besoin de variété, d'une variété « banale », afin de stimuler l'esprit d'acquisition. Voici dix ans, des ingénieurs (des constructeurs, non pas les Pouvoirs publics) décidèrent que la largeur minimum d'une voie d'autoroute devait être fixée à 5 mètres, afin de permettre à la direction très molle des voitures américaines, que le public avait été incité à aimer, de « dériver » tant soit peu. Le résultat final a été la destruction totale des structures culturelles des grandes villes, mangées par les autoroutes, la dislocation des industries établies dans les villes à cause de problèmes de « parking », et la condamnation des meilleurs terrains de la côte est des Etats-Unis au profit d'autoroutes qui deviennent, non pas les refuges sûrs que l'on avait escomptés, mais des pièges meurtriers à cause de la prolifération de super-camions géants qu'elles ont provoquée; sans compter la répercussion sur les chemins de fer. Le coût de tout ceci menace d'entraver d'autres activités gouvernementales valables. C'est le côté catastrophique de l'évolution automobile aux Etats-Unis, mentionné ici à cause d'une tendance reconnue en Europe à considérer les solutions américaines comme des modèles d'étude, tendance encouragée, il est vrai, par les prétentions des « experts » de la circulation.

Le présent ouvrage ne prétend pas apporter de solution à de tels problèmes; il veut avertir le lecteur de ce qui s'est produit dans le passé, avec parfois un bref regard en avant, vers le présent.

Dans l'Europe d'après guerre, on a beaucoup parlé de rationalisation de l'industrie, et notamment en France où il s'agissait de garder des marchés pour la production française. Pourtant, au pessimiste qui redoute avant tout la menace américaine, nous offrons l'anecdote suivante, qui a le mérite d'être assez peu connue. Un très, très grand constructeur américain a donné à 900 ingénieurs la mission de dessiner et de construire une voiture à traction avant; il a fallu sept ans pour que la voiture sorte (et encore avec un très gros défaut de freinage à l'arrière); un fabricant britannique (ç'aurait aussi bien pu être un fabricant français, il fabriquait des petites voitures de sport, et n'était pas une grosse firme) avec, lui, une équipe de six ingénieurs fut chargé de créer une voiture entièrement nouvelle (à la suite d'un changement dans une formule de course); il lui fallut quatorze semaines.

Si nous apportons un message ici, c'est pour dire et répéter que l'automobile est un moyen de transport et que le pays qui en fait un symbole social, qui substitue toutes sortes de pacotilles à de la mécanique véritable, ce pays, tôt ou tard, le regrettera amèrement.

PREMIÈRE PARTIE

APERÇU HISTORIQUE

Chapitre Premier

ORIENTATION

La première contribution française à l'automobilisme mondial fut, *res ipsae*, une automobile.

Pour être plus précis, il s'agissait en l'occurrence de la première automobile dont l'existence fut attestée par le double témoignage de documents contemporains à l'époque de sa conception (alors que, dans d'autres cas, des documents postérieurs se rapportent à une période antérieure), et de l'objet lui-même. La création de ce véritable véhicule automobile[1], capable de se mouvoir par terre et de transporter passagers et fret, est due au génie de Nicolas-Joseph Cugnot, né à Void en Lorraine, aujourd'hui département de la Meuse. Il naquit le 26 février 1725, et semble avoir fait toute sa carrière dans l'armée; on le trouve d'abord au service de l'empereur d'Allemagne; il passe ensuite à celui de l'impératrice Marie-Thérèse d'Autriche; on le retrouve à Bruxelles où il fabrique un modèle ou un prototype de son véhicule à vapeur; il s'établit à Paris à l'âge de quarante ans environ.

L'expression « par terre » que nous venons d'employer est suggérée par la réussite d'une expérience de locomotion similaire, mais « par eau » cette fois, réalisée par Denis Papin en 1707, et dont nous parlerons plus loin.

Sans automobile il n'y aurait pas d'automobilisme, et Cugnot a donc bien fourni la première pierre de l'édifice. Sa contribution constitue la première réalisation tangible des projets de Ramsey, de Wildegosse, de Savery, de Verbiest, de Papin, et de tant d'autres dont Papin seul avait fait un véhicule porteur d'homme.

De ce qui fut semé en 1770, nous récoltons aujourd'hui l'étonnante moisson; non point dans les granges, mais dans les rues des moindres villages. Les champs cèdent le terrain aux noirs

1. Le fardier de Cugnot, construit en 1770-1771, est censé être la seconde machine construite grandeur nature.

rubans des autoroutes; il aura fallu deux cents ans pour que mûrisse cette moisson. Les problèmes qui l'accompagnent ne sont pas près d'être résolus : il suffira de mentionner le fait que les pays les plus industrialisés s'effondreraient rapidement sans le support du secteur automobile de l'économie, y compris les impôts prélevés sur les automobilistes.

En d'autres termes, les effets de l'automobile ont partout pénétré la vie quotidienne, socialement et économiquement. L'étude des contributions françaises dans le domaine de l'automobile devient donc inévitablement l'étude de l'homme contemporain et de tout ce que les Français ont fait pour lui dans ce domaine depuis deux cents ans. L'automobile est plus que toute autre chose un outil ou une arme (ce que les anthropologistes nomment un « artifact »). On pourrait avancer que l'automobile est l'artifact le plus largement répandu chez l'homme moderne dans le monde libre, et qu'hommes, peuple, nations peuvent se connaître mieux d'une telle étude. Ce sont les contributions françaises dans cette vaste arène qui seront l'objet de notre analyse.

L'histoire de l'automobile a déjà été écrite plusieurs fois en français aussi bien qu'en anglais[1]. Il existe des ouvrages assez complets en danois, en suédois, et en tchèque, dont l'exactitude est généralement d'un haut niveau. Une tentative monumentale fut faite en Italie, le premier volume ayant paru en 1938, mais fut interrompue par la guerre, et ne sera apparemment pas reprise.

L'absence d'une histoire générale des automobiles en langue allemande jusqu'en 1952 n'est pas sans signification. Des biographies de Benz et de Daimler ont paru de temps à autre, et il existe une autobiographie de Horch, mais si l'on prend l'exemple d'Opel, il n'y a rien sur son activité automobile : Fritz Opel est mentionné rapidement à propos de ses travaux sur les fusées en 1929.

L'ambitieuse *Histoire de la locomotion terrestre*, qui utilise abondamment la gravure et la couleur, fait montre d'une opulence qui ne sera peut-être jamais égalée. Et pourtant, de même que les reproductions de *L'Illustration* furent utilisées de nouveau dans les sections de l'histoire signées de Charles Dollfus *(La locomotion mécanique sur route)* et de Baudry de Saunier *(L'Automobile)*, de même les illustrations du magazine américain *Automobile Quarterly* serviront peut-être dans une autre histoire.

Les premières années du développement de l'automobile en France virent paraître un déluge d'histoires de l'automobile. Malheureusement, les erreurs que celles-ci contenaient ont été

1. La liste des ouvrages est donnée en fin de chapitre.

reprises par la suite. Ces erreurs ont maintenant acquis l'autorité de la chose imprimée et malheur à celui qui bouscule les documents anciens!

Au XIXe siècle, le plus scrupuleux des historiens du développement du véhicule terrestre, Rhys Jenkins, rappelle l'histoire de la première de ces erreurs communes, la mythique voiture à vapeur d'Isaac Newton, qui prit naissance comme embellissement de chapitre dans le livre de Thurston, l'une des plus populaires histoires de la vapeur, simple croquis esquissé à la suite d'une idée avancée par le savant anglais — projet jamais passé au stade de la réalisation. L'erreur est apparue depuis chez Grand-Carteret, Lavergne, et même Souvestre, et dans nombre d'ouvrages plus récents, toujours sous couleur de vérité. L'erreur ne devrait pas être attribuée à Thurston, toutefois, mais aux nombreux auteurs qui ont reproduit la gravure sans dire qu'il ne s'agissait que d'un projet et non d'une construction réelle.

Il existe bien d'autres exemples similaires de distorsion. L'un des meilleurs est la reproduction que donne Grand-Carteret du chariot d'Augsbourg de 1760 qui, selon lui, était propulsé à la vapeur bien que la légende placée sous la gravure indique clairement qu'il s'agissait d'une propulsion par pédales! Il y a de singulières omissions qui donnent naissance à de fausses impressions : nous y reviendrons plus tard.

Des ouvrages plus récents trahissent l'absence de toute recherche originale sur la période des pionniers. C'est-à-dire qu'il s'agit d'une simple répétition de récits antérieurs tendant à donner l'illusion de la continuité et à supprimer, comme du bois mort, les contributions d'individus ou de firmes n'ayant aucune relation avec les compagnies et les institutions qui ont survécu.

On ne trouvera pas ici une critique approfondie de tels livres, puisque ceci n'est aucunement notre tâche, mais tous les exemples d'erreur parvenus à notre connaissance seront rapportés à des fins d'identification. Lorsque des omissions auront déformé la valeur des contributions françaises, nous tenterons de rétablir l'équilibre, non point par une omission équivalente, mais par une analyse des effets de la précédente omission.

Il est un autre facteur dont il nous faut tenir compte : celui qui découle du niveau de la technique au moment où le récit est écrit : lorsqu'il est impossible à des contemporains, à défaut de dons prophétiques, de reconnaître la vraie valeur d'une découverte. Plusieurs des meilleures histoires écrites à la Belle Epoque mentionnent, par exemple, l'œuvre de Galy-Cazalat dans leurs chapitres rétrospectifs, mais aucune ne le crédite de l'invention de la direction assistée, bien que son brevet d'invention en apporte la preuve, parce qu'en 1900 la direction assistée n'était pas en pratique; elle était même inconnue, incompréhensible et par conséquent passée sous silence comme sans importance. Le concept était pourtant très clair, semble-t-il, dans l'esprit de Galy-Cazalat, puisqu'il fut l'un des premiers à saisir le sens de la tentative de Cugnot, et il est raisonnable de penser qu'il a pu mettre à profit l'histoire selon laquelle Cugnot abattit un mur avec son fardier parce que celui-ci était trop dur à manœuvrer. L'inclusion de la direction assistée sur l'encombrant véhicule témoigne, de la part de Galy-Cazalat, d'un remarquable don d'anticipation d'une pratique récente. On s'étonne que les auteurs d'une récente histoire complète de l'automobile — Rousseau et Iatca —, pour qui la direction assistée est chose familière, n'aient pas saisi l'occasion de créditer le pionnier français, au lieu d'offrir les opinions superflues de quelques pionniers d'autres nationalités.

Cugnot et son chariot enfoncèrent-ils vraiment un mur? Nous aborderons plus loin ce problème mais le premier article rétrospectif sur l'automobile à paraître dans la presse allemande populaire était accompagné d'une illustration de l'incident, tirée des *Merveilles de la science* de Figuier.

De façon ininterrompue, les influences ont traversé librement les frontières et changé les pratiques de l'automobilisme dans différentes contrées. L'ouvrage que nous présentons essayera de retracer quelques-unes des influences françaises, quelques-unes des idées qui ont affecté l'automobile en France et dans le monde. Pour cela, il nous faudra faire appel à l'histoire, et à l'histoire comparée; dans le cours du récit, deux phénomènes, qui sont la plaie de l'historien du développement technique, ne pourront être négligés :

1. L'invention simultanée, qui se produit lorsque des inventeurs arrivent au même résultat indépendamment et concomitamment.
2. La réinvention, lorsque l'inventeur arrive à la même solution sans être au fait d'une réalisation préalable.

L'invention simultanée est bien plus courante qu'on ne le croirait. Dans le cas particulier de l'automobile, on peut remonter jusqu'à Cugnot. Un ingénieur suisse, du nom de Planta, avait dessiné un chariot à vapeur, qu'il soumit aux experts de l'armée française; ceux-ci lui révélèrent alors le projet de Cugnot auquel on mettait la dernière main. Avec une modestie rare, il concéda la supériorité du modèle de Cugnot et retira son projet.

La réinvention est un phénomène plus délicat à évaluer, car les éléments nécessaires pour distinguer entre la réinvention authentique et la copie ou la piraterie pure et simple manquent fréquemment. Il est deux ou trois exemples majeurs dont nous nous occuperons plus bas, dans lesquels existent tant d'avenues inexplorées et tant de curieuses coïncidences qu'il a paru préférable de se contenter de relater les facteurs connus sans tirer de conclusions.

Autre source de confusion : l'impossibilité d'obtenir un brevet d'invention, qui peut prendre diverses formes. Les autorités peuvent être si retardataires qu'elles se révèlent incapables de saisir l'idée. Tel fut le sort du brillant Evans : alors que son Etat, le Delaware, lui avait accordé un brevet pour des voitures à vapeur en 1787, l'Etat voisin, et plus industrialisé, de Pennsylvanie refusa d'en faire autant, en prétendant de façon gratuite que l'idée était imbécile et sans aucune valeur pratique. La complexité de la loi, véritable mystère pour l'homme, peut conduire à croire qu'une idée ne peut être brevetée. Un exemple célèbre, dans les annales de l'automobile : l'impossibilité, de la part d'expérimentateurs français, de faire breveter un véhicule complet, ce qui les laissait la proie des prétentions de Selden.

Une des particularités du type d'homme inventif qui mérite d'être considérée se prête à la généralisation : il s'agit d'une sorte de rejet psychologique des solutions précédentes, que l'on pourrait qualifier à grands traits de complexe de supériorité, en ne donnant pas à ce terme sa signification clinique. Bien des auteurs ont pris une disparité superficielle entre deux véhicules, par exemple, pour preuve d'un manque d'influence total d'un constructeur sur l'autre. Ce qui est relativement fréquent lorsqu'un écrivain fait une étude approfondie d'un modèle particulier et cède à la sentimentalité. Une affirmation aussi dangereuse, toutefois, ne devait être faite qu'avec les plus extrêmes précautions, à moins de tomber dans la publicité pure et simple. Certains exemples importants seront cités, mais les autres apparaîtront au fur et à mesure du développement historique.

La réaction psychologique dont nous venons de parler équivaut à une sorte de protestation que l'on pourrait exprimer ainsi : « Je peux faire mieux. » Cette attitude rend l'identification de la source des idées fort difficile, sinon impossible. Marius Berliet fut l'un des rares pionniers à admettre qu'il connaissait l'œuvre des autres. D'après une brochure récemment publiée par la firme qui porte son nom, il avait lu tout ce qui lui tombait sous la main sur le sujet, et notamment les articles publiés dans la revue *La*

Nature entre 1880 et 1900. Henry Ford a admis avoir été fortement influencé dans son enfance par la vue d'un tracteur à vapeur qui passait devant la ferme de son père : d'autre part, il a illustré aussi l'attitude contraire dans sa critique de la voiture vue par lui chez R. H. Macy & Co. à New York, appelée soit Macy, Roger ou American Roger (bien que fabriquée à Paris par Roger, type Benz), et qu'il jugeait bien trop lourde. Beaucoup de gens ont oublié que Henry Ford n'était que l'employé de la « Detroit Automobile Company »; mais ses responsabilités étaient sans doute importantes, et il a pu essayer d'impressionner ses patrons par ses connaissances.

Benz renverse les éléments dans cette sorte d'analyse d'influences *a posteriori* lorsqu'il ne fait que citer le passage où Ford admet avoir vu une des premières Benz. La simplification dont use Benz, en négligeant le fait qu'il s'agissait d'une automobile construite sous licence par Roger, est un bon exemple des précautions à prendre lorsqu'on aborde l'histoire de l'automobile racontée par ses grands acteurs.

Les hommes de science modernes essayent de mettre à profit cette tendance égocentrique, et la nomment parfois interstimulation. Dans le cas de l'automobile (nous excluons ici les pratiques actuelles des corporations géantes), et particulièrement à l'époque héroïque où les développements les plus importants et les plus radicaux intervinrent, les dessinateurs et les constructeurs se mêlaient librement dans les courses et les expositions, examinant l'ouvrage de leurs confrères en mouvement et à l'arrêt.

Chaque véhicule était rempli d'exemples de choses à ne pas faire aussi bien que d'authentiques éléments de progrès : l'évolution était plutôt chaotique. Mais il y eut une période, entre 1891 et 1901, où le processus s'accéléra considérablement, et presque tout ce qui forme la base de l'art de nos jours était présent sous une forme primitive. L'anonymat est le lot de l'industrie automobile actuelle — à quelques exceptions près. On peut juger disproportionnée la place accordée aux résultats de l'industrie à son stade embryonnaire, mais c'est alors que son caractère s'est formé, c'est alors que son individualité s'est dégagée, et nous pouvons y gagner une meilleure appréciation des contributions françaises.

Certains secrets dorment sans doute dans les tiroirs des archives de brevets : leur sort est probablement l'oubli. Des milliers de constructeurs (on admet plus de 7 000 marques commercialisées) ont disparu et leurs archives sont perdues, et cela est déplorable. Norbye prétend que certaines lettres de Levassor à Daimler et à d'autres ont survécu, mais je n'ai pu les consulter.

L'aspect juridique des inventions a peu de place dans cette étude. L'existence d'un brevet n'est pas en soi la preuve d'une quelconque influence sur une construction subséquente. La réinvention est fréquente. Bien des brevets ont été établis dans le but de tourner un brevet existant. Quantité de brevets de cette sorte sont en fait rétrogrades. Par exemple, on peut citer la déclaration d'Uhlenhaut (chef-ingénieur du département des voitures-courses de Mercédès-Benz, 1937-1940), selon laquelle on n'envisagerait pas de se servir du système de suspension avant à bras baladeur parce que cela était le domaine d'Auto-Union.

Nous sommes renforcés dans notre décision d'éviter le labyrinthe juridique par cette remarque de Tresca, déclarant dans son compte rendu sur les machines à gaz combustibles, « qu'il ne saurait en aucune façon nous convenir de nous hasarder dans des questions de droit privatif, toujours si délicates ». La loi française sur les brevets, en exigeant l'exploitation pour la validité, a sans nul doute libéré les constructeurs français des effets paralysants utilisés par Watt, par exemple, lorsqu'il fit breveter un chariot à vapeur avec le projet avoué *d'empêcher les autres de perdre leur temps en niaiseries*, selon ses termes; action indigne d'un homme de son talent et de sa réputation.

La loi allemande sur les brevets s'élaborait à peine pendant la période critique du développement du moteur à explosion, et n'a pas pu établir de preuves d'antériorité.

Les livres signalés dans ce chapitre
sont donnés ici, pour la convenance du lecteur, dans l'ordre de leur mention

Pierre SOUVESTRE, *Histoire de l'automobile*, Paris, 1907.
Herbert Osbaldeston DUNCAN, *World on Wheels*, a., Paris, 1939.
F. SCHMITTO, *Automobilets Historie*, Copenhague, 1938.
John NEREN, *Automobilets Historia*, Stockholm, 1937.
V. HEINZ et Vaclav KLEMENT, *Z Dejin Automobilu*, Prague, 1931.
Giovanni CANESTRINI, *L'automobile*, Rome, 1938.
Gerhard SCHULS-WITTHUN, *Von Archimedes bis Mercedes*, Francfort, 1952.
Carl BENZ, *Lebensfahrt eines deutschen Erfinders*, Leipzig, 1925.
Fritz NALLINGER, Gottlieb Daimler und Karl Benz, dans *Die Grossen Deutschen*, vol. 5, Berlin, 1956-1957.
Auguste HORCH, *Ich Baute Autos*, Berlin, 1937.
Heinz GARTMANN, *Traümer, Forscher, Konstrukteure*, Düsseldorf, 1955.
Charles DOLLFUS, « La locomotion mécanique » (Ve partie).
L. BAUDRY DE SAUNIER, « L'automobile » (VIe partie), tous les deux dans *L'histoire de la locomotion terrestre*, Paris, éd. St. Georges, 1949; orig. éd. *L'Illustration*, Paris, 1935.
Rhys JENKINS, *Power Locomotion on the Highways*, Londres, 1896.
Robert H. THURSTON, *Growth of the Steam Engine*, New York, 1878.
John GRAND-CARTERET, *La voiture de demain*, Paris, 1898.
Gérard LAVERGNE, *L'automobile*, Paris, 1900.
Jacques ROUSSEAU et Michel IATCA, *Histoire mondiale de l'automobile*, Paris, 1958.
Die Umschau, 10 sept. 1898 : « Automobilwagen » von Freyer.
Greville et Dorothy BATHE, *Oliver Evans, a Chronicle of Early American Engineering*, Philadelphie, 1935.
Henry FORD (Samuel Crowther), *My Life and Work*, Garden City, 1922.
Jan NORBYE, Panhard et Levassor, Limelight to Twilight, *Automobile Quarterly*, vol. 6, no 2, automne 1967.
B.I.O.S., Report no 21, *Motor Car Industry in Germany*, 1939-1945.

CHAPITRE II

LES PRÉCURSEURS

Etant donné que les premières automobiles utilisèrent la vapeur, il serait injuste, au début de cette étude, de ne pas évoquer deux Français de génie qui, quoique largement séparés dans le temps, ont les premiers dévoilé les mystères de la vapeur et l'ont domestiquée, ne s'attirant que la haine de leurs contemporains et l'oubli des générations suivantes. Le premier fut Gerbert, qui devint pape sous le nom de Sylvestre II, et le second, Denis Papin.

GERBERT

Gerbert d'Aurillac semble bien avoir réussi le premier à utiliser l'énergie de la vapeur pour remplacer la force motrice animale ou le labeur humain. Avant lui, la vapeur avait servi à effrayer les superstitieux dans les temples païens, ou à actionner un tournebroche. Vers la fin du xe siècle, il réussit à utiliser l'énergie de la vapeur pour actionner un grand orgue d'église. Les détails manquent, mais Vincent de Beauvais[1] et William of Malmesbury[2] s'accordent tous deux pour indiquer qu'une réaction violente de l'eau chauffée est la source de la force. La correspondance publiée de Gerbert[3,4] contient plusieurs références aux orgues. Par comparaison, et pour l'énergie requise, on dit[5] que 70 hommes étaient

1. Vincent de BEAUVAIS, *Spec. Hist. Vincentij.* Liber vigesimusquartus, chap. 98 (année 997 : règne d'Otton III).

2. J.-P. MIGNE, *Patrologiae, cursus completus*, t. 179, Paris, 1855, col. 1140, § 168, 276 : William of Malmesbury : Willelmi Malmesburiensis Monachi, *Gesta Regum Anglorum*, Lib. II.

3. Harriet PRATT LATTIN, *The Letters of Gerbert with his Papal Privileges*, translated with introduction by H. P. LATTIN, Columbia U. Press, 1961. Voir lettres 77, 102, 105 et 171.

4. J. HAVET, *Les lettres de Gerbert (983-997)*, Paris, 1889. Voir lettres 70, 91, 92 et 163.

5. Edouard FOURNIER, *Le Vieux-Neuf*, p. 42, cite une note de M. FÉTIS qui se trouve dans la traduction du livre de STAFFORD, *Histoire de la musique*, traduction faite par Mlle FÉTIS.

ordinairement nécessaires pour actionner les soufflets du grand orgue de la cathédrale de Winchester. On peut en conclure que la puissance de la machine de Gerbert était considérable. Il y eut, de son temps, des rumeurs de sorcellerie et de magie noire, mais les lettres mentionnées plus haut montrent qu'il confiait à ses aides le soin de propager les détails techniques de l'orgue; et aussi que certaines difficultés politiques avaient surgi au sujet du transport des instruments en question en dehors du monastère de Bobbio, dont il était abbé titulaire. Il se peut que certaines preuves aient été détruites, particulièrement pendant les périodes d'obscurantisme, mais il est aussi possible qu'elles aient été soigneusement cachées à des fins de protection et qu'elles soient révélées quelque jour. Les 700 pages de la vie de Gerbert par le duc de La Salle de Rochemaure[1] n'y font étrangement aucune allusion, et les remarques désobligeantes d'Arago[2] n'ajoutent rien à nos connaissances, mais il faut espérer que les recherches déterreront un manuscrit du Ier millénaire et arracheront Sylvestre II à sa respectable obscurité.

Papin

Papin, célèbre pour sa marmite, personnage tragique et malchanceux, inventa la machine à vapeur ou plus précisément au moins deux types de machines à vapeur capables de fonctionner; ses malheureuses pérégrinations le privèrent de la reconnaissance due à ces inventions. Il inventa aussi la soupape de sécurité, sans laquelle la chaudière devient meurtrière. Même Watt, qu'on a tant vanté, œuvrant sur des machines à basse pression dont le principe devait être vite abandonné, n'aurait pu domestiquer la vapeur sans la soupape de Papin : et les systèmes à haute pression inventés par Papin et réinventés par Evans et Trevithick auraient été impossibles. La vapeur est devenue si discrète dans la vie moderne que l'on ne peut évaluer le rôle de Papin sans rappeler que la révolution industrielle fut propulsée par la vapeur, que le rapide développement ferroviaire a dépendu de la machine à vapeur et que, dans la plupart des cas, lorsque l'homme moderne

1. De La Salle de Rochemaure, *Gerbert Sylvestre II*, Rome, 1914.
2. *Mémoires de l'Académie des Sciences*, Paris, t. XVII, p. clxxxviij : « Eloge de James Watt », par Arago, Il mentionne l'orgue à vapeur de Gerbert, en termes peu flatteurs. Son opinion est évidemment une pure spéculation, sans preuves, et pourtant péjorative. Arago attaquera à nouveau les inventeurs et les mécaniciens français, comme nous le montrerons plus loin. Nous examinerons aussi certaine adulation nconsidérée de Watt de la part de Français.

allume l'électricité chez lui ou dans son bureau, il y a un générateur de vapeur à haute pression à l'autre bout du fil, même dans les usines atomiques ultra-modernes. Il est vraiment ironique que l'unité d'énergie électrique honore Watt, l'ennemi de la machine à vapeur à haute pression, et non Papin, qui fut le premier à juguler la vapeur à des fins mécaniques. (Puisque Watt fut le premier à déterminer quantitativement ce que l'on appelle maintenant le « cheval-vapeur », on aurait pu plus justement lui décerner cette récompense de nomenclature.)

Rhys Jenkins[1], l'éminent ingénieur qui a suivi les progrès de la locomotion à vapeur sur route pendant tant d'années, est peut-être le premier parmi une poignée d'écrivains à avoir reconnu l'antériorité de Papin en ce qui concerne l'expérimentation et la construction d'un véhicule à moteur :

« Papin, à Cassel, construisit un modèle réduit de chariot à vapeur, le premier à être équipé d'un moteur à piston et à cylindre, fait mentionné dans une lettre à Leibnitz, datée de juillet 1698. »

Le baron Ernouf, dans sa biographie de Papin, cite correctement les parties saillantes de cette lettre, si bien que les auteurs qui ont déprécié Papin lors de cette première vague d'histoires de l'automobile à la fin du XIXe siècle, sont privés de l'excuse que Jenkins a pu avoir accès à des documents du « British Museum », de la « Royal Society », ou d'autres sources anglaises qui leur étaient fermées.

La lettre paraît *in extenso* dans l'ouvrage de Gerland[2] et il nous semble que, pour se faire une opinion, il faut citer au moins la phrase complète dont Dollfus et les autres ont tiré ce qu'ils voulaient. Voici le récit, par Papin, de ses récentes aventures dans le domaine de la vapeur :

« La maniere dont J'emploie à present le feu pour elever l'eau est tousjours sur le Principe de la rarefaction de l'eau. Seulement Je le fais à present d'une maniere bien plus facile a bien executer que celle que J'ay publiée : et deplus, outre la suction dont Je me servoit, J'emploie aussi la force de la pression que l'eau exerce sur les autres corps en se dilatant, dont les effets ne sont pas borné comme sont ceux de la suction : ainsi Je suis persuadé que cette invention si on la pousse comme il faut, pourra produire des utilitez tres considerables : mais on n'a pas encor fait de grands progrés : car quoy que Monseigneur ayt paru fort satisfait de tout ce que J'ay fait sur cela, Je ne sçay par quelle raison S.A.S. ne m'a pas fait l'honneur de m'emploier dans le desseing qu'elle a eu de faire monter l'eau de la Fulde sur une des

1. *Op. cit. supra*, I, p. 20.

2. Ernst GERLAND, *Leibnizens und Huygens Briefwechsel mit Papin*, Lettre 72, Berlin, 1881.

tours du chateau : et cependant Je crois pouvoir dire, sans vanité, que ce que l'on fait est peu de chause en comparaison de ce que J'aurois pu faire. Pour moy, comme Je crois, qu'on peut emploier cette invention à bien d'autres choses qu'à lever de l'eau, J'ay fait un petit modele d'un chariot qui avance par cette force : et il fait, dans mon poele, l'effect que J'en avois attendu : mais Je crois que l'inegalité et les detours des grands chemins rendrons cette invention tres difficile à perfectionner pour les voitures par terre ; mais pour les voitures par eau Je me flatterois d'en venir à bout assez promptement si J'avois plus de secours que Je n'en ay : et J'ay quelque lieu d'esperer qu'avec le temps S.A.S. se resoudra de m'assister plus efficacement qu'elle n'a fait jusques icy. » (Lettre de Papin à Leibnitz, 25 v. s. juillet 1698.)

La citation choisie reproduit la dernière phrase jusqu'à « voitures par terre ». Mais la suppression de la référence à l'espoir qu'avait Papin (espoir réalisé, notons-le) de construire un bateau à vapeur devait lui nuire.

Papin était encore plus méfiant que la moyenne des inventeurs, ce qui n'est pas peu dire. On doit donc considérer sa lettre comme un cryptogramme. Voici des clefs :

« Rarefaction de l'eau » signifie vapeur; « maniere bien plus facile a bien executer » deviendra clair lorsqu'on a établi ce qu'elle n'est pas, et ce n'est pas « celle que J'ay publiée » qui était la machine atmosphérique.

« En se dilatant » signifie que Papin utilise le principe de la dilatation de la vapeur : ceci s'accorde bien avec son affirmation antérieure, selon laquelle il avait abandonné le principe atmosphérique, et est encore confirmé par la phrase suivante : « les effets ne sont pas borné comme sont ceux de la suction », car la succion dépend de la pression atmosphérique, et la raison pour laquelle l'eau ne peut être élevée à plus de 10 mètres de haut par la succion est que le poids d'une colonne d'eau de cette hauteur est à peu près égal à la pression atmosphérique par unité de superficie.

L'expression « dans mon poele » n'ajoute rien à notre connaissance du véhicule de Papin, mais indique inévitablement qu'il s'agit d'un modèle destiné à démontrer une théorie, comme il est d'usage dans tous les laboratoires de physique. Sa dissertation de 1690 révèle une disposition semblable, puisque le feu était appliqué directement au cylindre et ôté lorsque la vapeur avait été produite. Il est aussi possible que la chaleur du poêle ait agi directement sur un ou plusieurs cylindres de son chariot, mais neuf ans plus tard Papin réussit à se transporter, lui, sa famille et ses biens de Cassel à Münden en appliquant le principe découvert avec son petit chariot. C'est pour cette raison que Dollfus, en terminant sa citation de la lettre par les mots « voitures par terre », porte singulièrement préjudice au sens même de cette lettre en laissant son lecteur sur l'impression que rien n'a résulté de cette petite expérience. Deux cents ans après Papin, Daimler devait convertir ses véhicules routiers en bateaux et faire des expériences sur ces derniers, tandis qu'il continuait à chercher des solutions aux problèmes de transmission et de direction.

Pour replacer l'invention de Papin dans sa lumière propre, il est nécessaire d'étudier le développement du bateau entrepris peu après. Et pourtant, dix ans s'écoulèrent avant qu'il puisse être lancé ou essayé, non par une faute de conception, mais parce que Papin se trouvait obligé de fournir à son protecteur, l'Electeur de Hesse-Cassel, toutes sortes de constructions commandées par ce dernier. Mais, en septembre 1707, il s'embarqua à bord du petit bateau avec sa famille et quelques biens, avec l'intention de passer en Hollande, puis en Angleterre, où il espérait s'établir comme chargé d'expériences à la « Royal Academy ».

Reprenant notre enquête négative sur le problème de savoir ce que n'était pas la machine de Papin, nous voyons que dans sa lettre du 6 mars 1704 à Leibnitz où il décrit avec enthousiasme sa pompe balistique, il s'exprime ainsi[1] :

« un tuyau ou pompe de laiton de 7 pouces de diamètre et d'un pied d'haut qui pèse environ 5 ou 6 livres en y joignant même le piston »

et la semaine suivante, lorsqu'il introduit un nouvel élément[2] :

« J'avois grande envie de pousser la chose plus loin et on faisait un fourneau pour chauffer plus efficacement le vaisseau qui fournissait les vapeurs... »

Leibnitz était peu enthousiaste à l'idée de pompe balistique, ce à quoi Papin répliquait en expliquant son but dans la lettre du 20 mars 1704[3] :

« ... car ce n'est que par le moiens de ces sortes de pompes[4] que je pretens appliquer la force du feu à facilliter les voitures tant par terre que par eau... de pouvoir en moins d'une minute élever à 4 ou 5 pieds de haut... 20 ou 30 mille livres... et de pouvoir promptement et facilement reiterer de telles operations... Or j'ay dejà ajusté dans ma tête toutes les pièces nécessaires pour cela et il n'y a rien qui ne soit assez simple et de bon service... ».

Si ces pièces sont assemblées avec ce qu'il est raisonnable de penser qu'il avait retenu des inventions décrites en 1690, la machine

1. GERLAND, *op. cit.*, Lettre 103, 6 mars 1704, pp. 281-284.
2. ID., *ibid.*, Lettre 104, 13 mars 1704, pp. 284-287.
3. ID., *ibid.*, Lettre 106, 20 mars 1704, pp. 289-291.
4. *Pompes* se rapporte ici spécifiquement aux pompes balistiques.

aurait un moteur à quatre cylindres, 7 pouces d'alésage, 12 pouces de course, et la rotation serait assurée soit par rochet, soit par vilebrequin[1].

Une nouvelle preuve surgit un an plus tard. Papin reçut du Landgrave Karl l'ordre humiliant de construire une machine à élever l'eau selon les principes découlant de l'œuvre de Savery : il s'en plaignit à Leibnitz. Celui-ci, dans sa réponse, donne la précision suivante :

« On doute s'il [*i. e.* Savery] a déjà fait l'Essay de sa Machine en grand. »

La grande préoccupation du temps était l'emploi de la vapeur pour élever l'eau. Louis XIV cherchait à assurer l'approvisionnement en eau du château de Saint-Germain, et parmi les experts dont la renommée était parvenue jusqu'à lui se trouvait Morland, *magister mecanicorum* de Charles II d'Angleterre. Voilà un exemple de l'antique antagonisme entre la recherche pure, incarnée par Papin à la recherche de l'application idéale et universelle du principe de la vapeur, et les opportunistes, comme Rennequin, Morland et Savery, qui se limitent aux emplois spécifiques et rémunérateurs.

En dépit du côté intempestif de cette commande, Papin semble y avoir découvert un fait important qui n'avait pas jusqu'alors retenu son attention. Savery proposait d'appliquer directement la vapeur à l'eau qui devait être pompée, la déplaçant sans intervention mécanique. En appliquant cette théorie, Papin nota, à sa grande surprise, que plus il employait de chaleur moins il obtenait de travail. En cherchant à isoler la vapeur de l'eau froide, il interposa un piston libre, après quoi le rendement s'améliora. C'est ce qu'il appelle « cette invention » dans le rapport suivant adressé à Leibnitz qui nous fait faire deux pas dans l'appréciation de la possibilité technique, le second pas étant « des pistons assez juste »[2] :

« Autre fois la difficulté êtoit d'avoir la force suffisante et les pistons assez juste pour faire monter l'eau bien haut ; les tuyaux êtoient peux de chose en comparaison ; mais, par le moien de cette invention, la grande difficulté n'est plus que d'avoir les tuyaux assez forts pour soutenir la grand hauteur de l'eau : car, la justesse des pistons et la

1. On peut démontrer, en théorie, que pour qu'un tel moteur propulse un bateau comme celui de Papin à 15 km/h, il faudrait qu'il tourne à 32 tr/mn, un peu moins vite qu'un microsillon, visible à l'œil nu. Si Papin utilisait le rochet, chaque cylindre fonctionnait huit fois par minute. La soupape à quatre voies, autre invention de Papin, assurait la distribution mécanique de la vapeur.

2. *Op. cit.*, Gerland, Lettre 130, 23 juillet 1705.

force necessaire pour pousser l'eau en grande quantité à la plus grande hauteur dont on puisse avoir besoin, sont des choses qu'on obtiendra fort aisément : mais, encore un coup, il seroit à souhaiter qu'on travaillât à cela avec plus de chaleur qu'on ne fait : vû principalement que l'utilité de cette invention ne se borne à faire monter l'eau, mais qu'elle pourroit fort bien s'appliquer aux voitures et à quantité d'autres choses ou on a besoin de force... » (23 juillet 1705).

Certaines de ces observations sont fort ténues, et l'on hésiterait à les proposer à une attention sérieuse si deux faits irréfutables ne venaient les étayer : le bateau fonctionna (et des expériences ultérieures prouvèrent la futilité du système de vapeur à basse pression, ou des machines atmosphériques aux applications maritimes); deuxièmement, rien n'a été introduit ici que Papin n'ait connu et *consigné dans ses rapports* : il est plus vraisemblable de croire qu'il a utilisé ces éléments combinés.

Le dernier mais bref triomphe de Papin avait été l'essai de son vapeur à Cassel, où, en présence du Landgrave et de sa Cour, il avait démontré qu'il était capable de remonter le courant. Puis, avec sa famille, quelques précieuses machines de laboratoire et ses biens mobiliers, il s'embarqua pour Londres, le grand port où, pensait-il, les avantages de son invention seraient appréciés. Il avait été averti d'ennuis possibles à Münden, au confluent de la Fulda qu'il descendait et de la Werra qui y forment la Weser. Cette dernière rivière était sous la juridiction de l'Electeur de Hanovre et les droits exclusifs de navigation appartenaient aux bateliers de la Weser en vertu des 100 écus de tribut payés par eux. Tout le fret ou les passagers descendant la Fulda devaient être transbordés à Münden. Papin avait tenté d'obtenir une permission par son ami Leibnitz, mais celle-ci n'était pas arrivée, toute l'Allemagne étant en fermentation. A Münden, après un voyage sans histoire, Papin s'adressa aux édiles municipaux pour obtenir le droit de continuer, et tandis qu'il était ainsi occupé, les bateliers débarquèrent ses bagages et sa maisonnée et entreprirent de détruire l'embarcation et la machinerie avec une brutalité méthodique, comme le rapporte Drost von Zeuner[1] qui s'en excuse dans une lettre à Leibnitz.

Ce qui justifie l'attention que nous avons accordée à l'exemple de Papin (notre récit aurait été plus court si les relations qui en ont été données avaient été plus exactes), c'est, premièrement, le fait que l'embarcation fonctionna, et, deuxièmement, l'intention avouée de Papin de construire des véhicules « par terre » ou

1. *Op. cit.*, GERLAND, Lettre 151 : Drost von Zeuner à Leibnitz, p. 385. [Dans sa dernière lettre à Leibnitz, Papin dit que le bailli avait refusé l'autorisation.]

terrestres dès que les fonds seraient disponibles. Il fut bien le premier homme connu à transporter passagers et fret d'une ville dans une autre par la locomotion à vapeur; il le fit par la voie d'eau mais il songeait à continuer ses expériences par la voie terrestre. Ce ne sont pas des problèmes de mécanique qui l'en ont empêché; les hommes, voilà quel était l'obstacle ! La carrière de Papin se termina le 25 septembre 1707 et pendant trois générations rien ne fut fait dans l'automobilisme.

Dans un *post-scriptum* à sa dernière lettre à Leibnitz, dans la collection Gerland[1], l'inventeur, absorbé dans ses rêves d'une ère de transport par vapeur, montre une confiance enfantine dans la bonne volonté et l'esprit de conciliation de la corporation des bateliers, supposant naïvement qu'un arrangement viendra rendre superflue la permission de l'Electeur de Hanovre, qui n'était point arrivée. Il écrit :

« ... Je ne pouvois jamais m'imaginer qu'un dessein comme celuy la dût échouer faute de permission... que le Public soit privé des avantages que J'aurois pû, Dieu aidant, procurer par ce moien... »

Certains exemples contemporains d'espérances indûment placées sur des hommes ou des institutions reviennent en mémoire.

1. *Op. cit.*, GERLAND, Lettre 150.

Chapitre III

« ... PAR LE FEU ET LA VAPEUR DE L'EAU... »

Dans les premiers paragraphes de cette étude, Nicolas-Joseph Cugnot a été désigné comme l'inventeur du premier véhicule terrestre actionné mécaniquement qui ait été véritablement construit et à même de voyager de par sa propre force motrice, transportant des gens et du fret, ainsi que sa propre source de force. Un véhicule construit selon les idées de Cugnot et sous sa direction peut être examiné aujourd'hui au Musée du Conservatoire national des Arts et Métiers, de sorte qu'une description détaillée serait ici superflue, si certaines erreurs persistantes n'apparaissaient dès que l'on tente d'aller un peu plus loin que l'histoire familière des encyclopédies et des ouvrages de références (car ce véhicule est si connu qu'il a échappé à ses propres bornes nationales et à celles de sa classification spécifique pour passer dans le domaine des connaissances générales, les encyclopédies)[1, 2].

Un exemple surprenant, qui contient quelques-unes de ces erreurs persistantes, est le fascicule proposé au public du Conservatoire[3]. Son auteur, par un excès de modestie, veut prouver combien l'invention de Cugnot est, en réalité, imparfaite et sans valeur.

Avant d'examiner ce document, jetons un coup d'œil à la version de Dollfus, déjà cité[4]. Dollfus se trompe lorsqu'il prétend que l'histoire selon laquelle le fardier avait enfoncé un mur pendant ses essais se trouve dans la notice nécrologique du 6 octobre 1804. On ne la trouve ni dans l'article du *Moniteur universal*[5], ni dans

1. *Enciclopedia Italiana*, vol. 5, éd. de 1929, p. 556.
2. *Enciclopedia universal illustrada*, vol. 6, éd. de 1907, p. 1137.
3. Conservatoire national des Arts et Métiers, Paris, 1956 : *La voiture à vapeur de Cugnot (1770)*.
4. *Op. cit., supra*, I, p. 20, chap. « Locomotion mécanique ». On trouvera la même erreur chez Lockert, *Voitures à vapeur*, 1896, p. 43.
5. *Gazette nationale*, ou *Le Moniteur universal*, an XII (6 octobre 1804), p. 60.

les trois articles des *Mémoires secrets pour servir*, etc., de Bachaumont[1] consacrés à l'œuvre de Cugnot. Voici, tirées du *Moniteur*, deux évocations des faits qui sont souvent niées par les diffamateurs de Cugnot :

« M. de Choiseul, ministre de la Guerre, le chargea de faire construire une grande voiture sur les mêmes principes ; elle fut exécutée à l'Arsenal, et mise à l'épreuve ; cette voiture existe à Paris... »

Deux livres, publiés à l'époque, où l'on s'attendrait à trouver une brève mention des expériences, ont été consultés sans résultats : le *Dictionnaire de l'industrie* n'a rien sous « Vapeur », ou « Feu » (les machines à vapeur sont souvent désignées sous le nom de machine à feu à cette époque), et à l'article « Inventions nouvelles » il ne cite que par dérision l'avion de M. Desforges, mais nul véhicule terrestre[2]. Jacobssons[3] discute la *feuermaschinen* de Sarepta en 1559, Amonton, Papin, et Savery à la fin du XVIIe siècle, et inclut son contemporain Watt. Il serait intéressant de connaître la source de l'histoire de Dollfus, puisque celle qu'il donne est fausse. C'est peut-être Grand-Carteret, qui raconte la même histoire, ou Figuier[4]. Aucune relation contemporaine aux faits n'a été offerte (sauf dans le cas de l'erreur de Dollfus), et nous n'en avons pas découvert.

La seconde erreur de Dollfus est une erreur de sélection. Il cite une lettre du général marquis de Saint-Auban qui conclut une description du moteur utilisé par Cugnot par une remarque selon laquelle celui-ci « était à simple pression atmosphérique ». On peut excuser le général, car Cugnot était si en avance sur son temps qu'aucune des autres machines à vapeur en service alors, n'était du type à haute pression. Dallery expérimentait dans ce sens en France, mais le tout-puissant Watt s'opposait à la théorie, ou plus précisément à l'introduction de telle machine, et le monde entier, y compris la France, s'accordait avec Watt sur ce point. Bien qu'excusable, l'erreur n'en est pas moins réelle.

S'il existe une étude qui donne les pressions opératives de la machine de Cugnot, nous n'avons pu la consulter, mais un simple exercice d'arithmétique montre que pour vaincre la résistance des routes de terre et des pentes de 1:10, épreuve normale attendue

1. L. P. de BACHAUMONT, *Mémoires secrets pour servir*, etc., 1769-1770.
2. *Dictionnaire de l'industrie*, par une Société de Gens de Lettres, 1776.
3. Johan Karl Gottfried JACOBSSONS, *Technologisches Wörterbuch*, Berlin et Stettin, 1793.
4. FIGUIER, Merveilles de la science, cité dans *Die Umschau*, 10 sept. 1898, p. 630. Cf. p. 20, du présent ouvrage.

d'un socle de canon automobile, il faut une pression de deux atmosphères environ. Si l'on prend les mots du marquis de Saint-Auban comme ils étaient entendus communément à cette époque, il faut avoir l'esprit tortueux pour lui faire dire qu'il s'agissait de la pression de la vapeur vive opérant sur le piston. La machine atmosphérique faisait condenser la vapeur à l'intérieur du cylindre par des moyens appropriés et la force motrice était celle de la pression atmosphérique agissant sur un côté du piston, avec un vide partiel de l'autre côté.

L'ingénieur aura saisi la situation immédiatement mais quiconque n'a pas reçu de formation technique (et même l'ingénieur moderne peut éprouver quelque difficulté car une telle utilisation de la pression atmosphérique est fort éloignée de la pratique moderne en matière de moteurs à piston) peut trouver le point difficile à comprendre. En termes simples, nous dirons que la dilatation de la vapeur n'a pas été utilisée (sauf chez Papin, Cugnot, Dallery, et Evans) jusqu'au début du XIXe siècle, et si puissante était la propagande Watt que bien des années après le début du siècle la nouvelle technique était encore regardée avec suspicion, voire d'une manière franchement hostile. La diffusion des propos de Saint-Auban, et d'opinions similaires, eurent pour résultat inévitable d'empêcher toute nouvelle recherche; c'était la porte fermée à de nouvelles tentatives dans la lignée de Cugnot. Le public, dans son ensemble, pouvait comprendre qu'une machine comme celle qu'il décrivait ne pouvait marcher, mais il n'était pas assez au fait de la machine de Cugnot pour comprendre que ce n'était pas celle que décrivait Saint-Auban. Il est malheureux que l'erreur ait été répandue (et la citation de Dollfus qui ne fait pas un sort à Saint-Auban est un bon exemple de ce genre de mésaventure); il est malheureux aussi que Cugnot et ses amis n'aient rien écrit pour répondre aux détracteurs.

Pour reprendre l'examen de la brochure du Musée, il apparaît que Cugnot est né en 1735. Or, la notice du *Moniteur* donne la date de 1725; il s'agit donc sans doute d'une faute d'impression[1]. Si la coquille est commise par *Le Moniteur*, la brochure, publiée 150 ans plus tard, devrait nous en informer et nous offrir les raisons de la révision de date. Cette variation de dates n'est pas sans importance, comme on le verra plus tard dans d'autres références au même article du *Moniteur*, car ce journal nous apprendra que Cugnot a mis au point une carabine qui fut fort appréciée

1. Voir plus loin : TRESCA donne 1725 dans sa communication au *Bulletin de la Soc. d'Encouragement*, p. 78, n. 4.

du maréchal de Saxe. Le comte de Saxe mourut en 1750, ce qui n'offrirait pas à Cugnot un âge suffisant pour l'invention d'une carabine telle que celle qui est mentionnée dans les *Mémoires* du maréchal de Saxe[1] (dont l'inventeur n'est pas identifié) et qui est décrite comme une arme importante dans son armée idéale.

Pour des raisons de prestige, il peut sembler logique de dire que Cugnot était au service de l'impératrice Marie-Thérèse d'Autriche, mais ceci introduit un élément de confusion dans un tableau déjà compliqué, car il était aussi dans l'armée du maréchal de Saxe, sous le commandement nominal du prince Charles, autrement dit dans l'armée adverse. La brochure du Musée, en révélant sa participation à l'armée de l'impératrice autrichienne, si elle a raison, peut éclaircir le mystère de l'origine des fonds nécessités pour la construction du premier véhicule. Saxe a occupé Bruxelles de 1744 à 1748, lorsque le traité d'Aix-la-Chapelle l'a rendu à Marie-Thérèse, arrangement qui durait encore à sa mort en 1780. Comme la notice nécrologique dit que Cugnot est revenu à Paris en 1763, la brochure semble être confirmée pour les années 1748 à 1763, pendant lesquelles Cugnot peut avoir servi dans les rangs autrichiens. En tout état de cause, l'histoire du *Moniteur* paraît très cohérente, tandis que la brochure semble fort désordonnée, et fondée, ce qui est plus grave, sur des renseignements de deuxième main. Nous y reviendrons.

En attendant, il existe une légende pratiquement impossible si la date de 1735 est à retenir; il s'agit d'une histoire d'un grand intérêt pour nous. Elle apparaît chez John Grand-Carteret[2] sans indication de sources, mais nous avons découvert une référence plus ancienne qui semble plus digne de foi.

Le délégué des Etats-Unis à l'Exposition Universelle de Vienne en 1873, Thurston, devait déclarer, dans un rapport rétrospectif, sur les locomotives routières et les tracteurs[3] :

« ... la première expérience réelle fut faite, suppose-t-on, par un officier de l'armée française, Nicolas-Joseph Cugnot, qui, en 1769, construisit un chariot à vapeur qui fut inauguré en présence du ministre français de la Guerre, le duc de Choiseul. *L'affaire fut financée par le comte de Saxe.* Encouragé par le succès partiel de la première locomotive, Cugnot, en 1770, en construisit une seconde qui est encore conservée au Conservatoire des Arts et Métiers... ».

1. Maurice de Saxe (comte), *Reveries or Memoirs concerning the Art of War*, Edimbourg, 1759.
2. *Op. cit., supra*, p. 20.
3. Robert H. Thurston, A.M., C.E., éd. : *Reports of the Commissioners of the U.S. to the International Exhibition (Vienna, 1873)*, vol. III, Washington, 1876.

Cugnot défonce un mur. Illustration tirée de Figuier, publiée le 10 septembre 1898 par l'hebdomadaire allemand *Die Umschau*. Cette gravure témoigne de la popularité de l'histoire de Cugnot. C'est en outre la première fois que la presse allemande populaire traite le sujet de l'automobile.

(FIGUIER, Merveilles de la Science, *Yale University Library*.)

Grand-Carteret s'exprimait de façon similaire :

« ... Cugnot, qui s'occupait de mécanique par goût, construisait en 1765, *avec l'aide du maréchal de Saxe*, la première voiture à vapeur, et la faisait fonctionner en 1769, en présence du ministre de la Guerre, le duc de Choiseul... ».

Le comte de Saxe mourut en 1750, ce qui complique le problème de l'origine des fonds de Cugnot. Aucune autre mention de la relation Saxe-Cugnot n'existe et il est doublement malheureux que les auteurs ne nous aient pas indiqué leurs sources. Thurston signale bien, dans un chapitre différent, que les commissaires américains étaient en relation avec le général Morin et avec son assistant, Tresca, lors d'une visite commune au Conservatoire de Paris. Mais il ne les cite nullement comme auteurs de l'anecdote sur Cugnot.

Grand-Carteret cite les *Mémoires secrets* que nous donnons en référence, et bien qu'ils ne fassent aucune allusion au lieu ou à la date du début des expériences, le choix des mots « machine singulière... adaptée à un chariot... », suggère que les premières tentatives de Cugnot se sont faites avec un moteur et une chaudière rajoutés à un véhicule hippomobile dûment modifié, tout comme le feront plus tard Daimler et Serpollet.

On peut accepter les deux déclarations du *Moniteur* :

« ... Il avait construit à Bruxelles un cabriot, qui était conduit par le feu et la vapeur de l'eau... »
« il vint à Paris en 1763... ».

ainsi que les mots de Grand-Carteret :

« ... construisait, en 1765... la voiture... à vapeur... ».

Si nous omettons l'adjectif « première », et comprenons (ou plutôt interprétons) qu'il s'agissait du premier véhicule construit à Paris, alors les différentes versions s'accordent entre elles, de même que toutes s'accordent à signaler un essai en présence de Gribeauval en 1769, comme le rapporte Bachaumont[1]. Mais la brochure du Musée a abandonné toute référence à tout travail exécuté à Bruxelles, sans s'inquiéter de justifier cette omission. L'auteur de la brochure préfère-t-il la version complètement parisienne ? Pense-t-il que lorsque le rédacteur du *Moniteur* rappelle des événements passés depuis quarante ans, les incertitudes sont trop grandes ? On ne nous le dit pas.

Dollfus, dans l'ouvrage déjà cité, raconte la visite du Suisse,

1. *Op. cit.*, *supra*, p. 30, n. 1.

Planta, auteur du projet d'un véhicule à vapeur à fins militaires, citant Rolland[1], qui dit que Planta examina le projet de Cugnot, alors en cours d'exécution et le trouva supérieur au sien. Comme l'attribution par Dollfus de l'anecdote du mur enfoncé au *Moniteur* s'est révélée fausse, on ne sait que penser du renversement des rôles dans la version offerte par la brochure du Musée, version dans laquelle Cugnot est montré rejetant le plan de son rival, ce qui est bien sûr moins flatteur pour Cugnot que la version Rolland citée par Dollfus.

La brochure du Musée est également silencieuse sur la tradition selon laquelle ce vétéran de l'automobilisme, le fardier, fut sauvé de la furie de la populace parisienne (ou de la gourmandise des récupérateurs de cuivre et de fer) par l'action courageuse des fonctionnaires de l'Arsenal. Mais cette omission est sans importance.

La brochure se recommande à notre attention davantage comme une tentative de justification que comme une étude sur le sujet et son importance. Elle contient, par exemple, un éloge, fort long, d'un fonctionnaire disparu dont l'identité n'est pas certaine. L'auteur le donne comme « probablement nommé Vallière » et croit que « le dossier de Cugnot a été soumis sans doute » à cet homme. En effet le dossier fut probablement soumis à quelque fonctionnaire, sans doute à plusieurs. Il est étrange, toutefois, que le compilateur de la brochure n'hésite pas à chercher à honorer, dans une publication consacrée à Cugnot et à son œuvre immortelle, l'homme même qui l'a déshonoré. Il suffit de constater qu'à la génération suivante, les Anglais partirent de véhicules aussi primitifs que celui de Cugnot pour arriver, en dix ans, à des omnibus à horaires réguliers pour comprendre pleinement l'énormité de l'omission. On pourrait chercher à excuser une faute aussi colossale, mais la louer est proprement incroyable, du moins tant que l'automobile sera considérée comme un bienfait et ne sera pas remisée dans la catégorie des malédictions : ce qui peut bien arriver.

Si l'on accepte la définition de Dollfus :

« ... l'une des plus précieuses reliques de l'évolution du progrès humain et le plus glorieux monument de la mécanique française... ».

il est difficile, sinon impossible, de comprendre pourquoi l'on devrait accorder notre attention à celui qui s'est précisément opposé à l'établissement de tests routiers qui auraient démontré les qualités aussi bien que les défauts de la machine. Près de deux

1. L. N. ROLLAND, commissaire général de l'Artillerie, Rapport du 4 pluviôse, an VIII (1801).

cents ans après cet événement, on nous demande d'apporter des réserves à notre admiration de Cugnot et de l'accorder à un homme dont le nom n'est même pas sûrement établi, mais dont l'intelligence et l'imagination étaient tellement réduites qu'il refusait à un expert, le général de Gribeauval, quelques centaines de francs pour procéder à des essais sur une machine qui avait coûté plus de 100 000 francs à construire! L'énormité de tout ceci n'est dépassée que par la facilité avec laquelle on l'a accepté pendant tant d'années.

On peut penser que nous sommes restés trop longtemps sur ce point. S'il s'agissait d'un simple petit livre publié par un auteur sous son propre nom, et mis en vente n'importe où, justice serait vite faite de la partialité montrée envers Cugnot, de l'erreur sur le système de pression, de la faiblesse des théories de Morin, et du mauvais calcul sur la stabilité de l'instrument. Nous allons aborder maintenant ces deux points, mais sans plus nous en prendre à la brochure, qui ne correspond nullement à ce que l'on attend du Musée où est conservée la relique.

Le général Arthur Jules Morin, écrivain prolifique sur la mécanique et sur le café — la liste de ses œuvres couvre quatre pages du catalogue de la Bibliothèque Nationale — lut une communication[1] devant l'Académie des Sciences dans laquelle il affirmait que la machine de Cugnot conservée jusqu'à nos jours n'avait jamais fonctionné. La preuve la plus forte, d'après lui, est l'absence des marques ou des dommages que l'on aurait pu attendre en relation avec l'histoire de la collision dans un mur.

En admettant provisoirement l'hypothèse de la véracité de la légende (ou même qu'un mur fut délibérément sacrifié pour déterminer les capacités du fardier), il faut reconnaître d'abord que le système de direction prédispose à de tels accidents. En l'absence de toute analyse écrite de cette partie du véhicule, nous allons donner un résumé de son fonctionnement :

Il y a un guidon pour le conducteur, et trois révolutions complètes de cette manette en produisent une sur un arbre intermédiaire, équipé d'un pignon à 6 dents, s'engrenant sur un pignon-secteur qui a environ 30 dents du centre à chaque extrémité. Il s'ensuit que le conducteur aurait à faire accomplir 15 tours complets au guidon pour obtenir un virage maximum à droite ou à gauche. Tout changement de direction serait donc excessivement lent, compte tenu de l'allure réduite du chariot.

A l'époque de ses remarques, le général Morin était connu

1. *Comptes rendus*, 1851, 1er semestre (t. XXXII, n° 15), pp. 534-523.

comme l'auteur d'une monographie sur le halage des wagons, mais ses calculs étaient bien oubliés cinquante ans plus tard lorsque les automobilistes essayèrent de trouver une solution aux mêmes problèmes[1]. Cette expérience des véhicules suffit néanmoins à jeter un voile d'autorité sur ces jugements à propos du véhicule de Cugnot et son assaut du mur. Rétrospectivement, on est forcé d'admettre que l'expérience du général en matière de collision était inférieure à celle qu'acquiert l'automobiliste d'aujourd'hui en quelques années de conduite!

En se fondant sur des bases empiriques et sur l'expérience personnelle, l'auteur de ces lignes soutient avec confiance qu'il est possible de renverser un mur de 20 cm d'épaisseur avec, pour toutes marques, quelques égratignures à peine visibles sur du chrome poli : ces marques seraient quasiment invisibles sur une barre de fer comme celle qui entoure la chaudière du fardier de Cugnot. Notre argumentation n'est pas très orthodoxe, mais le problème posé de façon formelle compterait trop d'inconnues : la structure du mur, l'angle d'approche du véhicule, sa masse, sa vitesse. Rien de tout cela n'est disponible, et de plus il faut rappeler qu'aucun des détracteurs de Cugnot n'a apporté la preuve de la véracité de l'anecdote du mur enfoncé.

Quant au sentiment du général Morin sur le non-fonctionnement de la machine, tout en admettant sa compétence en hydraulique (ce qui n'est pas la même chose que la vapeur), nous préférons l'opinion d'un ingénieur doublement expert en vapeur et en locomotion terrestre, Rhys Jenkins[2], déjà cité. Son opinion est généralement favorable et il considère le véhicule comme un engin capable de fonctionner à la fois très primitif et hautement développé pour son époque.

La stabilité du véhicule a aussi été mise en cause. Si l'on admet d'abord qu'un véhicule à trois roues est moins stable qu'un véhicule à quatre roues sur une surface plane, nous pouvons commencer notre examen de la stabilité du chariot de Cugnot. Il y a un corollaire pour les tricycles : un contact supérieur avec les surfaces irrégulières. Sur une route moderne, ceci n'a aucune importance, mais sur de mauvaises routes ou en rase campagne — le champ de manœuvre d'un chariot d'artillerie — le tricyle élimine le besoin de mécanismes de compensation ou de suspension. Une évaluation superficielle du problème mettrait ces considérations de côté et

1. *Omnia*, 1906[2], p. 52. E. LEFER, dans *Adhérence et coefficient d'adhérence*, donna les chiffres de Morin, et des calculs plus récents.

2. Rhys JENKINS, *Motor Cars and the Application of Mechanical Power to Road Vehicles*, Londres, 1902, p. 46.

montrerait que dans un virage maximum, la chaudière déséquilibrerait le véhicule. En fait il est apparent que du fait de sa construction, le guidon ne peut faire virer le véhicule à plus de 20 degrés, et qu'à ce point, le centre de la masse de la chaudière ne tombe pas en dehors des lignes de projection des longerons du châssis, ne faisant donc point capoter le véhicule. (Ceci ne veut pas dire que le véhicule avec une charge minimum sur les roues arrière et en position de déséquilibre des roues, ne capotera pas.) Il n'y a pas de raison de croire que la science mécanique française de cette époque ait été inférieure à l'anglaise, et un coup d'œil aux progrès de la locomotion terrestre à vapeur en Angleterre quelques années après (avant qu'elle ne soit étranglée par l'intervention administrative), accrédite la théorie selon laquelle le fardier de Cugnot aurait facilement pu être amélioré grâce à une série d'essais, alors que son avenir s'est perdu dans les commissions.

Car la véritable tragédie de l'expérience de Cugnot vient du fait que les défauts du véhicule ne menaçaient nullement son développement futur, même dans l'état des arts mécaniques du temps : ces défauts étaient pourtant trop grands pour que les capitaux venant de sources politiques continuent à affluer. Seul un personnage puissant comme le duc de Choiseul, à l'orée de sa gloire, aurait pu oser prendre l'inévitable risque d'une longue période de rodage. Les troubles politiques et l'intrigue suffirent à trancher le problème : Cugnot n'y fut pour rien.

La première voiture construite à Paris fut terminée en 1770. Etait-elle prévue dans la vaste réforme de l'artillerie entreprise par le général de Gribeauval, qui coïncidait avec une réorganisation de l'armée et de la marine ordonnée par Choiseul ? C'est alors que l'autorisation de construction du second véhicule fut accordée.

Quand la nouvelle construction fut enfin prête pour les essais, de tous ceux qui étaient au courant du projet, seul Gribeauval était encore en place. Une puissante clique avait forcé le duc de Choiseul à l'exil, et si les relations entre Choiseul et Cugnot avaient été autres que distantes, la situation de ce dernier aurait pu s'en trouver menacée. Le duc d'Aiguillon, qui succéda comme ministre de la Guerre, ne manifesta aucune curiosité militaire en arrivant à son poste, et l'on aurait pu penser que les travaux de Cugnot continueraient. Cependant les intrigues se multiplièrent et d'Aiguillon fut banni à son tour. (Le volume de Bachaumont qui contient la dernière allusion à Cugnot narre le commentaire acidulé de Choiseul, tandis que le carrosse de d'Aiguillon passait devant les portes du château de Choiseul sur la route de l'exil.) Chanteloup, nom du domaine de Choiseul, devait, un siècle plus tard, devenir un centre automobile de course de côte.

Il se peut aussi que le fardier ait été privé de ses chances sous les feux croisés de la bureaucratie. La plupart de ses chroniqueurs ont mentionné que Cugnot avait été chargé de prévoir un chariot tirant un canon de 48; et la charge utile du fardier a été déterminée en fonction du poids d'une pièce de ce calibre. Aucun de ces commentateurs ne signale le fait que toutes les pièces mobiles d'artillerie au-dessus de 24 livres avaient été abolies par le général Valière en 1732, et que la réforme subséquente de Gribeauval avait inclus une standardisation de l'artillerie de 4, 8 et 12 livres, avec un calibre uniforme de 18. Ceci pose trois problèmes, dont nous ne prétendons pas fournir de solution :

— Choiseul avait-il l'intention de rétablir le canon de 48 si les expériences de Cugnot semblaient l'autoriser ?

— Gribeauval était-il favorable ou hostile au projet ?

— Et quel est ce Vallière, l'homme dont on nous a dit qu'il avait *probablement* examiné le dossier Cugnot et refusé des fonds à Gribeauval ? Etait-il parent de ce général dont le nom s'écrit avec un seul « l », cherchant à venger l'ancêtre qui avait aboli l'artillerie lourde ?

Le seul élément qui émerge avec certitude de cette triste histoire est que la vitesse du chariot de Cugnot, qu'elle soit de « cinq quarts d'une lieue », de « 2 000 toises » ou de 4 kilomètres à l'heure, est fantastique par rapport à la vitesse avec laquelle se mouvait son dossier de bureau en bureau. Les conclusions de la commission originale continuèrent à filtrer par les canaux de l'administration militaire, en dépit d'une révolution, de la mort de deux rois dont l'un sur la guillotine, de l'arrivée au pouvoir d'un Premier Consul et de moindres troubles. Trente ans après que les essais du second véhicule amélioré auraient dû avoir lieu, Rolland, commissaire général de l'Artillerie et ordonnateur des Guerres, publia son superbe rapport sur le premier véhicule[1]. Le ton était favorable, l'atmosphère était propice alors aux dépenses de guerre. Rolland y posait le problème de l'adresse de Cugnot, qui fut trouvé dans un quartier miséreux de Bruxelles, à demi mort de faim. Une pension de secours fut votée. Cugnot, selon Rolland, reçut 1 000 livres du Premier Consul. (D'autres prétendent qu'il recevait déjà 600 livres et que Napoléon y ajouta 400 livres.)

Napoléon était alors à la veille de son départ pour l'Egypte, et il n'est pas sûr que la commission qu'il ordonna n'ait pas eu d'autre but que de justifier un secours au vieux Cugnot. Le Comité

1. Rapport de M. L.-N. ROLLAND, etc., 4 pluviôse, an VIII (24 janv. 1801).

signataire de l'approbation de la pension n'a qu'un seul membre commun avec le corps établi par Napoléon pour préparer « un mémoire relatif à sa machine à feu ». Le procès-verbal de pension de 1800[1] déclare que l'expédition d'Egypte a empêché l'établissement d'un rapport écrit : s'il a existé, il est apparemment perdu.

La mention suivante à l'Académie des Sciences[2] semble avoir paru en 1816, trop tard pour servir à Napoléon; elle fut suivie en 1851 du *Compte rendu de l'Académie* (note de Morin, citée ci-dessus, p. 35, n. 1). Pour Cugnot, mort en 1804, c'était trop tard aussi.

Le *Bulletin de la Société d'Encouragement* de 1816, contenait un simple paragraphe, inspiré d'un rapport de M. Andrieux sur la voiture à vapeur de M. Blenkinsop, ou plus exactement, sur sa locomotive; mais, fait intéressant, le mot « locomotive » n'est pas encore appliqué. D'un égal intérêt est la mention des activités de Joseph Montgolfier dans le domaine des voitures sur route dont c'est la plus ancienne référence imprimée.

Quant à Cugnot (ou Ceugnot, tel qu'il est orthographié ici), l'article conclut sur cette phrase intéressante :

> « On regrette que cette machine ait été démontée : elle meritoit d'être conservée dans son entier. »

Ceci est à notre connaissance la seule référence à un possible démantèlement de la machine conservée aujourd'hui au Musée et que par conséquent, elle ne soit pas entièrement originale. Ceci, bien sûr, ouvre la porte à de nombreuses possibilités.

Il est difficile de ne pas essayer d'imaginer ce qui aurait pu se passer si Cugnot avait été encouragé pendant les trente ans qui se sont écoulés entre les premiers essais, si prometteurs qu'ils aient été, et suivis d'une commande et la publication officielle de ce rapport. Trente ans auraient pu voir le développement d'un chariot d'artillerie, et l'histoire de 1815 aurait été changée. Notre hypothèse doit être considérée à la lumière du fabuleux développement des engins à vapeur qui prit place en Angleterre, à partir de données techniques aussi primitives que celles de Cugnot, et qui en dix ans, entre 1824 et 1834, mit des centaines de véhicules sur les routes et transporta des milliers de personnes. C'est grâce à la libre entreprise, et à l'initiative privée d'une foule d'inventeurs que le mouvement jaillit, pour être tué net par des lois draconiennes.

1. Procès-verbal de la séance du 21 thermidor, an VIII, cité (tous les deux) dans le *Bulletin de la Société d'Encouragement*, t. 13, 2e série, juin 1866. Les originaux des documents cités n'ont pu être consultés par nous; ils sont cités d'après M. TRESCA dans le *Bulletin* cité, pp. 349 et 350. Dollfus les cite aussi, mais sans indiquer s'il a vu les originaux ou s'il suit Tresca.

2. *Bulletin de la Société d'Encouragement*, 1816, p. 34.

Chapitre IV

L'UTILISATION DE LA VAPEUR AU TEMPS DE WATT

On pourrait traiter du développement de l'automobile sur des données strictement nationales : en ce cas ce chapitre serait superflu, et il ne nous resterait plus qu'à faire un bond de géant jusqu'à la fin du XIXe siècle et recommencer avec les travaux de Roger et de Levassor. Agir ainsi serait compromettre notre compréhension de l'évolution de l'automobile, rendre encore plus précaire le maintien d'une certaine impartialité, et nous entraîner à admettre des prétentions dont beaucoup sont sujettes à caution, mais sont entrées dans la légende. Pour toutes ces raisons, un bref tableau de l'extraordinaire floraison automobile en Angleterre sera donné dans un prochain chapitre, tandis que l'objet du présent chapitre sera l'Angleterre au temps de Watt.

Une façon intéressante de mesurer le degré de raffinement technique atteint par les Anglais en matière de transport est fournie par une communication au *Gentleman's Magazine*[1] du mois d'août 1769, l'année où Watt obtint son premier brevet de machine à vapeur.

En cette année qui vit les premières tentatives de Cugnot pour fournir à Choiseul un véhicule qui fonctionne, ainsi que le premier projet de moteur de Watt, le directeur de la revue dont nous venons de parler sentit qu'il avait un sujet susceptible d'intriguer ses lecteurs (bien que connu déjà depuis trois ans par les étudiants de Trinity College à Dublin). Il s'agit d'une sorte de chaise roulante à pédale semblable à celle décrite par Ozanam à l'Académie des Sciences en 1693. Cet exemple symbolise le gouffre qui séparait le monde dans lequel vivait Cugnot et celui de ses contemporains, plus attirés par les humanités que par la mécanique.

1. *Gentleman's Magazine*, vol. 39, 1769, p. 376.

Il est impossible d'aller plus avant dans l'examen de l'évolution du véhicule autopropulsé en Angleterre sans s'arrêter un certain temps sur le cas de James Watt qui, entièrement préoccupé d' « affaires pressantes » n'eut presque rien à faire avec l'automobilisme, ayant tourné le dos au problème pour parer au plus pressé. L'homme qui dominait le monde de la vapeur dans la dernière partie du XVIIIe siècle était certainement James Watt. Travaillant en étroite collaboration avec son associé et mentor Matthew Boulton, il avait pris des brevets d'invention si généraux et exclusifs, et les avait fait respecter avec tant d'acharnement par des actes spéciaux du Parlement, qu'il ne restait plus de place pour d'autres inventeurs. La fameuse lettre de Bramah, ingénieur réputé, constructeur des locomotives, à Sir James Eyre, peint Watt sous des couleurs moins attrayantes[1].

Watt se retira en 1800 de la firme Boulton and Watt. La même année expiraient quelques-uns de ses plus importants brevets. Son seul échec véritable, dans le domaine des machines à basse pression, est de ne pas avoir prévu la manivelle pour transformer le mouvement rectilinéaire alternatif du piston en un mouvement rotatif. Washbrough en 1778, Pickard en 1780, et Steed en 1781 l'ont devancé. Jusqu'à l'apparition récente des moteurs à turbine à gaz, il semble qu'il n'y ait pas eu d'automobile fonctionnant sans vilebrequin, à l'exception de celle de Cugnot. (Le véhicule de Pecqueur, comme quelques autres, avait une machine à vapeur rotative.) Watt a par deux fois, dont l'une à propos d'automobile, admis avoir été influencé par d'autres, ce qui le place d'emblée au-dessus des inventeurs ordinaires, peu inclins à de telles confidences. Robert Stuart (en 1824) et Lyman Weeks (en 1904) reproduisent l'une de ses citations révélatrices[2] :

« Mon attention fut attirée pour la première fois sur le sujet des machines à vapeur par feu le Dr Robinson, alors étudiant à l'Université de Glascow, plus tard professeur de philosophie naturelle à l'Université d'Edimbourg. C'est lui qui, en 1759, lança l'idée d'appliquer la puissance de la machine à vapeur à la propulsion des voitures à roue, et d'autres applications, mais le projet fut vite abandonné à son départ pour l'étranger. »

Quatre détails sont à noter dans ce texte. D'abord, Robinson s'est borné à suggérer; rien n'indique un commencement d'exécution, au contraire. Ensuite, c'est lui qui attira l'attention de Watt sur la vapeur. Troisièmement, il suggéra une automobile mue par

1. Joseph BRAMAH, *A Letter to the Right Honourable Sir James Eyre*, London, 1797.

2. Robert STUART, C.E., *A Descriptive History of the Steam Engine*, London, 1824. Lyman Horace WEEKS, *Automobiles Biographies*, New York, 1904.

la vapeur en 1759, c'est-à-dire six ans avant la célèbre proposition d'Erasmus Darwin à Boulton, ce qui ôte à Darwin tout rôle dans le *brain trust* de Soho où se trouvent les ateliers de Boulton and Watt. Quatrièmement, Robinson était à l'étranger au moment où Cugnot tâchait de résoudre le problème du transport mécanique, aperçu sur lequel nous reviendrons.

Selon Stuart, dans l'ouvrage que nous venons de citer, et se rapportant aux *Philosophical Transactions* de Robinson, Watt reconnaît au passage sa dette envers Papin. Le biographe d'Ernouf déclare :

« ... qu'en 1761 ou 1762, il fit quelques essais avec un digesteur de Papin, transformé en espèce de machine à vapeur par l'addition d'une *syringue.* »

Il faut noter que Watt ne dit pas que c'est lui qui a ajouté la seringue (cylindre et piston). Il est possible qu'il ait employé un modèle de machine à vapeur déjà construit par Papin dans son laboratoire ou à la Société royale de Londres. Il est agréable de noter la franchise de Watt en l'occurrence, car l'histoire de ses rapports avec le développement de l'automobilisme est entaché d'un obstructionnisme indigne d'un homme si universellement admiré. De son temps, on ne le considérait point comme le chef d'une entreprise florissante — ce qu'il était — mais comme une sorte de messie libérateur de l'humanité.

D'abord, en 1780, il réussit à empêcher Sadler de construire un chariot à vapeur en menaçant ce dernier de poursuites en justice pour contrefaçon. Son interprétation de la loi était des plus étroites — utilisation d'une machine à vapeur à des fins qu'il désapprouvait — même si cette machine avait été achetée chez Boulton and Watt.

En 1784, il tenta de fermer la porte à tous en acquérant un brevet pour *machinery for moving wheel carriages* (machines pour actionner des voitures à roues), craignant sans doute que les cours de justice n'acceptent pas de le suivre dans son interprétation de l'affaire Sadler. Le véhicule de Watt est une incroyable aberration comprenant une chaudière en bois cerclée de fer (un tonneau, donc) et contenant un foyer formé de plaques de fer, immergé dans l'eau de la chaudière. Par contraste, le système de Cugnot est magnifique. C'est quasiment faire insulte à l'intelligence de Watt que d'assumer que le projet avait d'autre but que de faire échec à ses concurrents. La pratique du bureau anglais d'inventions à cette époque était telle qu'il était pratiquement impossible d'examiner les dessins et les descriptions d'un autre inventeur, qu'il était défendu de prendre des notes ou de copier un dessin, de sorte que le premier à se faire breveter jouissait d'avantages considérables sur les autres.

Il serait faux de croire que Watt était réellement opposé à la locomotion mécanique, à vapeur ou non. Cependant, il est plus qu'évident qu'il considérait tout effort pour y parvenir comme visionnaire en l'état actuel de la science, et selon ses propres termes il voulait *tend to the business in hand* (s'occuper des affaires courantes), ce qui lui suffisait amplement. Avec le conservatisme qui est inhérent au succès commercial, il désirait éviter les accidents et les explosions qui, pensait-il, étaient inséparables de la vapeur à haute pression. Avec son système, le public y trouverait son compte. Egoïstement, il voulait bien exploiter les talents d'un brillant ingénieur comme Murdock, mais toujours sur des projets de Watt.

Il ne serait pas nécessaire de s'occuper si longuement de Watt ici si la légende n'avait fait de lui l'un des artisans principaux de la naissance de l'automobile, alors que son rôle fut au contraire celui d'un obstructionniste, d'un ennemi. Il faut se rappeler que Watt construisait sa première machine à vapeur au moment où Cugnot faisait rouler son premier chariot, que la machine à vapeur de Cugnot marchait en dépit de l'insuffisance de la chaudière (imposée par des considérations que Watt évitait avec ses installations fixes), qui aurait pu être améliorée comme on a pu le voir en Angleterre de 1824 à 1834, et enfin que Watt était plus fermement établi que Cugnot en 1770. Après la Révolution, lorsque les rouages de l'administration s'occupèrent à nouveau du dossier Cugnot, Watt était un homme d'affaires internationalement connu : tout jugement de la proposition d'un obscur officier d'artillerie ne pouvait pas ne pas être partial, car l'opposition de Watt à tous projets de transport à vapeur était bien connue. Il est regrettable que l'injustice continue ait été répétée et aggravée.

L'Ecossais Watt, peut-être radouci par le succès de ses affaires, fit preuve de flair commercial en tempérant son opposition au projet de son valeureux assistant, Murdock. Il lui offrit cent livres pour poursuivre ses expériences à condition qu'au cas où il réussirait à créer un moteur capable de tirer une chaise de poste à 4 miles à l'heure avec deux passagers et le conducteur, il serait pris par la firme comme partenaire dans la partie locomotive (encore à créer), tandis que Boulton & Watt fourniraient le capital nécessaire. (Les cent livres représentaient à peu près le quart du coût du fardier de Cugnot, l'offre était donc modeste.)

Boulton & Watt connaissaient leur homme, puisque celui-ci décida d'abandonner le projet avec ses risques en faveur d'un salaire assuré. Il resta dans la maison jusqu'à sa retraite, en 1830, au sommet de la vogue des voitures à vapeur en Angleterre, vogue à laquelle il ne prit aucune part. Weeks devait remarquer qu' « il avait apparemment quitté tout travail à cette époque-là » oubliant qu'il avait 76 ans au moment de sa retraite. Il est possible qu'il ait éprouvé une délectation morose à voir la chute de cette vogue, car lorsqu'il mourut en 1830 à l'âge de 85 ans, le précoce mouvement automobile avait été frappé à mort par la législation.

Curieusement, Dollfus signale que le père de Murdock avait construit une voiture à vapeur vers 1770 ou 1775, mais il est le seul à en parler et ne donne pas ses sources.

Il faut signaler au passage que le partisan fervent des voitures qu'était Erasmus Darwin se trouvait à Paris de 1769 à 1773, et à nouveau en 1802. Il aurait pu être le témoin intelligent des expériences de Cugnot, ainsi que des travaux de Dallery, mais rien ne prouve que ses suggestions et exhortations aient eu une quelconque influence.

Beaumont, dans ses *Cantor Lectures*[1], accuse spécifiquement Watt d'avoir empêché le Dr Robinson, Small, Moore et Murdock de se consacrer au problème de l'automobilisme. Il omet de mentionner Sadler, mais les menaces contre ce dernier sont amplement attestées.

Bien que Murdock n'ait pas construit de véhicule grandeur nature, il mérite l'attention pour ses modèles actionnés à la vapeur, car ils continuaient la tradition de Cugnot et celle de Papin, la vapeur à haute pression. Il employait aussi l'essieu coudé. Sur ces deux points, l'élève devançait le maître (Watt). Beaumont donne des dates de la plus haute importance, car il dit que Murdock travaillait à ces modèles de 1781 à 1784. Le fait que Murdock ait été intercepté par Boulton en 1786, alors qu'il allait faire breveter son véhicule, a donné des arguments aux partisans de Watt qui réclament pour lui le bénéfice de l'antériorité au vu du brevet de 1784. Bien que ce brevet ait été pris pour un véhicule différent et sans application pratique, Murdock l'avait devancé; Watt avait d'ailleurs été informé des activités de Murdock par le chef d'entreprise de ce dernier en Cornouailles, un nommé Wilson. On trouvera des détails sur l'œuvre de Murdock dans les *Cantor Lectures*.

Après avoir discuté des tricyles de Murdock (il indique que

1. *Journal of the Society of Arts*, vol. XLIV, 27 déc. 1895, pp. 87-165 : *Cantor Lectures*, Mechanical Road Carriages, by W. W. BEAUMONT.

celui-ci avait employé du gaz comme combustible pour chauffer la chaudière), Jenkins[1] se tourne vers Symington, et s'exprime ainsi :

« A peu près en même temps que Murdock, qui fabriquait ses modèles en Cornouailles, un autre engin voyait le jour au fond de Lanarkshire grâce à Symington, l'ingénieur de Warnlockhead, dont le nom était mieux connu en rapport avec les débuts de la navigation à vapeur. »

Ainsi, avec James Watt, adversaire implacable et influent de la haute pression et de la voiture automobile, il n'existait aucun véhicule à vapeur capable de transporter un homme en Angleterre, jusqu'à ce qu'en 1801, un extraordinaire ingénieur, inventeur et aventurier nommé Richard Trevithick parcourût les routes de Camborne, dans la lointaine Cornouailles, « comme un petit oiseau », selon le mot d'un témoin oculaire. Les brevets-monopoles de Watt se terminaient cette année-là et le capitaine Dick, accompagné de son cousin Vivian, célébraient l'évènement par un essai sur route de leur première machine en ce jour de Noël 1801. Le véhicule ravit ses parrains, atteignant la folle vitesse de près de 16 kilomètres à l'heure, mais le même jour devait se terminer amèrement pour Trevithick. Les constructeurs et leurs amis, enfiévrés par la victoire et l'atmosphère de fête, s'arrêtèrent à une taverne pour se réchauffer et laissèrent devant la porte le merveilleux engin. De telles occasions ne vont pas sans toasts et libations : et le temps passe sans qu'on s'en aperçoive; et ce fut alors que dans le village quelqu'un s'aperçut que la machine avait pris feu. Abandonnée à elle-même, la chaudière avait bouilli, vaporisant toute son eau, chauffé au rouge et communiqué le feu au véhicule, le détruisant complètement. C'est ainsi que revient au capitaine Dick Trevithick le triste honneur d'avoir été le premier automobiliste à perdre sa machine pour avoir trop bu[2].

Il semble approprié de clore ce chapitre sur Watt et son époque par une autre citation de la brochure sur Cugnot publiée par le Musée du Conservatoire. La phrase finale de l'affaire Vallière est :

« Mais la question en est restée là en France et les ingénieurs français ont laissé la voie libre au génie de Watt. »

C'est cette dernière phrase qui justifie le long examen de Watt auquel nous nous sommes livrés, et de tout ce qu'il n'a pas fait pour la cause de l'automobile.

1. Rhys Jenkins, *Motor Cars and the Application of Mechanical Power to Road Vehicles*, Londres, 1902, pp. 52-53.
2. Francis Trevithick, *Life of Richard Trevithick*, Londres et N.Y., 1872.

Bien entendu, si l'auteur de la brochure entend, dans cette phrase, la machine à vapeur fixe, il ne fait alors que rendre son dû au succès commercial d'un manufacturier étranger, sans se rendre compte peut-être que le génie commercial de Watt lui a valu de voir l'une de ses propres machines installée à Nantes en 1790, tandis que Cugnot languissait, oublié, tout comme Dallery et sa chaudière tubulaire, infiniment supérieure au système de Watt.

Si, par contre, la brochure implique le développement du transport terrestre par des moyens mécaniques, alors Watt n'a rien à y faire, et la référence ne constitue qu'une grave erreur.

CHAPITRE V

UN INTERMÈDE INTERNATIONAL : DALLERY, FOURNESS, EVANS, KINSLEY, READ TREVITHICK ET VIVIAN

Un intervalle d'environ cinquante ans sépare la grande expérience de Cugnot et la vogue de la locomotive routière en Angleterre entre 1824 et 1834. Plusieurs figures ont émergé à des degrés divers de l'obscurité qui a enveloppé leurs contemporains. Ce serait une erreur de dire, comme l'a fait Séguier[1], que tous n'étaient que des imitateurs de Cugnot. Il serait également faux de prétendre qu'ils ignoraient son existence ou n'ont pas subi son influence. Comme nous l'avons vu, les efforts de Cugnot se terminèrent à l'époque de la Révolution; certains disent même à cause d'elle. Lorsque des écrivains ou des hommes politiques s'enfuient, ils laissent une trace facile à suivre : ils écrivent, ou ont des activités politiques en exil; mais lorsqu'un mécanicien ou un inventeur est déplacé, il est englouti, il disparaît.

C'est environ dix ans après les essais de Cugnot que les routes de France furent à nouveau le théâtre de recherches appliquées dans le domaine de la locomotion mécanique. Thomas-Charles-Auguste Dallery, naquit à Amiens en 1754 et se trouve donc être le contemporain de Murdock. A l'âge de 25 ans environ, il construisit un véhicule à vapeur remarquable pour sa chaudière tubulaire, qui fut exposé à Paris dans les ateliers du célèbre mécanicien Brézin, rue de l'Enfer.

Il y a 130 kilomètres d'Amiens à Paris, mais l'histoire ne dit pas comment Dallery transporta sa machine d'un endroit à l'autre. Si le véhicule est venu seul, il s'agit d'une remarquable performance et pourtant ce fait n'a été remarqué ou commenté par personne! (La chose n'est pas impossible, si l'on se rappelle que le second véhicule fabriqué par Trevithick fit au moins un voyage de 150 kilomètres, fait mentionné seulement par Beaumont.) Les journalistes de l'époque ont peut-être eu peur de provoquer l'incré-

1. Académie des Sciences, *Bulletin de la Société d'Encouragement*, t. XIII, 2e série, sept. 1866, pp. 553-557.

dulité de leurs lecteurs. La présence de deux voitures à vapeur en dix ans dans les ateliers de Brézin lui vaut la distinction d'avoir été la première station-service automobile. Dallery démonta plus tard sa voiture et utilisa la chaudière et le moteur « pour battre l'étain des tuyaux d'orgue, au moyen d'un martinet qu'il soulève rapidement ». Le moteur du véhicule de Trevithick fut également démonté et utilisé en usine; Vallière proposa d'en faire de même pour le fardier de Cugnot.

Dallery, homme aux talents multiples, entreprit l'installation d'un orgue immense dans la cathédrale d'Amiens, projet qui fut abandonné à cause de la Révolution. Il se fit joaillier, mais engloutit ses bénéfices dans son deuxième véhicule, qui était amphibie. Il employa à nouveau la chaudière tubulaire, y ajouta une hélice, espérant attirer l'attention de Napoléon qui projetait alors une invasion de l'Angleterre. Il fut à court d'argent avant d'avoir pu mener à terme son projet, et ne trouva point de mécènes. Napoléon, sur qui il avait compté sans autre raison que l'optimisme des inventeurs, ne fut nullement impressionné. Les pompes à feu de Chaillot et la machine de Nantes, importées d'Angleterre, furent installées à cette époque : Dallery essayait alors de convaincre l'administration d'un hospice d'adopter son système pour pomper l'eau; il fut décidé de garder le vieux système du pompage à bras.

Le bateau de Dallery fut effectivement la première automobile amphibie, construite juste avant qu'Evans monte des roues sur sa drague à vapeur. Mais du point de vue de l'intention, Dallery avait bien dans l'esprit de créer un véhicule amphibie, alors qu'Evans, ayant cherché à créer un véhicule terrestre à vapeur pendant dix-huit ans (depuis son premier brevet), avait finalement décidé de mettre des roues à la drague qui lui avait été commandée, pour la faire aller par ses propres moyens jusqu'à la Schuylkil River. En agissant ainsi, son but était double : il livrait la marchandise commandée d'une part, et de l'autre il prouvait que le transport mécanique terrestre était de l'ordre du possible, ce que ses compatriotes se refusaient à admettre[1].

Larousse[2] inclut la voiture à vapeur de Griffiths dans sa planche illustrant le mot « Automobile », à cause de sa chaudière tubulaire. Dallery avait construit une chaudière tubulaire quarante ans auparavant, et qui marchait, alors que nous savons que le plan de Griffiths était défectueux; cela ne retire rien à la gloire de Griffiths qui est d'avoir essayé d'améliorer les chaudières primitives de

1. *La Nature*, nº 2009, 25 novembre 1911, pp. 403-406.
2. *Nouveau Larousse illustré*, 7 vol., Paris, c. 1900.

Voiture à vapeur Lotz aîné, de Nantes, vers 1865, type remorqueur. (Voir p. 78.)

(Archives de l'auteur.)

Watt, mais cela n'excuse point Larousse d'avoir préféré Griffiths à Dallery.

L'un des inventeurs qui semblerait le plus éloigné de la scène française est Robert Fourness de Halifax, Angleterre, et nous l'aurions omis ici si le comte de Chasseloup-Laubat[1] ne l'avait mentionné dans son compte rendu, avec une reproduction de son chariot. Il est plus que vraisemblable que le comte tirait son information de Thurston[2] qui est le seul auteur à affirmer que Fourness ait jamais bâti un chariot grandeur nature. Ceci se passait en 1788, ce qui donnerait à Fourness, conjointement avec Cugnot, le rare honneur d'avoir construit une automobile au XVIIIe siècle.

Thurston donne un curieux aperçu des méthodes du contre-espionnage industriel à l'époque : on employait des simples d'esprit qui étaient incapables de communiquer aux étrangers ce qui se passait dans l'usine!

Un autre inventeur, qui s'attaqua aux deux faces du problème, fut Evans, comme nous l'avons indiqué. Frustré de ne pouvoir convertir le public sérieux à ses plans de chariot à vapeur, et jouissant en même temps de la plus grande prospérité dans son métier de moulins à blé actionnés par la vapeur, il fut contraint à l'expédient dont nous avons parlé pour faire l'épreuve de sa théorie en montant quatre roues à sa drague à vapeur qui pesait 10 tonnes et qui put ainsi se mouvoir sur les quelque 3 kilomètres qui séparaient l'atelier des eaux de la Schuylkill. Ceci se passait en 1804, dix-sept ans après l'obtention de son brevet dans le Maryland; mais il n'y a aucune réaction à sa démonstration, c'est pourquoi il continua à fabriquer des moulins, tandis que l'ami de Fulton, Livingston, et d'autres, politiciens avisés, établissaient des monopoles de transport à vapeur sur eau. (L'une de ces familles s'appelait Roosevelt.) Dans le cas d'Evans, on a pu avancer avec quelque vraisemblance que les découvertes de Trevithick étaient fondées sur des informations qu'Evans avait fait parvenir en Angleterre par son agent Masters. Nul n'a parlé d'une possible influence d'Evans sur Symington, mais nous savons que Symington a influencé Fulton : le cercle paraît donc bouclé. Fulton, cela est bien connu, a beaucoup voyagé en France, mais comme il ne s'est jamais occupé de transport terrestre, il n'est pas du ressort de notre étude.

1. Chasseloup-Laubat, *Compte rendu historique* (Congrès international de l'Automobile, Paris, 1900).

2. Robert H. Thurston, *History of the Steam Engine* (ou sa traduction *Histoire de la machine à vapeur*, 2 vol., 1882).

Une biographie de Nathan Read, écrite par un membre de la famille bien des années avant le succès commercial de l'automobile, donne une mine d'information sur les inventions et les activités du sujet. Le résultat est un splendide exemple de biographie familiale car l'auteur, écrivant à une époque où l'automobile n'a pas encore percé, passe rapidement sur tout ce qui touche la voiture à vapeur comme sur l'une de ces aberrations d'un ancêtre par ailleurs doué. Les documents qu'il utilisait sont aujourd'hui probablement perdus si bien qu'on ne saura jamais si Read connaissait l'existence de la chaudière tubulaire de Dallery, antérieure de dix ans. (David Read, l'auteur, connaissait, lui, l'œuvre de Dallery.) Le mystère demeure entier; Read avait-il entendu parler de Cugnot, et cherché à mieux faire ? Et Dallery, qui était passé dans les ateliers Brézin, où Cugnot avait travaillé la question, connaissait-il Cugnot ? Dallery est silencieux sur ce point.

On trouve chez Weeks comment il avait créé une chaudière multitubulaire, et éliminé le volumineux balancier. Pour la voiture à vapeur il nous donnait ces détails :

« A l'intérieur de chaque roue se trouvaient des rochets qui s'engrenaient dans des crémaillères horizontales au-dessous et au-dessus du moyeu. Le piston, par son va-et-vient, s'engageait ici dans les dents du rochet et faisait tourner la roue... Bien que ceci ait été la première propulsion à vapeur sur terre en Amérique, Read abandonna son modèle, parce qu'il ne recevait aucun appui financier. »

Weeks, auteur des citations ci-dessus, est légèrement inexact dans cette dernière phrase, car il avait déjà discuté l'œuvre d'Evans et savait parfaitement que son concept remontait à l'année 1776 environ, en tout cas au moins à 1786 : par conséquent, en Amérique, la première invention était celle d'Evans, tandis que la première réalisation était probablement due à Read.

Parmi les automobilistes du XVIIIe siècle, Evans est à mettre à part, car il écrivait des livres où il expliquait ses théories du génie de la vapeur, son application aux moulins et aux voitures à vapeur avec un grand luxe de détails. On admet communément que Trevithick, brillant expérimentateur lui-même, a pu être guidé par les écrits d'Evans. Malheureusement, Evans offrait une cible facile aux experts américains contemporains. D'abord, c'était un autodidacte; la touche sentimentale que cela pouvait apporter aux biographes d'il y a cent ans était entièrement perdue, et avait même l'effet inverse sur les savants lorsqu'il s'agissait de confronter son opinion à la leur. Watt était l'ennemi de la haute pression; Evans, et Cugnot avant lui, la défendaient. Watt, avec ses relations dans les milieux universitaires (à défaut de formation universitaire), avait vingt ans de plus qu'Evans (mais ils moururent tous deux en 1816). Pendant trente-cinq ans, Evans vécut à l'ombre du colosse de la basse pression, nourri certes par le succès commercial de ses autres applications de la vapeur à haute pression, mais sans doute frustré par la prédominance de son rival, dont la vogue devait d'ailleurs bientôt passer. Dans son pays, ses théories furent attaquées par le père du fondateur du « Stevens Institute of Technology », ainsi que par l'éminent savant Latrobe. Ce dernier fut acclamé lorsqu'il démontra à la Société philosophique de Pennsylvanie que les bateaux à vapeur (pas seulement ceux d'Evans, mais tous) n'auraient jamais de succès. Le professeur Patterson de l'Université de Pennsylvanie et un savant anonyme décrit comme « un éminent ingénieur anglais » cautionnèrent prudemment le système d'Evans et le jugèrent digne d'être mis à l'épreuve. Le fait important ici est qu'Evans envoya des dessins et des précisions en Angleterre par l'entremise d'un capitaine en retraite nommé Masters en 1789; mais on accueillit avec méfiance les estimations d'Evans, qui parlait de pressions de 100 livres, alors que Watt, dont les moteurs avaient été perfectionnés et marchaient bien, mettait une limite absolue à des pressions de 3 à 4 livres.

Ce secret essentiel, partagé par Cugnot, Dallery, Evans, Trevithick et un ou deux autres, était que l'utilisation des hautes pressions les libérait de l'embarras du poids inhérent à l'autre technique. Watt et ses prédécesseurs utilisaient beaucoup d'eau pour refroidir les cylindres et condenser la vapeur. L'eau ne constituait pas un problème puisque la plupart des premières installations étaient des pompes à eau. Plus tard, lorsque d'autres applications se présentèrent, Watt inventa son condensateur pour utiliser de nouveau la même eau.

Si l'on était tenté de penser que la vogue des instruments anglais venait d'une supériorité technique, l'exemple suivant suffirait à nous persuader du contraire : il est tiré du *Loudon's Gardener's Magazine*, et se rapporte à une technique où les Anglais n'avaient pas acquis une réputation comparable à celle de Watt[1] :

> « C'est un fait singulier, que nous avons noté dans un précédent volume de cette revue, que les serres du Jardin botanique royal de Paris étaient chauffées à l'eau chaude du temps de Bonnemain, et que ce fait a été si complètement oublié par les jardiniers et les ingénieurs français que le gouvernement envoya en Angleterre en 1832, une délégation d'hommes du métier, afin d'étudier le sujet... La Révolution de 1789 rejeta Bonnemain et ses plans dans l'obscurité, d'où ni l'un ni les autres ne sont encore sortis... »

1. *Loudon's Gardener's Magazine*, Londres, 1838, vol. 14, pp. 50-51.

Il ne semble donc pas inutile de mettre en lumière les exemples, surtout lorsqu'ils sont la règle plutôt que l'exception, où l'on voit les officiels français tourner le dos à ce qui se fait dans leur propre pays et chercher des solutions étrangères. Il n'est pas question ici d'une quelconque autarcie, mais nous soupçonnons la présence d'une sorte de complexe d'infériorité national en matière de mécanique.

Cette période de cinquante ans paraît donc se diviser en une première période d'incrédulité naissant du choc d'une idée radicalement différente (la vapeur à haute pression), suivie d'une seconde période, au cours de laquelle les sceptiques se réfugient dans la prétendue sagesse du héros du jour, un héros étranger nommé Watt. Dans l'ombre sont rejetés non seulement Papin, le mentor avoué de Watt dont il est écarté par la basse pression, mais aussi les trois pionniers français déjà cités, Cugnot, Jouffroy et Dallery, les Américains Evans, Kinsley et Read et les Anglais, Fourness, Trevithick et Vivian.

En Amérique, une incertitude similaire assombrit le jugement, peut-être en raison du même climat de malaise politique. Lorsqu'il s'agit pour la première fois d'utiliser la vapeur pour le chemin de fer, les Américains se tournèrent vers l'Angleterre et vers Watt, bien que celui-ci n'eût pas prévu d'applications ferroviaires. Ils oublièrent les réalisations techniquement supérieures de Trevithick sur des idées d'Evans.

En plus des influences qui réussirent à se faire jour dans le domaine pratique pendant les dernières années de cet intervalle de cinquante ans, l'œuvre écrite d'Evans exerça une influence en rétablissant le sens des proportions entre une pratique démodée et la nouvelle technique. Son premier livre[1], publié en 1795, eut trois éditions de son vivant et entre 1821 et 1860, il y en eut douze autres réimpressions, plus une version française.

Evans, pressé par son éditeur de donner, en 1805, une nouvelle édition, qui aurait été la seconde, ne put fournir à temps les révisions qu'il avait en vue; c'est pourquoi il donna à l'édition prématurée, que son éditeur impatient avait tirée, le titre curieux de *The Abortion of the Young Steam Engineer's Guide*[2]. Deux ans après la mort d'Evans en 1819, un nommé Doolittle publia une traduction du livre à Paris[3], qui eut trois éditions.

1. Oliver Evans, *The Young Millwright and Miller's Guide*, Phila., 1795.
2. Oliver Evans, *The Abortion of the Young Steam Engineer's Guide*, Philadelphie, 1805.
3. I. Doolittle, citoyen des Etats-Unis, *Manuel de l'ingénieur mécanicien constructeur de machines à vapeur*, par Oliver Evans de Philadelphie, traduit de l'anglais par I. Doolittle, bachelier, Paris, 1821, 1825, 1838.

La haute pression revint finalement à l'ordre du jour, et avec elle, on se souvint qu'un exilé français et un officier d'artillerie français avaient montré la voie : ce qui sembla rendre confiance en la compétence du génie français; mais l'élan que les firmes mécaniques anglaises avaient acquis était tel qu'elles furent capables de développer la locomotion à vapeur à la fois sur route et sur rail à un degré inouï en un peu moins de dix ans.

Trevithick et son cousin Vivian ne participèrent point à ce mouvement. Il y avait eu le modèle de 1800, puis deux voitures réelles en 1801 et 1803, cette dernière ayant accompli un trajet de 150 kilomètres sur route, et en 1804 et 1808, des locomotives sur rail, l'une pour le halage dans les mines, l'autre pour le transport des passagers, et toutes les deux, les premières au monde. La seconde locomotive tira un coche sur une voie circulaire à Londres pendant plusieurs semaines, transportant ainsi des centaines de passagers.

La vie extraordinaire de Trevithick est émouvante. Marquis nous en donne une notion assez exacte (y compris la bielle à tige articulée), mais sa date de 1825 est en retard de vingt ans. Francis Trevithick, son fils, a fait une biographie définitive qui est vivement recommandée. A son actif, il faut ranger la première locomotive de chemin de fer qui fonctionna, ainsi que l'emploi de l'essieu coudé sur la locomotive et sur le véhicule routier.

Pour terminer ce rappel des activités hors de France à cette époque, il faut mentionner la légende persistante, qui remonte assez haut dans le passé, selon laquelle Apollos Kinsley de Hartford, Connecticut, inventeur prolifique aux intérêts divers qui allaient de la presse d'imprimerie à la machine à fabriquer les briques, construisit un chariot à vapeur en 1790. Comme dans le cas du véhicule de Montgolfier, les témoignages écrits manquent. Une lettre de Kinsley au Dr Cogswell déplore l'attitude hostile des autorités de la jeune République envers les brevets, qui étaient considérés comme une sorte de privilège royal. Kinsley était en relation avec Rittenhouse et Jefferson, qu'il considérait tous deux comme d'« excellents mécaniciens », et indirectement avec Franklin, et ces deux derniers avaient été en France du temps de Cugnot. Nous ne prétendons rien prouver par cela sinon que, s'ils avaient eu connaissance de l'invention de Cugnot, ils pouvaient juger inutile de conférer un brevet à un projet américain similaire, à juste titre ou non.

Avant d'aborder la suite des efforts français en matière d'automobilisme, il nous faut dire un mot de l'essor prodigieux de la vapeur en Angleterre que nous avons anoncé, ce qui nous permettra de suivre la chronologie du mouvement, et son développement.

Chapitre VI

LA GRANDE VOGUE DES OMNIBUS A VAPEUR EN ANGLETERRE

Comme Beaumont l'a fait remarquer dans l'une de ses conférences[1], pendant près d'un quart de siècle, sept ou huit inventeurs déposèrent des brevets pour faire médiocrement ce que Trevithick avait fait et bien fait. De plus, on vit se développer certains essais de machines à pieds ou à jambes, fondées sur la croyance que l'adhésion de la roue sur route était insuffisante.

Cette dernière aberration ne semble jamais avoir troublé les inventeurs français, peut-être parce qu'ils savaient que Cugnot, qui avait ajouté quelques taquets au bandage de sa roue motrice pour éviter de patiner, n'avait pas d'ennuis de ce côté.

Le premier essai digne de mention après celui de Trevithick fut la voiture de Griffiths, qui fut montée dans les ateliers de Joseph Bramah, ingénieur réputé qui s'était opposé en justice au monopole de Watt, sans succès d'ailleurs, mais qui n'en avait pas moins prospéré. Le véhicule était actionné par un moteur à deux cylindres couplé à l'essieu arrière par une transmission à deux vitesses. De la chaudière tubulaire qu'il possédait, Gordon[2] nous dit qu'un défaut de construction rendait l'amorçage difficile, et que Griffiths, pas plus que Bramah, n'arrivèrent à remédier à ce défaut. (Beaumont a fait remarquer qu'elle n'avait pas été construite conformément aux indications du brevet : et il se peut bien que le concept de tuyauterie serpentine ait été trop avancé pour la technique d'usinage de l'époque, puisque des chaudières construites sur ce principe ont fonctionné.) Le véhicule ne quitta jamais les ateliers de Bramah, bien qu'à tous autres égards, il fût parfaitement au point. Griffiths avait réfléchi à la question, car en plus, son moteur

1. *Op. cit.*, *supra*, cf. p. 44, n. 1; pp. 91-92 du texte cité.
2. Alexander Gordon, *Elemental Locomotion*, 1832-1836 (la première revue automobile du monde).

comportait un condensateur, ce qui augmentait le rayon d'action en réduisant la fréquence des arrêts pour l'eau : cette considération témoigne d'un esprit pratique que les futurs constructeurs n'ont pas toujours eu, notamment en ce qui concerne les premières voitures à essence.

Un autre candidat à nos lauriers porte le nom de William Henry James. Il construisit, en 1824, un coche pour vingt passagers. Les remarquables qualités de ce véhicule, qui employait huit cylindres et la traction sur les quatre roues, attirèrent l'attention de Sir James C. Anderson et, en 1829, ils unirent leurs efforts pour produire un autre genre de coche, puis un tracteur ou *drag*, auquel des voitures ordinaires ou coches pouvaient être attachés, un peu à la façon dont le comte de Dion devait procéder quelque soixante ans plus tard. Le dessin final fut breveté en 1832 mais les projets furent abandonnés, Sir James ayant retiré son appui financier. James mourut dans la misère à l'âge de 97 ans, l'année même où Bollée se lançait sur les routes avec sa première voiture à vapeur[1].

Goldsworthy Gurney (1793-1875) vit l'une des voitures de Trevithick alors qu'il était en vacances à Camborne, à l'âge de onze ans. Cela devait être la seconde, celle qui alla jusqu'à Londres, un voyage de 150 kilomètres sur les routes anglaises. Devenu adulte, Gurney fut, pendant un certain temps, chirurgien réputé; puis, à l'instar de Papin il opta pour la science et la mécanique qui lui plaisaient davantage. En 1823, il construisit un modèle réduit et en 1825 un véhicule complet, possédant des pattes en plus des roues; l'adhésion, il s'en aperçut, était suffisante avec les roues. Néanmoins, craignant d'abandonner l'apport de traction des pattes, il mit au point un nouveau projet qui comprenait encore ce système. Ce n'est qu'à son quatrième véhicule qu'il y renonça complètement. Ceci se passait en 1827, et lors d'essais sur plus de 300 kilomètres, il réalisa une moyenne de 20 kilomètres à l'heure. Gurney était sans doute d'un tempérament fort énergique, car toutes ces expériences ne prirent que quatre ans. Quel contraste avec le malheureux Cugnot attendant interminablement le bon plaisir du gouvernement!

Comme résultat de cette démonstration d'endurance, Sir Charles Dance acquit plusieurs véhicules et établit plusieurs lignes entre Londres et Holyhead, et entre Birmingham et Bristol. L'année suivante, il inaugura un service routier de Gloucester à

1. *Journal of Arts and Sciences*, vol. 9, pp. 225-231 et pl. 9 (n° 52, 1824). Article sur la voiture de W. H. James, qui employait huit cylindres et la traction sur les quatre roues.

Cheltenham : les 15 kilomètres étaient parcourus quatre fois par jour, avec une grande régularité, en un temps qui allait de 45 à 55 minutes, à peu près la vitesse moyenne d'un autobus urbain d'aujourd'hui. Les omnibus parcoururent 7 000 kilomètres et transportèrent 3 000 personnes avant que la hausse de tarif des péages ne contraignît à les abandonner. Des recours au Parlement furent inutiles. De tous les constructeurs, c'est Gurney qui reçut le meilleur traitement dans la presse; meilleur peut-être qu'il ne le méritait, mais ce n'est pas si souvent le cas. Après avoir abandonné l'automobile, Gurney se tourna avec succès vers d'autres voies, et fut annobli en 1863 pour ses découvertes et inventions. Son histoire constitue un plaisant changement dans le scénario habituel de l'inventeur malheureux et persécuté!

Walter Hancock (1799-1852) est celui qui créa le plus de modèles; ceux-ci sont tous décrits dans son livre[1]. Il en produisit dix en tout, et commença ses services réguliers sur route en 1831. Aucun itinéraire ne devint fixe, mais en 1836 il mit tous ses véhicules sur la route de Stratford à Islington pendant vingt semaines, totalisant 712 trajets, ayant transporté 12 761 passagers et parcouru 7 000 kilomètres. Son affaire devint internationale lorsqu'il vendit un petit *drag* à vapeur à un Viennois nommé Voigtlander. Ce dernier avait d'abord commandé un coche, puis réflexion faite, un *drag*. La fabrication qui ne prit en tout que quatre mois, avec tous les changements, fut satisfaisante mais Voigtlander refusa de payer pour les modifications et Hancock ne fit pas la livraison. Le contrat fut donc rompu et la voiture n'alla jamais à Vienne, malgré ce qu'en disent Dollfus et autres. L'honneur de vendre une voiture à l'étranger revint donc à Macerone (qui fut un exportateur involontaire, comme nous allons le voir) et à Bollée, pour qui l'opération commerciale fut normale.

Cette voiture Voigtlander fut remodelée à nouveau pour devenir l'*Automaton*[2], car Hancock donnait toujours un nom à ses modèles, coutume qui fut reprise par Bollée, qui commença avec son *Obéissante*.

Beaumont[3] fut parmi les experts qui considèrent que Hancock était le plus grand de tous ces constructeurs : Hancock pourtant était fort jaloux de l'attention accordée à son rival Gurney, qui, semble-t-il, avait un meilleur sens de la publicité. C'est ce qui

1. Walter HANCOCK, *Narrative of 12 Years of Experiment (1823-1836)*, demonstrative of the practicability and advantages of employing steam carriages on common roads, Londres, 1838.

2. *Op. cit.*, voir p. 44, n. 1, et la reproduction de l'*Automaton*.

3. *Op. cit.*, *ibid.*

l'incita à écrire sa propre histoire, que nous avons citée, et qui constitue un document historique fort valable :

« ... le ton de l'introduction est celui de ce que pourrait être l'introduction d'un récit similaire publié aujourd'hui par un enthousiaste. En fait, une relecture de ce vieux récit pousse celui qui est enclin à rêver à se demander si le succès qu'il rapporte, l'appréciation publique qu'il mentionne, et le rapport du Comité d'Enquête de 1831 qu'il cite, pourraient n'avoir pas été autre chose qu'un rêve : c'est comme si Rip Van Winkle s'éveillait de son somme de soixante ans pour retrouver les mêmes problèmes occupant l'esprit des hommes d'aujourd'hui. »

A l'inverse des lecteurs de Beaumont, nous avons vu la victoire de l'automobile, mais il semble encore incroyable que Hancock et ses collègues aient pu tant faire et que pourtant, comme Cugnot deux générations avant, ils aient été paralysés par la procédure administrative. Aujourd'hui le problème est infiniment plus compliqué : ce n'est pourtant qu'une nouvelle face du même phénomène.

Avec Francis Macerone (1788-1846) nous avons peut-être le personnage le plus pittoresque. Soldat de fortune, aide de camp du roi de Naples, Murat; général de brigade en Colombie en 1820 (il a pu, au cours de ses voyages, voir les machines de Trevithick à l'œuvre), auteur d'un projet de canal de Panama, il travailla pour Gurney en 1825-1828, puis partit combattre avec les Turcs contre la Russie à Constantinople, avant de s'attaquer en 1831 au problème de la locomotion routière. Pendant trois ans il fut l'associé de John Squire. Ils déposèrent un brevet pour une chaudière tubulaire en 1833, et fabriquèrent deux véhicules; sur l'un de ceux-ci, Squire atteignit, selon certains, la vitesse de 50 kilomètres à l'heure. Après que Squire se fut retiré de l'affaire, Macerone fit un choix malheureux (peut-être n'avait-il justement pas le choix ?). Le nom du nouveau venu apparaît sous diverses formes, telles que Asda, d'Asda, et Dasda; il s'agirait d'un Juif italien. La première chose que fit ce personnage fut d'emmener deux voitures Macerone sur le continent, l'une à Bruxelles, l'autre à Paris. Nous ne savons rien du sort du véhicule de Bruxelles (mais on peut rappeler que Dietz avait fait fonctionner des voitures à vapeur dans la région, la nouveauté n'était donc pas grande), mais Dasda ou d'Asda fut brillamment reçu à Paris, où il fut présenté au roi et à la reine par le colonel d'Houdetot, leur fit une démonstration du véhicule (ils n'y montèrent point), et reçut une tabatière en signe d'estime. Cette « tabatière en or enrichie par leur chiffre » était précisément ce qu'il fallait à M. d'Asda qui vendit la voiture et les droits pour une somme de 16 000 livres sterling; Macerone ne vit bien entendu pas la couleur de cet argent; l'escroc n'eut même pas l'élégance de lui faire parvenir la tabatière comme souvenir. Macerone fut ruiné, et alors qu'il essayait d'organiser une nouvelle compagnie de transport, ses créanciers l'en empêchèrent[1]. Ses *Mémoires*[2] donnent une foule de détails sur cette affaire. Grand-Carteret[3] parle d'une gravure en couleurs intitulée « Invention française de 1835 » qui circula en France à cette époque et explique comment ces gravures ont pu être utiles en entraînant l'acceptation par le public de la traction mécanique; il cite ensuite un long passage du *Messager boiteux* de Strasbourg sur les activités d'Asda (ajoutant en note que son nom n'est dans aucun dictionnaire). Grand-Carteret continue en observant que la gravure sur bois qui illustre l'article sur d'Asda est la même que celle publiée sous le titre « Invention française de 1835 ». Le nom de Clavière est parfois associé avec cette voiture (peut-être était-il l'acheteur des droits de d'Asda), il a apparemment inventé d'autres chaudières pour la voiture, et les a fait breveter; le titre d' « Invention française » se justifie donc quelque peu, mais le pauvre Macerone est bien oublié dans cette affaire.

John Scott Russell (1808-1882), célèbre armateur (constructeur du *Great Western*, le plus grand bateau de son époque), fit breveter une diligence à vapeur d'une capacité de 26 personnes. Le « Steam Carriage Company » d'Ecosse en acheta six et commença un service horaire entre Glascow et Paisley. Un acte de sabotage, commis par des rivaux partisans du système hippomobile, causa la rupture d'une roue et le renversement de l'une des voitures, dont la chaudière explosa. L'accident se produisait le 29 juillet 1834; cinq personnes périrent ce qui donna aux ennemis du nouveau système le prétexte voulu; la *Court of Sessions* s'autorisa de la clameur populaire pour interdire l'usage de tels véhicules en Ecosse. Les diligences furent amenées à Londres et mises en vente; aucun acquéreur ne se présenta. Ceci a été imputé à la *red flag law* (la loi du drapeau rouge, selon laquelle un homme, porteur d'un drapeau rouge, doit devancer à pied le véhicule, comme mesure de précaution), mais c'est inexact puisque les premières mesures de législation restrictive apparurent en 1861, et furent renforcées

1. On trouve un prospectus du « Maceroni Common Road Steam Conveyance Company », Londres, mai 1839, à Yale University Library.

2. Francis Maceroni, *Memoirs of the Life and Adventures of Colonel Maceroni*, 2 vol., Londres, 1838. (Deux autres livres sont signalés par Jenkins.)

N. B. — Il semble que, après sa saisie, Macerone ait changé l'orthographe de son nom en Maceroni.

3. *Op. cit.* Grand-Carteret, *La voiture de demain*, pp. 110-112.

en 1865. En fait, une lithographie dramatique, dépeignant le moment de l'explosion, avec d'infortunés passagers fuyant le lieu du sinistre, largement diffusée à l'époque, découragea le nombre limité d'acheteurs éventuels. Dollfus donne une reproduction de la gravure dans son chapitre de l'*Histoire de la locomotion terrestre*. Russell reprit ses activités dans des domaines similaires, et notamment un bac ferroviaire sur le lac de Constance.

Le troisième médecin qui s'intéressa au problème du transport terrestre par moyens mécaniques fut W. H. Church de Birmingham. Il obtint plusieurs brevets entre 1830 et 1840. La *London and Birmingham Steam Carriage Company* fut organisée, et le premier véhicule, richement décoré à la manière d'une voiture de cirque, transporta une quarantaine de passagers à la vitesse de 25 kilomètres à l'heure environ. D'autres voitures furent introduites, mais aucune ne put résister au traitement rigoureux imposé par les routes. En raison de son apparence spectaculaire et de son ornementation frappante, mises en relief dans la publicité de la compagnie et depuis fort imitées, le véhicule reste l'un des mieux connus de l'époque, en dépit de performances plus que modestes. Tissandier[1] en donne une reproduction et l'attribue à « l'ingénieur italien, Ghurch *(sic)* », qui n'est autre que le médecin anglais Church, comme le fait remarquer Grand-Carteret, dans un rare souci de correction.

Il y eut bien d'autres constructeurs de voitures à vapeur à cette époque : presque toutes étaient destinées au transport en commun, non point tant parce que les constructeurs reculaient devant le problème technique du transport particulier (allégement du poids, etc.), mais bien parce que le besoin de voyager, l'instinct périgrinateur n'était pas encore apparu. Lorsque la bicyclette fit son apparition, l'appel du voyage prit vraiment son essor.

Les dessinateurs se trouvèrent souvent gênés dans leurs plans par des problèmes de résistance des matériaux pour les châssis, les roues, les moyeux, les coussinets, etc., alors que, dans des véhicules de dimensions plus modestes, cette résistance eût probablement été suffisante.

Le plus grand obstacle, néanmoins, et celui qui tua véritablement le mouvement, fut l'aveugle égoïsme de ceux qui se crurent menacés par cette nouvelle forme de transport. Les éleveurs de chevaux, les agriculteurs, les maquignons, les propriétaires de lignes de roulage et de diligences, les administrateurs de péages, et les banquiers ayant investi dans les lignes de chemin de fer, tous

1. *La Nature*, 11 mai 1895.

firent cause commune contre les automobilistes, et ils obtinrent l'oreille du Parlement. En vain les avocats du nouveau système produisirent-ils des experts pour prouver que leurs voitures faisaient moins de dégâts sur les routes que les sabots des chevaux. Ces témoins étaient Mac Adam (dont le nom est resté dans « macadam »), Telford et tant d'autres. Trois Commissions parlementaires recueillirent des dépositions, firent des études et se prononcèrent favorablement. Leurs rapports furent négligés, et l'infâmante loi du drapeau rouge ne tarda pas à être votée. Il s'ensuivit donc, qu'en Angleterre, aucune automobile mécanique ne pouvait utiliser les routes à moins d'être précédée d'un homme à pied ou à cheval, porteur d'un drapeau rouge. La vitesse limite fut fixée à 7 kilomètres à l'heure, alors qu'avec les milliers de kilomètres parcourus on n'avait eu que deux accidents, et qu'il n'y avait pas eu de victimes (sauf dans le sabotage mentionné). Trente ans de péages exagérés furent suivis de trente ans de drapeau rouge, si bien que seuls les lourds tracteurs empruntèrent les routes, et que les tentatives d'exceptions à la loi (sous prétexte de sport ou d'attraction foraine) furent réprimées par des lois encore plus sévères, comme celle qui imposait un équipage de trois hommes sur la voiture.

C'est ainsi que les Anglais, par leur législation restrictive, se retirèrent de la compétition automobile, laissant la place aux Français qui avaient de bonnes routes ouvertes aux expérimentateurs[1].

1. Louis Lockert, *Traité des chaudières et machines à vapeur*, Paris, 1876.
N.B. — Lockert, par suite d'une erreur typographique, donne 1731 comme date de l'enquête du premier *Select Committee*.

CHAPITRE VII

LES ANNÉES CALMES EN FRANCE

Pendant ces années frénétiques d'activité en Angleterre, un calme relatif régnait en France dans le domaine de l'automobilisme; c'était une période de pause et de préparation, sur laquelle nous ne savons pas grand-chose. Il est probable que même ceux qui s'intéressaient au problème étaient loin de se douter de l'explosion prochaine.

Comment le Français éclairé de 1900 voyait-il cette ère, au moment où s'ouvraient les portes du Premier Congrès international d'Automobilisme ? M. Forestier, inspecteur général des Ponts et Chaussées, et vice-président de la Commission d'organisation du Congrès, s'exprimait ainsi devant les représentants de l'automobilisme mondial :

« ... la traction mécanique sur route était déjà prospère en Angleterre ; l'industrie de ce pays s'apprêtait à recueillir les bienfaits de cette nouvelle source de travail, lorsque, par une mesure draconienne dont on ne s'explique pas le but, l'administration anglaise, cependant si libérale d'ordinaire, imposa aux voitures automobiles des vitesses ridiculement faibles. Instantanément, la voiture nouvelle disparut au grand détriment de l'industrie anglaise.

« Il a fallu le succès de l'automobilisme en France pour que, en Angleterre, on s'aperçût de la faute qui avait été commise en 1836, et pour que le Parlement, sur des instances de plusieurs partisans de l'automobilisme en Angleterre, modifiât cette loi prohibitive »[1].

En fait, M. Forestier commettait une erreur en datant les restrictions légales de 1836, erreur qu'il partage toutefois avec un nombre surprenant d'historiens : Lavergne et Grand-Carteret, entre autres, bien que le premier soit d'ordinaire fort méticuleux et le second mieux informé que Lockert. Beaumont ne s'est pas trompé, lui; il semble donc que Forestier et Grand-Carteret aient tiré leur information d'un ouvrage français antérieur sur les engins à vapeur, véritable source de l'erreur. Cette inexactitude fut sans

1. Comptes rendus, Premier Congrès international d'Automobilisme, 1900.

doute bénéfique puisqu'elle permit de faire taire ceux qui, lors de l'apparition de l'automobile sur les routes, s'obstinaient à en faire limiter la vitesse à l'allure du pas. La législation répressive datait, en Angleterre, nous l'avons vu, de 1865. Avant cela, il y eut même une époque, aux alentours de 1840, où, comme Beaumont l'a fait remarquer, les voitures à vapeur étaient exemptées du *Hackney Act* (acte administratif contrôlant les voitures de place à chevaux). Le but de cette mesure était, évidemment, d'encourager une industrie encore dans son enfance. Tandis que les Français échappaient aux mesures répressives, et possédaient un meilleur réseau routier, l'apathie qui régnait dans leur pays était la même que partout. La population était bien plus statique qu'elle ne l'est aujourd'hui. Même ceux qui pouvaient se payer le luxe de voyager par train ou par des moyens privés ne le faisaient pas : ils restaient chez eux.

La disette des capitaux à risquer dans une aventure comme l'automobilisme n'était que le reflet du manque de spéculateurs. L'Etat, qui avait commandité les expériences de Cugnot, n'était plus en mesure de supporter d'aussi lourdes dépenses, et le capital privé était absorbé par l'expansion ferroviaire qui correspondait mieux à l'idéal bourgeois d'utilité, et permettait un contrôle plus strict des investissements. Les progrès dans le domaine routier furent lents, à l'ombre du géant ferroviaire, mais ce furent néanmoins des progrès.

Antoine Galy-Cazalat (1796-1869) est présenté par Lockert, dans son *Traité des chaudières et machines à vapeur*[1], comme le premier Français à avoir utilisé un moteur à gaz au lieu d'une machine à vapeur. Il semble qu'il s'agisse d'une confusion de la part de Lockert, qui a confondu l'œuvre de Brown avec celle de Galy-Cazalat[2].

Samuel Brown n'entre pas directement dans le sujet de cette étude, mais nous pouvons examiner brièvement les faits. En 1823, Brown fit breveter un moteur à gaz, sur le principe du vide (il s'agissait en l'occurrence de notre vieil ami, le moteur atmosphérique utilisant le gaz au lieu de la vapeur pour faire le vide). La carrière de Brown et de son moteur est relatée dans le *Mechanic's Magazine* (1825-1826), il nous suffira de noter qu'il était soucieux d'éviter les explosions violentes (idée qu'on verra encore plus loin) et qu'il laissait s'éteindre le gaz de ville pour obtenir le vide.

1. *Op. cit., supra.*
2. A. Galy-Cazalat, *Voitures à vapeur sur routes ordinaires*, Paris, 1835; et *Mémoire t. et p. sur les bateaux à vapeur*, Paris, 1837.

En 1826, Brown monta un de ces moteurs sur un chariot et choisit la pente la plus raide du Kent, *Shooter's Hill*, pour des raisons de publicité. L'histoire ne dit pas s'il y avait des voyageurs ou si le véhicule était capable d'autres évolutions que de grimper. Le dernier texte cité parle d'une exploitation du moteur dans une compagnie de navigation qui fut dissoute en raison du coût trop élevé de l'alimentation en carburant de la machine.

Galy-Gazalat fut identifié par Dollfus comme étant professeur de physique au lycée de Versailles et polytechnicien; ses deux écrits sont : *Voitures à vapeur sur routes ordinaires* (1835) et *Mémoire sur les bateaux à vapeur* (1837). La note sur les voitures à vapeur sur routes ordinaires est en partie une défense technique contre les attaques du *Journal des Débats* et du *National*; l'autre discute de la motorisation de bateaux, notamment grâce à un moteur alimenté par

« ... l'hydrogène dégagé par le zinc et l'eau acidulée (qui développe une pression de 28 atmosphères)... en 1827 et 1826 *(sic)*. M. J.-A. Dubain, capitaine du génie, et moi, nous fîmes disposer un autre appareil pour faire marcher un bateau...

« J'ai vu fonctionner, en 1832, aux environs de Londres, chez l'inventeur, M. Brown, une très grande machine à gaz hydrogène carboné. Dans cette machine, qu'on transporta l'année suivante à Paris, le gaz tonnant agit par l'expansion de la vapeur qu'il forme sous la température de la flamme et par la condensation subséquente... »

Cet extrait de Galy-Cazalat nous éclaire non seulement sur l'erreur de Lockert, mais encore sur le fait que Galy-Cazalat ait rejeté l'idée démodée de moteur atmosphérique dès l'abord, tandis que Brown persistait, en dépit d'une presse hostile, tout en perfectionnant son modèle (si le rapport de Galy-Cazalat est exact) de la façon suivante : il employait la force détonante pour le mouvement aller et la pression atmosphérique pour le mouvement de retour (comme dans la machine à vapeur à double effet). L'idée certes est ingénieuse : elle n'a jamais été reprise. Galy-Cazalat fut plus réaliste et il conclut vite que les frais d'exploitation de sa machine étaient trop élevés. On peut accepter l'opinion de Lockert selon laquelle Galy a pris un brevet pour une voiture munie d'un moteur à gaz tonnant, même si l'inventeur n'en parle pas lui-même — cela est plausible.

Les efforts de Brown se rangent dans une catégorie qui n'a jamais eu de succès en automobile, et qui se rapproche de la machine à vapeur atmosphérique : il n'y a rien à gagner à substituer un gaz à la vapeur.

La note de Galy-Cazalat montre qu'il comprenait la faiblesse inhérente à ce système et on peut voir qu'il a employé la force d'expansion du gaz allumé par une flamme. Il faut admettre pourtant que si Galy avait construit une automobile à moteur à explosion, il l'aurait mentionné dans une brochure de 190 pages sur l'application du moteur à gaz tonnant, même si cette brochure s'occupait principalement de bateaux. Pour l'utilisation du gaz, il lui fallait attendre la découverte future d'un gaz à la fois utilisable et économique, mais en tout état de cause Galy considérait la solution du gaz comme supérieure à la vapeur. Il se lança pourtant dans la construction d'une voiture à vapeur; ce fait est contesté par Dollfus dans les termes suivants :

« ... il ne semble pas avoir construit cette voiture... »[1].

Nous pouvons nous faire une opinion opposée dans l'extrait suivant du mémoire sur les *Voitures à vapeur sur les routes ordinaires* déjà cité :

« *Le National* déclare tout récemment que le problème a été résolu par la voiture que M. Asda a transportée de Londres à Paris, en la faisant passer par la Belgique. Il énonce, et cela est vrai, que la voiture de M. Galy-Cazalat est construite d'après les principes de la détente de la vapeur... »

Il faut se rappeler que ces recherches dans le domaine du moteur à gaz se sont terminées par une impasse, et n'ont rien donné à l'automobilisme moderne. Le moteur à gaz et à vide est de la famille du moteur à poudre de Huygens, et des expériences voisines de Papin avant qu'il ne s'attache à la force expansive de la vapeur. Papin a découvert l'erreur cachée de cette conception; cette découverte est expliquée dans un échange de lettres avec Leibnitz, qui n'ont malheureusement pas reçu la publicité souhaitable, Papin étant entré par la suite dans une période de méfiance et de non-communication avec ses collègues savants. Galy-Cazalat s'est aperçu de l'avantage de l'utilisation de l'expansion des gaz par suite de ses progrès mêmes à la vapeur; et là, il a devancé Brown.

Les lettres de Papin[2], de la collection Gerland, illustrent son idée de l'emploi de forces dilatantes autres que celles de la vapeur d'eau. En bref, on peut dire que tous les premiers moteurs Watt, et tous les moteurs à piston antérieurs, sauf certains moteurs de Papin, représentent l'exemple le plus primitif de machine à vapeur. L'idée, qui devait avoir la vie dure, était, nous le répétons encore une fois, de produire un vide dans le cylindre, et le travail était fourni par la pesanteur de l'air sur le piston, après création du vide.

1. Ch. DOLLFUS, *op. cit.*, p. 246.

2. GERLAND, *op. cit.*, cf. Lettre 73. Leibnitz offre à Papin l'idée d'utiliser « des liqueurs qui feraient mieux encore que l'eau ».

Ceci constitue un intéressant exemple de principe abstrait, réduit à des proportions compréhensibles par une démonstration dramatique (dans ce cas, les sphères de Magdebourg), mais cachant les vrais problèmes et causant le rejet d'un principe autrement supérieur. Ainsi tous les théoriciens jusqu'à Cugnot (et sa petite postérité de non-conformistes) et à la seule exception de Papin, tout le monde a cru que l'explosion ou la dilatation était violente et incontrôlable, et a cherché à utiliser la pression de l'air. L'air est chose familière, il n'est ni effrayant, ni mystérieux.

Les étapes successives du développement de cette théorie sont :

1. La notion de Huygens : explosion de poudre;

2. La condensation de la vapeur et l'utilisation de l'implosion, comme dans les premières machines de Watt;

3. L'explosion de la térébenthine, d'autres esprits volatils, ou de gaz, réalisée par Galy-Cazalat avec l'hydrogène et par Brown avec le gaz de ville. La puissance est produite par l'implosion, l'atmosphère appuyant sur la face du piston et le vide partiel dans le cylindre. La seule application commerciale réussie de ce principe fut la courte carrière du moteur dit « à piston libre » de Otto et Langen, cinquante ans plus tard. Dans chaque application, la plus grande partie de la puissance de l'explosion (vapeur ou gaz) est gaspillée : le principe reste faux, selon nos méthodes modernes. Watt finit, en fait, par le reconnaître; mais dans sa machine à double effet, où la vapeur était appliquée alternativement aux deux faces du piston, il garda des pressions très faibles, croyant que les difficultés pratiques (fuites de tuyauterie, etc.), imposeraient des limites plus sérieuses que la réalité ne le montra plus tard.

La contribution de Lebon d'Humberstin sera abordée plus loin, avec les véritables moteurs à explosion.

Sans abuser de la patience de nos lecteurs nous pouvons rappeler que le général Morin, dans son compte rendu[1] à l'Académie des Sciences, en 1851, a ressenti le besoin d'éclairer ses savants auditeurs sur la « machine à haute pression et à simple effet », en ajoutant que « le piston ne remonterait pas par l'effet de la pression atmosphérique ». On entrevoit les incroyables obstacles d'incompréhension qu'ont dû surmonter Cugnot et ses disciples, quand, au bout de quatre-vingt cinq années, le système n'a pas encore été compris[2].

1. *Comptes rendus à l'Académie des Sciences*, 1851, 1er septembre, t. 32, nº 15, pp. 524-533.

2. Gustave Chauveau, *Traité des moteurs à gaz*, Paris, 1891, pp. 134 et sq. Chauveau décrit très nettement ces anciens moteurs.

Onésiphore Pecqueur est l'auteur d'un brevet déposé en 1827, accordé l'année suivante, où l'on peut voir de remarquables anticipations de l'automobile actuelle. En sa qualité de chef des ateliers du Conservatoire des Arts et Métiers, il avait dû exécuter un modèle réduit de la voiture de Cugnot pour le cours de M. Pouillet, le directeur, sur les machines à vapeur. (Pouillet trouva d'ailleurs à redire aux opinions du général, telles que les *Comptes rendus de l'Académie des Sciences*, déjà cités, nous les rapportent.) On a prétendu que c'est cet exercice qui a prouvé à Pecqueur les insuffisances de la chaudière de Cugnot, ce qui est possible, mais on ne peut s'empêcher de trouver extraordinaire le nombre d'historiens de l'automobilisme qui, à la fin du XIXe siècle, connaissaient les défauts de la chaudière de Cugnot. Pour revenir à Pecqueur et à son invention, il utilisait une chaudière à chauffage extérieur, et pour éviter la transmission à rochet (sujette à une usure rapide), il avait adopté un moteur rotatif. Nous ne sommes pas renseignés sur les performances de ce moteur, mais c'est un fait que si beaucoup de moteurs de ce genre ont été inventés, bien peu ont été commercialisés avec succès.

La renommée de Pecqueur ne repose pas sur ces deux caractéristiques, mais sur l'application du différentiel à l'essieu propulseur pour virer sans patiner et pour éviter de surcharger l'essieu ou le moyeu. C'est à lui également que l'on doit l'invention de la suspension indépendante des roues avant, mais en raison des critiques hâtives de Lockert, ce perfectionnement a été largement incompris.

Lockert se lance dans une attaque erronée de la disposition de Pecqueur, parce que ce dernier n'a pas donné des angles distincts aux roues pour maintenir le plan de la roue tangente à sa course dans la courbe. (La roue intérieure, traçant une courbe de rayon plus petit doit, cela va sans dire, pivoter à un angle plus aigu.) Pecqueur n'a pas fait cela, nous l'admettons sans peine; c'est Bollée qui, sur l'*Obéissante*, en 1873, semble avoir été le premier à appliquer ce principe. Lockert, fort de sa connaissance de Bollée, oublie que Pecqueur accomplissait un pas de géant, si on compare son invention avec la pratique commune en Angleterre à l'époque, où tout le monde se contentait de suivre le système du charronnage, avec l'axe pivotant sur une cheville ouvrière. Gibbs et Chaplin n'ont fait qu'entrevoir l'idée imparfaitement; ils l'ont appliquée en 1832 à une remorque. Lockert cherchait une géométrie correcte dans la direction (qu'on verra plus loin), sans comprendre ni apprécier que Pecqueur avait rompu avec la tradition de l'attelage et inventé une bonne méthode, où l'axe du pivot se trouvait au centre du point de contact de la roue et du sol. Pratiquement, il y parvenait grâce à une construction analogue à la fourche d'une bicyclette. Cela évitait l'effet d'embardée qui serait loin d'être supprimé sur les modèles à venir, et qui était bien plus grave encore sur les modèles du type de l'attelage hippomobile. Pour saisir pleinement l'importance de cette conception, il faut se replonger dans l'ambiance artisanale de l'époque. La voiture à cheval est dirigée par le cheval, et quand une roue avant frappe un obstacle, le choc se communique au cheval qui y résiste de tout son poids. Autre avantage mécanique, le timon a au moins deux fois la longueur de l'essieu de la roue au pivot, ce qui divise l'effort de moitié. Les premiers expérimentateurs ont commencé, pour la plupart, avec un carrosse de type normal, auquel ils ajoutaient moteur et direction; ils ne tardèrent pas à s'apercevoir que l'obstacle avait un effet bien différent sur un véhicule sans chevaux, lorsque l'ébranlement était répercuté sur train rudimentaire (qui avait été plus ou moins improvisé à l'atelier de montage), ce qui arrachait la direction des mains du conducteur. C'est d'ailleurs ainsi que le malheureux Levassor a trouvé la mort.

Il est étrange que Pecqueur n'ait pas eu connaissance de l'invention de Lankensperger, de Munich, brevetée en Angleterre par Ackermann, et publiée dans une brochure de 60 pages en 1819[1] pour persuader les charrons de se servir de son invention : c'était un corps d'essieu muni de chapes ou de fusées (appelé parfois assez malheureusement essieu brisé) et pivotant à chaque bout du corps de l'essieu, lequel est fixé à angle droit de l'axe du véhicule. L'invention consistait en la possibilité de faire varier l'angle d'une roue directrice par rapport à l'autre. Le principal avantage était l'utilisation possible de roues de même taille à l'avant et à l'arrière. La pratique normale du charronnage plaçait des roues plus petites à l'avant afin de permettre à ces roues de passer sous la voiture dans les tournants à angle vif. En dépit des efforts publicitaires d'Ackermann, le système ne fut que fort peu utilisé jusqu'à l'apparition de l'automobile qui lui rendit une nouvelle importance. O ironie ! Il est connu dans les pays anglo-saxons sous le nom de *Ackermann steering* (direction Ackermann) du nom de l'Anglais qui prit le brevet pour George Lankensperger[2], charron du roi de

1. Rudolf ACKERMANN, *Observations on Ackermann's Patent Moveable Axles, for four-wheeled carriages*, Londres, 1819.

2. CANESTRINI, *op. cit.*, p. 20, écrit Länkusperger. Jan NORBYE, dans *Automobile Quarterly*, *op. cit.*, vol. 3, n° 4, se trompe sur le rôle d'Ackermann, qui avait acheté les droits pour l'Angleterre.

Bavière. En France, il était connu sous le nom de système Jeantaud, car il fut utilisé par ce pionnier de l'automobile.

Les réserves de Lockert étaient d'ailleurs un peu exagérées en ce qui concerne le véhicule de Pecqueur; l'erreur d'alignement des roues croît avec l'angle des roues et disparaît en ligne droite; elle est moins sensible sur les bandages d'acier que sur les pneumatiques primitifs et fragiles de l'époque de Lockert. Cet auteur insistait sur un raffinement de dessin, mais la contribution de base de Pecqueur consistait à éliminer le pivot central en en substituant deux, un à chaque extrémité de l'essieu, tout près de la roue, ce qui augmentait la stabilité du véhicule et réduisait l'effet des inégalités de terrain et des obstacles sur la direction.

La principale considération d'efficacité, pour bien des pionniers de l'automobile, était d'obtenir le mouvement; la direction venait plus tard : c'était, le plus souvent, un souci secondaire. L'automobile à direction par pivot central n'existe plus; néanmoins, trois des plus célèbres pionniers ont adapté des véhicules hippomobiles, et ils ont utilisé l'essieu à pivot central, la cheville ouvrière. Si l'on pense que nous insistons trop sur ce point, nous répondrons que St. John Nixon[1] réclame pour Benz, sur la base d'un brevet de 1893, la priorité de l'utilisation du « système d'essieu brisé ». Que l'on songe que Bollée a devancé Benz de vingt ans, et Pecqueur de soixante-dix...

Dans l'une de ses rares erreurs, Beaumont[2] a attribué à Hills le mérite de l'application du différentiel à un véhicule à moteur. C'est une double erreur, car non seulement Pecqueur est bien antérieur, mais il y a eu un inventeur britannique avant Hills, postérieur toutefois à Pecqueur.

Cet inventeur est mis en avant par Nixon dans son *Histoire de l'automobile,* que nous venons de citer (bien que fort partial au sujet de Benz, dans ce cas le patriotisme semble plus fort). Il écrit :

> « Bien qu'il ait reçu un brevet le 29 janvier 1886, pour un système de transmission qui incorporait un engrenage différentiel dans l'arbre intermédiaire, Benz n'était pas l'inventeur du différentiel ; feu James Starley, de Coventry, en est communément regardé comme l'inventeur ; il reçut le brevet n° 3388 en 1877 pour un engrenage différentiel combiné à une transmission à chaîne et à mouvement rotatif, mais cette invention s'appliquait évidemment aux premiers tricycles, où les deux cyclistes se servaient de pédales pour avancer. »

1. St. John NIXON, *The Invention of the Automobile,* Londres, 1936.
2. W. Worby BEAUMONT, *Motor Vehicles and Motors,* Londres et Philadelphie, 1900. La 2e éd., en 1902, « revue et corrigée », est identique à part la Préface, vol. II, 1906.

L'utilisation du « mouvement rotatif » est curieuse, car il semble impossible d'utiliser un différentiel sans un minimum de rotation. Pecqueur employait une seule chaîne dans sa transmission, ce qui semble donner à Nixon l'occasion de réclamer pour Benz la priorité de l'application de deux chaînes pour connecter l'arbre du différentiel aux roues arrière, ce qu'on appelle la transmission à double chaîne (pour la distinguer des types primitifs à une seule chaîne).

Retournons à Pecqueur, déjà honoré comme inventeur de la suspension indépendante à l'avant. Le problème des inégalités de la route était bien plus grave aux temps héroïques qu'il ne l'est actuellement, et la solution de Pecqueur, où chaque roue est indépendante, était fort intéressante. La première disposition de Bollée était presque identique, sauf les ressorts ; puis le principe fut abandonné pendant une longue période (à l'exception de Sizaire), bien qu'il soit aujourd'hui universellement employé, à part sur certains camions et autobus.

Galy-Cazalat rentre en scène avec son brevet du 9 octobre 1835, qui est pourtant curieusement omis des histoires spécialisées, surtout les plus récentes. Car Galy-Cazalat fut le premier automobiliste à prendre un brevet pour « un servomoteur à vapeur » de direction[1]. On utilisait pour les véhicules du temps le terme de *locomotive* ou de *locomotive routière* : ceux-ci possédaient en effet une allure lourde et massive, avec leurs larges bandages, qui n'est pas sans rappeler les pires produits de Detroit d'après-guerre; cette combinaison de poids et de l'encombrement rend en effet nécessaire l'utilisation du *power-steering*, la direction assistée. Il est aussi possible que l'inventeur ait songé à la rencontre du fardier de Cugnot et du mur. C'est donc à Galy-Cazalat que revient l'honneur d'avoir le premier abordé le problème qui devait occuper bien des ingénieurs modernes à partir de 1935, à l'étranger plus qu'en France, d'ailleurs. Reconnaissons à Galy-Cazalat son rôle de pionnier, sans sous-estimer la valeur des progrès accomplis depuis cette époque héroïque.

Louis Vinot prit un brevet en 1836 pour une routière qui ressemblait beaucoup à une locomotive. Il ne faut pas le confondre avec un Louis Virot, constructeur lui aussi, que nous verrons plus loin. Le nom de Vinot reparaît plus tard, combiné à celui de Deguingand dans le monde automobile sous la raison commerciale Vinot & Deguingand qui eut son heure de célébrité entre

1. DOLLFUS, *op. cit.*, p. 246 : Dollfus ajoute le freinage par piston à l'huile (freinage hydraulique).

1898 et 1926. Nous n'avons pu établir de relation entre ces deux noms.

L'activité sporadique en Amérique au cours de ce demi-siècle d'automobilisme primitif semble sans rapport avec l'Europe et nous le passerons sous silence. On peut mentionner le développement isolé de Josef Bozek à Prague[1], auteur d'une petite voiture qu'il fit fonctionner en public en 1815. En 1817, il organisa une démonstration de la voiture, ainsi que d'un bateau à vapeur, mais le jour où la ville s'apprêtait à en être le témoin, un orage violent éclata qui détruisit le bateau. On ne dit pas d'où venait l'inspiration de Bozek, mais les seules voitures véritables de l'époque étaient celles de Cugnot, de Trevithick, d'Evans et de Read.

On trouve en Italie un projet de voiture à vapeur à Bologne, plus précisément, où Luigi Pagani travaillait, selon Canestrini[2] à *una locomotiva applicabile a diversi usi* : ailleurs, dans le même ouvrage, cet auteur appelle la voiture de Pagani *progetto di vettura a vapore* (dans un sommaire intitulé *Le tappe della Autolocomozione Stradale e del Motore Applicato al Veicolo* à la p. 494). Ces deux phrases sont tout ce que Canestrini révèle, tandis que Dollfus, au contraire, a publié une gravure du véhicule avec une légende admettant le fait de sa construction.

Heinz et Klement offrent une illustration de la calèche de Virginio Bordino conservée au musée de Turin, tirée peut-être de *L'Italia nei Cento Anni Del Secolo XIX Giorno per Giorno Illustrata (1826-1849)*, pui précise la date (le 7 mai 1836) et la place (Piazza Castello à Turin) de l'essai. Tous les deux présentent de légères différences de la version Canestrini, qui n'ont pas d'importance ici, sinon qu'elles ajoutent encore à l'élément d'incertitude.

1. HEINZ et KLEMENT, *op. cit.*, p. 20.
2. CANESTRINI, *op. cit.*, p. 385; « Tappe », p. 494.

CHAPITRE VIII

LA FAMILLE DIETZ

La famille Dietz a marqué son époque non seulement dans le domaine de l'automobile mais aussi dans le génie civil. Avant la publication d'un conte familial en 1955, les sources les plus utiles sur les Dietz étaient des *Comptes rendus* et les monographies de Dollfus, Grand-Carteret et Lockert; à partir de ces sources, on peut décrire l'œuvre des Dietz dans les termes suivants :

Charles Dietz mérite à coup sûr d'échapper à l'obscurité pour ses efforts persistants en faveur du problème du transport mécanique; il fut sans doute le plus célèbre expérimentateur en France pendant la première moitié du XIXe siècle, car certains de ses essais prirent place sur les grands boulevards parisiens et reçurent l'attention de la presse. Son premier véhicule fut un tracteur, essayé en public le 26 septembre 1834. Dietz ne fut pas favorisé, en l'occurrence, par l'apparition presque simultanée de la machine de Macerone, bien plus perfectionnée et qu'exhibait d'Asda, comme nous l'avons narré. Par la suite, Dietz fit un aller-retour Paris-Saint-Germain en une heure et demie, et certaines expériences sous contrôle, entre l'Observatoire et l'Etoile, dûment rapportées dans les *Comptes rendus*.

La brochure, *Histoire de l'automobile : Charles Dietz, précurseur oublié* (1955) de J.-C. Dietz, document assez subjectif et sentimental, se plaint vivement de ces versions remontant jusqu'à 1835 et demande rectification.

On peut croire que l'auteur est un peu sévère pour Grand-Carteret, qui termine son observation assez juste en ces termes : « le grand public reste fermé à cette question » (de l'automobile). Il ajoute généreusement que c'était « le remorqueur Dietz — août 1835 — qui donna le branle ».

L'examen de la brochure Dietz s'impose, si nous devons accepter l'authenticité des documents qui y sont révélés. Cette question pourrait en effet se poser si les révélations apportées pouvaient affecter le problème des contributions françaises à l'automobilisme mondial, ce qui, comme on le verra, n'est pas le cas.

Tout d'abord, la famille Dietz était d'origine allemande, évidemment, mais l'orgueil filial de l'auteur, attaché à retracer l'histoire du clan, fait clairement ressortir le fait que non seulement Jean-Chrétien Dietz (1778-1849), à qui sont généralement attribuées les expériences de Bruxelles, mais aussi Charles Dietz (1801-1888), l'actif savant français mentionné ci-dessus, naquirent à Emmerich. Selon l'auteur, J.-C. Dietz, Charles Dietz construisait activement des voitures à vapeur rue Marbeuf à Paris entre 1834 et 1841; mais ceci place l'œuvre de Dietz dans l'ambivalente position de celle d'Allemands travaillant en France. En fait, la première voiture essayée à Paris fut présentée comme d'origine belge, et il semble établi que les Dietz construisirent et essayèrent leurs véhicules en Belgique, avant de venir en France. Si certains membres de la famille devinrent des citoyens français, nulle mention n'en est faite dans la brochure. Que J.-C. Dietz essaye de réhabiliter l'honneur de ces ancêtres et de les sauver de l'oubli où certains auteurs commerciaux les ont abandonnés, voilà qui est parfaitement justifié; mais qu'il tente de le faire en attaquant Cugnot, par exemple, trahit un manque total du sens des proportions. Bien plus, notre curiosité est mise en éveil par de tels propos : Dietz, qui commença de travailler à Bruxelles, ne doit-il pas plus à Cugnot, qui y vécut longtemps, que le vieux Jean-Chrétien Dietz n'en a laissé le souvenir? Il est beau d'obéir au quatrième commandement, mais pas au point de dénigrer Cugnot et Pecqueur; l'erreur valait d'être relevée.

En 1818, Dietz père construisit, selon la brochure en question, une calèche pour la duchesse d'Orléans, actionnée par un moteur des plus intéressants; c'était un moteur à vide et utilisant l'alcool, la même catégorie que ceux de Brown et de Galy-Cazalat que nous avons étudiés, sauf dans le choix du carburant; et cela fait de Dietz le devancier de Brown et de Galy-Cazalat. L'engin fut sans doute construit à Bruxelles où Dietz retourna après la chute de Napoléon; il avait été engagé pour divers travaux dans le Midi et ailleurs et le contact avec la famille d'Orléans avait probablement été établi alors. Si le véhicule n'avait pas été construit en Belgique, il mériterait d'être examiné ici; contentons-nous de signaler une seule grave erreur de conception : l'utilisation de la pression atmosphérique au lieu de la force expansive de la vapeur ou de l'explosion de n'importe quel liquide volatil, ou gaz. J.-C. Dietz semble ne pas être sensible à cet argument; sa critique du fardier de

Cugnot peut être repoussée, sans même prendre la peine de relever qu'il semble ignorer la chute de Choiseul et les autres facteurs qui ont contribué à la mort du projet.

Bonneville[1] est l'auteur qui suscite la plus grande animosité chez J.-C. Dietz et les citations offertes paraissent justifier les critiques. Ceci ne veut pas dire que l'auteur de la brochure n'offre point parfois des remarques fallacieuses. Dietz dit par exemple :

« or rien n'a été suivi des conceptions mécaniques de Cugnot, ce sont les travaux de Watt, Stephenson et de Séguin qui ont permis la diffusion des chemins de fer. »

Répétons quelques faits établis face à ces vues contradictoires : nous avons vu que Watt était l'ennemi de la haute pression, que jamais aucun moyen de transport terrestre sur route ou sur rail ne fut utilisé avec succès par le système de la vapeur à basse pression ou du moteur atmosphérique, que Watt connaissait le principe de la haute pression et les utilisations qu'en avait tirées Papin, et qu'il l'avait expérimenté lui-même, sans application commerciale. Nous avons vu que Trevithick avait réussi à faire marcher un engin à vapeur, et que plus tard, il mit au point un chemin de fer à vapeur qui transporta des passagers à des fins commerciales. Pour que la phrase citée plus haut soit correcte, il suffit de substituer le nom de Trevithick à celui de Watt; pour le reste, elle ne s'applique nullement à Dietz, pas plus qu'elle ne concerne la présente étude, puisqu'elle se réfère aux chemins de fer. Elle nous permet par contre d'accueillir certains « faits » avec circonspection.

A Trevithick, dont le nom est associé à ceux de Gurney et de Hancock par Bonneville, J.-C. Dietz commet la maladresse d'opposer Gordon, Scott Russell, Hill (et non pas le Hills mentionné plus haut en relation avec les différentiels), ainsi que Macerone et Squire. Le groupement de ces noms est intéressant, comme nous allons le voir. Les préoccupations de Gordon l'entraînèrent vers l'illusoire propulsion par pattes (ou jambes); son nom serait oublié si son fils, auteur prolifique et fondateur de la première revue automobile, *Elemental Locomotion*, n'avait rendu à son père, en 1832, le genre de service que J.-C. Dietz tente aujourd'hui de rendre à ses ancêtres. La malheureuse expérience de Scott Russell avec l'explosion de sa chaudière ne le destine pas logiquement à être considéré avec Dietz. Les véhicules de Macerone (il y en eut deux), furent envoyés à Bruxelles et Paris après la démission de Squire,

1. Louis Bonneville, *Le moteur roi, origines de l'automobile,* Paris, Bibliothèque de l'Argus, 1949.

pour affronter l'ennemi Dietz sur son propre terrain, pour ainsi dire. La réaction de la presse parisienne fut favorable au véhicule de Macerone comme moins bruyant et meilleur que celui de Dietz. D'Asda fit les délices de la famille royale et ne semble pas avoir été conscient de l'existence de Dietz.

Nous sommes reconnaissants à J.-C. Dietz de ses révélations sur la correspondance entre J.-C. Dietz et Gurney, échange que nous ignorions jusqu'alors. Il n'est que justice de rappeler que Gurney a lui-même senti s'éveiller sa vocation pour les voitures à vapeur en voyant celle de Trevithick à Camborne; Dietz est donc dans la lignée des disciples de Trevithick.

La brochure qui nous occupe contient certaines contradictions ou demi-vérités, dont un exemple suffira. La deuxième illustration (non numérotée, à la suite de la p. 12) intitulée « Premier véhicule de Charles Dietz, brevet du 6 janvier 1835, collection Charles Dollfus », reproduit ce qui semble être une esquisse au crayon d'un tricycle à vapeur à direction par levier direct (sans avantage mécanique) : la roue avant a 1,50 m de diamètre, les roues arrière paraissent plus grandes, d'environ 2,50 m de diamètre. Plusieurs notes marginales sont lisibles, notamment celles du premier paragraphe de droite :

> « Cette voiture, pour la première expérience, a été de la barrière du Trône à Versailles. »

et du second :

> « La seconde expérience qui a eu lieu le 26 7bre 1834 a eu pour but de partir du même point jusqu'à Saint-Germain et surtout de gravir la montagne. »

A la page 12, J.-C. Dietz s'efforce de démontrer l'erreur de Lockert et de Grand-Carteret qui placent l'expérience en 1835 et non en 1834; Grand-Carteret mentionne même, autre erreur, le mois d'août. Ce dernier ne donne pas une date de l'événement : « Et voici de quelle façon l'*Annuaire historique* de Lesur rend compte de cette seconde expérience, à la date d'août 1835 », me semble donner la date de sa publication. Le système de transport par autobus que Dietz avait essayé d'établir a fonctionné brièvement en 1835, et il est possible que l'erreur vienne de là. Il est également possible que, alors que les essais avaient bien eu lieu en 1834, la gravure consultée par Lockert et Grand-Carteret ait porté la date de 1835. Nous suggérons ceci car la gravure semble être la même que celle qui fut utilisée par Dollfus dans son article[1]

1. *Op. cit., supra, Histoire de la L.T.*, etc.

et les chiffres « 26 7bre 1834 » se détachent nettement du texte sur les deux reproductions comme s'ils avaient été effacés et récrits. De toute évidence, on ne peut distinguer sur une planche en demi-teinte le sens de mots surchargés. Mais il y a une explication possible. Ceci serait logique si la notation avait été faite de mémoire, et qu'une vérification subséquente ait révélé l'erreur de mémoire. En ce cas, la correction date d'une période antérieure à 1898. De toute façon, J.-C. Dietz ne propose aucune date pour le premier essai entre la Barrière du Trône et Versailles, nous laissant libre d'assumer que cette date est bien celle qui est inscrite sur le document : quant à la seconde expérience de fin septembre, la différence de quelques semaines ne semble pas importante, à moins que Dietz ait rencontré des difficultés imprévues à la suite de la première expérience, fait qui aurait échappé à l'attention des historiens. Contentons-nous d'attendre une nouvelle histoire de l'histoire de la famille Dietz; nous maintenons nos réserves sur les jugements offerts par Dietz sur les travaux des autres pionniers, mais dans l'ensemble l'ouvrage considéré constitue une utile contribution à notre connaissance de l'histoire de l'automobile.

Dans ce domaine, les opinions de l'auteur sur le nombre de roues sont irrecevables. J.-C. Dietz essaye de montrer que l'utilisation des trois roues par Cugnot n'était pas une solution valable, en arguant du fait que nos automobiles modernes en ont quatre. Ceci n'est qu'une demi-vérité, car il y a des tracteurs de semi-remorques aujourd'hui sur le marché qui n'utilisent que trois roues (ils sont plus maniables) ainsi que deux *minicars* britanniques; quant à ses ancêtres, ils ont utilisé le système de trois roues sur leur remorqueur. De Dion-Bouton et Bollée ont employé le tricycle au début de la phase intensive du développement de l'automobile, et sans cette technique, les progrès auraient été incalculablement plus lents. En fait, Dietz a montré la plus grande virtuosité en la matière, employant 3, 4, 6, 8, 9 (!) et 10 roues sur différents modèles de sa construction. La seule combinaison qu'il semble avoir évitée est le système de 5 roues utilisé auparavant par Gurney et quelques autres constructeurs d'autobus à vapeur anglais. (Ceci simplifiait énormément la construction, de leur point de vue, car la cinquième roue était placée à l'avant du timon ordinaire et servait de roue-pilote : lorsqu'elle tournait, l'axe avant suivait, l'effet obtenu était similaire à celui d'un attelage de chevaux.)

Nous aurions aimé plus de détails sur la calèche de la duchesse d'Orléans, qui appartient à la catégorie des « voitures particulières », si rare à l'époque des deux côtés de la Manche, et par conséquence d'un grand intérêt historique. Quelle fascinante histoire à raconter là ! Qu'est-ce qui a pu pousser la duchesse à se lancer dans l'automobilisme ? Dans cette catégorie, Dietz aurait devancé de quelques années Hancock, le premier en Angleterre à construire une petite voiture à usage privé.

L'auteur de la brochure pourrait expliquer la note marginale « Dietz 1834, modèle Bruxelles-Anvers » mieux qu'il ne le fait. On peut deviner qu'elle se réfère à un projet de navette, ou à une expérience de liaison entre les deux villes, mais s'il possède des précisions, pourquoi ne pas les donner ? Il aurait mieux valu rechercher l'impartialité plutôt que de vouloir vainement attribuer au seul J.-C. Dietz père le type de suspension indépendante des roues inventé par Pecqueur. Dietz a clairement anticipé la suspension de certains engins militaires ainsi que certaines combinaisons de direction introduites entre 1940 et 1950 et d'usage courant sur les véhicules à essieux multiples du type *scout-car*. Que les plans de l'autobus parisien soient ou non une réinvention du dispositif de Dietz, ce dernier a droit à notre reconnaissance pour en avoir prévu l'utilisation[1].

Puisque la brochure est en vente au Musée du Conservatoire des Arts et Métiers, on aurait aimé que les attaques calomniatrices contre Cugnot et Pecqueur n'y figurassent point : il aurait mieux valu combler les lacunes que présente l'histoire de la famille Dietz.

Pour nous résumer : Charles Dietz, Allemand possédant des ateliers à Paris, a fait un certain nombre de tentatives pour populariser le transport public par tracteurs à vapeur autour de Paris et à Bordeaux : c'est dans cette dernière ville qu'il rencontra une opposition aussi forte que celle que subissaient les Anglais à la même époque; il utilisa aussi l'invention de son père : les roues capitonnées, dans lesquelles un agent intermédiaire, feutre, liège ou caoutchouc, était collé entre la jante et le bandage en fer. (Le rapport de l'Académie des Sciences, déja cité, ne confirme pas la simplification de J.-C. Dietz qui prétend qu'il y avait des bandages de caoutchouc sur les roues des véhicules soumis aux essais.) Le véhicule des essais parisiens pesait plus de 8 tonnes en état de marche, au lieu des 3 tonnes et demie de celui de Macerone; pour cette raison ils appartiennent au domaine du poids lourd et du transport en commun. Dietz mérite d'échapper à l'oubli pour ses efforts pendant la première partie du XIXe siècle, alors qu'il était presque le seul à mener la bataille en France.

1. *Omnia*, 1909, pp. 74-75 : Les omnibus parisiens à trois essieux de Brillié.

Chapitre IX

LOTZ

Des remorqueurs a la voiture personnelle

Le milieu du siècle marque également, semble-t-il, un tournant dans l'expansion de l'utilisation de la vapeur sur routes ordinaires. Au contraire de l'Angleterre, où ce mouvement avait précédé le développement ferroviaire, la France possédait déjà un important réseau ferré avant que les « routières », comme on les appela, ne s'imposent. Le coup de fouet de l'enthousiasme populaire, aussi bref qu'il ait été en Angleterre, avait totalement manqué en France, en dépit des efforts de Dietz et des autres. Le chemin de fer monopolisait la plus grande partie du génie inventif et la totalité des capitaux disponibles. Des financiers perspicaces comme les Rothschild, qui avaient manqué de peu l'occasion en Angleterre, reprirent à leur compte l'exploitation ferroviaire en France et d'ailleurs en Europe[1].

C'est la France qui, la première, eut le mérite de reconnaître à l'automobile un rôle complémentaire de celui du chemin de fer. Cette théorie est sans doute quelque peu démodée actuellement mais les nouvelles autoroutes atteignent rapidement le degré de saturation, la circulation urbaine se dégrade sans cesse, la mortalité routière augmente avec la présence simultanée sur les routes de gigantesques camions-remorques et de voitures particulières, ce qui fait qu'une révision déchirante des problèmes de transport peut bien amener dans un avenir plus ou moins proche à une réévaluation des chemins de fer.

Pendant la seconde partie du siècle, le nom de Lotz apparaît et atteint la célébrité. Lockert a consacré de nombreuses pages à la maison Lotz dont les origines se trouvent, de façon signi-

1. Comte Corti, *Reign of the House of Rothschild*, trad. Lunn, Londres, 1928. Frederic Morton, *The Rothschilds*, New York, 1962.

ficative, dans la première ville de province, Nantes, où la vapeur ait été employée du temps du Watt, si bien que l'on peut y présumer l'existence d'une tradition de la vapeur qui n'existait nulle part ailleurs en France, sauf à Paris bien sûr, et aussi à Lyon.

Lockert reconnaît la puissance industrielle de l'organisation Lotz, mais il s'égare, nous semble-t-il, en déclarant :

« La première routière de la Maison Lotz, de Nantes, était imitée des machines anglaises, tandis que celle représentée par (le type Eclair) constituait un type très personnel et recommandable à tous égards »[1].

L'armée procéda à des expériences, utilisant des tracteurs Lotz pour remorquer des avant-trains de canon, des caissons, et d'autres matériels militaires; on venait tout juste de publier les travaux posthumes de Cugnot; voilà bien la source de l'inspiration, plutôt qu'une influence anglaise proposée par Lockert. Cette influence ne sauta pas aux yeux du rédacteur du *Mechanics' Magazine*[2] qui consacra un article au nouveau véhicule de Lotz où l'on peut déceler quelque déception devant le fait que Lotz ait refusé de lui en dévoiler les caractéristiques techniques. Néanmoins l'auteur de l'article pensait qu'il s'agissait d'une véritable nouveauté qui pourrait intéresser ses lecteurs.

Lotz réalisa au moins un petit véhicule de capacité assez minime, la première voiture familiale de ce genre à être, semble-t-il, construite en France. (Omont avait fait breveter un charmant petit tilbury en 1837, qui rentrerait dans cette catégorie, mais, hormis le témoignage assez allusif de Dollfus, nous ignorons s'il fut vraiment construit.) Il existait en Angleterre une ou deux voiturettes de plaisance, dont celle de Hancock; il y en avait aussi une en Italie, la voiture de Bordino dont nous avons parlé; mais il n'en existait aucune en Allemagne ou ailleurs en Europe. Lotz bénéficia de la publicité plus qu'aucun autre constructeur français de son époque : on peut presque sentir, en lisant Lockert, que ses notes furent prises à une table d'ami, devant les reliefs de spécialités nantaises et des bouteilles de Gros Plant et de Muscadet, car son ton, lorsqu'il parle de Lotz, est bien plus enthousiaste que lorsqu'il mentionne Larmangeat, par exemple, qui fit rouler un train routier d'Auxerre à Avallon[3].

Tresca[4] raconte en détail l'odyssée du véhicule de Lotz qui

1. *Op. cit.*, *Voit. à vap.*, pp. 112-113.
2. *The Mechanics' Magazine*, new series, vol. 21, 5 févr. 1869, pp. 104-105.
3. L'abbé MOIGNO, *Les Mondes*, 1867, pp. 730-733.
4. *Bulletin de la Société d'Encouragement*, 1866, pp. 346-355; conférence faite à la Société le 28 février 1866, par M. TRESCA : « Sur la traction à vapeur sur les routes ordinaires. »

couvrit Nantes-Paris en 1865 ou 1866 et dont le fonctionnement fut montré à des fonctionnaires et des membres du Conservatoire des Arts et Métiers. Extrayons du rapport deux paragraphes particulièrement intéressants.

Le premier décrit la première sortie nocturne en automobile en France dont le récit nous soit parvenu et illustre aussi le problème de braquage qui avait également préoccupé Cugnot :

« Nous avons fait un premier voyage de nuit. Au sortir du Conservatoire, une fausse manœuvre nous fit heurter le trottoir, et, pendant le temps nécessaire pour remettre les machines dans la bonne voie, nous fûmes entourés d'une population de nuit tout à fait singulière et peu sympathique aux idées nouvelles. Cette population aurait fini peut-être par être fort incommode ; elle nous suivit pendant quelque temps ; mais, la machine ayant pu marcher à toute vapeur, nous la perdîmes bientôt de vue, malgré les efforts faits pour nous suivre. »

L'autre paragraphe donne une estimation de la valeur économique :

« Mais voici où est le grand avantage. Les frais d'établissement de la voie sont réduits à zéro pour les machines de traction, tandis que c'est la dépense capitale pour un chemin de fer. Il en résulte que les chemins de fer ne peuvent s'établir qu'en vue des grands trafics, dont les bénéfices qu'on a droit d'en attendre sont nécessaires pour payer les intérêts du capital considérable employé à l'établissement de la voie. C'est le contraire qui a lieu pour les machines à traction. Ici on peut avoir en vue le service de trafics peu considérables ou intermittents, et c'est même là qu'est l'avenir de ces nouvelles machines...

« Mais le cheval de chair mange et consomme, lors même qu'il ne travaille pas. La machine de traction ne consomme qu'en raison du travail... »

La petite voiture Lotz, nous l'avons déjà mentionné, essayait de fournir ce qui est aujourd'hui considéré comme l'une des fonctions normales de l'automobile, c'est-à-dire un véhicule librement utilisable pour se rendre où l'on veut et quand on le désire. Il est pourtant clair que ce désir n'était aucunement partagé par la majorité du public à cette époque; et en fait, ceux qui cherchaient une telle liberté étaient considérés comme des excentriques, sinon comme des personnages antisociaux. Tresca, dans l'ouvrage que nous venons de citer, se met en quête d'emplois appropriés à de semblables véhicules à vapeur, et pourtant il ne songe même pas à la possibilité du moyen de transport privé. L'opinion de Lockert, offerte trente ans plus tard, est en réalité de la clairvoyance rétrospective : le désir de voyager à son propre gré est alors devenu quasi normal tandis que Lotz mérite moins d'être admiré pour son automobile assez gauche et peu maniable que pour avoir découvert ce véritable besoin et l'avoir matérialisé en un objet de métal et de vapeur.

L'activité de Lotz fut également mentionnée par la presse étrangère, avec plusieurs articles en Angleterre (où le mouvement était plus intense, né des coches et diligences à vapeur des années trente), ainsi qu'en Allemagne, où le mouvement était encore plus lent qu'en France. A ce propos, il faut signaler l'erreur de Tresca, dans le rapport cité plus haut, lorsqu'il parle de la fameuse loi du drapeau rouge comme étant établie de longue date : il écrivait en 1866 et la loi n'avait été promulguée que depuis un an. Quelques articles étrangers, cités dans le *Repertorium der Technischen Literatur die Jahr 1854-1868*, donnent une idée de l'étendue de l'activité française.

Nous avons vu qu'une installation antérieure de Watt, à Nantes[1] a pu fournir à la Maison Lotz la technologie de la vapeur nécessaire; mais il est peut-être superflu de noter que la seule chose qu'avaient Watt et Lotz en commun était qu'ils utilisaient tous deux la vapeur. Le fait qu'il ait fallu attendre de 1790 à 1860 pour que l'influence produise ses effets est significatif du fossé technique qui sépare ces deux entreprises, l'une fort simple et l'autre utilisant des pressions de sept atmosphères. Pourtant la théorie de la filiation locale est encore confirmée par l'apparition d'un autre inventeur de tracteur à vapeur à Nantes. Son nom était Oriolle, et il déposa un brevet pour un véhicule à vapeur en 1866, dont toute autre trace à disparu.

Deux autres événements, dont nous devons tenir compte dans notre étude de l'évolution vers l'automobilisme, se produisirent en 1866. Le premier est l'apparition du baron Armand-Pierre Séguier (1803-1876) sur les listes des inventeurs français. A ce sujet, il nous faut remonter quarante ans en arrière. Le premier à parler du rôle de Séguier comme constructeur pionnier est Tresca dans la communication citée plus haut, où il le donne comme collaborateur de Pecqueur. Ce secret si bien gardé pendant quarante ans est révélé au fil de la plume dans le premier des deux paragraphes ci-dessous, ce qui appelle quelques réflexions[2] :

« M. le baron Séguier me rappelait, il n'y a pas longtemps, le tricycle de Rivaut. Lui-même, M. Séguier a construit, avec Pecqueur, une machine dont les dispositions sont des plus ingénieuses, peut-être même surabondantes. La puissance motrice exerçait son action sur les roues de l'avant. Le conducteur de l'appareil avait à la disposition immédiate des pieds et des mains les organes destinés à changer la direction du mouvement. La machine évoluait, au milieu de tous les obstacles, avec une extrême facilité, sans doute parce que la roue

1. *Annales de chimie*, 1809.
2. *Op. cit.*, n. 4, p. 78.

motrice était à l'avant ; mais la chaudière, comme celle de Cugnot, était insuffisante pour un service courant et régulier.

« Le problème entrevu par Cugnot a été réalisé dans l'appareil de M. Séguier mieux que dans tout autre appareil. »

Cette dernière phrase, en particulier, se passe de longs commentaires : on peut y voir simplement un geste d'amitié que nulle preuve ne vient étayer. Pauvre Pecqueur, il disparaît d'un seul coup!

Par contre, le début du paragraphe nous pose d'emblée une énigme : qui était Rivaut? A notre connaissance, ce nom n'apparaît dans aucun livre de références. Il y eut un Italien nommé Riva, auteur d'un tricycle à vapeur qui fonctionna en 1873, mais ceci est postérieur à l'époque où écrivait Tresca. Son ami Séguier mentionne également un pionnier presque inconnu nommé Révon (brièvement mentionné par Lockert) dans son propre article[1] deux mois plus tard. S'il s'agit d'Isaac de Rivaz, originaire du Valais, qui a breveté un chariot automobile en 1807, on peut se reporter aux *Automobiles suisses* (1967) par Ernest Schmid, le meilleur ouvrage traitant de ce sujet un peu à côté de notre enquête.

Ces considérations nous poussent à faire remarquer que Tresca ne dit pas que Séguier ait collaboré avec Pecqueur dans la fabrication du véhicule que nous avons déjà présenté et qui reste connu sous le nom de véhicule de Pecqueur : le texte prête en effet à confusion. Laissons à Pecqueur donc le véhicule tel que nous l'avons décrit : Séguier n'y eut aucune part.

La seconde suggestion concernant le rôle de précurseur de Séguier est offerte par le baron lui-même dans son article « De la locomotion sur routes ordinaires à l'aide de la vapeur » *(Bulletin de l'Académie des Sciences)* dans lequel il fournit un argument intéressant en faveur de la méthode Cugnot de traction avant comme étant la solution logique au problème de transmission de l'énergie : l'article fait montre en général d'une bonne compréhension de la théorie. Cependant, il est possible que Séguier ait contribué par inadvertance au malentendu qui a pris naissance au sujet de la stabilité du fardier de Cugnot, car le baron parle à plusieurs reprises d'angle de braquage de 90°, après avoir déclaré : « Nous raisonnons pour plus de simplicité dans l'hypothèse d'un tricycle. » Un tel angle, s'il avait été possible sur la construction de Cugnot, aurait fait basculer le véhicule; le lecteur qui ne saurait pas que Cugnot avait volontairement limité son angle maximum à 20°

1. L'Académie des Sciences, t. XIII, 2e série, septembre 1866, pp. 553-557, *Bulletin de la Société d'Encouragement.*

pourrait conclure à l'instabilité fondamentale du fardier, qui a été si souvent alléguée.

On souhaiterait souvent plus d'exactitude de la part de Séguier, car il est le seul à nous répéter que Galy-Cazalat (déjà cité), fut l'auteur d'un véhicule à vapeur. Malheureusement cette remarque apparaît dans la phrase où est cité le mystérieux Révon; Hancock, au prix d'une petite erreur orthographique y devient Hannecock, et le charlatan Dasda y est décrit comme un fabricant anglais (on se rappellera que Macerone était l'auteur, Dasda n'étant qu'un aventurier italien qui escroqua Macerone) : il cite Gordon comme ayant été le seul à utiliser les pattes comme propulseurs alors que nous avons vu que Gurney construisit trois véhicules sur ce principe. Les noms de Burrell et Garret importent peu : c'étaient des contemporains, exposants à l'Exposition Universelle de Paris.

Parlant de son œuvre personnelle, et avouant sa préférence pour la traction avant, Séguier explique comment, à une date antérieure à 1846 :

« ... nous avons tenté nous-même par un mécanisme construit, il y a plus de vingt années, dans les ateliers de feu Saunier, mécanicien de la Monnaie, et dont tous les organes démontés subsistent encore dans les ateliers de l'habile constructeur de locomobiles, M. Rouffet, que, depuis Cugnot, nous avons seul maintenu sa pensée première de communiquer la puissance motrice aux roues de l'avant-train... ».

Il faut espérer que les restes de la tentative de jeunesse de Séguier ont été sauvés de la destruction, et préservés pour la postérité car c'est un intéressant objet historique, avec une pratique bien moderne : la traction avant. Il nous a été impossible de lier le nom de Séguier avec l'automobile en dehors des deux articles parus vingt ans après les événements.

En plus de ces deux sujets de conversation, l'année 1866 fut marquée par l'apparition d'un tracteur à vapeur breveté par M. V. Feugère; il est intéressant de noter que Feugère applique à la lettre les théories prêchées par Séguier. Milandre et Bouquet[1] décrivent Feugère comme un adaptateur de Séguier, mais le nouveau brevet fait croire à une nouveauté. Le concept était très net : pour virer, on applique la force motrice au choix, soit à la roue avant gauche, soit à la roue avant droite. Les machines à vapeur — il y en a deux ayant chacune deux cylindres —, sont reliées chacune de façon indépendante à l'une des roues. En augmentant

1. Ch. Milandre et R.-P. Bouquet, *Traité de la construction, de la conduite et de l'entretien des voitures automobiles,* publié sous la direction de C. Vigreux, ing. civ., premier volume : *Construction,* Paris, 1898 (2 vol.).

la pression d'un côté, on fait accomplir à la roue située de ce côté un plus long trajet, ce qui fait tourner le véhicule. Il était possible de tourner les roues dans deux directions opposées : ce qui permettait de tourner à 90° en un clin d'œil et sans déplacer le chariot traîné en remorque.

Il n'est pas sans intérêt de noter que le principe Feugère (hormis l'emploi des deux moteurs), est identique à celui qui est employé sur les énormes machines destinées à déplacer la terre en usage pour la construction de barrages et d'autoroutes, où toute la partie avant peut pivoter à droite ou à gauche, le train moteur et la cabine du conducteur formant bloc avec le pont avant, le tout lié au fardier par un seul axe vertical. Rappelons qu'il s'agit là de la solution classique de Cugnot, rejetée par les savants comme trop faible de construction! Bien entendu l'avant-train de Cugnot n'a qu'une seule roue; la comparaison porte ici seulement sur le principe du pivot.

Tresca touche à un sujet qui devint de plus en plus brûlant avec le développement des moyens de transport mécaniques : l'effet produit sur les chevaux. Ses observations des essais de Lotz à Paris montrent qu'il y a peu d'indication que les voitures à moteur fassent peur aux chevaux. Il précise en donnant le chiffre de 1 % pour les chevaux effrayés, et dans ce cas il s'agit soit d'un cheval non escorté, soit d'un animal manié sans compétence. Séguier, lui, propose ses réflexions sur deux autres aspects concernant le cheval et le nouveau moyen de transport; le premier vient illustrer sa préférence pour la traction avant, lorsqu'il signale que les chevaux ont toujours tiré les voitures et que, grâce à la traction avant on élimine la tendance qu'ont les voitures à propulsion normale à faire patiner les roues avant en ligne droite.

Il insiste également sur la circonstance où le remplacement du cheval par un procédé mécanique est un pas en arrière. Cette pensée a souvent été reprise depuis (surtout en relation avec le problème de l'alcool), et on ne saurait lui refuser une certaine force convaincante qui vient opportunément remettre en question la notion de progrès :

« N'oublions pas que pour la direction d'une voiture ordinaire l'intelligence des chevaux est un constant auxiliaire, que la docilité la plus complète d'un mécanisme ne pourra jamais remplacer ; quelque ingénieuse que soit la disposition d'un moteur, il ne pourra jamais prendre l'initiative, et, sous peine d'accidents graves, l'attention du mécanicien-cocher devra rester incessante ; il importe donc de ne pas ajouter à sa fatigue intellectuelle de pénibles efforts physiques de direction : c'est cette pensée que nous avons voulu réaliser par le dispositif mécanique que nous venons d'essayer de décrire devant vous. »

Galy-Cazalat atteint le même but que Séguier, nous l'avons vu, grâce à un système plus semblable à ce que nous appelons aujourd'hui la direction assistée. Le style publicitaire de Séguier est néanmoins remarquable dans ce dernier paragraphe : les journalistes modernes chargés de vanter l'équivalent moderne de cette direction assistée lui arrivent à la cheville... Seule les allusions hippiques paraissent anachroniques.

Avant de laisser Séguier, il nous faut signaler que son enthousiasme pour la traction avant l'amène à commettre une erreur en qualifiant la direction du fardier de Cugnot de facile :

« Le fardier à vapeur de Cugnot tournait aussi facilement... »

En examinant le fardier nous avons vu qu'il fallait environ trente révolutions de la manette de direction pour faire tourner le véhicule à son maximum d'angle de 20° et trente autres tours pour le redresser, de sorte qu'il ne semble pas qu'il puisse mériter l'épithète de « facile ».

Chapitre X

AVANT LA GUERRE DE 1870

Napoléon faisait restaurer Pierrefonds. Fort peu de gens en France se souciaient des problèmes de transport et nul n'imaginait les bouleversements que la naissance de la nation allemande allait engendrer en France, en provoquant un arrêt total, entre autres effets, du développement automobile.

Deux expérimentateurs, travaillant séparément, présentèrent, à la veille du conflit, leur solution à l'application de la vapeur au transport routier. La solution de Ravel comprenait deux innovations : d'une part, sa voiture était la plus petite et la plus légère qui ait jamais été conçue jusqu'alors pour le transport personnel, et d'autre part, sa chaudière était alimentée par un carburant liquide. Cette dernière caractéristique a conduit Lockert[1] à classer le véhicule, assez bizarrement, dans la catégorie des voitures à essence, avec les Lenoir, les Daimler et d'autres dont nous parlerons plus loin. Alors qu'il est vrai que l'essence était bien le combustible, nul autre auteur n'a adopté cette classification; nous ne la mentionnons ici que pour mémoire et au cas où le lecteur, trompé par cette appellation, ne serait tenté de ranger une Ravel 1868 parmi les véhicules utilisant un moteur à combustion interne; en d'autres termes, il ne s'agissait nullement d'une voiture à essence du type de celles que nous sommes accoutumés à voir de nos jours. Ravel devait d'ailleurs produire des voitures de ce genre aux alentours de 1900.

L'autre nouveau venu était Michaux, qui, en fait, utilisa sa routière comme voiture de plaisance lors de randonnées autour de Paris, faisant faire un grand pas en avant à ce qui devait devenir le véhicule de plaisance par excellence, l'automobile. Considérons la voiture de Michaux.

Ernest Michaux, dont le père avait trouvé la gloire une géné-

1. Louis Lockert, *Les voitures à pétrole*, Paris, 1898.

ration auparavant en transformant la draisienne en bicyclette par l'addition de pédales, construisit une locomotive routière pour son plaisir personnel. Rien n'indique qu'au début Michaux ait eu la moindre idée utilitaire. Bien qu'il ait été précédé par les coches familiaux ou *runabouts* de Hancock et de Lotz, et en dépit de ressemblances superficielles entre sa voiture et les lourds tracteurs routiers qui sont connus sous le nom de *locomotives routières*, les rapports qui nous sont parvenus sont unanimes dans l'emploi de l'adjectif substantivé *routière* pour décrire son véhicule, le mot locomotive ayant été abandonné. On peut voir dans cette transformation syntaxique la reconnaissance implicite d'une nouvelle forme de voyage routier, le concept de transport personnel enfin reconnu.

Il n'y a rien de surprenant à cela si ce n'est la lenteur du public à adopter ce point de vue. Il s'agissait d'une véritable révolution sociale, ou peut-être, de la dernière étape d'une autre révolution, la disparition de la notion féodale selon laquelle l'homme appartient à la terre où il vit. Les restrictions légales avaient disparu depuis longtemps, mais l'habitude subsistait. A l'époque de Michaux, il y avait encore beaucoup de gens qui n'avaient jamais quitté leur ville natale. L'un des facteurs qui entra en jeu fut précisément la machine que le père de Michaux avait inventée : la bicyclette. La fortune gagnée par le clan Michaux dans l'industrie de la bicyclette fut employée, de façon fort appropriée, par Ernest Michaux pour satisfaire son désir de voyager sans avoir à pédaler. La véritable vogue de la bicyclette n'était pas encore venue, mais ceux-là mêmes qui avaient découvert cette nouvelle liberté de mouvement furent les premiers à en ressentir les effets, et ce fut donc le fils d'un fabricant de pédales qui voulut voyager plus loin et sans pédaler.

Michaux évitait l'emploi du différentiel en utilisant une paire de moteurs, un pour chaque roue. On verra cette application de deux moteurs par Bollée pour la même raison[1]. Quant aux voitures à essence, on vit réapparaître une disposition analogue à celle des deux moteurs en 1900, lorsque les voitures légères se virent ajouter au moteur monocylindrique encore un autre pour doubler la puissance, et à nouveau en 1920, lorsque la brève mode des voitures à course *bimotore* fit rage; mais ceci sans éviter ni la boîte de vitesses, ni l'embrayage, ni la démultiplication à l'essieu arrière, toutes choses imposées par les caractéristiques opérationnelles du moteur à combustion interne.

1. Louis LOCKERT, *Les voitures à vapeur*, Paris, 1896, pp. 178-179.

L'élan de Michaux était amusant; voici le récit de deux de ces essais convertis en partie de plaisir[1] :

« Le premier essai du remorqueur *Ernest-Michaux* eut lieu le 25 août 1870 ; il parcourut la distance de Paris à Saint-Germain et retour, en traînant un break de chasse qui portait dix personnes.

« Sur la plate-forme du remorqueur, se tenaient Ernest, Edmond et Henry Michaux les trois fils aînés de Pierre Michaux, dont le troisième Henry est aujourd'hui seul survivant (1896).

« Dans le break, avaient pris place : MM. Millon (carrossier du break), Albigès (son contremaître), Bazin, Danjou, Léon Drouet, Durand, Georges de Labouglyse, Richard Lesclides (le grand Jacques), René Olivier, Vuillemin.

« La rampe du Pecq fut remontée, dans ces conditions, à une vitesse de 12 kilomètres à l'heure ; puis le break fut dételé, et, les conducteurs du remorqueur le soumirent, seul, à l'expérience suivante : lancé à la descente, à toute vitesse, sur la rampe du Pecq, il fut arrêté dans une longueur de 5,50 m. Le retour à Paris s'exécuta le même jour dans les meilleures conditions. »

Nous avions déjà trouvé parfois la description élogieuse d'essais au bout du jardin ou dans la cour de l'usine; ici, il s'agit d'une petite excursion d'une quarantaine de kilomètres. Continuons avec Lockert :

« Un voyage à Rouen fut effectué, un peu plus tard, avec les mêmes dispositions : les trois frères Michaux sur le remorqueur, et MM. Bazin, Biot, Danjou, Furne et René Olivier, dans le break, en 7 h 8 mn.

« Comme la distance de Paris à Rouen est de 126 kilomètres, cela fait une vitesse moyenne de 18 kilomètres à l'heure, y compris les arrêts, ravitaillement, etc.

« C'est le *premier exemple* de voyage sur route d'une voiture à vapeur, dans des pareilles conditions, de confortable et de célérité... »

Vingt-cinq ans plus tard, le comte de Dion devait répéter cet exploit, avec, à ses trousses, toute une meute pétaradante de voitures à essence, et pas un seul journaliste ne songea à rappeler la mémoire de Michaux, le pionnier oublié de ce même itinéraire.

Le nouvel automobiliste et ses amis se rendirent aussi à Givors, mais le temps des plaisirs innocents arrivait à sa fin. Le ciel s'obscurcissait; la guerre, brusquement, éclata. Michaux abandonna ses expériences et son sport favori pour ne jamais les reprendre. En 1871 la routière de Michaux fut vendue (pour 12 500 francs) à René Olivier, passager des excursions à Saint-Germain et à Rouen. Elle fut conduite, dit-on, à Marseille par l'acheteur, âgé de 27 ans. Quelle épopée dut être ce voyage, et quel dommage que nul récit de cette aventure ne nous soit parvenu! Le véhicule

1. Id., *ibid.*, pp. 180-181.

fut en usage dans la région de Marseille pendant quelques années, et il n'existe point à notre connaissance d'autre mention de son existence qu'une brève communication[1] à une société savante de la ville. Il semble opportun de rappeler ici que deux circonstances suggèrent que la présence de ce véhicule ne fut pas sans effets à Marseille.

La cité phocéenne vit naître un tricycle léger à vapeur, destiné au transport personnel, la voiture Stapfer, dont nous parlerons plus loin; elle fut aussi le théâtre des premières manifestations de l'un des constructeurs provinciaux, qui mérite d'être rappelé pour l'excellence de sa production : Turcat-Méry.

Autre victime de la guerre de 1870 : les travaux de Ravel qui firent la transition entre les voitures à vapeur du passé et les voitures à essence ou à hydrocarbure de l'avenir. Ravel utilisa l'un des fluides volatils de la famille du pétrole pour la chaudière de la voiturette à vapeur de son invention qu'il devait mettre au point en 1870.

Selon H. O. Duncan[2], Ravel obtint de la police la permission de procéder à des essais de sa voiture sur le boulevard extérieur en janvier 1869. Au jour fixé, le froid étant piquant, Ravel et son escorte de deux gendarmes se réfugièrent dans un petit café où l'inventeur régala les malheureux gendarmes de bons grogs bien chauds : après quoi, les représentants de l'ordre trouvèrent normal de rester au chaud à jouer aux cartes pendant que Ravel et son jeune chauffeur essayaient la machine, allant jusqu'à Saint-Denis. De retour à Neuilly, on jugea nécessaire de procéder à quelques libations ainsi que de réconforter le mécanicien à demi-congelé. Les gendarmes aidèrent ensuite Ravel à attacher le jeune assistant à son siège afin qu'il ne tombât sur le chemin de l'atelier. Duncan rapporte que le jeune homme devint ensuite un mécanicien automobile prodigieusement doué, mais omet malheureusement de donner son nom. Le brevet de Ravel sur sa chaudière automobile date de 1868 : on a pu avancer le nom de Wilkinson et de quelques autres en Angleterre, pour le poussiéreux honneur d'avoir été le premier à utiliser un carburant liquide sur un engin à vapeur, il n'en reste pas moins que Ravel est le seul dont les preuves remontent à l'époque des essais, les prétentions des autres n'étant étayées que par des preuves postérieures à leurs expériences.

La voiture de Ravel survécut aux dangers des libations, mais

1. *Bulletin de la Société scientifique industrielle de Marseille*, vol. 3, 1875. Note sur les machines de traction à vapeur sur les routes ordinaires, par M. de Retz. Pp. 24-29, excellent précis du mécanisme entier; p. 253, éloge funéraire de René Olivier.

2. *Op. cit.*, *World on Wheels*.

son destin final ne fut pas plus heureux que celle de Trevithick. Les ateliers de Ravel étaient situés à deux pas des fortifications de Paris, et lorsque la guerre de 1870 éclata, il enterra la voiture dans la cour et s'enfuit en Espagne. A son retour, il fut incapable de retrouver trace de sa boutique qui avait été complètement détruite et par conséquent de déterrer son œuvre. Ruiné, Ravel fut pendant quelque temps le chauffeur de Bollée sur l'*Obéissante*, mais s'il prit part aux plans et à la construction de cette voiture, nulle mention n'en a été faite. (Il est peut-être significatif que Bollée ait utilisé du charbon ou du coke comme combustible.)

Ravel se tourna vers le moteur à essence, à deux temps, et joua un rôle éminent d'expérimentateur dans ce domaine, bien que le succès commercial lui ait échappé. Il semble n'avoir jamais réussi à surmonter le handicap de ses pertes de guerre. Aux alentours de 1895 il essaya de faire marcher ses moteurs à l'acétylène, avec l'approbation de Lockert[1] qui se confesse :

« ... car nous sommes, depuis longtemps, persuadé que les constructeurs de voitures sans chevaux mues par des moteurs tonnants sont dans une mauvaise voie...

« Il n'existe pas encore actuellement (1896), à proprement parler, de voitures à acétylène ayant pratiquement roulé. »

L'auteur signale le prénom de Ravel comme Pierre-Joseph en parlant de sa voiture à vapeur et simplement Pierre quand il discute du moteur à acétylène, mais il affirme que c'est le même individu. Quand nous le rencontrons dans le livre de Duncan, il est donné comme Joseph Ravel, associé avec son fils Edouard. Les deux s'engagent dans la production d'une 15 CV, reproduite dans le livre de Duncan, mais qui ne devait pas jouer un rôle important dans l'histoire de l'automobile. Nous citons son exemple pour illustrer les centaines de noms qui apparaissent sur les listes de constructeurs de l'époque héroïque, et qui sont généralement rejetés comme sans importance, alors qu'un nombre considérable d'entre eux ont consacré des années entières de leur vie à essayer de résoudre le délicat problème de l'automobile commercialisée.

John Grand-Carteret[2] déclare que la voiture de Ravel était enterrée dans le périmètre des fortifications et que les autorités militaires lui avaient refusé la permission de l'exhumer. Un certain nombre d'auteurs ont demandé par la suite quel avait été le sort de la voiture, sans apporter eux-mêmes de réponse, et apparemment

1. *Op. cit.*, p. 273.

2. John GRAND-CARTERET, *La voiture de demain*, Paris, 1898. Il cite le *Journal des sports* de 1898 sur l'anecdote.

sans être au courant des travaux ultérieurs de Ravel, sur les moteurs à combustion interne et les voitures utilisant ce principe.

Nul n'a jusqu'à présent suggéré que la voiture ait pu être exhumée et envoyée en Allemagne pour examen, mais ceux qui jugent cette possibilité trop lointaine songent à ce que firent les Britanniques de certaines voitures de course allemandes en 1946, ou vers cette époque[1].

Le tableau récapitulatif établi par Jenkins[2] en 1895 ne mentionne pas Ravel, et un examen du *Repertorium der Technologische Literatur* pour les années 1868-1870 a été également vain; le brevet reste donc la seule preuve.

Périssé[3] offre un plan coupe du tilbury de Ravel; en plus, il y est fait mention du voyage à Marseille du routier Michaux, du tricycle Stapfer, et aussi du tricycle à vapeur présenté à l'Exposition de 1878 à Paris par M. Perreaux, qui utilisait également un combustible liquide. Ce dernier travaillait sur le problème depuis quelques années comme en fait foi le brevet américain à son nom, en 1872, pour un véhicule à vapeur à deux roues[4].

Pour contraster avec M. Perreaux : les frères House construisirent une voiture à vapeur, à Bridgeport, dans le Connecticut, en 1866, et l'expérimentèrent pendant quelques années sur les routes de la région avant de se voir refuser l'autorisation de les emprunter à la suite de quelques plaintes. Ils émigrèrent en Angleterre, où leurs expériences aboutirent à la création d'une florissante compagnie de camions à vapeur en 1900. Le nom de marque LIFU était dérivé de *Liquid Fuel Engineering Company*. C'est ainsi qu'une idée mise en application pour la première fois en France par Ravel reparut en Amérique dans son brevet américain, pour renaître ensuite en Angleterre sur les plans des frères House, émigrés américains. Il est impossible, bien entendu, de prouver que l'un quelconque de ces événements ait été lié aux autres et qu'il ne s'agissait pas, chaque fois, d'une réinvention. Alors que la vapeur n'a pas encore dit son dernier mot, le moment est venu d'étudier l'utilisation du moteur à explosion.

1. *B.I.O.S.*, report n° 21. The Motor Car Industry in Germany during the period 1939-1945, by Maurice OLLEY, Ch. Research Eng., Vauxhall Motors, and a special contribution on German Racing Cars, 1934-1939, by Cameron C. EARL, Londres, H.M.S.O., 1949.

2. *Op. cit.*, p. 20.

3. Lucien PÉRISSÉ, *Automobiles sur routes*, Paris, 1898.

4. James T. ALLEN, *Digest of U.S. Automobile Patents*, 1789 *to* 1899, Washington, Russell & Co., 1900, illustr. p. 37, description p. 482.

DEUXIÈME PARTIE

L'AVÈNEMENT DE L'AUTOMOBILE

Chapitre XI

L'ŒUVRE DE LENOIR

A. Le premier moteur « tonnant » dans le commerce

En termes de chronologie stricte, les événements des dix dernières années que nous venons de considérer auraient dû être étudiés plus tard et nous aurions dû examiner directement l'œuvre de Lenoir, mais, en fait, les expériences de Lenoir n'eurent pas d'effets appréciables sur les voitures à vapeur qui vinrent ensuite; il y a, de plus, un fossé net entre Lenoir et ceux qui employèrent plus tard le moteur à explosion sur un véhicule. Il était donc logique de réserver l'étude de ses contributions; son œuvre est d'ailleurs si originale qu'elle échappe à la chronologie.

L'importance de l'œuvre de Lenoir et le nombre d'opinions contradictoires émises sur sa signification réelle rendent un examen détaillé absolument essentiel. On peut rappeler qu'alors que Brown en Angleterre et Galy-Cazalat en France avaient effectivement utilisé des moteurs *tonnants* près d'un quart de siècle avant Lenoir, Brown, lui, employait l'implosion; Galy-Cazalat, semble-t-il, utilisait plutôt le gaz d'hydrogène en dilatation, mais sur un bateau.

Lenoir fut le premier à utiliser la force explosive directement pour faire marcher une voiture dans la rue, dirigée par un homme. Des détracteurs de Lenoir ont pu faire remarquer qu'il avait employé du gaz sous pression lors de ses premières expériences, mais c'est un raisonnement spécieux. On utilise encore souvent de nos jours le gaz sous pression sur les poids lourds, mais Lenoir utilisa aussi (au bout d'une année ou deux), un mélange d'air et d'hydrocarbure liquide (c'est-à-dire la carburation). Il était, là aussi, le premier à le faire.

L'article qui fit connaître à l'Europe entière la nature des expériences de Lenoir parut dans *Le Monde illustré*, revue d'intérêt général à grand tirage[1]. Il faut lire la totalité de cet article, car il

1. *Le Monde illustré*, 16 juin 1860, pp. 394-395.

contient un certain nombre de propositions qui ne furent pas relevées alors et qui n'ont pas été directement analysées depuis. Les champions des constructeurs automobiles ultérieurs ont surtout évité de se prononcer.

Lenoir offrit au public, le 6 juin 1860, un moteur du type à combustion interne, avec allumage électrique, marchant au gaz de ville, alors d'usage courant à Paris et dans les grandes villes de France. On publia en même temps, le dessin d' « une voiture récemment construite par M. Lenoir », mue par un moteur Lenoir, alimentée en combustible par un réservoir contenant le même gaz sous pression, mais qui pouvait fonctionner, affirmait l'auteur, avec des liquides volatils tels que ceux que l'on obtient « par la distillation des goudrons et des schistes » (c'est-à-dire, essentiellement, ce que l'on peut acheter de nos jours dans une station-service). Il est important de noter ici que l'expression qui s'appliquait à la voiture représentée est *récemment construite*, et non pas *en construction*, en projet, ou prévue, mais déjà construite.

Malheureusement, comme on le verra, l'enthousiasme de l'auteur de l'article, Emile Bourdelin, pour la réussite du moteur Lenoir était exagéré et se retourna contre lui. En moins d'un an de nombreux articles amers parurent, se plaignant de ce que l'économie du moteur avait été présentée de façon erronée ou exagérée. Pour être juste envers l'auteur et l'inventeur il faut dire que le moteur représentait bien une économie considérable sur la machine à vapeur en ce qui concernait les petites cylindrées de 1 ou 2 CV.

Là encore, il est nécessaire d'examiner minutieusement les autres sources de puissance que le moteur Lenoir pouvait prétendre remplacer. D'abord, il n'y avait aucune machine de moins de 5 CV sur le marché, et alors que la machine à vapeur était de conception plus simple et moins dispendieuse que le moteur de Lenoir, celui-ci n'avait pas besoin de chaudière : or la chaudière nécessitait la présence d'un mécanicien-chauffeur si bien que les petites manufactures utilisaient la force musculaire, les pédales (comme sur les anciennes machines à coudre) ou même des manèges à chevaux ou à hommes. Le prix de revient d'un moteur Lenoir n'était pas supérieur à l'entretien d'un ouvrier, d'un homme de peine, et le moteur produisait plus de travail. On calcule d'habitude le travail en cheval-heure; mais, et cela est une restriction importante, le propriétaire d'une petit atelier ne pouvait se permettre le luxe d'employer une machine de 5 CV avec chaudière à alimenter, plus un employé spécial alors qu'il n'avait besoin que d'une puissance de 1 CV. C'est dans cette perspective que toutes les analyses du coût par cheval-vapeur ne s'appliquent pas à l'évaluation du moteur Lenoir.

Il s'agissait en fait, du premier moteur à combustion interne produit en série et vendu au public : le succès fut donc immédiat et des centaines de moteurs furent vendus avant qu'un meilleur moteur ne voie le jour. Il ne semble pas que l'importance et les répercussions de ce moteur dans les milieux scientifiques et techniques (ingénieurs, mécaniciens, etc.), aient été pleinement explorées à ce jour. La question mérite d'être examinée, car nous voyons encore de nos jours les résultats du développement commercial du petit moteur de Lenoir, première pierre, depuis longtemps oubliée dans la longue histoire de l'édification du moteur à combustion interne.

On s'est plu à écrire qu'une centaine, ou peut-être plusieurs centaines de moteurs avaient été vendus avant que la conception originale ne soit améliorée : et que les moteurs offerts plus tard s'étaient vendus en bien plus grand nombre; ceci dans le but de dénigrer Lenoir. Le moteur avait à surmonter d'abord les vices de fabrication, ou « rossignols » inhérents à toute nouvelle conception, et ensuite l'ignorance du public, y compris les clients potentiels.

Laissant de côté provisoirement le succès des moteurs concurrents, voyons un peu l'extension géographique du moteur Lenoir, en réponse à ceux qui ont tendance à croire que son application se limitait aux environs de Paris. Clerk[1], l'un des plus grands théoriciens du XIXe siècle, s'exprime ainsi :

« M. Lenoir occupe la prestigieuse position d'inventeur du premier moteur à gaz jamais commercialisé... Il y a dans le *Practical Mechanics Journal*, d'août 1865, un article qui décrit les progrès faits par le moteur depuis son introduction, d'où il ressort que, à Paris et en France, entre 300 et 400 moteurs étaient alors en exploitation, depuis le moteur de 1/2 CV à celui de 3 CV. La Reading Iron Works Company, Limited, à Reading, fut chargé de manufacturer le moteur en Angleterre. Une centaine de moteurs furent fabriqués et vendus par cette compagnie : plusieurs sont encore en état de fonctionnement à l'heure actuelle. Entre autres, un moteur inspecté par l'auteur de ces lignes à Petworth House, Petworth, pompe l'eau depuis vingt ans et marche toujours bien... Il fonctionne avec douceur et est bien plus silencieux que la plupart des moteurs modernes à gaz. De nombreux moteurs Lenoir sont, à la connaissance de l'auteur, encore utilisés après vingt ans de fonctionnement continuel, notamment deux moteurs de 1 CV à la Brasserie Trueman, Hamburg & Buxton, à Londres, et un de 1 CV à l'établissement Day, Son & Hewitt, Dorset Street, tous fournissant les meilleurs résultats avec une grande régularité. »

1. Dugald CLERK, *The Gas and Oil Engine*, 8e éd. revue, New York, Wiley, 1899, pp. 31 et 123.

Le moteur ne fut pas seulement fabriqué en Angleterre mais encore en Allemagne. Dans cette perspective, le plus intéressant est, peut-être, de voir un moteur Lenoir installé dans les ateliers de Max Eyth, où Carl Benz travaillait : l'un des partisans de Benz[1] nous assure que le jeune homme s'amusa plus d'une fois à « bricoler » avec le moteur Lenoir. Daimler, lui-même, était parfaitement familier avec le moteur, qui fut introduit en Angleterre pendant son séjour dans ce pays; il s'en occupa de nouveau lors de son passage à Paris en route vers l'Allemagne.

Il y avait également un autre domaine où se jouait la partie du moteur à combustion : nous voulons dire, le domaine de l'esprit curieux, inventif, du chercheur en proie à la technologie. Cinq ans avant que Lenoir ait réussi à résoudre de manière pratique le problème de la transformation du gaz de ville en énergie, Schubarth avait publié le premier volume du *Repertorium der Technischen Literatur*, ouvrage de références qui inventoriait tous les articles de la presse technique européenne et américaine[2]. Cet ouvrage couvrait les années 1823 à 1853, et comprenait quatorze pages de références au mot *Lokomotive*, sans distinguer celles qui utilisaient les rails et les autres, les routières. Parmi ces véhicules, on trouve le seul qui ait précédemment fonctionné au gaz, le véhicule de Brown, que nous connaissons bien, et qui, répétons-le, utilisait le principe de l'implosion. Samuel Brown acquit un nouveau brevet intitulé « Amélioration des moteurs à gaz et de la propulsion des voitures et bateaux », ce qui prouve qu'il travaillait encore en 1846, date du brevet, sur ce problème, mais nul détail n'étant joint au brevet, nous en ignorons les améliorations[3].

Le *Repertorium* contenait aussi une catégorie intitulée *Luftmaschine (im Gegensatz von Dampfmaschine), einschl. Aethermaschinen.* Nous trouvons là dix articles consacrés au moteur de Brown, deux à Rivaz, et deux à Galy-Cazalat. La totalité des titres d'articles s'étend sur cinq pages, mais seuls les auteurs cités dans la phrase précédente sont désignés comme inventeurs de moteurs ayant fonctionné, dont Brown à coup sûr.

Le second volume du *Repertorium* couvrait la période de Lenoir. Le chapitre, maintenant intitulé « Gas-Maschinen », allait de 1854 à 1868 : le nom de Lenoir y apparaît dans 26 intitulés (l'un des articles a pour titre : « Lenoir's Gas-Maschine, ein Humbug! »).

1. David Scott-Moncrieff with St. John Nixon and Clarence Paget, *Three-Pointed Star*, New York, 1956.

2. *Repertorium der Technischen Literatur die Jahr 1823-1854/1854-1868.*

3. Clerk, *op. cit.*, cf. p. 95, n. 1.

Les 26 intitulés incluent 54 articles de revue différents; le dernier article sur Lenoir précède de quelques lignes la première mention d'un article sur Otto et Langen (il y en aura sept). Nous reviendrons sur Otto et Langen, mais la machine de Lenoir fut au centre du tableau pendant sept des huit années considérées. Une conclusion s'impose : la production de Lenoir fut discutée et analysée, ses fautes furent examinées et des améliorations furent proposées pendant sept années avant que Otto et Langen ne soient en mesure d'offrir un substitut commercialisable; pendant cette longue période, en dehors du Lenoir, le seul moteur à combustion interne à être vendu fut celui de Hugon, un autre Français, qui est mentionné deux fois dans le *Repertorium*. En considérant la valeur commerciale du moteur Hugon, il ne faut pas perdre de vue le fait que son inventeur était le directeur de la Compagnie du Gaz de Paris, ce qui offrait évidemment certaines occasions de vente, ou du moins en facilitait la publicité. (La principale différence consistait en un allumage à gaz, au lieu d'un allumage électrique. Le procédé, se présentait comme plus sûr que l'allumage électrique qui est aujourd'hui d'usage courant : il avait aussi l'avantage, pour M. Hugon, d'utiliser plus de gaz.)

Nous remarquons que l'écart de sept ans entre les deux moteurs ne doit pas être interprété comme une accusation indirecte de plagiat de la part de Otto et Langen, ce qui serait absurde. L'originalité du moteur allemand est encore à établir, comme nous le verrons, mais le moteur Lenoir servit principalement d'aiguillon en forçant les autres expérimentateurs à trouver de nouveaux procédés qui n'empiètent pas sur les brevets de Lenoir. Pendant toutes ces années de recherche, on considéra généralement que la direction était la bonne, et qu'une source de puissance plus petite, moins dispendieuse que la vapeur, le moulin à eau ou le manège, avait sa place sur le marché. C'est là une contribution de Lenoir (accidentelle peut-être, mais qui n'en est pas moins réelle), que l'on a généralement passée sous silence. Jusqu'à Lenoir le besoin d'un moteur d'un cheval n'était ni compris, ni accepté.

Le moteur de Otto et Langen se range dans la catégorie des moteurs atmosphériques, dont le premier moteur de Papin est l'ancêtre classique, et là encore il importe de préciser la terminologie avec rigueur car, à cette époque, nombre d'auteurs utilisaient ce terme de façon vague pour n'importe quel type de moteur à explosion. Cette erreur provenait du fait que l'on décrivait les pressions agissant sur le piston en terme d'*atmosphères*, en prenant pour unité la pression de l'air au niveau de la mer, qui est de 0,9781 kilogramme par centimètre carré. Les chariots à vapeur utilisés en Angleterre vers la décade 1830-1840 travaillaient parfois à des pressions de plus de 10 atmosphères, ce qui explique pourquoi le *véritable* moteur atmosphérique, qu'il soit à vapeur ou à explosion, possédait un tel handicap : l'autre système était capable de produire dix fois l'énergie créée par un moteur dans lequel la pression atmosphérique sur une face du piston travaillant contre un vide partiel sur l'autre face, était la source d'énergie. Tout ce que nous voulons prouver par ce rappel des sept années de discussion peut se résumer ainsi : comment le moteur Lenoir aurait-il pu être examiné de si près sans contribuer puissamment, par son existence même, au progrès général de la technique ?

B. Les combustibles de Lenoir

Selon son biographe et admirateur anglais, Daimler passe pour avoir déclaré, à son retour de Paris, qu'il était découragé : Lenoir avait fait œuvre si prophétique qu'il ne restait plus qu'à attendre l'expiration des brevets de Lenoir, ou bien à travailler avec la compagnie qui les exploitait. Ceci, pour mémoire, venait du même Gottlieb Daimler qui venait de quitter la firme de Otto & Langen parce qu'il désirait une plus grande liberté de recherche.

Au début du xxe siècle, on a pu dire que le moteur Lenoir n'était pas efficace, ce qui est vrai; qu'il était trop lent, ce qui est vrai encore. Mais ceci n'était pas exact en terme de ce qui existait sur le marché au moment où il fut introduit, car il revenait moins cher à faire fonctionner, *dans sa catégorie de puissance*, qu'une machine à vapeur à haute pression, qui était à son tour moins dispendieuse qu'une machine à basse pression. En dessous de la limite des 5 CV, il coûtait moins à installer que les autres systèmes; il revenait même meilleur marché que la main-d'œuvre ou le manège, procédé alors encore en usage.

Pour comprendre la réaction de Daimler il faudrait donc essayer de considérer l'invention du point de vue des contemporains de Lenoir, et particulièrement à travers les yeux d'un utilisateur éventuel. Moigno mentionne plusieurs fois, dans *Cosmos*, l'œuvre de Lenoir, citations qui figureront plus tard au procès Selden, et finit en disant qu'il fut trop loué au début et trop condamné à la fin.

La reconnaissance du mérite original n'est jamais allée de pair avec les innovateurs. Quatre-vingts ans s'étaient alors écoulés depuis que les législateurs de l'Etat de Pennsylvanie avaient solennellement accordé à Evans le nom de génie pour avoir employé la force de la vapeur à moudre le maïs, *emploi utilitaire,* tout en lui refusant l'octroi d'un brevet sur l'utilisation de la même force pour faire avancer les voitures (ce qu'ils dénonçaient comme pure folie) ; et vingt ans après Lenoir, le marquis de Dion devait obtenir en Cour de justice un arrêt lui permettant d'empêcher son fils de gaspiller son patrimoine avec des folies comme les automobiles à vapeur. Ce sont là des exemples extrêmes, mais assez révélateurs de l'état d'esprit commun à l'époque, fort méfiant envers de telles notions. Que comptait faire Lenoir avec son moteur ? Selon Emile Bourdelin, auteur de l'article du *Monde illustré* déjà cité, Lenoir désirait fournir une source d'énergie peu encombrante ne nécessitant pas de mécanicien pour l'entretien. Bourdelin avait visité les ateliers de M. Lévèque, où un moteur Lenoir de 4 CV faisait fonctionner ses machines-outils. Ceci n'est pas mal si l'on compare cette réalisation de Lenoir au fameux moteur Otto & Langen de 1881, qui pour une puissance de 1 CV mesurait 2 mètres de haut et pesait plus de 350 kilogrammes. Nous reviendrons plus loin sur l'allure générale de ce moteur, mais il semble impossible de penser que le colossal moteur allemand aurait pu remplacer si aisément la machine à vapeur si la résistance au changement n'avait été érodée dans les esprits précisément par l'œuvre de Lenoir.

Lenoir avait prévu des utilisations de son moteur sur les bateaux, sur toutes sortes de véhicules, camions, omnibus, tracteurs de ferme, machines agricoles : il a vu si juste qu'il est inutile d'insister.

Alors que Lenoir a généralement été l'objet de plus d'attention de la part d'auteurs étrangers, certaines remarques dénigrantes que l'on rencontre çà et là, notamment à propos de son utilisation de gaz au lieu d'essence, peuvent avoir pour origine des difficultés d'ordre linguistique, ce qui a pu servir à faire valoir le mérite d'expérimentateurs concurrents. Bourdelin, dans l'article cité, déclare pour sa part :

« On peut emmagasiner le gaz de deux manières : en le comprimant dans les réservoirs, ou, ce qui est moins dangereux, en l'emprisonnant dans un liquide qu'il faudra volatiliser pour l'introduire dans le cylindre ».

Aujourd'hui, dans les régions où le gaz naturel peut s'obtenir en abondance, il n'est pas rare de voir des camions alimentés au butane ou tout autre gaz sous pression en réservoir, tout comme Lenoir en 1861. Le concept original demeure ainsi valable aujourd'hui, du moins en ce qui concerne le choix du carburant.

Le langage que Lenoir (ou Bourdelin) utilise en parlant

d'huiles distillées de « goudrons et schistes » est peut-être archaïque, mais les dérivés du benzol, qui sont l'une des sources du carburant automobile de notre époque, s'obtiennent de cette manière. Pour le lecteur qui veut faire l'inventaire des noms rencontrés dans les textes anciens il ne peut mieux faire que de consulter Gustave Chauveau (*Traité t. et p. des moteurs à gaz, air carburé*, etc.[1]), publié en 1891, l'année où Rigoulot et Doriot firent une randonnée de 1 200 kilomètres de Valentigney à Brest en s'approvisionnant n'importe où.

L'idée de Lenoir, selon laquelle le carburant de sa voiture devait être volatilisé par la chaleur, n'était que l'expression primitive d'un principe qui n'a pas été abandonné, bien que son application ait prit diverses formes, dont certaines sont à peine reconnaissables de nos jours. On a vu récemment l'emploi de plus en plus fréquent d'une autre technique : l'injection directe. En un sens, le tiroir admettant l'air et le carburant séparément dans le moteur Lenoir peut être classé comme un pas vers l'injection, mais il restait à un autre inventeur français à mettre cette technique en pratique, comme on le verra.

Certains auteurs français ont accusé Lenoir d'avoir abandonné son projet trop tôt, et avant d'être parvenu à un stade de développement qu'il aurait pu lui faire atteindre quelques années plus tard. Même ceci est entièrement du domaine des suppositions, car nul document datant de la première période de ses activités industrielles n'a été révélé. On a dit que Lenoir était ingénieur conseil chez Gautier & Cie, le groupe qui lança la Société des Moteurs Lenoir en 1859. Duncan[2] donne la reproduction d'un certificat d' « action de cinq cents francs au porteur » qui suggère curieusement que la société ne paya jamais aucun dividende car les vingt coupons sont encore attachés au certificat; celui-ci porte le numéro de série 871 (on a estimé à 4 000 le nombre d'actions émises); nulle mention n'est faite de « spécimen » ou d'autre catégorie de ce genre. Il est aussi possible que 870, ou un nombre inférieur d'*actions*, aient été vendues; ceci indiquerait des ressources financières réduites pour la poursuite des recherches. Duncan indique que le premier manufacturier fut remplacé en 1863 par la Compagnie parisienne du Gaz. Il ajoute que cette compagnie servit à Lenoir une pension dans sa vieillesse car il ne profita jamais de ses inventions.

1. Gustave Chauveau, *Traité théorique et pratique des moteurs à gaz, gaz de houille, gaz pauvres, air carburé (pétroles)*, etc., Paris, Librairie Polytechnique, Baudry & Cie, 1891.
2. H. O. Duncan, *op. cit.*, p. 20.

Le Cosmos[1] parle d'un certain Marinoni, imprimeur, comme utilisateur des moteurs Lenoir; tandis que Witz[2] et Clerk[3], tous deux experts en la matière, s'accordent pour reconnaître qu'Hippolyte Marinoni fut le premier à se lancer dans la production du moteur; Witz a même un mot flatteur pour l'excellence de son travail de mécanicien qui a pu contribuer au succès de l'engin. (C'est dommage qu'il n'ait pas contribué à sa fortune.) Ce Marinoni devint le directeur du *Petit Journal* en 1883 : c'est précisément ce journal qui devait lancer les concours automobiles dont nous parlerons plus tard. Voici deux extraits de sa nécrologie[4] :

« A quinze ans, j'avais une idée fixe : j'étais horripilé de voir que les presses nous étaient vendues par l'Angleterre... je voulais... détruire cette concurrence... et, depuis trente ans, c'est moi qui vend à l'Angleterre des machines à imprimer. »

et, d'autre part,

« D'ailleurs, moi aussi, j'ai parfois échoué : à deux reprises, je me suis ruiné, notamment avec les moteurs à gaz qui, depuis, en ont enrichi d'autres ; mais j'étais parti trop tôt, j'avançais de vingt ans ! »

En l'absence de prétendant au titre de premier constructeur d'un véhicule à moteur utilisant la force explosive du gaz ou de l'essence pendant les années en question, il peut suffire de noter qu'il existe une contradiction entre le récit circonstancié et l'original de la voiture Lenoir, cité plus haut[5], les réminiscences de Lenoir lui-même dans *France automobile* en 1897 citées sans indication de source par Dollfus dans son *Histoire de la locomotion terrestre*[6], selon lesquelles sa voiture alla plusieurs fois jusqu'à Joinville-le-Pont en 1863, et la remarque de Duncan où il est dit que la première voiture sans chevaux de Lenoir date de mai 1862 :

« En mai 1862, Lenoir réalisa sa première voiture non hippomobile en attelant un moteur à un châssis. Après de nombreuses modifications, il réussit à la conduire de ses ateliers jusqu'à Vincennes. Ceci fut officiellement attesté par l'Automobile-Club de France en 1900... »

Il est vrai que Bourdelin fait état d'un véhicule construit en 1860; il explique comment certains détails fonctionnent mais l'article ne dit absolument pas que le véhicule lui-même est en état de

1. Abbé Moigno, *Le Cosmos*, 1860.
2. Aimé Witz, *Traité théorique et pratique des moteurs à gaz*, Paris, 1892 (3e éd.).
3. Dugald Clerk, *op. cit.*, cf. p. 95, n. 1.
4. *Bulletin officiel de l'Union syndicale des Maîtres Imprimeurs de France*, 1904.
5. *Le Monde illustré*, *op. cit.*, p. 93, n. 1.
6. *Histoire de la locomotion terrestre*, chapitre de Dollfus, p. 255.

marche ou a fonctionné. On peut présumer que, après un essai infructueux à cause de nombre de problèmes soulevés, le véhicule fut mis de côté pour un certain temps. L'engin semble avoir été destiné au transport personnel, alors que le chariot qui figure sur le brevet de 1883 (se rapprochant en cela d'un des buts indiqués dans la demande de brevet américain), semble n'être plus qu'une sorte de plate-forme à moteur, la « locomobile » de ces jours, utilisable en agriculture, ou partout où il est nécessaire d'utiliser un moteur sur le terrain. L'explication la plus vraisemblable réside dans le facteur financier : un manque de fonds nécessaires à toute recherche fondamentale dans le domaine des transports.

La priorité de Lenoir n'est pas remise en cause par ce qui a pu se passer entre 1860 et 1863, car nul autre concurrent ne se présenta avant 1868. Une Commission nommée par l'Automobile-Club de France a déterminé que Lenoir fabriqua une voiture en 1862 où il plaça un moteur à gaz; ces faits ont été attestés par un M. Goriot, identifié comme le chef des ateliers de Lenoir, et un M. Pinotot, son contremaître. Le texte complet des découvertes de la Commission et de l'attestation nous a échappé, et la source secondaire que nous utilisons ne définit pas avec clarté ce qu'elle entend par « moteur à gaz »,

Une explication plausible de la contradiction entre les conclusions de la Commission et la lettre de Lenoir est peut-être qu'à l'époque de l'évocation de l'inventeur, l'essence était le carburant normalement utilisé en automobile et le gaz comprimé n'ayant pas encore réapparu, le désir de Lenoir de s'en tenir à la pratique courante à bien pu le pousser à considérer son utilisation du carburant liquide comme la véritable révolution. Si sa première utilisation de l'essence date effectivement de 1863 il est logique de penser qu'il n'a pas voulu se reporter à ses premières expériences avec le gaz comprimé; il n'avait, de toute façon, d'autre concurrent que lui-même dans toute cette affaire, l'utilisation générale de l'essence à l'époque de sa lettre a bien pu déterminer la date qu'il a lui-même choisie. Il se peut aussi que la mémoire lui ait fait défaut, car il avait 75 ans lorsqu'il écrivit à *France automobile.*

Tandis que le premier article de publicité sur le nouveau moteur était exagérément optimiste, comme nous l'avons vu, et que la réaction qui s'ensuivit dut porter préjudice aux ventes, il n'en continua pas moins à recueillir toutes sortes de prix à l'Exposition de Londres de 1862, à la Foire mondiale de Paris (1867) et de Vienne (1873); et en 1886, la Société d'Encouragement lui octroya le grand prix du marquis d'Argenteuil, de 12 000 francs. Tous ces honneurs lui furent accordés pour les moteurs de son invention, mais en 1881 il reçut la Légion d'Honneur pour un télégraphe qui écrivait les lettres sur ruban. C'était l'ancêtre du téléimprimeur moderne et aussi des *stock-tickers* ou télétypes qui, pendant près de cinquante ans, ont été utilisés par les agents de change pour se tenir au courant du dernier cours des bourses.

On ne peut équitablement juger de la valeur de ce moteur en termes de ce qui fut plus tard considéré comme des caractéristiques normales, après de longues et coûteuses recherches entreprises par les nombreux expérimentateurs compétents qui suivirent Lenoir. La plupart des critiques péjoratives adressées à Lenoir proviennent d'auteurs sans grande expérience mécanique réelle et sans culture technique.

CHAPITRE XII

LENOIR ET LES ALLEMANDS

A. L'INFLUENCE DE LENOIR SUR OTTO, BENZ, ET DAIMLER

A notre connaissance, nul n'a attribué à Lenoir une influence formative sur Daimler, connu sous le nom de « père de l'automobile », à quoi on pourrait répondre que la France en était la mère. (En allant plus loin dans la généalogie, on pourrait bien proposer Lenoir comme grand-père; et ajouter que le rôle de la mère est bien le plus important...) La preuve que Lenoir a pu jouer un tel rôle nous vient curieusement d'un partisan de Daimler que nous avons déjà rencontré, quoique, à la vérité, son intention n'était évidemment pas de suggérer une telle relation. Daimler avait travaillé pour la Werkzeug Maschinen Fabrik à Grafenstadt, en Alsace. Dans l'impossibilité de persuader son patron, Messner, de lui laisser plus de temps et d'argent pour la construction de véhicules expérimentaux, il dut démissionner. A l'instigation de son ami et mentor, le Dr Steinbis, fonctionnaire wurtembourgeois, il se rendit à Paris pour :

« examiner les moteurs à gaz de Lenoir. Ce fut une déception car il découvrit qu'ils étaient si bien protégés par brevet que nul, hors de l'organisation Lenoir, ne pouvait espérer y travailler : et de toute façons, Daimler ne fut pas impressionné par le moteur. »

Sa déception à la suite du degré de protection des brevets de Lenoir semble parler de façon plus éloquente que ce que Scott-Moncrieff[1] ajoute à propos de l'impression éprouvée par Daimler. Le séjour de Daimler en Angleterre lui avait donné une bonne idée de ce que pouvait être la jungle des brevets.

Nous retrouvons dans le même livre une autre preuve de

1. *Op. cit.*, cf. p. 96, n. 1.

l'influence de Lenoir sur Benz, cette fois. On se rappellera que Benz lui aussi avait ses partisans, qui disputaient pour lui à Daimler le titre de « père de l'automobile ». Dans une partie du livre que l'on peut attribuer à St. John Nixon, nous trouvons ceci[1] :

« En 1861, un moteur Lenoir fut installé dans l'atelier des machines-outils de Max Eyth à Stuttgart. Le jeune Benz fut autorisé à s'en occuper. On se rappelle que bien que manquant de puissance, ce moteur à gaz primitif marchait remarquablement bien. »

L'auteur ne nous dit pas en quoi ce moteur manquait de puissance. Max Eyth attendait-il d'un moteur de 5 CV une puissance de 10 CV, ou bien le moteur en question ne donnait-il pas son maximum de puissance ?

Cette occasion d'acquérir une expérience pratique sur un moteur Lenoir en état de marche prit place trois ans avant que Benz eut terminé ses études au Polytechnik de Karlsruhe. Il n'est pas interdit de penser qu'il reçut de ses professeurs d'excellentes leçons sur les qualités et défauts de ce moteur. Un approfondissement théorique, directement lié à la machine en question, semble s'imposer à tout éducateur qui voit s'éveiller dans un jeune et brillant élève de tels intérêts.

Pourtant, il n'est pas inutile de noter que Benz ne sortit de son école que deux ans après la publication du théorème de Beau de Rochas sur les quatre temps. Etant donné que c'est le même brevet qui fut utilisé pour détruire les revendications d'Otto contre le moteur Lenoir de 1883, la préférence de Benz pour le principe des deux-temps peut s'expliquer comme un désir d'éviter un procès ou une reconnaissance de dette, plutôt que comme une idée fixe ou déraisonnable dont certains biographes de Daimler l'ont parfois accusé.

Le moment semble venu de donner ici un résumé descriptif aussi succinct que possible des principes des différents genres de moteur à combustion interne, toute étude du développement technologique devant s'appuyer sur ces rudiments. A l'exception de la méthode aujourd'hui abandonnée de Lenoir, on trouvera aisément tous les détails complémentaires dans des ouvrages classiques de références. La méthode le plus généralement adoptée est le moteur à quatre temps, dans lequel il faut à un cylindre donné deux révolutions du vilebrequin pour accomplir sa tâche : les temps sont aspiration, compression, explosion, échappement des

1. *Ibid.*, p. 21.

gaz. Les quatre temps s'accomplissent ainsi en deux révolutions; cette constatation n'a pas manqué de troubler de nombreux expérimentateurs, devant le gaspillage apparent de ce système où un quart seulement de l'opération semblait produire de l'énergie. Mors fut le premier à sauter cet obstacle imaginaire, en utilisant quatre cylindres pour obtenir une source continue de puissance. La première solution, évidemment, consistait à emmagasiner de l'énergie dans le volant.

Le second type important de moteur fut créé pour éviter le pseudo-gaspillage; il est connu sous le nom de moteur à deux temps. Dugald Clerk, l'expert précédemment cité à propos des moteurs à combustion interne, est généralement salué aussi comme le créateur du moteur à deux temps, mais il avoue dans l'ouvrage cité plus haut[1] que

« l'idée en était identique à celui de Lenoir, mais avec une compression séparée et un nouveau système d'allumage. »

Comme ce système d'allumage était à flamme, identique en cela au système Hugon, la véritable innovation de Clerk consistait en l'introduction de la compression. En examinant posément le moteur Clerk, on pourrait découvrir ce que les mécaniciens n'y ont pas vu : c'est-à-dire qu'il possédait en fait deux cylindres, dont l'un n'était qu'une simple chambre de compression pour l'autre, qui n'était qu'une chambre d'explosion, si bien que le moteur n'était pas vraiment un moteur à deux temps. Le moteur de Lebon d'Humbersin était une anticipation. Bien des automobiles actionnées par des moteurs à deux temps ont été commercialisées en France et en Amérique; le seul véritable succès commercial actuel de ce moteur est le fait d'un fabricant suédois, mais la plupart des moteurs hors-bord fonctionnent sur ce principe qui, en dépit de nombreuses modifications de détail est resté le même; à chaque révolution correspond une poussée d'énergie (dans chaque cylindre). Cette dernière parenthèse donne la clé du problème; tant que les inventeurs et les fabricants restèrent fidèles au moteur monocylindrique, les avantages du deux-temps furent inappréciables, mais avec la montée des moteurs à plusieurs cylindres, ces avantages disparurent. En fait, le moteur à deux temps moderne est avantageux pour ses qualités de simplicité de fonctionnement et pour le nombre réduit des pièces en mouvement, mais il reste délicat et moins robuste entre les mains inexpertes.

Nous passerons sous silence deux vieilles idées qui essaient à

1. Dugald CLERK, *op. cit.*, p. 95, n. 1.

nouveau de trouver une place sur le marché : le moteur rotatif et la turbine à gaz. Ces deux moteurs sont actuellement produits par des fabricants de moteurs conventionnels. (L'*Etoile filante* de Renault était un prototype de voiture à turbine à gaz.)

L'œuvre de Philippe Lebon d'Humbersin n'a pas été étudiée ici dans sa perspective historique. Son premier brevet, du 28 septembre 1799 concernait de « nouveaux moyens d'employer les combustibles plus utilement, etc. », avec une addition en 1801, qui prévoyait un moteur à gaz à allumage électrique et, par mesure d'économie, la compression du mélange gazeux avant l'explosion. Alors qu'il est possible d'obtenir une compression sans utiliser le principe de quatre temps (voir par exemple le moteur à deux temps) ceci n'avait pas été essayé. La théorie de Lebon fut presque complètement négligée pendant la période de discussion du moteur de Lenoir, qui restera dans l'histoire comme un moteur à explosion sans compression. (Rappelons que la mort prématurée de Lebon, qui fut assassiné en 1804, a mis fin à ses expériences.) D'autre part, la théorie des quatre temps de Beau de Rochas était alors au centre des préoccupations. Un long exposé technique en fut donné par *Le Cosmos*[1], agrémenté de formules, et une autre explication parut dans les *Comptes rendus*[2]. Ce dernier article est signalé par le *Repertorium*[3] pour l'année 1863, sous le titre : « Rochas, Allgemeine Formel über den Ausfluss elastischer Flüssigkeiten mit oder ohne Expansion ».

Le moment est venu d'essayer d'éclaircir le tableau. Daimler passa les années 1861 et 1862 en Angleterre, et se trouvait en Grande-Bretagne lorsque Lenoir reçut un prix à l'Exposition de Londres. Ses occupations en Angleterre lui donnèrent, selon Scott-Moncrieff, l'occasion de se familiariser avec la procédure britannique des brevets. Les deux points faibles du moteur Lenoir étaient susceptibles de correction par l'application de la découverte de Lebon, tombée dans le domaine public mais qui était restée oubliée jusqu'à sa mention dans le *Repertorium* en 1863, ou bien par l'utilisation du cycle de Beau de Rochas qui avait été publié, et était plus clairement décrit que dans Lebon. La question juridique de paternité de la théorie nous échappe totalement, mais il semble que Lebon puisse être légalement reconnu comme ayant anticipé Rochas. Chacune de ces deux inventions était accessible à un public ayant une connaissance normale de la procédure des brevets.

1. *Le Cosmos*, 1860, II, pp. 610-628.
2. *Comptes rendus de l'Académie des Sciences*, vol. 57, p. 910.
3. *Op. cit.*, *Repertorium der Technischen Literatur*, p. 96, n. 2.

A l'époque de Lebon, la technologie était si rudimentaire que, vraisemblablement, seul un mécanicien prodige comme Brown, ou Galy-Cazalat, aurait pu fabriquer un modèle fonctionnant. Mais, en 1860, il existait un moteur à combustion interne qui fonctionnait, le moteur Lenoir, et n'importe qui en France, en Angleterre, en Allemagne pouvait l'inspecter. Il manquait seulement quelqu'un qui soit capable d'interpréter Lebon ou Rochas. Ce dernier allait tomber dans le domaine public un ou deux ans plus tard pour des raisons de technique juridique.

La porte était ouverte, mais nul ne se présenta. Au lieu de cela, les inventeurs se lancèrent sur une voie de garage qui devait les retenir un bon nombre d'années. Cette tangente, c'était le concept du moteur à piston libre, dont les inventeurs reconnus sont Otto et Langen. Parmi les inventeurs qui devaient se lancer à la poursuite de ce feu-follet dans les années qui suivirent se trouvait l'Américain Charles Duryea, qu'on a souvent appelé le premier inventeur américain d'automobiles. L'idée avait été lancée publiquement par deux chercheurs italiens, Barsanti et Matteucci, dont les brevets anglais de 1854 et français de 1859 furent reproduits dans l'ouvrage de Tresca *Machines à gaz combustibles*[1], et par conséquent, auraient dû parvenir à la connaissance d'ingénieurs sérieux comme Otto et Langen. Barsanti et Matteucci possédaient aussi un brevet italien pour le même moteur (1857). Selon Canestrini[2], un gros moteur fonctionnant selon le principe de ce brevet avait été fabriqué par la firme zurichoise de Escher & Wyss (1860)[3], et un autre, de 4 CV par l'Officine Bauer (1863) à Milan; ce dernier moteur aurait été transporté à l'usine Séraing en Belgique, où des négociations en vue de sa fabrication en série furent interrompues par la mort de Barsanti, à Liège, en 1864.

Il est difficile de préciser l'origine du concept : naquit-il en 1854 et fut-il ensuite simplement copié ? ou bien fut-il créé de nouveau en 1876 ? Une préoccupation permanente des auteurs du temps était que la force explosive du mélange volatil risquât d'être violente au point de détruire le mécanisme; plusieurs solutions à ce pseudo-problème furent présentées et nous les examinerons au fur et à mesure qu'elles apparaissent, mais là semble bien être la source du concept du piston libre. Si nous jetons un coup d'œil sur les plans des moteurs Barsanti-Matteucci, ou Otto-Langen,

1. *Annales du Conservatoire*, 1861, vol. 2, pp. 121-152 : Tresca, « Sur l'invention et l'avenir des machines à gaz combustibles ».
2. G. Canestrini, *op. cit.*, p. 20.
3. Une automobile Wyss fut construite en Suisse au début du xxe siècle.

nous apercevons immédiatement un cylindre vertical ouvert au sommet. Ce moteur inversé possède un piston très lourd :

« Le piston se meut dans un cylindre très long, sa tige est terminée par une crémaillère qui engrène avec une boîte à frein folle sur l'arbre de couche pendant l'ascension du piston, et solidaire du piston seulement pendant la descente »[1].

L'énergie est produite en partie par le poids du piston (gravité) et en partie par la pression atmosphérique agissant sur le sommet du piston, aidée par le vide partiel qui existe à l'intérieur du cylindre. Une fois de plus, la théorie retourne à l'emploi du vide, rendant un hommage tardif et rétrograde au miracle de 1654, et rejetant cet éclatant miracle du XIXe siècle, l'utilisation des forces expansives et explosives des gaz.

L'une des critiques formulées contre le moteur Lenoir était que ce n'était pas autre chose qu'une machine à vapeur fonctionnant à gaz. Lenoir a décrit son moteur comme fonctionnant à l'air dilaté; c'est Hugon qui a appelé ses propres inventions des « applications aux machines à vapeur » dans deux de ses brevets et une « machine utilisant la force explosible et le vide » dans un autre. C'est Hugon qui a tenu à conserver la notion de vide, et non Lenoir. Il est intéressant de comparer le dessin paru dans *Le Monde illustré*[2] qui reçut une large publicité et celui des *Annales du Conservatoire*[3], à l'audience limitée. Il est en effet impossible de distinguer le premier dessin de celui d'une machine à vapeur, sauf en ce qui concerne les fils de l'allumage; sur l'autre planche, on voit un moteur indiscutablement cousin de la machine à vapeur mais qui possède déjà son identité propre, particulièrement dans l'arrangement de la soupape (version révisée). Il s'agit encore d'un tiroir (Otto & Langen, des années plus tard, utiliseront le même système) mais d'un type jamais encore rencontré dans la vapeur, et le régulateur centrifuge à boules a été supprimé. On pense à l'une des versions données par Watt de son invention de la machine à vapeur : « Je pris une marmite de Papin et j'y ajoutai une seringue comme piston et cylindre. » De la même façon, Lenoir prit une machine à vapeur et en fit un moteur à combustion interne.

Mais même ainsi, soixante-dix ans de progrès dans l'art de transformer la vapeur en énergie dans un cylindre s'étaient écoulés, et il ne pouvait y avoir d'évolution plus logique pour quiconque

1. Extrait de J. Lefèvre, *Les moteurs*, Paris, 1896, p. 274.
2. *Op. cit.*, p. 93, n. 1.
3. *Annales du Conservatoire impérial des Arts et Métiers*, t. I, 1861, pl. 9 et texte.

désirant extraire de l'énergie de gaz en expansion enfermés dans un cylindre. Pour fonctionner, trois améliorations étaient nécessaires, comme on le vit plus tard :

1. L'allumage, qui n'existait pas dans le moteur à vapeur;
2. Des soupapes d'admission et d'échappement différentes;
3. Un système de refroidissement (ce qui était le contraire sur la machine à vapeur).

On a essayé de conserver le schéma de la machine à vapeur, où la même soupape contrôle l'admission et l'échappement, mais sans succès réel. Le moteur Knight, qui fit rage en 1910 et qui fut adopté par presque toutes les grandes marques françaises, était du type à tiroir, mais utilisait deux soupapes par cylindre; le type Argyll, par contre, à une seule chemise, se rapprochait plus du modèle original en fonction; mais ces deux moteurs plaçaient les soupapes-chemises *(sleeve-valves)* autour du piston, alors que le tiroir de la machine à vapeur est généralement monté à côté du cylindre et parallèlement à lui.

Tresca conclut son article déjà cité en présentant l'opinion selon laquelle les déperditions de chaleur, dans de tels moteurs, représentaient un gaspillage inévitable, et que la solution consistait à revenir à l'emploi du vide, comme plus maniable. On peut penser que cette opinion, émise par le principal théoricien français de l'époque, a pu avoir un plus grand effet d'inhibition sur les expérimentateurs français, que sur les Allemands qui commençaient alors une étude approfondie du problème.

B. La théorie dite « Nachbrennen »

Une nouvelle théorie apparut à cette époque qui eut une vogue particulière en Allemagne; cette théorie s'accordait avec l'idée selon laquelle l'ère de la vapeur touchait à sa fin. La vapeur pensait-on, avait une expansion douce et progressive (on avait oublié que la vapeur avait été accusée autrefois de violence, à l'inverse de la pression atmosphérique), alors que, toujours selon cette théorie, il y avait une violence inhérente à l'explosion des gaz : il fallait donc brûler lentement les gaz, en réduisant la force de l'explosion. C'était ce qu'on appelait *nachbrennen.* Certains produits de la combustion étaient conservés dans le cylindre. Ces gaz brûlés, étant inertes, devaient réduire la force de l'explosion suivante, de même que l'on jette des cendres sur le feu, pour réduire l'intensité de la flamme. L'avocat le plus ardent de cette théorie en France fut Gustave Richard[1] : comme il s'agissait d'un bon écrivain, apparemment doué de clairvoyance, la théorie fut largement acceptée en France. Le résultat fut double : le progrès vers des solutions plus prometteuses fut retardé et, puisque selon Richard il s'agissait là d'une notion purement allemande, les ingénieurs français furent renforcés dans leur idée d'infériorité qui voulait que seuls les Allemands sachent ce qu'ils faisaient. En fait, les Allemands savaient très bien aussi ce que faisaient les Italiens, par exemple. Richard essaye curieusement de prouver que Beau de Rochas n'avait pas inventé la théorie de quatre temps : cela mérite examen. L'opinion généralement admise de nos jours est que Rochas a bien lancé l'idée le premier, mais qu'Otto fut le premier à fabriquer un moteur sur ce principe. Richard, dans son attaque de Rochas, se range parmi les partisans d'Otto en raison du concept du *nachbrennen*. En fait, comme cette théorie n'est plus considérée comme valable, l'argument de Richard se retourne contre Otto. Nous renvoyons les curieux aux pages compactes (p. 48-53) de cette attaque, sans essayer d'en donner une analyse plus complète; il suffit que le lecteur sache qu'il n'est plus aujourd'hui considéré comme désirable de laisser les gaz brûlés dans le cylindre. Nous sommes parvenu à la ferme conviction, après une étude attentive des documents disponibles, que le concept des quatre temps fut rendu public pour la première fois par Rochas, et que cette opération continuera d'être connue dans les pays germaniques et anglo-saxons sous le nom de cycle d'Otto parce que c'est plus facile à dire, et parce que Otto fut probablement le premier à en donner une version pratique, à moins qu'on accepte l'argument de son partisan Richard, auquel cas il n'a plus droit à ce titre à cause de son *nachbrennen*.

Otto connaissait le moteur Lenoir, bien entendu, et, affligé du virus de tous les inventeurs, il avait abandonné une situation dans une firme bien établie pour se lancer dans ses propres recherches. On a dit qu'il était sur le point d'abandonner lorsque Langen se joignit à lui : les deux hommes, dans une fructueuse collaboration, mirent au point le moteur qui devait leur rapporter une médaille d'or à l'Exposition de 1867. Le succès commercial vint aussitôt et le moteur Lenoir fut oublié. La vogue du nouveau moteur dura dix ans, et 5 000 exemplaires en furent vendus[2] si l'on croit le Dr Slaby.

Les historiques modernes du moteur à combustion interne ont

1. Gustave Richard, *Les nouveaux moteurs à gaz et à pétrole*, Paris, 1892.
2. Dr Slaby, *Nicolas Auguste Otto*, Berlin, 1891.

tendance à passer sous silence le moteur Otto-Langen à piston libre, et à se concentrer sur le moteur Otto de 1876, et à son addition d'un allumage électrique en 1883. Richard, en essayant de discréditer le rôle de Beau de Rochas à cette époque décisive, fait intervenir un autre moteur d'Otto, auquel il assigne la date de 1861. Il déclare qu' « Otto étudia en 1861 et fit fonctionner en 1862 et 1863, aux ateliers de M. Zons, à Cologne, le moteur à compression représenté par la figure 7 »[1]. La source de cette information paraît être dans le *Festschrift der Gasmotorenfabrik Deutz*, publié à Cologne en 1889 (28 ans après l'événement). Pour respecter l'ordre chronologique, le brevet Million pour une autre sorte de moteur à compression devait être mentionné, comme Richard le fait. C'est ce qui explique la présence de l' « étude » d'Otto, datée de 1861, dont nul n'avait parlé jusqu'en 1889. Le moteur d'Otto fonctionna en 1862 et 1863, selon la thèse de Richard. On pourrait interpréter le brevet Million de sorte qu'il permette « la conservation d'une partie des gaz brûlés », ce qui aurait pour effet de montrer Million comme un précurseur du précieux Otto. Le brevet de Million fut accordé le 22 juillet 1861. Quand Otto fit-il cette « étude » ? Richard se tait, tout en mettant Otto devant Million.

Que faut-il penser des arguments de Gustave Richard ?

Premièrement, il n'y a pas sur le marché de moteur à piston libre comme celui, à exemplaire unique, que, selon Richard, Otto inventa en 1861. De plus, nous pensons qu'il est correct de dire qu'un tel moteur n'a jamais été commercialisé. (Nulle confusion n'est possible avec le modèle 1867 Otto-Langen : ils n'ont en commun que le principe du piston libre.)

Deuxièmement, il s'agit d'un moteur essentiellement axé sur le problème imaginaire de l'action destructive et violente de l'explosion des hydrocarbures, depuis longtemps dénoncé comme un mythe (à moins que l'on ne veuille considérer les composés d'éthyle et autres produits ajoutés au carburant comme jouant le même rôle).

Troisièmement, on nous demande de préférer le souvenir d'une firme commerciale, ou l'annonce d'une célébration d'anniversaire, publiée en 1899, à un brevet et à une demande de brevet antérieurs de 27 ou 28 ans.

Quatrièmement, Richard se donne beaucoup de mal pour dégonfler Beau de Rochas, comme n'ayant pas connu les mérites du *nachbrennen*. De toute évidence, Rochas ne s'en est jamais préoccupé; pas plus que ne s'en préoccupent les moteurs modernes.

1. Richard, *op. cit.*, pp. 22-25.

Voiture Lenoir-Ford. Les experts Selden ayant déclaré que le moteur Lenoir ne pouvait actionner une automobile, les ingénieurs Ford ont construit un moteur Lenoir 1865 avec bobine Ruhmkorff 1828 et carburateur Festugière 1865. Ils ont utilisé un châssis Ford 1904. En 1907, les essais publics ont montré que la voiture circulait sans difficulté à 25 km/h. (Voir pp. 186-191, 434.)

(Cliché G. M., Detroit.)

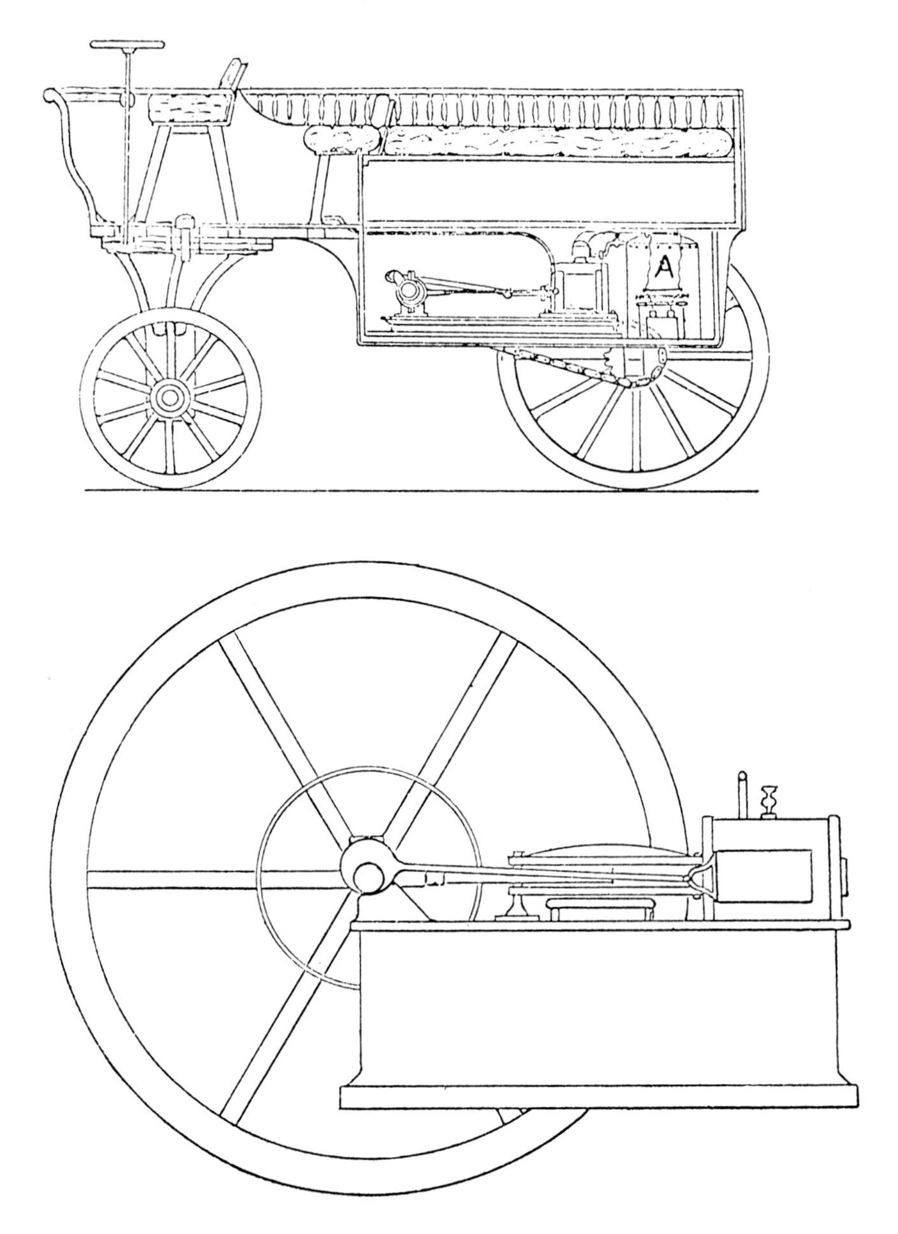

Ce dessin est extrait du dossier du Procès Selden. En haut, copie exacte du *Monde illustré,* 16 juin 1860, pp. 394-395. En bas, schéma d'un moteur Lenoir de 1,85 CV que l'on tente, sans succès, de présenter comme étant à la même échelle. Cette figure montre le réservoir de gaz comprimé A. Deux ans plus tard Lenoir a substitué du pétrole et circulé plusieurs fois — jusqu'à Joinville-le-Pont en 1863. (Voir pp. 93-94, 99, 101-103.)

Cinquièmement, Richard ne fait pas grand crédit à Otto tout de même puisqu'il reconnaît le rôle de précurseur de Lebon dans la théorie des quatre temps, soixante ans avant cette date de 1861 qu'il nous demande d'accepter pour Otto.

Ses pages sur Otto (1861), Million et Beau de Rochas, bien que tendancieuses, ont leur valeur. Le coussin d'air prévu dans le plan du modèle d'Otto est un excellent exemple de solution à des problèmes inexistants. Richard n'indique pas pourquoi le plan, qu'il défend si vigoureusement, ne fut jamais repris, ni par Otto, ni par quiconque.

L'auteur d'une œuvre classique[1] parue au moment où le moteur Otto était au sommet de la vogue exprime sans doute l'opinion du public informé de 1881 lorsqu'il écrit :

« ... la première machine construite après celle de M. Lenoir et ne marchant que par le gaz d'éclairage ou la vapeur combustible d'hydrocarbures liquides, fut celle de MM. Otto et Langen, mécaniciens allemands. »

Après une brève description du moteur vertical à piston libre, et d'un modèle horizontal, il poursuit :

« Après des études consciencieuses, persévérantes, et d'après les indications de la pratique, M. Otto, seul cette fois, corrigeant, améliorant toutes les pièces de son mécanisme, fit connaître le véritable moteur à gaz, tel que le possède la Compagnie française des Moteurs à Gaz, seul concessionnaire du brevet en France.

« Dans ce nouveau système, le cylindre est ouvert d'un côté ; le piston, sa tige, l'arbre coudé et la bielle sont analogues aux organes de même nom d'une machine à vapeur horizontale. »

Vingt ans auparavant, nous l'avons vu, Lenoir était critiqué pour avoir simplement adapté une machine à vapeur. Cette faute était maintenant passée au rang de vertu. On ne nous dit pas non plus qui fut à l'origine de l'adoption de ces améliorations et corrections.

Les noms de Barsanti et de Matteucci ne sont jamais cités dans ce récit. Les brevets déposés pendant une période de vingt ans sont passés sous silence, et Beau de Rochas n'est pas mentionné. Quoi qu'il en soit, ce fut bien l'application de Beau de Rochas, ce brevet imparfait que Richard avait si mal traité, qui permit de vaincre le brevet Otto et rouvrit la voie au progrès du moteur à combustion interne, et avec celui-ci, à l'automobile.

Nous en avons terminé avec l'opinion au temps d'Otto. Le

1. Raoul MARQUIS (pseud. H. de GRAFFIGNY), *Les moteurs anciens et modernes*, 1881.

moteur Otto, comme celui de Lenoir, était un premier pas, et d'autres devaient suivre. Ce qui distingue vraiment ces deux solutions c'est qu'Otto, en homme déterminé, consacra le reste de sa vie à l'étude du problème du moteur à combustion interne alors que Lenoir se détourna de la fabrication de son moteur presque dès le début[1] (à vrai dire, nous ne connaissons pas ses motifs), et se plongea dans une fructueuse étude de la télégraphie et autres recherches, avant son bref retour de 1883, avec un moteur à gaz amélioré. Il ne faut pas perdre de vue certains faits. La production d'Otto fut numériquement plus importante. Néanmoins un moteur Lenoir actionna une auto; un moteur Otto, jamais. La fin aurait pu être différente, mais Otto mourut au plus haut de sa gloire en 1891, à l'âge de 59 ans.

Lenoir reste le seul inventeur du milieu du siècle à avoir construit un véhicule à moteur, mais l'invention venait trop tôt. Le public ne s'intéressait pas encore à l'automobile, si bien que sa plus grande contribution pratique au mouvement fut d'ouvrir la voie du moteur à combustion interne, stimulant Otto et Langen, Tenting, Bisschop, Bénier, Durand, Ravel, Benz, Forest, Daimler, Charon, Niel et tant d'autres, dont certains s'intéressèrent uniquement au problème du moteur, tandis que d'autres se lançaient dans la construction d'automobiles. Avant de nous tourner vers leurs efforts, il nous faut considérer une résurgence de l'activité des voitures à vapeur, car elle joua aussi un rôle important dans le développement de l'automobilisme.

1. Henri Gerondeau, *Note sur les machines à gaz*, Paris et Liège, 1864.

Chapitre XIII

LES BOLLÉE DU MANS

Un nouveau nom apparaît à l'horizon du monde automobile; celui d'un homme qui mérite la gloire à plus d'un titre, d'un homme qui sut maîtriser les deux techniques rivales de la vapeur et de l'essence, d'une famille qui, pour la première fois au monde, se maintint pendant cinquante ans dans l'industrie automobile. La maison Bollée, du Mans, commença de construire des automobiles en 1873, et célébra son cinquantième anniversaire en 1923.

La première voiture à vapeur Bollée fut terminée en 1873, et son nom, l'*Obéissante*, suggère que Bollée père avait médité l'histoire du fardier de Cugnot et de sa rencontre avec le mur. Lockert[1] montre Amédée Bollée s'intéressant au problème depuis longtemps :

« ... Mais, ma fonderie de cloches et mes autres travaux, la guerre ensuite, m'empêchèrent, jusqu'en 1873, de mettre mon projet à exécution, et ce n'est qu'à cette époque, que je pus commencer à m'occuper de la question. »

Ce remarquable véhicule était peut-être la première voiture, la plus mûrement réfléchie et la mieux exécutée qui soit jamais sortie de la tête d'un inventeur. En tant que telle, elle mérite une étude approfondie. Bien des idées devaient être reproduites sur des voitures à vapeur puis à essence, des dizaines d'années plus tard. Comme les voitures Bollée ont été les *premières voitures automobiles* pouvant transporter des passagers à être *fabriquées commercialement et à être vendues*, le commentaire de Lockert a sa valeur.

Bien que Lockert reconnaisse l'importance du matériel de Bollée (voir l'espace qu'il lui consacre), il commet une erreur, qui doit être relevée, au préjudice de Pecqueur. Comparant l'*Obéissante* de Bollée au chariot de Pecqueur, il écrit :

« Quant à Pecqueur, qui fut, à notre connaissance, le premier constructeur qui monta chacune des roues d'avant-train autour d'un pivot vertical, il ne tirait pas grand bénéfice de cette idée, heureuse en principe, puisqu'il faisait néanmoins l'avant-train sur une sorte de cheville ouvrière » (voir la fig. 15, p. 102).

1. *Op. cit.*, pp. 138-141, cf. p. 86, n. 1.

L'examen de la figure 15 montre que chaque roue avant est montée sur une fourchette comme la roue avant d'une bicyclette. La seconde utilisation par Lockert du mot *avant-train* est par conséquent erronée, car ce mot s'applique en fait à l'assemblage de l'essieu avant d'un chariot à quatre roues, qui consiste en un essieu transversal terminé de chaque côté par une roue, le tout attaché au chariot par un pivot connu sous le nom de cheville ouvrière. Le plan du véhicule Pecqueur montre de façon évidente que chaque roue avant peut tourner sur l'axe de la fourchette au milieu de laquelle la roue est fixée. La faute de construction consiste dans le fait que les deux roues restent constamment parallèles, étant accouplées de façon à virer simultanément et au même degré.

Pecqueur, comme on l'a vu, introduisit le concept de suspension indépendante des roues avant, amélioration fort importante, sinon indispensable, vu l'état des routes à l'époque; mais c'est Bollée qui fournit l'alignement correct des roues. Bollée suivit le système Lankensperger (ou Ackermann) pour obtenir l'angle correct dans les tournants; la roue avant qui est située à l'intérieur de la courbe parcourt un cercle de diamètre plus restreint, et par conséquent sa tangente forme un plus grand angle par rapport à l'axe longitudinal du véhicule que celui qui est formé par la roue extérieure. En fait, cela n'avait guère d'importance pour ses roues à bandage de fer de diamètre relativement petit. Nous insistons sur le fait seulement parce que l'appréciation de Lockert des plans de Pecqueur n'est pas correcte; les détails de ces plans avaient pourtant été publiés et furent à la disposition des expérimentateurs pendant toute la période héroïque. Un intéressant exemple de conflit entre la théorie et la pratique peut se trouver dans l'un des premiers livres de Baudry de Saunier[1], où il caractérise l'instabilité de l'avant-train des voitures à chevaux en ces termes :

« Ce dispositif aurait, pour une voiture automobile, d'assez graves inconvénients. En premier lieu, le passage de la roue sous la caisse obligerait le constructeur soit à élever anormalement sa voiture, soit à prolonger son châssis par des bras très longs et cintrés.

« En second lieu, la stabilité de cette direction est assez problématique dans les grandes allures... dans la direction à pivot central, plus on braque, plus on rétrécit la base de sustentation de l'avant. »

En dépit de la compréhension très claire du problème par l'auteur de ce livre, les pages de garde de l'ouvrage n'en contiennent

1. BAUDRY DE SAUNIER, *L'automobile théorique et pratique*, traité élémentaire de locomotion à moteur mécanique : voitures à pétrole, t. II, Levallois (près Paris), L. Baudry de Saunier, 1900 (p. 31).

pas moins une réclame d'une page entière pour une nouvelle automobile « à pivot central » dessinée par l'un des grands noms de l'industrie, brevetée par la firme commerciale la plus célèbre, et manufacturée par l'un des plus gros industriels, qui, tous, accordaient leur confiance à la méthode pratiquée, reconnue; cela se comprenait, mais ils n'en avaient pas moins tous tort.

Amédée Bollée fit fonctionner l'*Obéissante* dans les environs du Mans pendant les derniers mois de 1873, mais ce ne fut que trois ans plus tard qu'il fit le voyage de 230 kilomètres jusqu'à Paris. C'est à cette occasion que la police manifesta pour la première fois de l'intérêt pour ce genre de locomotion. L'histoire est peut-être apocryphe mais la légende veut que Bollée ait récolté 75 procès-verbaux lors de son voyage, soit environ un tous les 3 kilomètres, ce qui constituerait un record encore non battu de nos jours! La même légende veut aussi que le préfet de Police, emmené en excursion autour de Paris, ait fait enlever toutes les amendes.

Un accord tacite entre les historiens et les chroniqueurs de l'automobile réserve l'honneur du premier « permis de conduire » à MM. Serpollet et Avezard, quoique aucun d'eux n'ait fait de commentaire sur l'usage du permis double et sur son utilisation subséquente; nul n'a d'ailleurs non plus donné de détails sur le cotitulaire, Avezard. Cependant, selon Duncan[1], Ravel avait été obligé de procéder à ses essais sur la route de la Révolte, à Neuilly, où il vivait, en présence de deux policiers. Cette procédure fut vraisemblablement abandonnée en raison de l'augmentation de l'activité automobile, car Duncan nous rapporte que Ravel avait été plus tard le chauffeur de Bollée sur l'*Obéissante*; mais dans tous les textes qui parlent des nombreuses automobiles Bollée qui prirent la route avant Serpollet il n'est fait nulle part mention de permis de conduire. Seule reste la légende des ennuis d'Amédée Bollée avec la police.

Si l'on connaît les méthodes de la police, n'est-il pas juste de penser qu'après l'expérience de Ravel, une attitude d'expectative et de circonspection se justifiait ?

Revenons au véhicule lui-même : Tresca[2] rapporte plusieurs excursions faites dans Paris sur l'*Obéissante* :

« ... qui a été construite dans des conditions toutes particulières et pour satisfaire à une vue personnelle. M. Amédée Bollée, constructeur au Mans, l'a combinée pour voiture de famille, à l'aide de laquelle

1. *Op. cit.*, p. 20.

2. *Comptes rendus, Académie des Sciences*, 1876, pp. 431-435 : « Arts mécaniques : Note sur la voiture à vapeur de M. Bollée », par M. Tresca.

il pût faire ses courses, conduire ses matériaux à la gare du chemin de fer et lui servir même de voiture de chasse et de voyage. C'est ainsi qu'il est arrivé à Paris en 18 heures... ».

Tresca, en s'exprimant ainsi, faisait-il une citation indirecte de Bollée ou bien résumait-il, en une phrase adroite, toutes les perspectives d'utilisation qui s'ouvraient au constructeur pionnier ? Nous ne saurions le dire; il n'en donne pas moins une définition du concept moderne d'automobile qui serait encore valable aujourd'hui. Cette définition nous paraît significative dans la perspective de la présente étude en ce qu'elle représente l'admission du fait qu'une automobile pouvait être une chose utile à avoir à sa disposition. Cela veut dire qu'en ce dernier quart du XIXe siècle, l'homme était enfin disposé à accepter l'automobile, et à partir de là, le problème qu'avaient à affronter les inventeurs n'était plus double : ils pouvaient maintenant se concentrer sur la fabrication d'automobiles qui fussent en état de fonctionner, au titre de transport personnel, ce qui n'avait pas été jusqu'alors un but reconnu comme désirable.

Une caractéristique de l'*Obéissante* fournit une illustration de ce que nous voulons dire. Il peut paraître incroyable à des lecteurs modernes qu'il ait été nécessaire de s'arrêter chaque demi-heure pour remettre de l'eau à une vitesse de croisière normale de 20 kilomètres à l'heure. Les dix-huit heures nécessaires à ce premier voyage jusqu'à Paris se divisaient probablement en douze heures de route et six heures d'arrêt pour faire de l'eau et du combustible. Pour des gens qui devaient compter trois jours pour accomplir le même voyage dans une voiture à cheval, le handicap ne devait pas paraître aussi énorme qu'il le semble aujourd'hui.

Avec sa voiture suivante, qu'il baptisa la *Mancelle*, Bollée établit un modèle de série, ou type standard, dont plusieurs exemplaires virent le jour. Il fut le premier fabricant à agir de la sorte. Les deux voitures, l'*Obéissante* et la *Mancelle*, furent présentées à l'Exposition Universelle de Paris en 1878, où elles furent examinées par des milliers de curieux; il serait difficile de ne pas admettre le rôle de stimulation qu'elles ont pu jouer sur la génération suivante de constructeurs et de propriétaires d'automobiles. Ceci n'est pas une exagération, car plusieurs exemplaires furent vendus à des gens qui pouvaient se permettre le luxe de parcourir les routes de France pour le plaisir. Outre les acheteurs titrés, nous trouvons le nom de Koechlin, que Lockert identifie comme habitant à Thann en Alsace. Ce nom doit reparaître dans l'histoire de Peugeot, quelques années plus tard. Est-ce coïncidence ?

Un intéressant épilogue à la *Mancelle* de Koechlin peut se lire dans le rapport d'une société savante de Mulhouse en 1882, où certains points faibles de la *Mancelle*, et certaines améliorations apportées par les Koechlin, sont discutées par un groupe d'ingénieurs[1]. Le rapport complet donne un excellent exemple de pénétration car il reflète l'attitude d'un groupe d'ingénieurs et d'industriels, experts en mécanique et en techniques de manufacture, devant le problème de l'amélioration d'un des meilleurs modèles d'automobiles encore jamais fabriqués. On peut ajouter que Bollée avait déjà amélioré le rayon d'action de sa voiture : le rapport cité parle de 25 à 30 kilomètres parcourus sans avoir à prendre de l'eau. Le rapport parle en termes flatteurs de la direction. Par contre, l'expérience a montré que les roues de bois sont trop faibles et les Koechlin y ont substitué des rayons d'acier. Les supports de l'essieu avant ont été trouvés trop faibles de construction, et les méthodes adoptées pour les renforcer sont indiquées.

L'activité de Bollée donna naissance dans le public à des rêves d'empires de transports publics : ces rêves furent personnifiés par un nommé Le Cordier (ou Lecordier, selon Baudry de Saunier). C'était un homme aventureux, qui rêvait de transport automobile sur une grande échelle. En tant que fondateur de la « Société des Transports » il prit livraison d'un « grand omnibus avec impériale pour 40 voyageurs » et du plus gros poids lourd du XIXe siècle, la *Marie-Anne*.

Le sort de l'omnibus nous échappe complètement; nul chroniqueur ne dit ce qu'il en advint. Subit-il un sort similaire à celui de l'omnibus Fawcett, qui fut essayé en grand secret, de nuit, dans les faubourgs de Pittsburg en 1878, pour se voir refuser l'accès des rues lorsque le maire opposa son veto à l'action des conseillers municipaux qui avaient accordé leur autorisation ? Fawcett avait été complètement oublié vingt-cinq ans plus tard, et seules les diligentes recherches des avocats défendant Panhard & Levassor contre les effets du brevet Selden, ramenèrent cette histoire à la lumière pendant quelque temps. Le secret des ennuis de Le Cordier est perdu, peut-être pour toujours.

La *Marie-Anne*[2] mérite l'attention. C'était un véhicule à trois essieux, dont deux propulseurs à l'arrière; cette disposition reste de nos jours l'une des plus courantes. Le véhicule était capable

1. *Bulletin de la Société industrielle de Mulhouse*, 1883. Note sur la voiture à vapeur à grande vitesse construite par M. Bollée au Mans, par une Commission du Comité de mécanique, etc., 12 p. et planches.

2. ROUSSEAU, *op. cit.*, p. 20, dans cet ouvrage parle de *Mary-Anne* au lieu de *Marie-Anne*. Affectation ?

de tirer 130 tonnes sur terrain plat et 36 tonnes sur une pente de 6 %. Il quitta Le Mans le 29 octobre 1879 et couvrit les 760 kilomètres jusqu'à Ax-sur-Ariège en 74 heures et 12 minutes.

La *Marie-Anne* est, pensons-nous, le premier gros camion à avoir été baptisé d'un nom de femme, coutume qui est répandue dans tous les coins du monde où de semblables mastodontes sont apparu. L'habitude, du temps de Napoléon, de donner à des carrosses des noms de pierres précieuses peut se rapprocher de cet usage, lui-même sans doute à l'origine des noms donnés aux prestigieuses automobiles d'aujourd'hui.

Le premier voyage international (si nous exceptons le cas de la Maceroni-Dasda, dont nous avons déjà parlé), semble avoir été effectué par la *Mancelle.* Malheureusement, l'histoire compte autant de versions que d'historiens. Lockert[1] le situe en 1876 ou 1878 (selon la façon dont on interprète un paragraphe ambigu), Grand-Carteret[2] donne 1878 et, sur le dessin montrant le concessionnaire autrichien Oppenheim, indique deux dates, 1878 dans la légende, et 1879 dans la référence. Quelle que soit l'année, Lockert déclare :

« M. Bollée fit le voyage de Paris à Vienne au mois de juin. »

Et il ajoute, en ménageant son effet :

« ... à l'ébahissement général des passants. »

Il est à la fois curieux et décevant que nul récit de ce remarquable exploit ne soit parvenu jusqu'à nous; la gageure n'était pas mince, et quelqu'un aurait dû la célébrer.

Baudry de Saunier, dans son chapitre de l'*Histoire de la locomotion terrestre,* parle de la vente des brevets allemands à un banquier berlinois, Berthold Aerous; certains véhicules auraient été fabriqués pour lui en 1880 et 1883 par l'usine de transports publics Woelhert, non seulement en Allemagne, mais vendues aussi en Autriche (nulle mention n'est faite du concessionnaire original Oppenheim), en Suède et en Russie. Bollée précède de dix ans les brevets Daimler de Panhard & Levassor. On a pu décrire la tentative de Aerous comme trop risquée pour l'époque. On peut penser que les critères de production étaient, à Berlin, inférieurs à ceux du Mans, ou bien, plus probablement que l'entretien et les techniques de fonctionnement de tels véhicules n'étaient pas au point; une opposition des milieux officiels, causée soit par le conservatisme soit par la corruption, et une opposition commer-

1. L. Lockert, *op. cit.*, p. 86, n. 1.
2. J. Grand-Carteret, *op. cit.*, p. 20.

ciale de la part de gros concurrents de Aerous sont également d'autres possibilités. Cette dernière hypothèse est d'ailleurs renforcée par l'histoire des luttes impitoyables pour la domination ferroviaire de l'Allemagne et de l'Autriche.

De même qu'un vif intérêt avait salué le moteur Lenoir, un grand nombre d'articles décrivant les véhicules Bollée parut dans la presse générale et technique de l'époque. Certains de ces articles, décrivant les machines Bollée, sont relevés par l'ingénieur anglais Jenkins.

Parmi ces références, on trouve trois articles allemands et un américain sur l'utilisation militaire des voitures Bollée. Il y a, dans le *Repertorium*, une référence similaire à un article d'un nommé Risacher sur « Les locomotives routières et leur application aux opérations de guerre », mais on n'indique pas si le cas de Bollée y est discuté.

Le nombre de voitures construites par les Bollée pendant leur période de locomotion à vapeur a été diversement estimée, de cent (Dollfus) à « un grand nombre » (Lockert) mais l'information la plus explicite, qui apparaît dans un tableau dans l'ouvrage de Périssé précédemment cité[1], montre qu'il y avait six tracteurs, sept diligences et neuf Mancelles dans le service établi par Le Cordier.

La dernière information positive que nous possédions sur la production de Bollée (période vapeur) concerne la super-Mancelle, construite pour le marquis de Broc en 1885 et décrite comme un *mail-coach* (sorte de voiture privée élégante, et non voiture de poste) « établie avec tout le confortable que l'on peut imaginer »[2]. Nous pensons qu'il s'agit de l'une de celles qui sont conservées au Musée de la Voiture de Compiègne.

Nous n'avons pas encore décrit l'une des voitures Bollée : une deux-places de construction très légère construite en 1881 qui atteint des vitesses de 53 kilomètres à l'heure sur de courtes distances, mais les vibrations provoquèrent la rupture de ses roues d'acier, ce qui obligea à utiliser le moteur et la chaudière à d'autres emplois; cette voiture fut bien peut-être la première automobile de course du monde.

Après avoir vendu ses droits d'exploitation dans d'autres pays, alimenté le marché existant en France et fait tout ce qui était possible sans bandages de caoutchouc, Bollée se lança dans d'autres activités de sa fonderie. Peut-être fit-il des cloches ?

1. Lucien PÉRISSÉ, *op. cit.*, p. 90, n. 3.
2. Louis LOCKERT, *op. cit.*, p. 86, n. 1 (pp. 154-155 de L.).

* * *

Le flambeau fut repris par un nouveau venu dans la course, un riche aristocrate, le comte de Dion, qui devait continuer longtemps à poursuivre cette chimère, l'automobile pratique. Il comble le fossé entre ceux de ses pairs qui avaient favorisé l'acquisition d'automobiles, comme la duchesse d'Orléans, le marquis de Stafford, *the earl of* Caithness et le marquis de Broc, clients déjà mentionnés, et la classe des mécaniciens. Le comte de Dion joua ces deux rôles, et ses relations dans la haute société, où l'on avait à la fois le temps et l'argent pour s'occuper de telles choses, ont aidé la jeune industrie à se développer. Il commença ses expériences au moment où Bollée cessait les siennes, et il aurait pu gagner du temps s'il avait précisément commencé là où Bollée s'était arrêté; mais il nous reste à considérer les travaux de deux autres inventeurs plus ou moins isolés, l'un Rouennais, l'autre Lyonnais, avant de nous installer dans le profond sillage du progrès ininterrompu de l'automobile.

Chapitre XIV

DEUX ANCÊTRES OUBLIÉS

A. La seconde automobile a essence (1884) Delamare-Deboutteville et Malandin

Edouard Delamare-Deboutteville mourut jeune en 1901, inconnu dans un monde fou d'automobilisme, inconnu des automobilistes, du moins. Apparemment le seul livre qui ait parlé de lui de son vivant fut celui de Witz[1], l'érudit professeur de physique de Lille, qui avait suivi le développement du moteur à explosion pendant des années. Rhys Jenkins, l'impeccable historien anglais, l'avait oublié dans son ouvrage de 1896[2], mais il se rattrapa en 1902 avec la brève mention suivante[3] :

« ... en 1883 Delamare-Deboutteville et Malandin construisirent un tricycle à gaz, et au début de l'année suivante ils brevetèrent l'utilisation de l'esprit de pétrole pour le faire fonctionner. »

Il semble, en fait, que Delamare-Deboutteville fut l'inventeur de la voiture, qui ne différait essentiellement de celle de Lenoir que sur deux points : d'abord, elle utilisait un moteur à compression à quatre temps; ensuite, elle possédait un système de transmission plus compliqué. Nous viendrons à ces détails lorsque nous comparerons le véhicule aux premières voitures Benz et Daimler. Cette première voiture de Delamare-Deboutteville était un tricycle marchant au gaz de ville sous pression, et lorsqu'il fut décidé d'utiliser l'essence, Malandin fut celui qui dessina le remarquable carburateur : on pense au rôle joué par Maybach dans l'affaire Daimler. Cette nouvelle combinaison fut installée sur une voiture à cheval modifiée, comme on peut le voir sur le dessin de Witz.

1. Aimé Witz, *Moteurs à gaz*, t. III, 1899 (t. I, déjà cité).
2. Rhys Jenkins, *Power Locomotion*, etc., 1896; cf. p. 20.
3. Id., *Motor Cars and the Application*, etc.; cf. p. 36, n. 2.

Passant sous silence la voiture de Lenoir, Witz résume brièvement la séquence des événements en ces mots :

« Le moteur à gaz est entré en scène en 1883. MM. Delamare-Deboutteville et Malandin établirent alors un tricycle, qui a roulé sur la grande route de Fontaine-le-Bourg (Seine-Inférieure) et qui causa un grand ébahissement parmi la population ouvrière de cette petite localité industrielle. Le gaz était renfermé dans deux réservoirs de cuivre sous une pression de 10 kilogrammes, et il était livré au moteur par un ingénieux détendeur. Bientôt après, ces ingénieurs trouvèrent préférable d'employer l'essence de pétrole et ils prirent un brevet à la date du 12 février 1884.

« En 1885, M. Daimler construisit en Allemagne sa première bicyclette à pétrole ; en 1887, il fit une voiture qui est venue à l'Exposition de 1889.

« La première voiture automobile de la Société Benz & Cie, de Mannheim a été brevetée en 1886, le 25 mars.

« Ces dates établissent d'une façon indiscutable la priorité de l'invention de MM. Delamare-Deboutteville et Malandin sur celles de MM. Daimler et Benz. »

Baudry de Saunier, dans son chapitre sur « L'automobile », dans l'*Histoire de la locomotion terrestre*, utilise un dessin identique à la figure 1 de l'illustration Witz, sauf que les lettres de référence ont été supprimées. Il épelle aussi le nom de la façon suivante : Delama*rr*e-Debou*t*eville, mais Gérard Lavergne eut un échange de correspondance avec l'inventeur peu avant sa mort, et l'orthographe que nous employons ici est celle qui est indiquée par Lavergne qui n'aurait pu se tromper dans de telles circonstances. Baudry de Saunier dit que la voiture avait une transmission par courroie, ce qui est infirmé par les illustrations. Rousseau et Iatca[1] donnent des illustrations tirées de la collection Ch. Dollfus qui sont pratiquement identiques aux figures 1, 2, 3 et 5 de Witz, quoique les lettres de référence aient été refaites pour plus de clarté, les dessins ayant été réduits, mais nul texte n'accompagne l'article pour expliquer les lettres clés. Le plan horizontal, correspondant à la figure 2 de Witz, a été modifié pour montrer les roues dentées sur l'axe intermédiaire et sur le moyeu gauche arrière : les chaînes sont désignées par des tirets, et non par des pointillés, comme dans le dessin de Witz. Cependant la poulie de droite est identique sur les deux figures. Cette modification partielle du dessin ne semble pas nécessaire, car le premier exemple montre manifestement un entraînement à double chaîne et un système de freins sur l'axe intermédiaire à garnitures en bois (sans le raffinement d'un refroidissement par eau ajouté par Mer-

1. Rousseau et Iatca, *op. cit.*, *Histoire mondiale*, etc., p. 20.

cédès environ vingt ans plus tard). Rousseau donne une nouvelle orthographe du nom : Delama*rre*-Deboutteville.

Scott-Moncrieff (en l'occurrence, il s'agit peut-être de Nixon), n'aurait pas eu à réclamer pour Benz la paternité de la transmission à double chaîne, si l'article de Baudry de Saunier avait comporté un plan vue; l'ouvrage de Rousseau et Iatca est venu trop tard pour les auteurs anglais. Le livre de Witz, lui, était à leur disposition depuis près de soixante ans sur son étagère.

Baudry de Saunier, dans sa prose fleurie, peint Delamare-Deboutteville comme quelqu'un :

« ... qui brilla dans les sciences mathématiques, physiques, ou naturelles (myticulture et ostréiculture) aussi bien qu'en philologie (publication d'une grammaire sanscrit) est malheureusement mort jeune, à quarante-six ans, en février 1901. »

Le mystère de la relative obscurité dans laquelle (pour les Français, du moins) Delamare-Deboutteville et son contremaître Malandin sont restés si longtemps est assez simple. Ils ont disparu derrière un nom de marque, un nom qui fut aussi connu pendant les vingt dernières années du XIXe siècle que celui d'Otto. Le nom était « Simplex », et le produit, des moteurs à combustion interne, comprenant le premier moteur de 100 CV qui ait jamais été construit. Il est assez ironique que la Daimler Motoren Gesselschaft, à la recherche d'un nom pour sa nouvelle (1902) Mercédès ait choisi le double mot « Mercédès-Simplex », qui plus tard à son tour conduisit à « American Simplex », « Amplex » et même l'antithétique « Multiplex ».

Baudry de Saunier signale que les deux expérimentateurs s'embarquèrent dans une « quantité de travaux industriels d'autres ordres », sans préciser davantage; et Rousseau et Iatca n'expliquent pas grand-chose lorsqu'ils disent que le moteur attaché au break était appelé « Simplex ».

Presque tous les ouvrages français traitant des moteurs à gaz et à essence (à l'exception du livre de Richard déjà cité, d'une mauvaise foi manifeste), donnent des détails complets sur les moteurs de Delamare-Deboutteville et Malandin, qui étaient fabriqués par les ateliers Powell de Rouen dans des modèles allant de 1 à 150 CV. Le plan général était similaire au moteur Otto amélioré décrit par de Graffigny[1] en 1881, de même que le moteur Otto s'apparentait au moteur Lenoir; ce fait, plus le brevet Beau de Rochas, fut suffisant pour écarter l'accusation de

1. R. MARQUIS (pseud. de GRAFFIGNY), cf. p. 113, n. 1.

plagiat formulée par Otto contre le moteur Simplex. Sans tirer de conclusions, il faut mentionner que des moteurs Simplex furent installés dans les ateliers Seraing que Barsanti et Matteucci avaient essayé d'intéresser à la construction de leur moteur à piston libre, qui devançait si merveilleusement celui de Otto et Langen de près de sept ans.

Dix ans après les expériences de Rouen, Witz résume ainsi la situation :

« MM. Delamare-Deboutteville et Malandin ont eu le rare mérite de résoudre les premiers la grave et intéressante question des moteurs de grande puissance. Ils ont eu l'audace de faire un moteur monocylindrique de 100 CV : hâtons-nous de dire qu'ils ont réussi »[1].

Il semblerait, par conséquent, que l'histoire de l'incursion de Delamare-Deboutteville et de son contremaître Malandin dans le domaine automobile doive être examinée avec plus d'attention qu'elle n'en a reçu. Industrieux employé dans la filature de son père, Delamare-Deboutteville cherche à résoudre un problème de transport posé par cette entreprise, au moyen d'une automobile. Il en construit deux, mais le résultat final n'est pas utilisable par l'usine. Au cours de ces recherches, il a mis au point un moteur à combustion interne, dont il a pu faire breveter certains détails, et ce moteur est lancé par une importante firme de Rouen, pour devenir rapidement le moteur industriel peut-être le plus courant en France à l'époque. Le moteur est également fabriqué sous licence en Angleterre. Dix ans plus tard il se lance dans une nouvelle voie : les moteurs industriels utilisant les gaz pauvres comme carburant, technique fort économique car ces gaz étaient auparavant considérés comme des déchets industriels. A ces triomphes commerciaux, vers lesquels le futur fabricant d'automobiles devait se tourner plus tard, il faut ajouter la figure du contemplatif qui écrivait une grammaire sanscrite et qui étudiait les mœurs de la moule et de l'huître, lorsque sa filature de coton lui laissait du répit. Cet homme n'a jamais montré la forte nature d'un de Dion, d'un Bollée ou d'un Michaux, impatients d'avaler de longs rubans de route. Tout ce que M. Delamare-Deboutteville voulait, était un moyen de transporter une partie des denrées de son usine

1. Dr Aimé Witz, *op. cit.*, cf. p. 101, n. 2 (t. I, 1892). Witz était le principal théoricien de son époque en France. Clerk en Angleterre, Thurston en Amérique et plus tard, Schöttler en Allemagne furent de son avis; ils pensaient tous que la « stratification » de Otto était absurde : contre eux, on trouvait Sir Frederick Bramwell, le Dr Slaby, le Pr Dewar, John Juray, Gustave Richard et bien d'autres. L'œuvre où Witz se prononça pour la première fois par écrit sur ce point est : *Etudes sur les moteurs à gaz tonnant*, Lille, 1882; cité par Clerk, p. 244.

rapidement et sûrement, et lorsqu'il échoua dans cette tâche, il l'abandonna purement et simplement. Et par une particularité de la législation française, ses brevets automobiles, délivrés le 12 février 1884, tombèrent dans le domaine public au moment où Benz et Daimler, abandonnant le stage expérimental, allaient lancer sur le marché français leurs modèles primitifs.

Panhard et Levassor, onze ans plus tard, purent faire breveter un véhicule entier sur un seul brevet[1], et il y a des raisons de croire que Delamare-Deboutteville avec son brevet, aurait pu occuper en France la position que le rusé Selden essaya d'occuper aux Etats-Unis; il aurait pu toucher des *royalties* de tous les constructeurs français. De plus, s'il avait dépensé quelques centaines de francs sur un brevet allemand, il est difficile de voir comment les plans proposés ensuite par Benz et par Daimler auraient pu être acceptés. Tout ceci n'est qu'hypothèse, mais l'on doit distribuer les lauriers non en fonction du succès commercial (pour cela il y a le profit), mais en fonction des véritables découvertes rendues publiques. Benz, aussi bien que Daimler, selon divers écrivains, connaissaient personnellement le directeur du bureau allemand des brevets, et Daimler a montré en plusieurs occasions sa connaissance des législations étrangères en matière de brevets industriels, si bien qu'il est possible, mais fort improbable, que Benz et Daimler aient jamais eu vent des brevets de Delamare-Deboutteville. Que la plupart des auteurs français de la première vague de l'automobile les aient passés sous silence, cela n'a guère de signification; c'était des auteurs, et non des hommes d'affaires intéressés au premier chef par les brevets.

La mort de Delamare-Deboutteville n'échappa pas à une revue technique anglaise, *The Engineer*, dont la notice nécrologique était remarquable, non pas tellement en tant que témoignage de l'estime dans laquelle cet ingénieur était tenu par ses pairs dans l'Angleterre industrielle, mais en tant que réfutation des allégations concernant son œuvre automobile de la part des partisans de Benz et de Daimler. Notons au passage que son moteur de 100 CV, qui parut à l'Exposition Universelle à Paris en même temps que ceux de Benz et de Daimler d'une puissance inférieure à 1 CV, fut adopté par les puissantes firmes du Creusot en France et de Cockerill en Belgique. (Aujourd'hui, on a oublié que l'Anglais Cockerill fit fortune en France et fut même naturalisé citoyen français.)

Pour sa part, le Touring-Club de France érigea un monument

1. Voir L. Lockert, *Voitures à pétrole*, p. 140 (fig. 37), p. 141.

à Fontaine-le-Bourg, cinq ans après la mort de l'inventeur, honorant son œuvre et celle de son collaborateur Malandin comme « précurseurs de l'automobile » et commémorant la ville près de Rouen où eurent lieu les essais. C'était peut-être le plus bel hommage après tout, une façon de dire :

> « Vous ne pouvez plus rien pour nous maintenant.
> Acceptez cet hommage attristé parce que tardif. »

B. Mieusset
La troisième automobile a essence et la première automobile a trois cylindres

L'un des pionniers les moins connus fut Mieusset de Lyon. C'est peut-être le plus obscur. Ses ateliers furent situés à une époque aux 152 et 154 de la route d'Heyrieu, et à une autre époque aux 17 et 21 rue du Gazomètre. Doyle[1] indique que des voitures furent fabriquées aux alentours de 1900 et avant la première guerre mondiale, mais des centaines d'autres constructeurs existaient alors, ce qui nous éviterait d'avance à mentionner Mieusset, si ce n'était en raison d'un épisode antérieur.

Lafreté et Robida, dans *Les sports modernes illustrés* (1905)[2] semblent être les seuls historiens; ils les mentionnent brièvement :

> « (Nous devons signaler cependant une voiture à moteur à trois cylindres à explosion qui, construite par M. Mieusset, de Lyon, avait circulé pendant quelques mois en 1885.) »

Il semble que Mieusset faisait ses essais à Lyon ou dans les environs. On sait que la famille Mieusset était établie à Lyon à cette époque et que pendant des années elle a construit des pompes et de l'équipement de lutte contre les incendies. Avec l'arrivée de l'automobile (après 1895) elle a produit quelques voitures pendant quelques années, dans les mêmes ateliers. On voit, dans le tableau de la revue *Omnia*[3] de 1906, par exemple, que Mieusset offre une deux-cylindres de 10 CV et des quatre cylindres de 18, 28 et 60 CV, ce qui donne un choix raisonnable à sa clientèle.

1. G. R. Doyle, *The World's Automobiles, 1880-1958*, 3e éd. rev., Londres, 1959.
2. *Les sports modernes illustrés*, 50 gravures, par Gustave de Lafreté, rédacteur de *L'Echo de Paris* et Léo Robida, ingénieur des Arts et Métiers, Paris, Larousse, 1905, pp. 25-28.
3. *Omnia*, revue pratique de locomotion 1906, p. 181.

Ce « break » aux lignes anguleuses, tiré par un tracteur, annonce les semi-remorques d'aujourd'hui. Il s'agit d'une invention du comte de Dion. (Voir pp. 136 et 152.)

(Gravure tirée de A. R. Sennett, Carriages without Horses shall go... *Whittaker & Co., Londres, 1896.)*

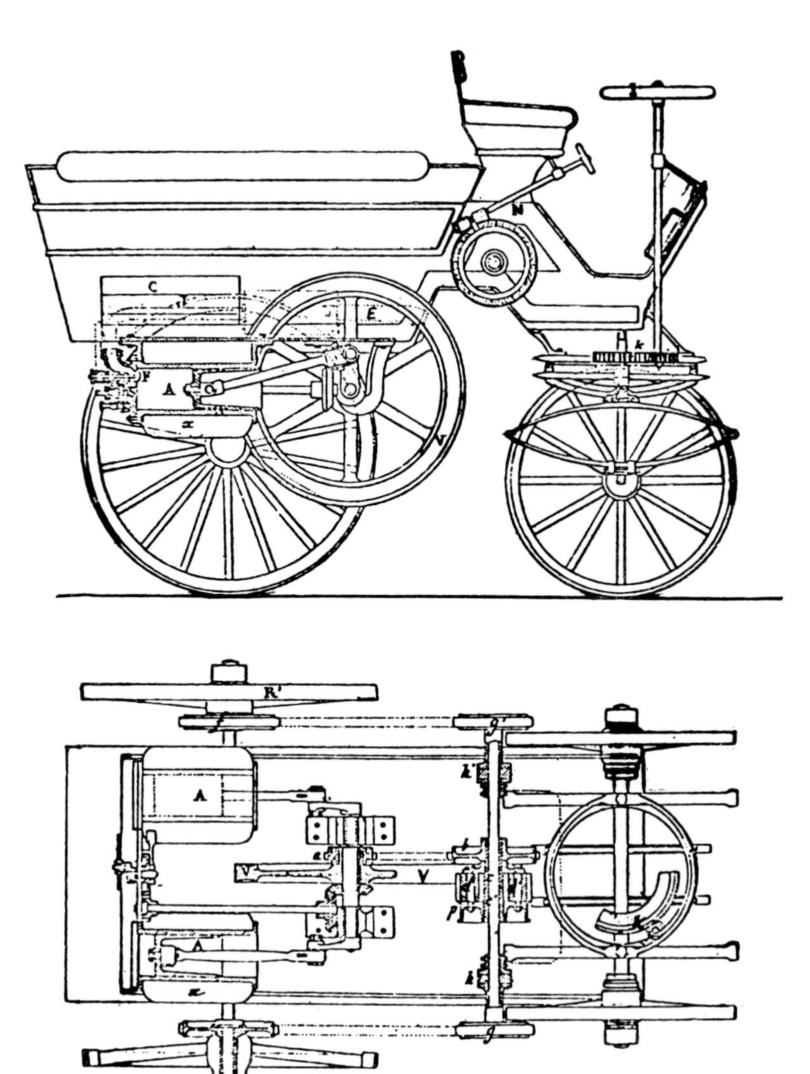

La deuxième voiture Delamare-Deboutteville
et Malandin, 1884.

A, cylindres ; C, carburateur (Malandin) ; E, entrée d'air ; F, soupape d'admission ; I, direction ; V, volant ; *h*, *h'*, paliers de l'arbre de transmission ; *a*, *b*, pignons à chaîne ; *d*, *d'*, différentiel ; *k*, secteur denté (direction) ; *f*, *g*, *g'*, pignons à chaîne ; *p*, tambour de frein ; N, frein ; *x*, ailettes de refroidissement des cylindres.
(Voir pp. 123-128.)

(Tiré de Aimé Witz, Moteurs à gaz, *t. III, 1899, p. 556.)*

Une étude régionale, *Lyon en 1906*, nous apprend que la gamme des modèles Mieusset était même plus vaste, avec des puissances de 12, 16, 24, 30 et 60 CV, et en raison des environs montagneux, la provision de quatre systèmes de freins! En considération des ennuis en côte du conducteur, Mieusset a fait ses changements de vitesses avec les dents de longueur inégale afin de les faciliter.

Il se peut qu'il existe d'autres informations sur cet intéressant pionnier des temps héroïques — peut-être dans le mémoire de Paul Melot, Lyonnais ?

Chapitre XV

DE DION, LE COMTE-MÉCANICIEN

Dans la ligne de succession du développement de l'automobilisme français, c'est le comte de Dion qui apparaît maintenant, et si son règne a été plus court de quelques années que celui des Bollée, ce fut le règne d'un seul homme, en contraste avec le passage de père en fils qui caractérisa l'évolution de l'affaire Bollée; bien plus, l'activité de de Dion ne souffrit pas d'interruption lors de la conversion de la vapeur à l'essence, alors qu'il y avait eu un hiatus de dix années entre les voitures à vapeur Bollée et la décision de se lancer dans le moteur à combustion interne, ce que nous examinerons plus tard.

Fait curieux, alors que Bollée père (Amédée) avait été apparemment heureux de voir ses fils continuer son œuvre, le jeune comte de Dion dut affronter une opposition paternelle; le marquis de Dion alla en Cour de justice, au début de l'activité automobile de son fils, pour l'empêcher de dissiper son patrimoine en billevesées. Ce fait fut bien connu à l'époque (aux alentours de 1885), mais c'est maintenant devenu un secret bien gardé par l'un de ces retournements de l'histoire. Ce retournement peut s'expliquer par le désir de protéger le colosse de l'automobilisme héroïque contre de calomnieuses allégations selon lesquelles il n'était pas intelligent. C'est précisément la connaissance exacte d'attitudes et de situations semblables qui revêt tant d'importance dans l'histoire de l'automobile. Ce qui arriva à de Dion n'était que la version extrême de ce qui est arrivé à bien d'autres, sous forme de condamnations verbales, de mépris affiché, d'allusions nuisibles, de manœuvres occultes de tous ceux dont les intérêts étaient menacés (à tort ou à raison), par ces innovateurs.

Charles Dollfus[1] et H. O. Duncan[2] s'accordent tous deux pour

1. *Op. cit.*, chapitre par Dollfus dans l'*Histoire de la locomotion terrestre*, p. 20.
2. *Op. cit.*; H. O. Duncan, *World on Wheels*, p. 20.

proposer 1881 comme l'année où le comte de Dion commença à s'intéresser à la locomotion mécanique. D'autres disent que c'est en 1883 qu'il vit le moteur miniature à vapeur qui captiva si bien son imagination qu'il en rechercha les fabricants, MM. Trépardoux et Bouton, et qu'après une brève négociation, il les engagea comme assistants pour résoudre le problème d'une petite voiture à vapeur. On dit que deux ans furent nécessaires pour mettre au point un modèle qui fonctionnât. La date exacte n'a pas une importance critique, car les voitures à vapeur n'étaient pas une nouveauté et même des véhicules aussi petits que celui que de Dion devait construire avaient déjà été montrés en public. Duncan fixe au printemps de 1884 la date d'une vente au comte de La Tour du Pin-Verclause et donne un long extrait d'un quotidien de l'époque (que Duncan n'identifie pas) narrant sa visite aux petits ateliers du 20, rue des Pavillons à Puteaux, où il inspecta trois voitures en état de marche ainsi qu'une quatrième en chantier, et finit par commander ferme, en donnant des arrhes, un petit *dog-cart* à direction arrière. Cette idée de direction par les roues arrière a été abandonnée depuis près de soixante-dix années maintenant, sauf sur les véhicules destinés à la manutention mécanique dans les entrepôts, mais les encombrements de la circulation urbaine peuvent la faire renaître, car le système présente des avantages lorsqu'il s'agit de se garer.

Les historiens sont plutôt penchés sur la généalogie de la maison de Dion que sur les origines commerciales de l'affaire; pour rétablir l'équilibre partiellement, acceptons le récit que nous offre Duncan : à savoir que Dion-Val était un château près de Bruxelles et que la famille remontait au XIIIe siècle. Quant à l'histoire de l'aventure commerciale, elle est plus courte : elle commence avec la petite firme de Trépardoux & Cie, située passage Léon, rue de la Chapelle, à Clignancourt. Georges Bouton était l'autre partenaire de la firme : il y avait aussi des liens familiaux, Mme Trépardoux étant la sœur de Georges.

Quoique omise des ouvrages récents, où l'on a tendance à passer légèrement sur la période de la vapeur, voire à la supprimer complètement, l'histoire a été contée de multiples fois de la façon dont le jeune comte, désirant divertir les invités d'un bal donné par lui (selon d'autres, donné par le duc de Morny), tomba sur la petite machine à vapeur offerte à la vente. La qualité du travail, l'idée ingénieuse du cylindre de verre permettant d'observer l'action de la vapeur à l'intérieur du cylindre, et d'autres preuves d'un mélange de haute intelligence et d'adresse conduisirent le comte à la boutique du passage Léon pour y parler avec les constructeurs, Trépardoux et Bouton. Georges Bouton était alors âgé de 31 ans et le comte avait sept ans de moins que lui. En apprenant que les associés faisaient seulement 8 francs par jour avec leur modèle réduit, de Dion propose de les payer 10 francs s'ils se lançaient dans un programme exclusif de ce que nous appellerions aujourd'hui de recherche et d'études de laboratoire, sous l'égide d'Albert de Dion, avec, comme but, la production de petites voitures. Aujourd'hui, mécaniciens et ouvriers spécialisés considéreraient cette proposition comme normale, la discussion porterait sur les termes du contrat et la rémunération, mais une telle idée était inconnue à cette époque-là. Bien des inventeurs mouraient de faim en essayant de lancer leur invention pour leur propre compte : c'était ce qui devait se passer bientôt avec l'évolution de l'automobile : Albert de Dion semble avoir été le premier à employer la recherche organisée en automobilisme. N'est-il pas regrettable que l'on n'ait pas reconnu sa contribution à sa juste valeur ?

Trépardoux, avec une intuition prophétique, semble-t-il, était opposé à l'idée du contrat, mais il céda aux arguments de Bouton (et aussi, sans doute, à la promesse d'augmentation de 25 % du salaire).

La nouvelle société trouva vite ses anciens ateliers trop petits et se transporta rue Pergolèse, au coin de l'avenue Malakoff. C'est là que fut mise au point la petite chaudière dont la caractéristique principale étaient des tubes facilement remplaçables; elle y fut montée sur un véhicule. C'est là aussi que Trépardoux commença d'éprouver de sérieux doutes. La raison sociale de la société, au lieu d'être Trépardoux & Cie, était maintenant De Dion, Bouton & Trépardoux. L'arrangement conclu dans la petite boutique du passage Léon était maintenant rendu chose publique rue Pergolèse.

Une certaine confusion règne sur la nature du premier véhicule à vapeur construit par la société. On l'a parfois décrit comme un tricycle, et ailleurs comme un quadricycle. Duncan nous dit qu'il s'agissait d'un tricycle « Rudge ». On ne saurait soupçonner Duncan de chauvinisme, car cet auteur était un expatrié considéré par les Anglais comme Français; de plus, ses intérêts commerciaux étaient liés à la firme rivale Humber, son ami le comte de Civry étant l'agent français de Rudge. En tout cas, ce qui, au départ, était un tricycle devint un quadricycle, comme les dessins de cette première création en font foi. Le véhicule fut changé de sens et la chaudière placée entre les deux grandes roues, et la petite roue unique de direction fut remplacée par deux roues assez rapprochées, surmontées d'un petit banc où prirent place le conducteur et son passager.

Après avoir terminé ce prototype expérimental, la firme ressentit à nouveau le besoin d'espace; il fallait un endroit où les machines puissent être essayées, sans révéler au public la démarche incertaine et erratique qui était la leur. En octobre 1883, la compagnie loua une propriété située au 20 de la rue des Pavillons, à Puteaux, pour dix-huit ans. Il était possible d'y essayer des voitures sur place et c'est là que le comte de La Tour du Pin-Verclause se rendit pour observer, essayer et acheter. Les termes du bail n'ont pas été comparés aux ressources du jeune Dion, mais comme il s'agissait seulement de 1 000 francs par an, on peut assumer que c'était pour lui une bagatelle. Ce n'était pas ce que pensait son père, le marquis de Dion. Ce bail occasionna les restrictions légales dont nous avons parlé, et l'institution d'un conseil judiciaire. Que la décision de la Cour n'ait pas freiné l'élan créateur du jeune partisan de l'automobile, cela ressort pleinement du fait que, l'année suivante, l'entreprise acquit de plus grands laboratoires au 12 de la rue Ernest, toujours à Puteaux.

Ceci ne fut d'ailleurs pas la seule incursion dans le domaine judiciaire de la firme, car l'une de ses premières ventes se termina par un procès. Un homme d'affaires de province vit dans le nouveau moyen de transport une occasion d'augmenter ses ventes et proposa de monter un de ses voyageurs de commerce sur une voiture De Dion-Bouton afin d'atteindre un plus grand nombre de clients. La vente fut conclue et tout alla bien jusqu'au jour de la remise du véhicule. Le prévoyant marchand assista avec un effarement croissant à la longue mise en train de la chaudière, et à l'attente de la pression nécessaire au fonctionnement du véhicule. Puis vinrent les essais sur route et la petite machine ne parvint pas à gravir la pente à 10 % prévue dans le contrat, sauf à une pression bien plus forte que celle qui était stipulée. Il refusa donc de prendre livraison. Les fabricants à leur tour refusèrent de rembourser les arrhes (750 francs). L'affaire fut tranchée en justice et établit un précédent que bien des futurs fabricants aurait dû méditer, car la Cour ordonna aux sieurs De Dion, Bouton et Trépardoux de rembourser les 750 francs et une somme de 100 francs pour dédommager l'acheteur de ses frais de voyage à Paris pour assister aux essais de la machine.

A la recherche d'une source immédiate de fonds, de Dion, jeune et ignorant, décida qu'une modification de la chaudière de Trépardoux (car c'était Trépardoux l'expert en vapeur du trio), suffirait pour la transformer en générateur de vapeur pour les bateaux torpilleurs de la marine, alors très en vogue dans les milieux navals. Des années plus tard, dans la biographie[1] de de Dion dont Baudin fut l'auteur nominal, on sent que le souvenir de la déception et du temps perdu était encore tout vivace. Après avoir satisfait aux essais, l'adoption du plan se perdit dans une mer de difficultés et de lenteurs administratives similaires à celles qui avaient englouti le projet de tracteur d'artillerie de Cugnot, un siècle auparavant.

Déçu par les problèmes que posait l'utilisation d'un combustible comme le coke dans d'aussi petites chaudières, de Dion pensa à explorer la voie ouverte par Ravel. Il est malheureux qu'il n'ait pas cherché à s'adjoindre les services de Ravel en personne, sans doute disponible alors, car le comte manqua de périr brûlé vif lorsqu'un peu d'essence de pétrole prit feu au cours d'essais. Alors qu'il est établi que c'était un homme d'un très grand courage personnel dans des activités courantes comme le duel, il semble que l'immolation n'ait pas du tout été dans ses intentions!

Les dates de ces incursions dans le domaine des chaudières chauffées à l'essence varient, mais Baudry de Saunier nous donne la reproduction d'un tricycle auquel il attribue la date de 1887[2], on y voit très clairement un réservoir de carburant, alors que sur l'illustration du modèle 1888, et sur les modèles antérieurs à 1887, on voit des boîtes à coke. Ceci concorde en gros avec les mystérieuses circonstances qui entourent l'apparition d'un nouveau venu, un nommé Mérelle.

Il semble plausible que Mérelle soit entré dans l'affaire comme spécialiste du châssis et du train et que le comte de Dion ait décidé d'abandonner les petites voitures légères après l'accident dont les suites auraient pu lui être fatales. Il a pu aussi être influencé par l'opinion de ses pairs qui étaient aussi ses clients et dont la liste, en plus du comte de La Tour du Pin-Verclause, comprenait le comte de Chasseloup-Laubat et autres aristocrates; ces derniers, habitués au luxe, pouvaient désirer trouver un plus grand confort que celui qui était offert dans ces voiturettes. En tout état de cause, Mérelle apparaît comme fabricant sous licence en 1889, et peut-être un an avant. Dans sa boutique du 82 de la rue Lauriston à Paris, M. Mérelle vendait des tricyles et des quadricycles à vapeur. C'est à lui que revient le mérite d'avoir publié le premier catalogue offrant des véhicules à moteur en France, sinon dans le monde.

1. Cl. Baudin, *Images du passé (1883-1926)*, Ed. Blondel La Rougery, 1937.
2. *Op. cit.*, *Histoire de la locomotion terrestre*, chap. de B. de S...

Lockert, en 1895[1] et Grand-Carteret en 1898[2], donnent une importance à Mérelle qui semble d'autant plus impressionnante lorsqu'on compare leurs écrits à ce que Baudry de Saunier[3] écrivait cinquante ans plus tard, en puisant une partie de ses souvenirs chez Souvestre[4] et chez le marquis de Dion lui-même.

Lockert s'exprime ainsi :

« ... Le quadricycle à deux places pesant 800 kg, en ordre de marche, se vendait 4 000 francs. Le quadricycle à quatre places, pesant 1 100 kg, en ordre de marche, se vendait 4 400 francs.

« M. Mérelle construisit un certain nombre de ces voitures automobiles, dont les acheteurs furent généralement satisfaits ; il les exhiba à Paris, en 1889 à l'Exposition Universelle, où il obtint une médaille d'argent, et fit à cette occasion des expériences publiques qui furent remarquées. »

A quoi Baudry de Saunier ajoute :

« ... elle (la maison De Dion-Bouton) a cédé une licence de fabrication à un nommé Mérelle, dont les véhicules ont figuré à l'Exposition Universelle de 1889. Mérelle, sur un tricycle à roue motrice unique et à l'arrière, arrive premier devant le tricycle aussi d'un nommé Serpollet qui est resté en détresse un quart d'heure après le départ. »

Le mystère Mérelle s'épaissit si l'on se rapporte à l'histoire officielle de de Dion, racontée par Baudin[5], où l'homme et son œuvre disparaissent complètement. Il n'est même pas mentionné, ce qui est curieux lorsqu'on se rappelle que Mérelle fut le premier à établir des modèles à prix fixes, et que c'est lui, et non la firme De Dion, Bouton & Trépardoux, qui exposa à l'Exposition Universelle de 1889.

Comme nous avons déjà revendiqué pour Bollée l'honneur d'avoir été le premier fabricant régulier de voitures, la remarque précédente au sujet de Mérelle s'applique à des voitures pesant à peu près une tonne. On se rappellera qu'à une exception près, les véhicules Bollée étaient de fort tonnage, capables de transporter de 6 à 60 personnes, et que, tandis qu'un certain nombre de Mancelles étaient les ancêtres de nos grosses voitures de grand luxe, et des autobus, les voitures Mérelle, à deux ou quatre places, étaient les précurseurs de nos mini-voitures, ou voitures légères. Le dégoût marqué et grandissant du comte de Dion à l'égard des solutions Mérelle a bien pu aussi avoir pour cause la très forte corpulence de l'inventeur.

1. Louis Lockert, *op. cit.*, *Voitures à vapeur.*
2. John Grand-Carteret, *op. cit.*, p. 20.
3. Baudry de Saunier, *op. cit.*, *supra*, p. 20.
4. P. Souvestre, *op. cit.*, p. 20.
5. C. Baudin, *op. cit.*, p. 134, n. 1.

L'explication la plus plausible de toutes celles qu'offrent les témoins contemporains de la scène est donnée par Grand-Carteret[1] :

« Ce commencement d'exploitation avait été couronné de succès, lorsque MM. Trépardoux et Mérelle se retirèrent, vraisemblablement parce que leur manière de voir sur les développements de la locomotion à vapeur ne cadrait pas avec les idées très personnelles de M. de Dion.

« Resté avec M. Bouton, le comte de Dion créait, en effet, en 1893, son tracteur remorquant d'élégantes voitures, à la vitesse inconnue jusqu'alors de 45 kilomètres sur route, et construisait, en 1894, une autre voiture pouvant atteindre jusqu'à 50 kilomètres.

« Le tracteur que l'on attelle devant un véhicule ordinaire, c'est le *cheval mécanique...* »

Lockert dit à peu près la même chose.

M. de Dion avait cédé à Mérelle l'utilisation exclusive du type qu'il désignait comme « à chargement central », et il tourna son attention vers le tracteur. Il fallut près de huit années pour mettre au point ce type de véhicule et au bout de cette période, ses jours étaient comptés. Pendant la moitié du temps, M. de Dion s'occupa aussi de la mise au point d'un moteur à essence. Ses activités dans ce domaine seront décrites dans un prochain chapitre.

Le comte Albert de Dion avait été habitué à une vie facile. Il avait rencontré Bouton et Trépardoux alors qu'il cherchait à divertir les invités d'un bal. Il avait manqué d'être brûlé vif par une de ses machines et était revenu au combustible solide, le coke. Alors qu'avec un carburant liquide, l'alimentation était automatique, il fallait manier la pelle pour le coke. Les trépidations causées par ces petites machines, les projections de boue et de poussière, la proximité d'un mécanisme chaud et sale, l'obligation de pelleter du coke ou de graisser constamment les organes, ne pouvaient plaire ou même convenir à un aristocrate raffiné et élégamment vêtu. Il était dans son élément dans l'élégante voiture où il remporta le concours Paris-Rouen en 1894. L'année suivante vit naître le petit tricycle De Dion-Bouton à essence, dont nous reparlerons. Mais en 1926, alors qu'il contait ses souvenirs à Baudin et à Baudry de Saunier, de Dion a oublié sa contribution à l'automobilisme mondial en favorisant le « cheval mécanique ».

La véritable portée de ce que de Dion n'avait fait qu'ébaucher (le tracteur-remorqueur) n'apparut qu'après sa mort. Dans le domaine des poids lourds, le camion est longtemps resté roi, tandis que les tracteurs de remorques étaient réservés à des besognes auxiliaires. Ceci resta vrai pendant la période où de Dion continua

1. *Op. cit.*, p. 20 (p. 181 du texte cité).

de fabriquer des voitures et des camions, et ce n'est que depuis la deuxième guerre mondiale que le semi-remorque et la combinaison tracteur-remorque sont revenus à l'avant-scène. L'élégante calèche dans laquelle le comte de Dion se rendit à Rouen est bien loin des gigantesques boîtes ou citernes qui encombrent nos autoroutes d'aujourd'hui, mais chacune de celles qui sont supportées par le remorqueur, et non seulement tirées, descend en ligne directe de la calèche du comte. Ainsi il n'est que justice de rendre à Mérelle une part de la gloire qui lui revient, comme collaborateur de de Dion, Bouton et Trépardoux, et comme fabricant de tricyles et de quadricycles légers à moteur, vendus sur catalogue et à une foire mondiale avant quiconque — en réservant à un certain Stephen Roper le même honneur pour les véhicules à deux roues ou motocyclettes.

En compensation, le comte de Dion peut être déclaré le principal responsable de la marée des tracteurs de semi-remorques qui inonde en ce moment les Etats-Unis et bientôt la France. Avec Bouton, il partage, comme on le verra, l'honneur d'avoir fait progresser le véhicule à essence.

TROISIÈME PARTIE

L'INDUSTRIE AUTOMOBILE EST NÉE

CHAPITRE XVI

CARL BENZ ET LES FRANÇAIS

On dit que Carl Benz fit fonctionner un tricycle de son invention chez lui en 1885, et que plus tard, dans la même année il lui fit parcourir 1 000 mètres dans une rue. Mais comme ceci concerne seulement l'antériorité relative de Benz par rapport à Daimler nous ne traiterons pas ici cette question, à notre avis hors du sujet[1]. Il est par contre indiscutable que Benz prit le premier brevet allemand, pour un véhicule à trois roues, avant tout brevet Daimler, sauf celui de la motocyclette.

Benz fut le premier des deux, et même le premier étranger à s'assurer une représentation pour la vente de ses automobiles en France. Il est le premier également pour qui des ventes réelles furent conclues, fait qui a échappé à l'attention depuis l'absorption de la compagnie Benz par l'organisation Daimler. En fait, le premier fabricant de Benz en France fut la Société des Forges d'Aubrives (Ardennes); les documents existants ne sont pas très clairs, mais il semble probable qu'il ne s'agissait pas de véhicules, mais de moteurs de système Benz.

Au risque d'offenser les partisans de Daimler, nous avancerons que le véhicule de Benz était le plus pratique des deux à l'origine, compte tenu des imperfections inhérentes à chaque moteur dans la version primitive. Le véhicule Benz présenté sur le marché ne pouvait être distingué de celui qui était décrit sur la demande de brevet, et seules quelques modifications de détail furent apportées au cours des années. Daimler, par contre, ne mit jamais en vente le véhicule à deux roues qui était le sujet de son seul brevet de véhicule. On peut tirer de ce fait une certaine signification négative, mais il est certain qu'il prit des brevets pour ce véhicule non seulement en Allemagne, mais aussi en Angleterre, en France et même aux Etats-Unis, sans toutefois jamais le lancer sur le marché, autant que nous le sachions! La relative supériorité du dessin de Benz lui fut finalement préjudiciable, car Benz rejeta

1. Carl BENZ, *Lebensfahrt eines deutschen Erfinders*, Leipzig, 1925, cf. pp. 92-95.

toute suggestion d'amélioration, tandis que les imperfections de la Daimler amenèrent son auteur à accepter les suggestions de son collaborateur Maybach, de ses fils, et enfin du baron Henri de Rothschild et d'Emile Jellinek, d'une façon inacceptable pour Benz, habitué à travailler seul. Ceci concorde avec la légende de l'obstination de Benz, qui prit naissance plus tard, et dans laquelle on a vu la cause du marasme de son affaire en 1900, mais d'autres facteurs intervinrent.

La mémoire de Benz, comme celle de Henry Ford, semble n'avoir pas été sa partie forte, mais certaines omissions sont aussi révélatrices que ce qu'il dit. Dans l'autobiographie que nous venons de citer, il parle de la Grande Médaille d'Or qu'il obtint à la Foire de Munich en 1888, et des réactions de la presse. Puis il mentionne « ses premiers acheteurs en France, en Angleterre et en Amérique ». La dernière phrase du premier paragraphe (p. 94, *ibid.*) de ce récit triomphal s'achève sur une note amère :

« ... mais sur toute la largeur de la patrie allemande pas un seul client ne se présenta. »

Il continue en racontant comment, en 1887, Emile Roger, de France, acheta une, puis plusieurs, puis un grand nombre de voitures. Il omet de mentionner que Roger était son agent, et lorsqu'il parle de ventes en Angleterre et en Amérique, il n'est pas clairement dit que ces ventes furent faites par Roger pendant son vivant. Au lieu de cela, il parle de la firme Panhard & Levassor (omettant toute référence à la Société des Forges d'Aubrives). Benz raconte comment il alla à Paris lui-même en mars 1888, et fit faire un tour de voiture à Levassor, donnant l'impression au lecteur que c'est cela qui amena la firme Panhard & Levassor à l'automobilisme. On ne peut dire avec certitude que l'automobile Benz n'intéressa pas la firme française. Mais comme elle fabriquait déjà des moteurs Benz pour Roger, et que Roger importait aussi des automobiles Benz, tout en construisant sa propre voiture avec des pièces Benz et ses propres améliorations, il semble peu probable et même impossible que la firme ait attendu la visite de Benz pour commencer à s'y intéresser. Roger savait d'ailleurs faire marcher les voitures allemandes, car il lui aurait été difficile de les vendre sans cela.

D'autres chroniqueurs de Benz sont réticents sur le nombre de voitures qu'il vendit avant de céder les droits à Roger, bien qu'ils impliquent qu'il y ait eu d'autres ventes. Fait embarrassant : l'un des premiers (et rares) clients de Benz fut enfermé dans un asile d'aliénés pour avoir voulu acheter une voiture ! On pense au cas de de Dion, pourtant différent : acheter des voitures sans chevaux pouvait passer pour une excentricité de la part d'un riche aristocrate, investir de l'argent dans une telle affaire était inadmissible; l'attitude allemande voulait que l'achat même soit une preuve de folie! Le manque d'information sur les premières ventes ne doit pas nous empêcher de penser qu'elles furent très rares : à l'appui de notre thèse, il y a le fait que les bailleurs de fonds de Benz le suppliaient sans cesse de renoncer à cette folie (l'automobile) et de se concentrer sur les moteurs. Si les ventes avaient marché, ces récriminations auraient cessé.

Roger ne perdit pas de temps à se mettre en train. Weeks[1] note que c'est à Panhard & Levassor qu'il s'adressa pour la production industrielle; on pourrait ne pas tenir compte de cette opinion; l'auteur, sa langue maternelle étant anglaise, a pu faire une erreur assez facilement. La plupart des autres historiens n'abordent pas le problème, mais Witz[2], qui a été le témoin direct de ces événements et qui a suivi pas à pas les progrès du moteur à essence depuis une époque bien antérieure à l'apparition de Daimler ou de Benz dans la course, confirme l'arrangement Roger-Panhard & Levassor; de plus, son livre parut précisément au moment où Panhard & Levassor commençait à exploiter les brevets Daimler pour son propre compte.

Les seules modifications des automobiles Benz pendant les dix premières années d'exploitation semblent avoir été suggérées par Roger en collaboration étroite avec Benz. Le constructeur allemand avait eu, avec Roger, une chance inouïe : grâce aux efforts du Français, cinquante machines avaient été vendues en 1895. Ce nombre ridiculement bas n'en était pas moins la plus grande production mondiale de l'époque! Parmi les modifications adoptées pendant la période d'association des deux hommes, la plus importante fut le passage de deux temps à quatre temps, puis la substitution des quatre roues aux trois roues, le tout comportant la direction système Jeantaud; une autre fut la substitution d'un volant vertical normal, à la disposition horizontale que Benz avait d'abord conçue. Roger fut incapable de convertir Benz à l'importance des courses comme moyen publicitaire, et l'entrée en lice de Roger dans des courses comme Paris-Bordeaux (1895), *Chicago Times-Herald* (1895, sous le nom de marque Macy-Roger) et la « Cosmopolitan Race » de New York en 1896 (sous la marque American-Roger) fut faite contre l'assentiment de Benz. Ces voitures se

1. L. H. WEEKS, *op. cit.*, p. 41, n. 2.
2. Aimé WITZ, *op. cit.*, p. 101, n. 2 (*Moteurs à gaz*, 1892).

comportèrent bien, mais ne gagnèrent pas. Dans les courses américaines, l'inexpérience des chauffeurs contribua largement à l'insuccès. Roger fut parmi les exposants au Salon organisé à Tunbridge Wells par Sir David Salomons, le premier de ce genre organisé en Grande-Bretagne. Il fut aussi représenté à la course de Brighton célébrant l'émancipation de la fameuse loi du drapeau rouge *(red flag law)*, bien que cela ne ressorte pas très clairement des compte rendus de presse qui le désignent sous le nom « Anglo-French Motor Carriage Co., of Birmingham ».

La mort, en enlevant Emile Roger en 1897, mit fin à une collaboration fructueuse pour Benz. La voiture Benz prit ensuite le nom de « La Parisienne » sur le marché français. L'influence de Benz sur ce marché, grâce à son associé, Roger, fut en fait bien plus importante qu'on ne pourrait l'imaginer d'après ce qui a été publié; d'ailleurs, le fait que la firme de Roger ait disparu en même temps que lui, a privé ce pionnier des honneurs qui lui étaient dus. Si nous devons croire le récit paru dans *Le Chauffeur*[1] à l'époque de sa mort, Roger introduisit les moteurs Benz en 1885 et exposa un (le ?) tricycle Benz à une exposition organisée par M. Nicolle au Palais de l'Industrie la même année, deux ans après s'être lancé dans cette affaire. Le même article ajoute qu'il convertit le même moteur à divers usages (voitures, navigation) en 1889, l'année de l'Exposition. Roger consacra à l'automobilisme deux fois plus de temps que Levassor, mais il n'avait pas à sa disposition les ressources de Levassor, c'est-à-dire des ateliers, des ouvriers, du matériel.

Une autre remarque, dans le même article, établit un nouveau titre de gloire pour Roger :

« ... (Roger) a monté en 1896 la Compagnie anglo-française des Voitures automobiles où il construisit le type de voiture de place automobile, en forme de landaulet, que tout le monde a vu circuler dans Paris. »

Cet article parut en 1897 : or, *Der Motorwagen*[2] rendit compte d'un véhicule similaire fabriqué par la compagnie Daimler et mis en service à Stuttgart en 1897. Un certain nombre de variantes sur cette date seront discutées plus en détail, plus loin, lorsque nous en viendrons au véhicule de Canstatt, mais l'article du *Chauffeur*

1. *Le Chauffeur*, Paris, 1897. Important magazine automobile né du *Technologiste*. Louis Lockert dirigea les deux publications. LOCKERT cessa de contribuer à *La France Automobile* et transforma *Le Technologiste* en *Le Chauffeur* en une série d'étapes assez compliquées.

2. *Der Motorwagen ;* Zeitschrift des mitteleuropäischen Motorwagen-Vereins, Berlin, 1898. (Journal de l'Aut.-Club d'Europe centrale.)

Le long trajet Paris-Lyon en janvier 1889 « conduit l'inventeur à créer un type absolument pratique... la voiture est élégante et luxueuse » *(La Nature)*. Fabriquée en petite série aux Chantiers de La Buire dès 1891. Avec une Serpollet 1892 le comte Wimpffen de Graz est devenu chauffeur, permis n° 1, à Vienne. Ses exploits sont évoqués dans *Der Motorwagen* en 1898.

(Cliché La Nature, *5-1-1891, Yale University Library.)*

parut bien avant celui du *Motorwagen* et cette dernière publication ne paraissait pas en avance. Le service de Stuttgart, selon le magazine allemand, venait d'être établi; rendons donc à Roger l'une des distinctions mineures qui lui revient de plein droit : celle d'avoir été le premier constructeur de taxis automobiles.

Décrivant en 1925 des événements qui avaient eu lieu trente, ou même quarante ans auparavant, Benz[1] choisit de mettre en relief un incident isolé à l'usine Panhard & Levassor, mais il n'eut que peu à dire sur Roger.

La firme Panhard était alors fort connue, et Benz racontait son histoire à des gens qui n'avaient jamais entendu parler de Roger. Le rôle joué par Panhard & Levassor dans le lancement et le développement de l'automobile était notoire. En fait, il était probablement mieux connu dans certains cercles automobiles en Allemagne qu'il ne l'était du public français à cette époque. Il était par conséquent bien plus simple pour Benz d'établir un lien avec ce nom fameux et de dire : « C'est moi qui ai planté cette graine. »

La vérité est que Benz eut une influence considérable sur le mouvement automobile en France, mais ce fut par l'intermédiaire de Roger, et des constructeurs français qui recevaient leurs moteurs Benz par l'entremise de Roger. Le cas le plus connu fut probablement la classique Rochet-Schneider, à une époque voiture de luxe de très grand standing, dont nous reparlerons.

Dans son autobiographie, Benz met Roger en tête de ses clients, le premier à avoir acheté une voiture et cela avant la Foire de Munich (1888). Bien entendu, Benz commet une erreur de date, il place l'Exposition Universelle de Paris en 1887, au lieu de 1889. Apparemment Roger construisit des voitures à quatre roues en 1889 (les quadricyles Benz à moteur datent de 1892, voire de 1891). Leur influence sur Benz est inconnue à l'heure actuelle, car nul n'a donné d'informations spécifiques sur les participants de l'Exposition. Il semble hors de doute que le matériel Benz exposé à cette manifestation était présenté par Roger; l'incertitude subsiste en ce qui concerne la participation de Daimler; quant à celle de Panhard & Levassor elle est encore plus incertaine. Le Dr Schuls-Witthun[2] confond Roger avec Rochet dans son livre, une erreur qui se trouve aussi, curieusement dans l'*Encyclopedia Britannica*, édition recherchée de 1911.

1. Carl BENZ, *Lebensfahrt*, etc., *op. cit.*, p. 141, n. 1. (L'éditeur de Benz adopte l'orthographe Carl : nous ne comprenons pas pourquoi la compagnie Daimler-Benz et d'autres orthographient le prénom Karl.)
2. *Op. cit.*, p. 20.

Chapitre XVII

LES HUIT ANNÉES DE *LA NATURE*

L'année où Roger introduisit les automobiles Benz sur le marché français fut aussi l'année où *La Nature* commença une série d'articles pour ses lecteurs sur le concept nouveau d'automobilisme. L'un des journalistes écrivant dans ce magazine était un nommé L'Héritier, et ce n'est probablement pas une coïncidence si le premier article fut consacré à un tricycle propulsé par le moyen d'une chaudière chauffée à l'essence, œuvre de MM. Roger de Montais et L'Héritier. Nous retrouverons le premier; le second, apparemment, retourna à la plume. Le tricycle était capable de transporter deux personnes à la vitesse, disait-on, de 18 km/h, avec assez de combustible pour dix heures et assez d'eau pour deux heures et demie; le rayon d'action était de 40 kilomètres sans arrêts. Rappelons au lecteur que cette distance était celle qu'un homme prudent pouvait espérer franchir à cheval en une journée. La chaudière du tricycle était fabriquée dans les ateliers de M. Louis Mors, de l'avenue de l'Opéra (plus tard, on le trouve rue du Théâtre), dont le nom était célèbre parmi les automobilistes d'avant la guerre de 1914, quoique bien peu aient su qu'il avait construit des chaudières. Ceci semble avoir été sa seule activité dans le domaine de véhicules à vapeur[1].

La même année, en 1887, *La Nature* informa ses lecteurs que M. J. Virot, mécanicien en chef à l'Ecole Centrale de Lyon avait équipé un petit véhicule de « générateurs thermiques ». Il n'est pas certain que Virot ait construit d'autres véhicules, et celui-ci ressemblait plus à une locomotive et moins à une voiture que celui de Roger de Montais. Un paragraphe du même article signale un brevet récent pour un moteur à poudre, souvenir de Huygens et Papin.

Le 18 août 1888, le magazine introduit pour la première fois

1. *La Nature*, Roger de Montais, nº 746, 17 sept. 1887, p. 224; J. Virot, *ibid.*, pp. 373-374.

le nom de Serpollet qui devait devenir le plus célèbre constructeur français expérimentant avec la vapeur, à laquelle il devait consacrer sa vie. L'article comprenait des illustrations de son fameux « générateur de vapeur à production instantanée », et une coupe de son premier tricyle, à un seul passager. Le véhicule fut essayé le 25 juillet 1888, dans les rues de Girardon et de Norvins, sur la colline de Montmartre (près de l'atelier où il avait été construit), en présence de membres de la Société des Ingénieurs civils. Le 20 juillet, il avait été l'objet d'une communication bien accueillie à cette même Société. La particularité du générateur instantané résidait dans l'absence d'eau dans son tube aplati (l'eau était pompée au fur et à mesure des besoins, afin de se vaporiser instantanément). Le générateur avait été essayé par des ingénieurs du Département des Mines à des pressions de plus de 200 kgm/cm². Pendant longtemps, la chaudière Serpollet devait rester la seule autorisée pour l'utilisation sur des véhicules, fait demeuré inexpliqué; et cependant Bollée, Dietz et d'autres utilisaient d'autres types de chaudières sans qu'on ait relevé le moindre accident. L'article conclut en indiquant que MM. Serpollet sont en train de songer à un quadricycle[1].

Une chose curieuse, dans cet article, est qu'on y parle de Serpollet frères ou de MM. Serpollet, toujours au pluriel. Aucun des historiens de l'automobile, même les plus anciens, ceux qui écrivaient dans les dix dernières années du XIXe siècle, n'utilise le pluriel ou ne mentionne le fait qu'il y avait deux frères. On peut supposer que l'un des frères mourut entre 1888 et 1896; mais à partir de cette dernière date, il semble n'y avoir plus qu'un seul Serpollet, et son prénom était Léon.

L'article ne parle pas de Peugeot, alors que nous apprendrons bientôt que le véhicule avait été construit chez Armand Peugeot à Valentigney, mais tout ce que *La Nature* nous dit au sujet de Serpollet, c'est qu'il a fait les essais à Montmartre. Comme les ateliers de Serpollet étaient situés dans ce quartier, nous pensons que les générateurs étaient construits à Montmartre, tandis que les véhicules étaient assemblés à Valentigney.

Léon Serpollet naquit à Culoz et bien que les quelques esquisses biographiques qui parlent de lui n'en disent rien, il est difficile d'imaginer un jeune garçon grandissant près d'une importante gare (on parle plutôt de rotonde pour le garage des locomotives : où il y avait « l'action »), sans s'enthousiasmer pour la vapeur. Son père était maréchal-ferrant : ses années de formation lui offrirent

1. *Ibid.*, nº 794, 18 août 1888, pp. 177-179.

un excellent bagage pour la tâche qu'il s'était fixée : « un générateur à vaporisation instantanée » qui rendît possible une voiture légère à vapeur.

Nous n'avons pas à donner dans cette étude les caractéristiques mécaniques complètes des véhicules Serpollet, et ses solutions personnelles ne furent pas copiées par d'autres fanatiques de la vapeur; on pourra cependant les trouver dans les livres techniques et les magazines de l'époque cités si souvent en cette étude.

Baudry de Saunier, auteur prolifique et juge excellent des industriels établis a offert une version[1] de la naissance des automobiles Serpollet qui diffère en plus d'un point du récit donné dans le reportage de *La Nature* :

> « Dès 1887, nous trouvons l'un des chefs de la grande maison les Fils de Peugeot Frères, M. Armand Peugeot, hanté par l'idée de la voiture mécanique. Ses immenses ateliers de métallurgie lui paraissent le lieu tout indiqué pour la réalisation de son rêve. Ne construisent-ils pas déjà des bicycles, des tricycles ; quelques bicyclettes même, des nouveautés dont la renommée grandit chaque mois ?
>
> « M. Armand Peugeot chercha un moteur. On ne songeait guère alors en France qu'à la vapeur ; quelques voitures mues par moteurs de Léon Serpollet sont établies à Valentigney... La construction n'en fut pas poursuivie. »

Parmi les questions intéressantes et sans réponses que cet article suggère, deux points d'interrogation :

Est-ce que c'est Serpollet, à la recherche d'un fabricant du véhicule où monter son moteur et son générateur, qui a trouvé et convaincu Peugeot, ou bien est-ce le contraire ?

Est-ce que Peugeot, à la recherche d' « un moteur » (selon les termes de Baudry de Saunier) n'avait jamais entendu parler des moteurs Delamare-Deboutteville et des moteurs Simplex, ou des moteurs Diederichs ou Sécurité ? Il pouvait difficilement n'avoir jamais entendu parler du brevet Delamare-Deboutteville; était-il trop cher, ou attendait-il qu'il passe dans le domaine public ?

L'article suivant de *La Nature* s'adressant au public passionné des problèmes de transport parut juste après l'article consacré à Serpollet, mais il traitait d'une orientation différente[2]. Une page et demie du numéro du 6 octobre 1888 était consacrée au moteur à pétrole Daimler : le moteur et le petit tramway installé dans le parc de Canstatt étaient reproduits. Le premier paragraphe présente des considérations générales sur ce type de moteur et exprime

1. BAUDRY DE SAUNIER, *L'automobile théorique et pratique*, vol. II : *Voitures à pétrole*, Levallois (près Paris), 1900, p. 259.

2. *La Nature*, nº 801, 6 octobre 1888 : « Le moteur à pétrole Daimler. »

la préférence de l'auteur pour l'emploi d'une petite magnéto pour l'allumage électrique. On a beaucoup insisté plus tard sur l'emploi de l'allumage par magnéto comme la solution Daimler par excellence : notons qu'ici l'allumage se faisait par flamme vive, solution courante alors sur les moteurs fixes.

Aucun chiffre n'est offert en ce qui concerne les performances du bicycle/tricycle ou du canot (que l'on dit être analogue à celui que construisit Forest, précédemment décrit dans *La Nature*), et la voiture n'est même pas citée, mais le tram est capable, dit-on, d'une vitesse de 20 km/h avec une consommation de un litre de carburant par heure.

Près de 27 mois s'écoulèrent avant que la revue ne ressente le besoin de présenter des nouveautés automobiles à ses lecteurs, et Serpollet redevint l'homme du jour.

Au début de 1891, le magazine décrit un élégant phaéton. La gravure montre une imposante voiture sur l'avenue de Wagram, voiture dont le prestige est rehaussé par les hauts-de-forme portés par les passagers et par l'un des spectateurs. Gaston Tissandier, l'auteur de l'article, nous dit que deux années d'essais avec divers véhicules expérimentaux dans les rues de Paris, et un voyage à Lyon avec Ernest Archdeacon en janvier 1889 se sont soldés par cette création absolument pratique : « ... élégante et luxueuse... elle a la forme d'un grand phaéton ».

Tissandier ne nous informe pas du but du voyage hivernal, mais il existe un témoignage :

« Ce voyage entrepris en plein hiver, dans des conditions qui le faisaient considérer par les profanes comme très téméraire, avait pour objet de conduire aux chantiers de La Buire le premier modèle de voiture à vapeur qui devait servir de type d'études.

« A cette époque, les chantiers de La Buire sous la direction de MM. Augustin Séguin et René de Prandières avaient entrepris la construction d'une série de tricycles à peu près identiques à celui que M. Serpollet avait utilisé pour se rendre à Lyon.

« ... nous devons citer le voyage de Lyon à Culoz et retour... par M. Serpollet, en compagnie de M. Pilain, l'un de nos principaux constructeurs actuels. »

La Nature nous donne janvier 1889 comme date, bien que Baudry de Saunier ait parlé de février 1890 quarante ans plus tard, date recueillie sans doute dans les souvenirs d'Archdeacon publiés par *Omnia* en 1906.

Nulle mention n'est faite, dans *La Nature*, de la présence d'un véhicule Serpollet à l'Exposition de Paris, mais Archdeacon déclare : « J'avais fait là la connaissance de l'ami Serpollet, qui y exposait sa remarquable chaudière... »

Le « long voyage jusqu'à Lyon »; il s'agit en fait de dix journées de quinze heures de route chacune, toutes pleines d'aventures et de mésaventures, qui mirent à l'épreuve le génie mécanique de Serpollet et de son ami Archdeacon, l'un des *sportsmen* les plus connus du Paris de la fin du siècle. Anthony Bird, dans son livre *Antiques automobiles*, ajoute Armand Peugeot à l'équipe qui maniait le tricycle Serpollet de Paris à Lyon : nouvelle version intéressante, mais impossible.

Ce voyage signifie bien plus qu'un triomphe d'endurance physique; il fut, il est vrai, entrepris par deux hommes à la mi-janvier, avec le dédain caractéristique de l'inventeur pour le milieu ambiant. La succession de problèmes posés par les pannes mécaniques occasionnées par l'état des routes et les faiblesses de construction furent résolus un à un dans une centaine de forges de maréchaux-ferrants qui ne devaient pas différer beaucoup de celles du père Serpollet à Culoz. On a dit que le tricycle pesait deux fois son poids original lorsqu'il arriva à Lyon, le dixième jour, par suite des renforcements ajoutés pendant le voyage. Ce fut une sévère épreuve imposée aux possibilités du véhicule. En France, seuls Bollée et Michaux, sur des machines bien plus lourdes, s'étaient attaqués à des distances comparables. Il fallut attendre cinq ans avant qu'une course sur un itinéraire plus long fût organisée.

Tissandier nous donne un commentaire révélateur sur l'attitude intéressante de la police :

> « Les voitures à vapeur de M. Serpollet ont obtenu de la préfecture de police l'autorisation de circuler librement dans Paris, avec une seule restriction : elles ne doivent pas dépasser l'allure de 16 kilomètres à l'heure. »

A la même époque la libre circulation était impossible en Angleterre, et les histoires de Daimler et de Benz comportent toutes deux des exemples d'ennuis créés par la bureaucratie.

La première automobile à moteur à combustion interne décrite dans *La Nature* paraît dans le numéro du 24 octobre 1891. Elle était bien choisie, car elle venait d'accomplir la plus longue randonnée jamais tentée par un véhicule de ce type, partant de l'usine de Valentigney, allant à Paris, de là à Brest et retour, sous contrôle, totalisant 2 047 kilomètres en 139 heures de marche; elle avait ensuite continué jusqu'à Mulhouse, patrie de son nouveau propriétaire qui l'avait acquise à Paris. Les détails techniques, fournis par Gaston Tissandier, indiquaient qu'elle était équipée d'un moteur Daimler, construit par Panhard & Levassor.

Le contraste entre l'enthousiasme de Tissandier décrivant la Serpollet comme :

« Un type absolument pratique que nous allons présenter à nos lecteurs »

et son commentaire plus restreint sur la Peugeot :

« C'est suffisamment indiquer que la nouvelle voiture à pétrole fonctionne bien et qu'elle est pratique »,

forment un intéressant exemple de la difficulté qu'éprouvent les contemporains pour juger des nouvelles inventions. Levassor n'avait pas encore résolu le problème de l'automobile. Benz, comme Léon Serpollet, s'en tenait au tricycle, et le seul véhicule à quatre roues de Daimler faisait pivoter l'essieu avant selon la méthode des véhicules hippomobiles. Armand Peugeot introduisit la suspension à ressorts de feuilles d'acier cintrées, la direction à deux pivots, la transmission par double chaîne et à trois vitesses, le refroidissement à eau par pompe centrifuge, le différentiel, et les roues en acier à jantes munies de garnitures en caoutchouc dans son premier véhicule rendu public. La décision de loger le moteur à l'avant effectuée par Levassor et suivie par la plupart de ceux qui lui succédèrent ne doit pas faire oublier que le moteur à l'arrière offre certains avantages et que ce n'est pas une solution inférieure au moteur à l'avant. Les lecteurs contemporains, accoutumés aux Volkswagen, aux Renault et à certains modèles de General Motors, peuvent accepter ce fait plus aisément que les enthousiastes de 1895, à une époque où Peugeot était presque seul à agir ainsi.

Si certains détails techniques de la Peugeot ont disparu, la coupe et le plan reproduits en figure 2 se trouvent pratiquement dans tous les ouvrages sur l'automobile publiés avant 1902; il serait absurde de penser que ces plans n'ont pas eu une influence considérable sur les expérimentateurs qui suivirent, surtout à l'étranger. L'élégante solution mécanique des mains en acier fondu permettant à la jumelle d'articulation à chaque bout de ressort de fonctionner en tension, qui fut fort en faveur sur certaines voitures de luxe de la fin du siècle, est appréciée pour son originalité.

La suspension avant comportait les avantages suivants :

1. Ressort avant transversal (économie d'un ressort);
2. Barre d'accouplement derrière l'essieu (protégée);
3. Bielles de direction inclinées (bon alignement);
4. Bielle commandant la barre d'accouplement transversale.

Parmi ses admirateurs se trouvait un industriel américain bien connu qui forma sa propre compagnie douze ans plus tard et qui fut le premier à manufacturer un million de voitures — Ford. La seule particularité de la Peugeot qui ne fut pas généralisée, à part le moteur à l'arrière, fut le guidon à deux manettes qui devait certainement offrir une meilleure prise que la barre de direction utilisée par Panhard & Levassor, Daimler et les autres, jusqu'à ce que l'accident de Levassor et d'autres amènent à adopter la solution de Vacheron dont nous allons parler bientôt.

Trois années s'écoulèrent pendant lesquelles *La Nature* persista dans un silence discret sur les activités automobiles. Puis, le 28 juillet 1894, la revue publia un reportage du rallye organisé par *Le Petit Journal*, au cours duquel les participants devaient se rendre de Paris à Rouen. Bien que les organisateurs n'aient pas prévu une compétition, ce fut une véritable course qui s'instaura, dont le comte de Dion fut le héros. *La Nature*[1] ne donne qu'une photographie du tracteur. Mais, pendant la course, ce « boggie » tirait une élégante voiture ouverte où avaient pris place le prince de Sagan, le capitaine La Place et le comte de Dion. L'essieu avant de cette voiture avait été ôté et le véhicule était couplé directement au tracteur à la façon de nos camions-remorques. De Dion et ses amis furent les premiers à arriver à Mantes, où ils firent un luxueux déjeuner et assistèrent à l'arrivée des autres concurrents. La séance se répéta le soir à Rouen. Seules les Peugeot arrivèrent peu de temps après. Le gros tracteur à vapeur fut exclu du premier prix aux termes mêmes du concours, car il requérait deux mécaniciens et était donc trop coûteux. Les juges, membres de l'équipe du *Petit Journal*, prirent une curieuse décision, qui, de toute évidence, affecta les relations futures entre les deux firmes Peugeot et Panhard & Levassor; ils décidèrent de ne pas tenir compte du fait que les Peugeot, qui satisfaisaient à toutes les conditions du concours, avaient nettement battu les Panhard & Levassor. Le prétexte donné était que, puisque Peugeot achetait ses moteurs chez Panhard & Levassor, la victoire ne lui revenait pas. De nouvelles frictions jaillirent du fait que les prix ne coïncidaient pas avec l'ordre d'arrivée à Rouen. Ainsi les Panhard & Levassor arrivées 7e et 8e dans l'ordre gagnèrent, alors que la 4e et la 12e ne gagnèrent pas, et parmi les Peugeot, celles qui étaient arrivées seconde et 9e gagnèrent, tandis que les 3e, 5e et 11e n'obtenaient rien.

1. *La Nature*, n° 1104, 28 juillet 1894, pp. 129-131; n° 1108, 25 août 1894, pp. 198-202.

On peut supposer que les premiers arrivés bénéficiaient de bonifications, mais cela n'est pas mentionné. L'auteur, E. Hospitalier, consacre cinq fois plus d'espace à discuter de Panhard & Levassor que de Peugeot; de ce dernier, il dit que ses voitures sont similaires au modèle 1891, déjà décrit dans les mêmes colonnes, et que « les qualités de ces voitures sont équivalentes à celles des voitures avec lesquelles le premier prix a été partagé ». Le matériel Panhard & Levassor, lui, est placé en tête de l'article. Roger de Montais, dont la voiture avait été décrite dans *La Nature* sept ans auparavant, figure au nombre des participants photographiés mais sa voiture ne termina pas dans le temps.

Le quatrième prix fut partagé par deux individualistes, M. Lebrun sur une Peugeot modifiée dont nous n'avons aucun détail et M. Vacheron que l'auteur congédie comme ayant fait quelques modifications mineures sur une Panhard-Levassor : « ... en particulier dans la substitution d'un volant au levier dans le système de direction ». Ceci est un exemple classique de limitation du jugement contemporain : deux ans plus tard, Levassor devait être victime d'un accident attribuable au vieux système de direction par levier, et l'année suivante, l'année où Levassor mourut des suites de cet accident, les voitures de Panhard & Levassor furent toutes équipées d'un volant qui est resté la solution classique depuis soixante-dix ans, bien qu'on parle actuellement de direction assistée par levier.

Le principal article suivant[1] dans *La Nature* couvrit la première des grandes courses automobiles, Paris-Bordeaux-Paris; nous en parlerons dans des chapitres spécialement consacrés aux courses et à leur contribution à l'automobilisme.

Cependant, il y avait eu un autre article sur l'automobile électrique Jeantaud[2], paru le 26 janvier 1895. Jeantaud travaillait sur ce problème depuis plusieurs années déjà, de même que d'autres dont les travaux avaient été décrits par *La Nature*, mais la voiture électrique reste un problème marginal dans le développement de l'automobilisme jusqu'ici, et nous ne pouvons lui consacrer trop de place. Jeantaud, on s'en souvient, a donné son nom (dans les cercles automobiles français), à la direction Ackermann-Lankensperger-Bollée.

Cette voiture électrique pouvait parcourir 30 kilomètres d'une traite, à la vitesse maximum de 20 km/h, mais elle offrait le silence, la facilité d'opération et la propreté, qualités inconnues de la

1. *La Nature*, nos 1150, 1151, 1152.
2. *La Nature*, no 1130, 26 janvier 1895, pp. 129-130.

voiture à essence de cette époque. En ce qui concerne la vitesse, nous entendrons à nouveau parler d'électriques, avant qu'elles ne disparaissent de la scène. Il est peut-être prématuré de dire qu'elles ont disparu : certaines furent utilisées pendant la deuxième guerre mondiale et le problème croissant de la pollution atmosphérique peut les faire renaître. Ensevelie dans le premier paragraphe de l'article sur Jeantaud se trouve la courte histoire de la déception encourue par le comte Carli, qui avait expédié d'Italie une voiture électrique qui devait prendre part au Paris-Rouen : « ... et elle a été retenue en douane par diverses formalités ».

Depuis huit ans que *La Nature* s'était efforcée de présenter à son public un reflet de l'évolution automobile, cette évolution elle-même avait atteint de telles proportions qu'une presse spécialisée s'était créée. Notre étude de cette revue d'intérêt général nous a fait franchir une période de transition : *La Nature* a joué un rôle de vulgarisation important et a été utilisée comme source d'information par des pionniers comme Marius Berliet.

Chapitre XVIII

PANHARD & LEVASSOR
ET LES BREVETS DAIMLER

En 1867, René Panhard entra dans la maison Périn, fabricant de scies mécaniques, qui se mit alors à fabriquer d'autres outils à métaux, puis se lança dans la construction de matériel de guerre en 1870. Après la guerre, Emile Levassor se joignit à la firme qui, en 1886, devint Panhard & Levassor.

Weeks[1] dit que Panhard & Levassor fabriquèrent les moteurs Otto & Langen, puis les moteurs Otto, et plus tard les moteurs Benz & Ravel à deux temps. Il s'agirait du Ravel dont la voiture avait été enterrée sous les fortifications de Paris en 1870. Puisque nous savons d'une autre source que Panhard & Levassor fabriquaient des moteurs Benz pour Roger, le reste est plausible. Weeks avance en plus qu'en 1886, Levassor, reconnaissant le grand mérite des inventions Daimler, en acquit les droits pour la France et qu'en 1887 il exposa un bateau ainsi propulsé. Ici sa version est contredite par d'autres, généralement acceptées, et mieux étayées.

Pour l'exploitation des brevets Daimler en France, Daimler, en 1889, désigna un ingénieur français nommé Sarazin (dont le témoignage d'expert en faveur de Lenoir lors d'un procès intenté par Otto, aida Lenoir à se disculper des accusations de plagiat et à gagner, démolissant ainsi les prétentions d'Otto en France). Scott-Moncrieff[2] introduit ici une certaine confusion en prétendant que Sarazin était un avocat et qu'il mourut en 1887. En fait, l'amitié de Sarazin, de Panhard et de Levassor avait commencé sur les bancs de l'Ecole Centrale. Une version commune de l'histoire relate que Sarazin avait vainement essayé d'intéresser quelqu'un à l'exploitation de ses droits industriels, mais sans succès. Les droits français allaient tomber en désuétude si une fabrication n'intervenait pas; c'est donc un Sarazin découragé qui, à la

1. Lyman H. Weeks, *Automobile Biographies*, New York, 1904.
2. Scott-Moncrieff etal., *op. cit.*, p. 96, n. 1.

suggestion d'un autre centralien, s'adressa à Levassor, qui décida de s'embarquer dans cette affaire. Levassor s'attira un certain nombre de sourires pour avoir accepté une chose généralement considérée comme sans valeur. Bien qu'il soit mort avant que les actions de Panhard & Levassor et celles de la Daimler Motoren Gessellschaft aient atteint leur maximum, l'acquisition fut, comme on le verra, appréciée pour d'autres raisons. Curieusement, les sceptiques n'avaient pas tout à fait tort, comme l'histoire le montra.

Sarazin mourut subitement et sa femme obtint de Daimler pour elle-même les droits autrefois accordés à son mari. Ces droits passèrent à Levassor en dot lorsqu'il épousa la veuve de son ami en mai 1890.

En ce qui concerne les événements des quelques années suivantes, il existe plusieurs versions, dont certaines restent inexpliquées, aussi donnerons-nous les deux côtés de l'affaire, en ajoutant les informations que nous avons pu recueillir.

Les nouveaux concessionnaires exposèrent à l'Exposition de Paris en 1889 le petit tramway à essence que Daimler avait fait installer primitivement dans ses ateliers en Allemagne. Il était possible à des passagers de faire un tour sur ce véhicule sans comprendre à quel point il était différent des tramways à vapeur ou des autres moyens de transport qu'ils avaient déjà rencontrés. Tout comme celui de Trevithick, le tram fut vite oublié des milliers de gens qui l'avaient vu fonctionner; la presse de l'époque ne le considéra pas comme remarquable, elle aima mieux le trottoir roulant. En fait, lorsqu'il fallut le garer pour réparations, on le parqua en face d'un restaurant dans le jardin où il évoluait, et il servit de table à des dîneurs. La tendance humaine à rire de ce qu'on ne comprend pas éclata à ce propos : on disait « Pour un tramway, cela fait une table passable. »

Seuls ceux qui étaient sous l'emprise de l'automobilisme voyaient plus loin que le plaisir, la nouveauté ou le soulagement pour les pieds d'une promenade en tram comparable à celle que, de nos jours, on peut faire à la porte Maillot.

Quelques extraits de Lockert[1] illustreront les fantaisies des automobilistes qui, s'ils n'étaient pas experts, n'en étaient pas moins mieux informés que le public. A propos des brevets Daimler :

> « Cinquième brevet en 1887, le 27 décembre, n° 187828, pour un véhicule mû par moteur à gaz ou à pétrole... Cette voiture, fort intéressante à l'époque, fut mise par MM. Panhard et Levassor à l'Exposition Universelle de 1889... »

1. L. Lockert, *Voitures à pétrole*, *op. cit.*, p. 85, n. 1.

Bien qu'il soit difficile de le reconnaître, Lockert parle là du petit tramway, marchant sur rail : automobile dans un sens assez étroit. Plus loin :

« N° 207738 : perfectionnements aux voitures et aux véhicules actionnés par un moteur à gaz ou à pétrole ; c'est une disposition d'omnibus automobile avec essieu d'arrière moteur, les organes de commande étant disposés à la portée du conducteur et le mécanisme se groupant de façon analogue à celle indiquée par le cinquième brevet, qui a été plus tard adopté, avec de légères modifications, par MM. Panhard et Levassor pour leurs voitures automobiles, 1891. »

Lockert parle au passage de « légères modifications ». Pour être exact, il s'agissait de changements majeurs de structure nécessaires pour transformer un tramway en voiture, incluant la création d'une direction, une suspension à ressort, un différentiel, un débrayage et une transmission (changement de vitesse). De nouveaux venus au sport de l'automobile, lisant avidement les experts populaires comme Lockert, directeur du *Technologiste*, écrivant dans la nouvelle *France Automobile*, et ensuite directeur du *Chauffeur*, et auteur de deux nouveaux livres sur les automobiles, pouvaient difficilement s'attendre à ce que les exploitants des brevets Daimler montrent à leurs clients potentiels la faiblesse de leur système.

C'est apparemment le petit bateau à moteur Daimler qui fit pencher Peugeot dans le camp Daimler. Il était peut-être trop familiarisé avec la Serpollet, qui parmi les voitures exposées lui aurait paru plus intéressante si elle n'avait pas été construite dans ses ateliers. Les voitures-cycles de Mérelle ou de de Dion marchaient aussi à la vapeur, et aux yeux de Peugeot tombaient dans la même catégorie que la Serpollet. Un associé de Peugeot, nommé Koechlin, avait longtemps possédé une Mancelle qui avait fait beaucoup de route dans les provinces de l'Est, ce qui avait peut-être dégoûté Peugeot de la vapeur. Il y avait deux bateaux à moteur Daimler à l'Exposition. L'un d'eux était fréquemment manœuvré par Gottlieb Daimler lui-même, accompagné de Frau Daimler, et l'autre, par Levassor, dont la firme fournissait des machines-outils aux usines Peugeot. Nous ne savons pas qui était à la barre en cette fatale occasion, ni si Peugeot avait essayé le canot de 7 mètres sur 1,65 m exposé par Lenoir (moteur de 3 CV alimenté à pétrole). Lenoir, le vétéran, avait évolué sur la Seine vingt-cinq ans auparavant! Il se peut que le marquis d'Urre d'Aubay, qui possédait un moteur Lenoir de 20 CV sur son yacht au nom imprononçable de *Dzijeyrely* monopolisait alors Lenoir. Ce moteur ressemble de façon étonnante au moteur de la Volkswagen!

La maison Rouart, qui fabriquait les moteurs sous licence, était peut-être intraitable. Peugeot se méfiait-il du refroidissement par air dont le moteur Lenoir était muni ? Mais ce n'était certainement pas le moteur lui-même qui le rebutait; il était du type « Otto », comme le Daimler. C'est là un exemple des difficultés qui s'élèvent lors de l'adoption d'une étiquette comme « Otto » pour décrire un genre de moteur. Lorsque Lenoir sortit un nouveau moteur en 1883, les Allemands étaient encore à la poursuite du principe pseudo-scientifique qu'ils baptisaient *nachbrennen* (certains gaz inertes sont laissés dans le moteur pour affaiblir l'explosion, qui selon une théorie erronée serait trop violente). Lenoir avait perçu l'erreur originelle (pas de compression) et son nouveau moteur suivant la théorie de Beau de Rochas, que Otto et d'autres avaient essayé d'améliorer grâce à des notions chimériques comme la stratification (maintien de couches de carburant et d'air non mélangées) et le *nachbrennen*. Le dernier mot de la théorie de Beau de Rochas est, naturellement, l'auto-allumage que Diesel devait obtenir quelques années plus tard alors qu'il travaillait en France. Jusqu'en 1892, Richard[1] « démontrait » que les quatre temps étaient impossibles sans *nachbrennen*, l'invention de son héros, Otto. Tout cet argument, dont Richard fut l'avocat principal en France, a laissé perplexes trois générations de Français, confondus qu'ils étaient par les prétentions multiples de différentes réussites commerciales; craignant probablement de passer pour chauvins, ils ont en fait exagéré l'importance de leur dette envers l'étranger. La démonstration de Richard est compliquée. Pour ceux qu'intéresse moins la technique, le paragraphe final de Richard devrait suffire comme illustration[2] :

« ... l'histoire des moteurs à gaz à compression se résume, dans le domaine d'idées, à deux dates principales : l'énoncé du principe de la compression, ou du cycle à quatre temps, par Lebon, en 1801 ; la découverte par Otto, en 1876, du moyen de conserver une partie notable des produits de combustion, sans nuire aucunement à la marche du moteur, et l'invention, par Otto, en combinant ce moyen avec la compression, du premier moteur à gaz industriel : simple, sûr, économique et durable. »

Aimé Witz, dans l'ouvrage contemporain de celui de Richard cité précédemment, remarque à propos du moteur Otto construit par la firme anglaise de Crossley Brothers, qui devait entrer plus

1. Gustave Richard, *Les nouveaux moteurs à gaz et à pétrole*, 1892, pp. 282-283.
2. *Ibid.*, pp. 48-53.

tard dans l'automobile, mais qui, à cette époque, était le plus gros fabricant de moteurs Otto :

« MM. Crossley frères de Manchester sont concessionnaires du brevet Otto en Angleterre, mais leur construction diffère certainement plus du moteur classique Otto que la plupart des moteurs similaires à quatre temps qui se disputent la faveur du public.

« A notre avis, ils ont perfectionné réellement l'ensemble du moteur Otto : nous allons le démontrer au double point de vue de la théorie et de la pratique.

« Et d'abord, pour ce qui est du cycle en lui-même, les constructeurs anglais font de la compression préalable autant que le permet la bonne marche d'un moteur : ils vont à cinq atmosphères. De plus, au lieu de chercher à produire la combustion retardée *(nachbrennen)* dont les ingénieurs allemands font tant de cas, ils rendent la combustion aussi rapide que possible...

« Enfin, ils ont forcé la vitesse du piston jusqu'aux dernières limites : quelques-unes de leurs machines font jusqu'à 250 révolutions par minute. »

Nous sommes allés assez loin pour expliquer comment Peugeot n'avait pas adopté le moteur Lenoir ou aucun autre disponible alors, mais avait bien choisi le Daimler fabriqué par Panhard & Levassor. L'important c'est que l'année même où Lenoir mettait au point son nouveau moteur, du type à compression sans *nachbrennen*, mais avec allumage électrique, bobine et accumulateur, Daimler quittait les ateliers Otto, et l'année où Lenoir faisait breveter son nouveau moteur, Daimler, qui avait inventé son nouvel allumage à tube incandescent, l'offrait à Otto qui le repoussait. Après le départ de Daimler, Otto, avec la collaboration de Crossley, abandonna finalement le *nachbrennen*, comme le fit Daimler dans son nouveau moteur. L'allumage à tube incandescent disparut complètement de la technique automobile en 1905, tandis que la bobine et l'accumulateur, qui n'ont jamais disparu depuis leur introduction par Lenoir en 1860, sont restés l'unique système en cinquante années de production régulière.

On peut se demander pourquoi, dans un chapitre consacré à Panhard & Levassor, Armand Peugeot tient tant de place. Mais nous approchons du but. Baudry de Saunier[1], lors d'un épisode qu'il ne rapporte pas dans son essai postérieur de l'*Histoire de la locomotion terrestre*, raconte que M. Rigoulot, ingénieur chez Peugeot, fut envoyé pour collaborer avec Levassor aux plans d'une automobile. Levassor est présenté comme favorable au moteur à l'arrière, emplacement choisi par Benz en 1885 et par Daimler en 1886 (à vrai dire, il a mis son moteur entre les deux

1. BAUDRY DE SAUNIER, *L'automobile t. et p.*, vol. II, 1900, *op. cit.*, p. 261.

essieux, mais tout près de l'arrière). L'opinion de Rigoulot n'est pas donnée, mais deux voitures furent construites avec un moteur Daimler placé à l'avant. A proprement parler, il s'agissait là des voitures « Panhard-Levassor-Peugeot » et selon notre source : « ... l'une fut vendue à un Suédois; l'autre est actuellement au repos chez M. Eldin, le chauffeur lyonnais bien connu » (M. Eldin fut le premier concessionnaire Panhard & Levassor à Lyon, et puis constructeur pour son propre compte).

Dans l'ouvrage de Rousseau et Iatca[1], on présente la première vente Peugeot comme ayant eu lieu le 17 février 1890, à un M. Vurpillot. Ce M. Vurpillot était-il Suédois, et s'agissait-il d'un véhicule Panhard & Levassor-Peugeot ? Cette source récente fait intervenir René Panhard dans le débat sur la localisation avant ou arrière du moteur. L'histoire n'échappe pas aux modes, bien entendu, et il n'y avait aucune voiture à moteur arrière en 1925 lorsque Baudry de Saunier composait son second ouvrage historique, alors qu'il y a maintenant des voitures à moteur arrière; le souvenir de Levassor est bien effacé, mais il y a encore des membres de la famille Panhard.

En prenant les deux mêmes sources et en continuant la comparaison, il est intéressant de noter que la fameuse voiture de l'abbé Gavois a vieilli; elle est passée de 1893, en 1925 (version *Histoire de la locomotion terrestre*), à 1891 en 1958 (version *Histoire mondiale de l'automobile*), et à en juger par une épreuve photographique elle était en meilleur état en 1958, bien que la dernière restauration date de 1912! L'histoire est bien élastique : pour paraphraser l'adage de Bibendum, « Elle boit l'obstacle. » En 1925, la « première Panhard & Levassor » est montrée sur une illustration, et elle semble être un « dos-à-dos ». Dans un dos-à-dos, les passagers avant regardent vers l'avant, et ceux de l'arrière, derrière eux : l'espace entre les dossiers de siège reçoit le type primitif de moteur vertical. Tandis que dans un vis-à-vis, où les passagers se font face, le moteur serait gênant entre eux. Les deux histoires donnent la date de 1891, et spécifient toutes deux que le moteur était au centre, mais on se demande alors où les passagers mettaient leurs pieds dans cette version 1958 : à côté du moteur sans doute, ou à cheval, ou par-dessus ? Seule la disposition Peugeot de 1891 étant dotée d'un moteur horizontal, pouvait le permettre.

Ces deux versions incompatibles de l'histoire ne sont rien à côté de l'insouciance de H. O. Duncan[2] qui donne allégrement

1. Rousseau et Iatca, *op. cit.*, p. 22 (voir p. 20).
2. H. O. Duncan, *World on Wheels*, *op. cit.*, p. 20 (vol. I, p. 415).

Fig. 1. — Voiture à pétrole de MM. Peugeot, moteur Daimler. (D'après une photographie.)

Voiture à pétrole PEUGEOT 1891 qui parcourut 2 047 km à 15 km/h au moment où les constructeurs contemporains ne quittaient pas le voisinage des usines. Le dessin ci-dessous (coupe et plan) se trouve dans tous les manuels automobiles même jusqu'à 1900. Certaines dispositions ont influencé les plus gros industriels (Ford a vu l'économie du seul ressort transversal à l'avant). C'est l'ancêtre des voitures à moteur-arrière. (Voir pp. 150-152.)

(Cliché La Nature, *n° 960, 24-10-1891, Yale University Library.)*

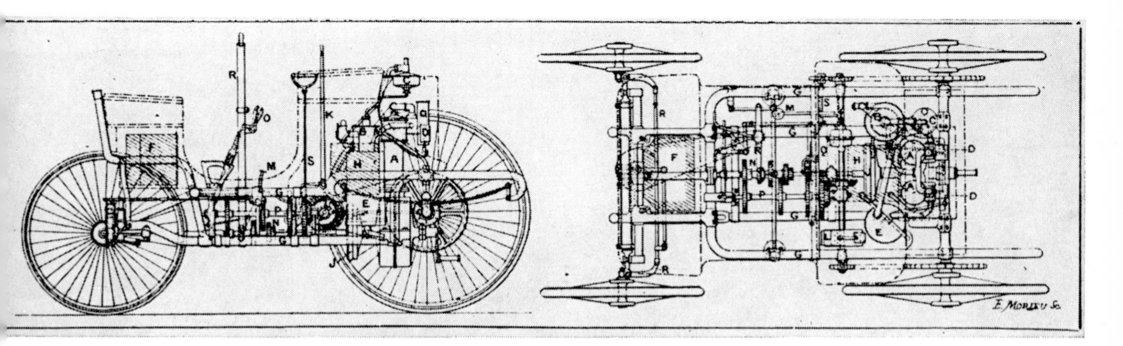

deux voitures différentes de Panhard & Levassor, à la même page, toutes deux identifiées comme étant « la première voiture construite ». La première gravure montre un dos-à-dos dont les passagers sont désignés comme étant Panhard et Mme Levassor sur le siège arrière, Mayade et Levassor à l'avant, ce dernier au levier de direction. L'autre gravure montre la massive silhouette de Daimler sur le siège arrière d'un *surrey*, et Levassor à l'avant, au *volant*.

L'inexactitude de Duncan dans certains détails, comme ces légendes, devait nous mettre en garde : mais d'autres remarques apportent la preuve que Daimler et Levassor s'engageaient déjà sur des chemins divergents. Voyez par exemple ce que Duncan écrit à la même page :

« (Levassor) avait examiné à fond la première voiture sans cheval construite en 1887 par Daimler à Canstatt. Le quadricycle de 1888-1889, construit légèrement, ne disait rien à ses goûts d'ingénieur. Il en vint à conclure qu'il était préférable de construire un véhicule spécialement dessiné pour recevoir un moteur et de le propulser par une transmission, s'appuyant sur la technique qu'il avait apprise à l'Ecole Centrale où il avait acquis ses diplômes d'ingénieur français. »

A la page suivante, Duncan continue à souligner le rôle de Levassor comme auteur des plans d'une voiture entièrement nouvelle. La position occupée par Duncan dans le monde automobile était telle que son opinion garde un poids considérable; il peut se tromper dans les détails, mais dans les grandes lignes, par exemple à propos du rôle de Levassor comme créateur d'un nouveau type d'automobile, on peut lui faire confiance.

CHAPITRE XIX

LEVASSOR : UN GÉNIE TROP TOT DISPARU

Selon Baudry de Saunier[1], dans l'alliance Peugeot-Levassor, c'était Levassor qui, accompagné de Daimler, était allé chercher Peugeot, connu de tous deux comme partisan de l'automobile, mais dégoûté de la vapeur. Le fait qu'il construisait déjà des véhicules pouvait avoir aussi son importance dans leur plan, mais cela n'est pas mentionné. Levassor partait du principe que ce n'était pas la fabrication des automobiles qui l'intéressait personnellement mais celle des moteurs; il fut donc entendu que Panhard & Levassor fabriqueraient les moteurs et que Peugeot fournirait les véhicules. Le problème de l'emplacement du moteur fut à nouveau évoqué. Levassor était en faveur de l'arrière à cause des odeurs et Peugeot préférait l'avant comme plus stable. L'amusant, bien sûr, c'est que, un an plus tard, chacun d'eux avait changé d'avis. Curieusement, cette préoccupation de stabilité chez Peugeot semble véridique, car ses premières voitures furent toujours, d'une manière générale, plus stables que celles qui sortirent d'Ivry.

La plus importante de toutes ces anecdotes, dont le point commun était que nul ne proposait de reproduire purement et simplement l'automobile Daimler, est celle qui révèle qu'il fallut dix-huit mois à Levassor pour obtenir une voiture qui puisse rouler d'Ivry au Point-du-Jour sans arrêt involontaire. Serpollet ne faisait pas si mal, qui allait à Lyon en dix jours! Peugeot, pour sa part, était le meilleur de tous : sa voiture était capable de franchir 3 000 kilomètres, traversant la France d'est en ouest et retour. Si son expérience précédente des voitures Serpollet, construites

1. Son chapitre in *Histoire de la locomotion terrestre*, p. 281.

chez lui, lui avait appris quelque chose, c'était apparemment de ne pas les imiter, car rien ne ressemblait moins aux Serpollet que les jolies petites Peugeot.

Ce long préambule à l'histoire des débuts de Panhard & Levassor n'a pas été entrepris pour jeter une ombre sur cette marque ancienne et honorable, mais afin de donner la perspective qui est si manifestement nécessaire à une juste appréciation des contributions françaises : il est ironique que la suprématie, même à l'époque héroïque, de la seule marque qui ait eu alors des liens commerciaux avec Daimler, ait fait naître la légende de l'infaillibilité de l'organisation allemande, légende qui était tout simplement exagérée.

Si nous devons rendre hommage à l'astuce commerciale et à la bonne organisation industrielle, alors nos lauriers iront aux magiciens de Stuttgart, et de plein droit. Mais si par ailleurs nous devons rechercher dans l'histoire de l'automobilisme les nombreux éclairs épars de génie et d'intelligence qui ont contribué à la totalité du tableau, alors il nous faut promener notre regard dans les grandes zones d'ombre et éviter les grands panneaux commerciaux violemment éclairés nuit et jour par la publicité.

Grâce à une source indirecte, il nous est possible d'affirmer que Panhard & Levassor avaient trouvé, dès l'été 1891, le style qu'ils devaient garder pendant dix ans, leur amenant gloire et fortune. Le commandant Krebs, témoignant sous serment lors du procès Selden, déclarait, au cours d'une intervention de 150 pages[1] :

« En 1891, la firme Panhard & Levassor fabriqua son premier véhicule équipé d'un moteur Daimler, lequel fut suivi bientôt de plusieurs autres, qui marchèrent suffisamment bien pour qu'on les mit en vente. Une brochure de témoignages de satisfaction montre que dès le mois d'octobre 1892, les véhicules vendus à différents clients avaient donné entière satisfaction. Une liste de prix de janvier 1892 donne les prix de véhicules à pétrole. »

Le commandant Krebs avait auparavant mentionné le succès des voitures Peugeot en 1890. Le Pr Rolla Carpenter, de l'Université Cornell, dont le témoignage occupe 560 pages de texte, avait fourni une brochure encore plus ancienne, offrant les auto-

1. U.S. Circuit Court, So. District of N.Y., nº 8616 : Electric Vehicle Co. & George B. Selden, Complainants vs. S.A. des Anciens Etablissements Panhard & Levassor and André Messenat, Defendants, vol. IV : *Defendant's Record.*

mobiles Panhard & Levassor à la vente, datée d'août 1891. Cela n'est pas dit, mais on peut penser qu'il s'agissait là d'un des premiers, ou du tout premier catalogue. Il était dans l'intérêt de la firme française de fournir pour sa défense les catalogues les plus anciens qu'elle pouvait posséder. Carpenter, décrivant les véhicules illustrés dans la brochure, s'exprime ainsi :

« Le moteur est décrit comme étant à deux cylindres, monté à l'avant de la plate-forme et protégé par une boîte ; il est décrit comme étant pourvu d'un changement de vitesse qui donne trois différentes vitesses d'environ 5, 10 et 15 km/h... Le prix est donné comme 3 500 francs. »

Krebs témoigne de la façon suivante sur le catalogue de 1891 :

« Ce document est un catalogue illustré de la firme Panhard & Levassor décrivant le moteur à pétrole, mais plus spécialement le véhicule à deux places construit et mis en vente dès 1891. La photographie montre clairement le moteur à l'avant ; la transmission par chaîne à l'essieu arrière ; les leviers de changement de vitesse et d'embrayage... Le catalogue de 1891 ne décrit que des véhicules à deux places, mais annonce la construction d'un quatre places pour l'année suivante, et donne le prix du véhicule ».

Répondant à une question sur la façon dont la force du moteur était transmise aux roues, Krebs s'exprime ainsi :

« Dès 1890, la transmission de l'arbre moteur aux roues motrices du véhicule était assurée de la manière suivante, de façon générale : l'arbre du moteur était prolongé à une extrémité par un arbre susceptible d'être embrayé ou débrayé au moteur grâce à un embrayage commandé au pied ou à la main, par des leviers destinés à cet effet. Le prolongement de l'arbre du moteur portait un manche qui pouvait coulisser sur celui-ci. Ce manche portait généralement trois pignons de diamètres différents et prévus pour s'engrener sur trois autres pignons montés sur un troisième arbre situé parallèlement au premier. En faisant coulisser le manche, n'importe lequel de ces pignons pouvait venir s'engrener sur les pignons complémentaires du troisième arbre. Cette opération s'accomplissait au moyen d'un levier manuel qui faisait coulisser le manche et le faisait s'arrêter dans l'une des trois positions d'engrenage. Pour faire coulisser le manche il était nécessaire de rompre l'embrayage. Un système de verrouillage empêchait le manche de se déplacer tant que l'arbre moteur n'était pas débrayé. A l'une des extrémités du troisième arbre se trouvait un pignon conique qui s'engrenait avec un autre pignon conique calé sur le différentiel, dont l'axe était parallèle à l'essieu moteur. De chaque côté des arbres de différentiel se trouvaient des pignons entraînant des autres pignons sur les roues arrière, grâce à des chaînes.

« Sur les premiers véhicules construits jusqu'en 1893-1894, l'essieu moteur était entraîné par une seule chaîne ; dans cet arrangement, le différentiel était monté sur l'essieu au lieu de l'arbre intermédiaire entraîné par le pignon-conique du troisième arbre. »

Avant cette phase de l'interrogatoire, toutes les réponses avaient concerné le moteur placé à l'avant du véhicule (point fort important du procès car le moteur proposé par Selden était lui aussi placé à l'avant), mais en réponse à une question directe sur la place du moteur avant 1895, le commandant Krebs fit les observations suivantes :

« Sur les quatre ou cinq premiers véhicules le moteur était placé vers le centre du véhicule, entre les essieux, mais il fut ensuite décidé de mettre le moteur à l'avant du véhicule au-dessus de l'essieu des roues directrices, l'axe du moteur étant situé longitudinalement, c'est-à-dire à angle droit avec l'essieu. Dans le véhicule Peugeot équipé d'un moteur Daimler fourni par la firme Panhard & Levassor, le moteur était placé à l'arrière du véhicule, l'axe de son arbre étant situé à angle droit avec celui de l'essieu. »

Des deux « premières » voitures Panhard & Levassor que donne l'ouvrage de Duncan, on s'en souvient, une seule s'accorde avec cette définition, celle qui a le moteur près du centre du véhicule, le dos-à-dos. Il nous faut observer les mêmes précautions en étudiant les illustrations d'un ouvrage historique, largement distribué en France, l'*Histoire de la locomotion terrestre*, où les moteurs centraux sont représentés sur trois gravures. L'une donne en légende « modèle 1891 »; la seconde « modèle 1892 »; la troisième reproduit une file de quatre voitures, où seul le troisième véhicule est un vrai modèle 1891, les trois autres étant du modèle postérieur, à moteur à l'avant. Si les déclarations de Krebs sont véridiques, alors le « modèle 1892 » de la page 272 est en réalité l'un de ces « quatre ou cinq véhicules » mentionnés par Krebs : un modèle pilote, ou prototype, qui devait être décrit comme *modèle* 1891, comme celui de la page 271, ou même *modèle* 1890, mais certainement pas 1892. Les deux hypothèses se tiennent en raison de l'existence du catalogue d'août 1891 qui montre une voiture à deux places avec moteur à l'avant, le modèle classique qui devait être conservé jusqu'en 1894.

Si l'on doit accepter cette analyse, alors il faut admettre que le changement de date de la voiture de l'abbé Gavois (passée de 1893 à 1891, comme nous l'avons vu plus haut), résulte d'une très minutieuse enquête, à laquelle Baudry de Saunier n'avait pu se livrer en 1935. Comme la photographie utilisée par Rousseau et Iatca provient de la famille de l'abbé Gavois, on peut penser que les indications de date furent fournies aussi par des membres de la famille, avec les plaques qui en racontent l'histoire. La voiture de l'abbé Gavois, en plus de son intérêt historique, est d'une grande valeur sentimentale comme exemple de longévité; après avoir salué au passage son âge vénérable, laissons-la s'éloigner de nos routes encombrées.

Quant au commandant Krebs, dont les relations officielles avec Panhard & Levassor commencèrent en 1896, on se souviendra qu'il devint directeur technique de la firme en 1897, à la mort de Levassor. Il est raisonnable de penser qu'il existe encore quelque part de nos jours des documents d'archives qui pourraient nous donner un témoignage direct de ce qui a pu se passer en ces années critiques de 1889-1895, mais ces documents n'ont pas été mis à notre disposition. (Certaines des réponses de Krebs lors du procès furent fondées sur des lettres qui furent versées au tribunal, traitant de relations d'affaires entre Panhard & Levassor et la maison Peugeot avant l'entrée de Krebs en fonction.)

Comme exemple d'opinions qui avaient déjà pris l'allure de fait établi, examinons la réponse faite par le commandant à une question concernant la course Paris-Rouen de 1894, le concours qui inaugura véritablement l'ère de l'automobile.

« Question 33. Voici un exemplaire de *La Nature* daté du 25 août 1894. Donnez le sujet de l'article commençant à la page 198 : Réponse. L'article illustre, résume et décrit brièvement les particularités des différents types de véhicules qui prirent part à la course du *Petit Journal*, course de Paris à Rouen du 18 et 19 juillet 1894. Les véhicules sont présentés dans l'ordre de distribution des prix. Les deux premiers prix (pour véhicules à deux et quatre passagers) furent attribués à Panhard & Levassor, et les deux autres prix allèrent à MM. Peugeot pour leur voiture à pétrole équipée d'un moteur Daimler fait par Panhard & Levassor. »

Ce texte présente un intéressant télescopage de certains faits. Bien sûr, lors du procès, cela n'eut aucune importance. Les remarques n'étaient préjudiciables qu'à la marque concurrençant Peugeot. Les faits pourtant sont là : la course fut conçue à la fin de 1893, par *Le Petit Journal*, les candidatures closes le 30 avril 1894; il y en avait alors 102. La date de départ fut reportée deux fois, d'abord pour permettre à M. Marinoni d'être présent; puis parce que beaucoup de participants n'étaient pas encore prêts. Finalement une exposition des voitures en compétition eut lieu le 18 juillet, et les éliminatoires prirent place dans les jours qui suivirent, 21 voitures en tout se qualifiant. Or, il advint que le meilleur temps fut réalisé par de Dion, avec son lourd tracteur à vapeur tirant une élégante victoria. Les performances furent enregistrées par Rose[1] comme suit :

N°	*Conducteur*	*Voiture*	*Places*	*Temps*	*Ordre*	*Km/h*	*Prix*
4	Comte de Dion	De Dion	6	6 h 48 mn 00	1	19,4	2
65	Lemaître	Peugeot	4	6 – 51 – 30	2	19,3	1 =
28	Doriot	Peugeot	4	7 – 04 – 30	3	18,6	
13	H. Panhard	Panhard-L.	4	7 – 21 – 30	4	18,0	
15	Levassor	Panhard-L.	2	7 – 43 – 30	5	17,0	1 =
31	Kraeutler	Peugeot	4	7 – 46 – 30	6	16,9	
64	Mayade	P. & L.	4	8 – 09 – 00	7	16,2	1 =
42	Le Brun	Le Brun	4	8 – 12 – 00	8	16,0	4 =
30	Michaud	Peugeot	3	8 – 25 – 00	9	15,8	1 =
14	Dubois	P. & L.	4	8 – 38 – 00	10	15,2	
27	Rigoulot	Peugeot	2	8 – 41 – 00	11	15,1	
24	Vacheron	Vacheron	2	8 – 42 – 30	12	15,0	4 =
53	De Bourmont	De Bourmont	4	8 – 51 – 00	13	14,9	
85	Roger	Benz	4	10 – 01 – 00	14	13,4	5
60	Le Blant	Le Blant	8	10 – 43 – 00	15	12,2	3
7	Gautier	Gautier-W.	4	12 – 24 – 30	16	10,7	
18	Archdeacon	Serpollet	7	13 – 00 – 00	17	10,2	
10	Scotte	Scotte	8	Non arrivé		Prix d'encour.	
61	De Montais	De Montais	2	Non arrivé		Mention hon.	

Les prix décernés *ex aequo* sont marqués avec le =.

La colonne de droite, celle des prix, n'apparaît pas dans le tableau de Rose mais nous l'avons ajoutée pour clarifier la situation. La distribution finale des récompenses ne s'accorde ni avec l'ordre d'arrivée à Rouen, ni avec le souvenir du commandant Krebs. Le signe = est utilisé pour indiquer des prix *ex aequo*; il y en eut six.

Le premier prix fut accordé *ex aequo* à MM. Panhard et Levassor et aux Fils de Peugeot Frères. On a répété que M. Pierre Giffard, l'organisateur de la course, avait insisté pour rabaisser le résultat supérieur de Peugeot parce que les moteurs étaient fabriqués par Panhard & Levassor. Le second prix fut accordé à de Dion, disqualifié de la première place par l'encombrement de son véhicule et l'emploi d'un chauffeur en plus du conducteur. Ces deux décisions ne sont pas sur le même plan; car les règles mêmes du concours précisaient que le premier prix ne pourrait être donné qu'à un véhicule qui répondrait aux trois exigences d' « être sans danger pour les voyageurs, aisément maniable, et de ne pas coûter trop cher sur la route ». De Dion utilisait deux assistants, c'était son handicap. Mais il n'existait aucune règle stipulant quelles parties du véhicule devaient être fabriquées par le constructeur, et la décision de favoriser une manufacture autarcique fut prise en comité, après la course. Il est vrai que le jury fut enjoint de consi-

1. Gerald Rose, *A Record of Motor Racing*, 1894-1908, publié par R.A.C., Londres, 1909; nouv. éd., 1949, Abingdon, Berks, Angleterre.

dérer la « souplesse » et l'endurance comme plus importantes que la « vitesse ». S'il était dans les plans du comité de s'opposer à la tentation de la vitesse en rétrogradant les Peugeot, l'effet fut manqué car les voitures les plus rapides, une Panhard & Levassor et une Peugeot à deux places dans la course Paris-Bordeaux-Paris de l'année suivante, furent considérées par le public comme les vainqueurs de l'épreuve alors que le véritable premier prix alla, selon les règles publiées, à la première quatre-places arrivée, une Peugeot. L'attitude ambivalente du public face à des restrictions arbitraires de ce genre, bien que compréhensibles, est bien illustrée par une autre réponse de Krebs lors du même procès, à savoir :

« Sauf erreur de ma part, les premiers prix furent toujours remportés par eux (c'est-à-dire Panhard & Levassor) jusqu'en 1910. »

Cette remarque vient juste après qu'il ait expliqué que dans la course de 1895, Levassor arriva premier mais ne remporta pas le premier prix, parce que sa voiture était une deux-places. Rien ne montre mieux à quel point Krebs considérait Levassor comme le vainqueur réel, et nul doute que le public partageait ce raisonnement spécieux, en négligeant le fait que Levassor avait lui-même choisi de participer avec un véhicule qui, d'après les règles, ne pouvait gagner.

Pour revenir un instant sur le concours Paris-Rouen, nul ne semble avoir commenté la curieuse distribution des prix. Le fait que Peugeot fut obligé de partager la couronne avec Panhard & Levassor a été noté, mais nul n'a pris la défense de Peugeot. Une extraordinaire série d'injustices laisse de côté les résultats supérieurs de Doriot, H. Panhard, Kraeutler, Dubois, Rigoulot, de Bourmont, Gautier, Archdeacon, et va chercher deux concurrents qui n'arrivèrent jamais à Rouen pour des prix spéciaux, dont une mention honorable et une médaille pour de Montais et son tricycle vieux de sept ans.

Si le Paris-Rouen créa quelque confusion et quelque frustration, rien de tel n'arriva dans le Paris-Bordeaux-Paris. La victoire de la Peugeot fut strictement technique : le vrai vainqueur pour la foule fut Levassor. Dans un autre sens, ce fut aussi Emile Levassor, l'homme. Son succès fut immense, mais aussi éphémère. Aujourd'hui, avec un recul de soixante-dix ans, il semble clair que nul homme dans les annales de l'automobile n'a jamais égalé le record d'endurance et d'adresse de Levassor dans les 48 heures et 48 minutes où il resta à la barre de sa voiture à roues ferrées, à l'âge de cinquante et un ans, fonçant sur plus de 1 200 kilomètres de routes empierrées.

Certains, sans doute, penseront que nous exagérons. Il est difficile de demander à l'automobiliste moderne de se replacer dans de telles conditions, sans imposer un gros effort à l'imagination. Il faudrait d'abord prendre place soi-même à bord de l'une de ces voitures à chevaux que l'on trouve encore à Paris, à Nice, à Rome, à New York et ailleurs, et noter combien le véhicule est cahotique et branlant sur les voies non goudronnées et en passant sur des rails de tramway. Une véritable expérience consisterait à emprunter des routes secondaires espagnoles, par exemple. Maintenant, quittez votre place à la parclose, tout confort, et asseyez-vous au siège du cocher en imaginant qu'au lieu de rênes, vous tenez la barre. La moindre pression à droite ou à gauche fera tourner votre véhicule et gare au fossé! Supprimez maintenant en pensée le cheval et notez que la barre de direction disparaît dans une petite boîte qui remplace le tableau de bord et sur laquelle sont fixés, en plus de deux lampes, un petit objet de cuivre rappelant un moulin à café. Les pédales ressemblent à celles d'un piano plus qu'à celles d'une voiture moderne, mais leur fonction est différente, comme on le verra. Il y a aussi un gros levier de frein à main à l'extérieur de la voiture, à côté du siège, et un levier plus court, pour les vitesses (ou peut-être deux leviers, l'un pour la marche arrière) entre le frein à main et le tableau de bord. Votre voiture est prête à partir, le moteur marche; pas au ralenti, toutefois. L'idée d'un moteur à vitesse variable était encore inconnue. Il y a une vitesse qui convient au moteur et le mouvement de la voiture est proportionné à cette vitesse par le changement de vitesse : le choix sur ces premières voitures, est limité à 5, 10 et 15 km/h. Tenant la barre de direction d'une main, vous vous penchez en avant dans une position incommode car le levier est mal placé, et en débrayant vous forcez la première vitesse à s'engrener. Il s'agit véritablement de forcer, car l'arbre moteur tourne à 700 t/mn et l'autre arbre est stationnaire. Vous répétez ceci deux fois, afin d'atteindre la vitesse intermédiaire de 10 km/h et la vitesse finale de 15 km/h. En vous penchant pour changer de vitesse, le moindre petit mouvement fait foncer votre bolide d'un côté ou de l'autre. A chaque fois, les vitesses grincent et protestent, car la vitesse relative des deux arbres est largement disparate. Pour arrêter le véhicule, il faut pousser le levier et rétrograder chacune des vitesses jusqu'au point mort. La transmission « sélective », où il est possible de changer en n'importe quelle vitesse sans passer par les vitesses intermédiaires n'a pas encore été inventée. Si l'on actionne le frein à main on débraye en même temps le moteur qui se met à tourner plus vite, car il tourne à vide. Et l'accélérateur, direz-vous ? Oui, en 1895 il y avait un accélérateur, mais qui n'était pas du tout ce que nous avons aujourd'hui. Sa fonction était de supprimer le régulateur, qui était préréglé sur une vitesse considérée comme normale, et c'était ainsi que la voiture allait plus vite, en particulier en pente. De la sorte, sur ces premiers modèles, avec une troisième vitesse prévue pour 16 km/h, l'accélérateur pouvait vous permettre de faire du 24 km/h, à plat ou sur une légère pente, mais lorsque vous le relâchiez, le véhicule revenait à 16 km/h et non au pas comme sur une voiture moderne. (Pour ralentir, il fallait employer la deuxième ou la première vitesse. Exceptionnellement on employait un modérateur.)

Il y avait encore bien d'autres problèmes épuisants. La petite machine de cuivre sur le tableau de bord, par exemple, c'était le graisseur, et toutes les demi-heures, il fallait, tout en bondissant sur les cahots de la route, remplir le graisseur d'huile par un goulot minuscule. Si vous oubliiez de le faire, les coussinets ne grillaient pas toujours, mais le moteur se bloquait et il fallait attendre une demi-heure qu'il refroidisse. Bien des voitures avaient deux leviers de changement de vitesse, qu'on manipulait à la fois pour la marche arrière, si bien que parfois on pouvait enclencher les deux vitesses ensemble d'un coup. Quelque chose cassait alors, et vous vous retrouviez avec une vitesse en moins ou pas de vitesse du tout.

Il y avait aussi les innombrables chiens auxquels des siècles d'expérience collective avaient appris que c'était leur droit le plus sacré de dormir sur les routes, et de ne céder le passage qu'au bruit combiné de sabots de chevaux et de roues grinçant sur le gravier, mais nullement au nouveau bruit des explosions d'un moteur. C'étaient là des bruits d'un nouveau genre et qui provoquaient l'antique réaction des chiens aux choses étranges : l'aboiement, l'attaque. Plus d'un automobiliste en fit l'expérience et fut jeté à terre par son vaillant, mais stupide agresseur. Il fallut que plusieurs générations de chiens se succédassent avant qu'ils n'acceptent l'automobile : maintenant, ils se contentent d'aboyer en courant à côté des roues d'une voiture qui va au ralenti, ou bien ils sacrifient sur les pneus des voitures arrêtées à un usage plus ancien encore.

Voilà quel était le genre d'assemblage, haletant, branlant, grinçant et tonitruant de bois et de fer qu'Emile Levassor conduisit à la victoire en 1895, à force de douceur et de fermeté ! On *conduisait* vraiment les voitures alors; de nos jours, on les pilote. L'automobile moderne répond aux moindres désirs de son pilote, qui se contente de la guider; les premières automobiles étaient hostiles et imprévisibles, il fallait les forcer à faire votre volonté — il fallait vraiment les conduire.

Autre curiosité dans le tour de force de Levassor : ce fut le fruit d'un concours de circonstances. Sa vitesse, pendant la première étape, qui s'achevait à Ruffec à trois heures et demie du matin, l'avait mis tellement en avance sur l'horaire prévu que son remplaçant était encore au lit, et sur l'inspiration du moment, Levassor décida de continuer. Ce fut la seule intervention du hasard dans un plan de course, mûrement réfléchi, qui divisait la totalité du parcours en trois étapes; la première jusqu'à Ruffec, la seconde, avec les équipages de rechange, de Ruffec à Ruffec par Bordeaux, et la troisième jusqu'à Paris; il suffisait donc de deux conducteurs par voiture. Ce plan fut souvent repris par les organisateurs de course, et raffiné, mais la stratégie de course naquit sur des routes françaises dans le Paris-Bordeaux de 1895.

Le triomphe de Levassor fut purement transcendantal : nous sommes convaincus qu'il reste la plus haute performance solitaire dans l'histoire du sport automobile. Que cette victoire ait eu aussi des aspects commerciaux, cela est sans conteste. Que ces aspects n'aient pas été prévus en France, cela est vrai aussi. Mais que Levassor soit mort si tôt après, voilà qui fut vraiment un grand malheur.

Chapitre XX

LE DIVORCE PEUGEOT - PANHARD & LEVASSOR

Si la légende selon laquelle Levassor aurait dit à Peugeot : « Faites les voitures, nous fournirons les moteurs » est véridique, alors il existe une suite logique d'événements qui cadre assez bien avec les fragments qui nous sont parvenus.

Il y a d'abord une période de collaboration, qui remonte à 1889, au cours de laquelle les deux firmes discutent du problème et des solutions possibles. Panhard & Levassor construit les moteurs et Peugeot les monte sur des véhicules. Ceci se passe l'année où Panhard & Levassor sont censés produire des moteurs et du matériel Benz pour Emile Roger, et l'année de la promenade de Benz dans une Benz fabriquée en France. N'est-ce pas aussi peut-être la cause de la singulière lenteur de la firme d'Ivry à commencer la manufacture de ses propres voitures. (Il y eut quelques autres marques, après Peugeot, pour acheter des moteurs Panhard & Levassor.)

Ensuite se place une période d'expérimentation sur route qui commence avec le remarquable voyage de Peugeot, Valentigney-Brest. Aucune Panhard & Levassor ne devait accomplir un exploit comparable avant bien des années. La Peugeot couvrit 2 500 kilomètres à une vitesse moyenne de 15 kilomètres à l'heure, et le trajet Paris-Brest fut couru en relation avec la grande course cycliste se déroulant alors : les points de contrôle établis pour les cyclistes servirent à étalonner la progression de l'automobile.

Il y eut ensuite le premier exemple de compétition ouverte, et vraisemblablement amicale entre les deux marques, lors de l'épreuve Paris-Rouen, que nous avons relatée. Il est peu probable que la décision arbitraire du jury, qui priva Peugeot de sa nette victoire sur Panhard & Levassor et donna le premier prix *ex aequo* aux deux marques, fut appréciée chez Peugeot. L'excuse donnée était que les moteurs avaient été fabriqués par Panhard & Levassor. On a toujours passé sous silence le fait que les moteurs Peugeot différaient du moteur type Panhard & Levassor, car ils étaient de course plus courte et possédaient des caractéristiques mineures différentes, demandées par le client Peugeot. Ceci ne faisait qu'anticiper la défaveur où allait bientôt tomber le moteur à course longue préconisé par Daimler et le retour à la solution de Lenoir généralement pratiquée.

Si l'on admet que la décision du jury de Paris-Rouen fut ressentie comme désobligeante du côté Peugeot, alors l'exploit de Levassor qui vint éclipser la victoire de Peugeot dans Paris-Bordeaux-Paris (meilleur temps accompli par une voiture conforme au règlement), fut la goutte d'eau qui fit déborder le vase. Il n'y eut pas de déclarations publiques; il n'y eut pas non plus de débats acrimonieux, mais 1895 fut la dernière année où Peugeot utilisa des moteurs Panhard & Levassor, et la dernière année de prédominance de ces moteurs. Alors qu'il est vrai que la grande épreuve de 1896, Paris-Marseille-Paris, vit Panhard & Levassor s'emparer de deux premières places et d'une seconde, il n'en est pas moins exact que des véhicules « complètement français » comme les Bollée, de Dion-Bouton, Delahaye, Landry & Beyroux et Peugeot prirent trois premières places, deux secondes, trois troisièmes et une sixième. Les moteurs de conception Benz & Daimler n'équipaient que cinq des quatorze voitures qui finirent cette course épique. C'est également au cours de cette épreuve qu'un certain type de modèle, à court empattement et à centre de gravité placé très haut (caractéristiques Panhard & Levassor, non imitées par Peugeot) devait provoquer l'accident au cours duquel la voiture de Levassor, le n° 5, capota à cause d'un chien. Le fait que la relation entre long empattement et stabilité de direction ait été mal comprise à l'époque est à peine étonnant; de nos jours, il n'est pas rare de voir un constructeur mondialement connu accepter que des questions d'esthétique ou d'autres purement arbitraires viennent primer d'autres conceptions lorsqu'il s'agit de commercialisation. A Emile Levassor donc, un nouveau record, celui d'avoir été le premier à signer son arrêt de mort par une erreur de conception dans le plan de son modèle. Il ne sera pas le seul dans les années à venir : nous les noterons.

Pour ceux qu'intéressent les statistiques d'accidents de la route, E. Levassor fut le premier d'une légion qui n'apparaît pas sur les tableaux d'accidentés de la route à cause du laps de temps écoulé entre l'accident et le décès; l'accident eut lieu le 27 septembre 1896, et Levassor mourut en avril de l'année suivante. Le mélancolique honneur de mourir sur la route des suites d'un accident de voiture échut au marquis de Montaignac, mortellement blessé lorsqu'il perdit le contrôle de sa voiture à barre de direction en saluant un ami au passage, près de Périgueux le 1er mai 1898.

Bien que la séparation des intérêts de Panhard & Levassor et des Fils de Peugeot Frères se soit accomplie sans diminution notable de prestige ou d'influence pour l'une ou l'autre des parties, cet événement n'en constitue pas moins un fait de la première importance pour notre étude. Il marque en effet le moment où le plus ancien fabricant d'automobiles de France (*i.e.* Peugeot) décida de renoncer à ses liens étrangers et de trouver ses propres solutions. Alors que la paternité du Phénix de Panhard & Levassor est contestée par certains, qui l'attribuent tantôt à Levassor, tantôt à Daimler et Maybach, il est hors de doute que Peugeot était entièrement français dès 1896, et offrait quelques intéressantes solutions que nous examinerons. Avant d'en arriver là[1], toutefois, il nous faut nous pencher sur les circonstances qui amenèrent Panhard & Levassor à adopter le moteur Daimler, puis les étapes suivies par Levassor dans la mise au point d'un véhicule routier utilisant ce type de moteur de façon distincte de l'adaptation Roger de la voiture Benz (qui était, rappelons-le, le seul véhicule à essence accessible à l'automobiliste avant 1890).

1. En 1897, Armand Peugeot, l'automobilophile de la maison Peugeot, quitta les Fils de Peugeot Frères à Valentigney pour fonder la Société anonyme des Automobiles Peugeot, avec ateliers à Audincourt et Lille, un accord qui dura dix ans. On ne dit pas si l'inspiration était liée à la séparation Peugeot-Panhard & Levassor de l'année précédente.

Chapitre XXI

PANHARD & LEVASSOR AVANT 1900

Panhard & Levassor ont longtemps tenu la vedette dans toutes les histoires sérieuses de l'automobile au XIXe siècle. L'importance de cette firme commerciale à cette époque rend notre tâche doublement difficile lorsqu'il s'agit de distinguer les contributions réelles offertes par elle des succès commerciaux temporaires qui furent son lot, deux choses en fait fort différentes.

Nous avons noté plus haut que les activités de cette maison en matière de scierie avaient été interrompues avec enthousiasme pour la nouvelle venue, l'automobile. La notoriété étant venue grâce aux relations de la firme française avec Daimler, l'influence de Benz a été sous-estimée par la plupart des auteurs; très rares sont les écrivains de l'automobile qui mentionnent les moteurs Benz construits par Panhard & Levassor pour Roger. Seuls Benz et Duncan parlent de la présence d'un tricycle Benz aux usines Panhard & Levassor. L'exemple le plus significatif de ce genre de censure, et qui donne d'ailleurs un résultat inverse de ce qui était escompté, se trouve chez Richard[1], le grand partisan français de Daimler, qui donne trois diagrammes de véhicules Benz et un seul de Daimler : la motocyclette primitive. Ceci pourrait signifier que Richard se rendait fort bien compte du caractère primitif de la conception du dessin de Daimler, tout en conservant ses illusions sur la supériorité du système *nachbrennen*. Nous aborderons plus loin l'étude de l'influence de Benz.

Sarazin, comme on l'a déjà noté, fut l'artisan du rapprochement Daimler-Panhard & Levassor. Plusieurs versions insistent sur le caractère normal de ce rapprochement qui aurait eu lieu par simple contact sans intermédiaires : il nous faut retourner aux sources de renseignements que sont les plus anciennes chroniques, et qui datent d'avant le culte aveugle de l'étoile à trois branches.

1. Richard, *op. cit.*, p. 111, n. 1.

Rappelons que Sarazin avait obtenu la représentation exclusive des intérêts de Daimler en France (et en Belgique). Sarazin eut pourtant beaucoup de mal à trouver un industriel prêt à se lancer dans l'entreprise. Une anecdote de Gaston Sencier, publiée douze ans après les événements, donne le ton[1] :

« J'étais, il y a quelques années, ingénieur de la Maison Rouart frères & Cie. Un jour, on vint lui proposer les brevets Daimler. La maison les refusa.

« Peu après M. Karfd, le très savant ingénieur en chef de la Société Cockerill, me pria de l'accompagner dans une brasserie où il avait rendez-vous avec un ami. Or, cet ami était Levassor, que je ne connaissais pas. Il nous présenta. Levassor et moi sortions de l'Ecole Centrale. Nous fûmes vite amis.

« Quelques jours plus tard, on apprenait chez Rouart que la maison Panhard & Levassor se mettait à construire ces moteurs Daimler dont personne n'avait voulu. On en fit des gorges chaudes. »

La maison Rouart fabriquait les fameux moteurs Simplex, alors justement renommés, et il est plus que probable que ses ingénieurs connaissaient aussi l'automobile, création de Delamare-Deboutteville, l'auteur du moteur Simplex. De tous les fabricants français, Rouart avait sans conteste le moins de chance d'être séduit par Sarazin. Même lorsqu'il fut enfin décidé que Panhard & Levassor exploiteraient les procédés Daimler, rien ne fut vraiment fait avant que la mort prématurée de Sarazin ne vienne une fois de plus plonger l'entreprise tout entière dans l'incertitude. Mme Sarazin demanda et obtint aussitôt pour elle-même les droits que Daimler avait accordés à son mari. Heureusement pour elle, elle était tout à fait familiarisée avec l'œuvre de son mari, et pendant les derniers stades de la maladie, Levassor fut un visiteur assidu. Il ne nous paraît pas moins évident que les Français, habitués à voir des veuves dans les affaires, ont accepté trop facilement ce qui a dû demander à Daimler un grand effort, quelle qu'ait été la cordialité des relations entre la veuve et le vieil inventeur. On a donc tendance à attribuer à Daimler une confiance dans la prospérité future de l'arrangement, qui fut bien confirmée par la suite, mais qui en réalité n'existait probablement pas. Il faut se souvenir que son représentant Sarazin avait été dissuadé de toutes parts de faire fabriquer en France; la perte d'un représentant aussi énergique avait dû être un coup dur et d'autre part, en Allemagne même, ses créations mécaniques ne rencontraient guère de succès, fait généralement passé sous silence.

1. Gaston Sencier, dans Locomotion automobile, 1899, cité par Baudry de Saunier dans *Histoire de la locomotion terrestre*, 1935, p. 266.

Giraud sur Bollée nº 6 dans la course du Tour de France 1899. Carrosserie en aluminium, profilée en V comme « coupe-vent ». A noter la suspension indépendante, l'invention qu'Amédée Bollée trouva chez son père, le *maître* dont parle Levassor. (Voir pp. 189, 218-219.)

(Cliché Archives du Touring-Club de France.)

Examinons à présent les termes principaux de l'accord Daimler-Sarazin, révélés par une récente publication de la firme Daimler[1] :

« Avant de partir pour Canstatt, Daimler avait remis à Mme Sarazin son accord écrit concernant l'exploitation de ses brevets français et belges... Il ne posa que deux conditions : « Toutes les modifications « et améliorations, de quelque origine qu'elles soient, porteront mon « nom comme marque, et vous ne devrez pas entrer en concurrence « avec moi dans d'autres pays. » »

Des versions plus anciennes de l'accord donnent quelques variantes de texte, mais ces variantes peuvent provenir de traductions, car la restriction territoriale à la France et à la Belgique est mentionnée partout; quant à la bien plus importante clause selon laquelle toutes les modifications apportées par Panhard & Levassor seront connues sous le nom de *Daimler*, elle se retrouve partout.

Duncan propose une version différente de la version « officielle » récente en faisant faire à Mme Sarazin le voyage à Canstatt pour obtenir le transfert des droits, tandis que la compagnie repousse l'incident jusqu'à ce que Daimler revienne de l'Exposition de Paris. Dans la version Duncan apparaît un détail intéressant[2]; Mme Sarazin rapporte avec elle l'un des nouveaux moteurs en V. Autre précision intéressante : Levassor aurait balancé pendant toute la durée de l'Exposition avant de se décider, bien que son offre finale (20 % sur chaque moteur fabriqué et vendu), semble n'avoir pas été trop mauvaise.

L'heureuse issue, comme chacun sait, fut amenée par le mariage du célibataire ami de la famille, Levassor, avec la jeune veuve, Mme Sarazin et sa dot Daimler. Ce fut une circonstance fortuite mais qui évita de partager le gâteau Panhard en trois parts. La part de Daimler restait bien sûr inchangée, sauf que son agent devenait maintenant l'épouse d'un des partenaires de la firme, ce qui contribuait encore à consolider l'arrangement. Il est trop tard pour dire ce que Sarazin aurait pu apporter au développement de l'automobile, mais Levassor y contribua de façon notable, comme l'on verra.

Selon les termes du traité Daimler-Sarazin, pour lequel la firme Panhard & Levassor s'engageait à payer 20 % de ses ventes de moteurs, tous les brevets devaient être des brevets Daimler, toutes les inventions des inventions Daimler et la firme Daimler se réservait l'exclusivité de l'utilisation de ces inventions en dehors de la France et de la Belgique, clause qui devait prendre une signi-

1. Daimler-Benz Aktiengesellschaft, *Selected Passages. G. Daimler and Karl Benz*, Stuttgart, 1961.

2. Duncan, *op. cit.*, *World on Wheels*, pp. 414 et sq., vol. I; cf. p. 20.

fication plus claire lorsque les nouvelles industries automobiles virent le jour, une dizaine d'années plus tard. La signification commerciale fut la première à être discernée et comprise, et une série d'ajustements aux réalités de la vie commerciale fut entreprise très vite; mais la signification historique n'a pas encore été admise et enregistrée par la plupart des auteurs qui n'ont jamais vraiment pleinement compris qu'un brevet Daimler pouvait être, et souvent était, une invention française.

Pour préciser le tableau et mettre tous les éléments en perspective, examinons quelques-uns des moteurs *Daimler*, en commençant par le commencement. Il semble utile pour cela de suivre le schéma directeur établi par Lockert en 1896, lorsqu'il fit l'historique des voitures Panhard & Levassor à moteurs « Daimler », dans le livre hâtivement écrit auquel nous nous sommes déjà référé[1]. Le lecteur pourra de la sorte apprécier l'état des connaissances à l'époque de Daimler ainsi que nos commentateurs.

Le premier brevet de moteur Daimler (159759) est intitulé *Perfectionnements dans les moteurs à gaz et à l'huile* : Lockert en donne une illustration tirée de *La France Automobile* dont il était l'un des rédacteurs. Le premier mot du titre doit être pris en considération : il est limitatif. Il sous-entend que d'autres ont pu inventer des moteurs auxquels ces perfectionnements peuvent être apportés. Des inventeurs de moteurs à combustion interne dont la position est fermement établie, comme Lebon, Lenoir, Beau de Rochas; et d'autres comme Barsanti et Matteucci, dont l'invention a été ensuite monopolisée par des utilisateurs comme Otto et Langen que n'étouffaient pas les scrupules.

Examinons cependant les perfectionnements proposés par Daimler. D'abord, l'extrémité du cylindre, autour de la chambre de combustion, est entourée d'une couche réfractaire pour conserver la chaleur. En théorie, cela doit augmenter le rendement, car la déperdition de chaleur dans l'atmosphère est un gaspillage : de la chaleur qui devrait, idéalement, produire de l'énergie est simplement dissipée, gâchée. Le piston est isolé à l'intérieur, pour la même raison, et aussi pour protéger les segments contre l'usure due à l'échauffement excessif. Quatre-vingts ans ont passé, et cette technique n'a pas encore reçu un commencement d'exploitation : autant que nous le sachions, Daimler lui-même ne l'a pas mise en pratique! L'allumage se faisait par une *amorce métallique* chauffée pour la mise en train du moteur; quand le moteur atteignait la température requise, l'allumage devenait automatique sans besoin

1. LOCKERT, *op. cit.*, *Voitures à pétrole*, p. 85, n. 1.

du brûleur. Ce dispositif aurait pu rendre des services à certains constructeurs qui eurent plus tard des ennuis avec leur allumage à tube incandescent maintenu chaud par brûleur, qui s'éteignait par grand vent ou à cause de la pluie (surtout avec les moteurs horizontaux tels ceux de Bollée et Peugeot). Mais le fait que ce premier moteur Daimler utilisait le pétrole explique pourquoi il est resté inutilisé. Le commentaire de Lockert sonne différemment, pensons-nous, que prévu :

« Rien dans ce dispositif ne fait prévoir les dispositions originales du *moteur* Daimler qui fut universellement connu et employé. »

Le deuxième brevet, du 15 avril 1885 (168279) porte un titre plus hardi : *Moteur à gaz et à pétrole*. Daimler offre un moteur qui est son œuvre. C'est le fameux moteur : examinons-le. Il s'agit d'un moteur à combustion interne du type à quatre temps. Il paraît présenter une véritable innovation dans le vilebrequin formé de deux volants joints par une bielle excentrique, mais ce dispositif fut également utilisé très tôt par de Dion. Nous n'avons pas poussé nos recherches plus loin sur ce point, car le dispositif a aujourd'hui disparu de la pratique automobile. Panhard-Levassor et Daimler l'abandonnèrent d'ailleurs très vite. Il est utilisé largement sur les moteurs de motocyclette et de hors-bord, ainsi que sur les moteurs de faible cylindrée. Son moteur utilise la soupape d'admission automatique (au lieu de la soupape fonctionnant mécaniquement que l'on trouve sur le Lenoir et sur les moteurs suivants) : quinze ans plus tard, Daimler se félicitait d'avoir converti le monde à l'utilisation des soupapes commandées. S'il y a là quelque mérite, c'est celui d'avoir abandonné le mauvais chemin : on trouve cette soupape commandée chez Lenoir dès 1860, et chez Forest (avec quatre cylindres même) dès 1891 : l'erreur de Daimler persista de 1884 à 1902.

Le moteur possède la compression dans le carter (ou bâti, suivant l'usage du temps), ce qui s'est retrouvé sur les moteurs à deux temps, mais n'est pas utilisé sur les moteurs modernes.

Daimler offre une interruption dans le fonctionnement de la soupape d'échappement pour régler la vitesse du moteur. Il devait persister dans ces vues pendant plusieurs années. Le système n'était guère intéressant, et probablement né de l'obsession allemande du *nachbrennen* dont nous avons parlé, mais il fonctionnait. Lockert renvoie l'étude du mécanisme du volant de ce moteur en ajoutant qu'il ne fonctionnait pas de façon satisfaisante et qu'il fut remplacé par le système étudié à l'occasion du modèle suivant. Le refroidissement était assuré par ventilation, le courant d'air circulait autour des ailettes, guidé par un manche, mais il se peut que les essais aient eu lieu en hiver (le moteur fut breveté au printemps) à une époque de l'année où le problème se posait de la façon la plus simple, car le refroidissement par air fut abandonné par Daimler... On pense au système du cycle du *Pennington*, que cet habile fripon ne faisait fonctionner que pendant de courtes périodes de temps, afin que le public ne puisse en découvrir les imperfections.

La soupape d'échappement, la seule à commande mécanique, fonctionnait grâce à une rainure dans le volant, méthode vite abandonnée dans les autres moteurs pour la came, bien que Peugeot ait employé une rainure différente en combinaison avec un contrepoids pour obtenir l'équilibre de rotation pendant quelques années.

L'autre trait original du moteur Daimler consistait en une soupape à la partie supérieure du piston qui permettait au mélange explosif de passer entre le carter et le cylindre. Ce dispositif n'a jamais été suivi et Daimler l'abandonna rapidement.

Une autre particularité de ce moteur, en accord avec une autre théorie erronée de l'époque, consistait en l'interruption de l'admission afin que la stratification des gaz pût se faire pour améliorer l'allumage. Cette méthode disparut lorsqu'on eut appris plus de choses sur l'allumage électrique; mais, il est douteux que cette stratification ait jamais eu lieu réellement, à cause des turbulences. De nombreuses défectuosités des premiers moteurs, ceux de Daimler notamment, étaient dues à une carburation imparfaite, mais étaient attribuées à l'allumage.

Cet examen des fautes du moteur n'est pas destiné à sous-estimer sa valeur relative : Lockert dit simplement que la machine « avait seulement l'inconvénient d'être un peu bruyante ».

Le troisième brevet était celui de la motocyclette, qui ne fut pas poursuivi par Daimler : l'enthousiaste Scott-Moncrieff n'a découvert, à l'actif de ce véhicule, que le témoignage de Paul Daimler, qui le fit marcher sur 3 kilomètres.

Le quatrième brevet concernait un petit bateau à moteur monocylindre : ce moteur ne semble pas avoir présenté des caractéristiques supérieures à ceux de Lenoir, plus ancien, ou de Forest, contemporain, et qui fonctionnaient tous deux.

Le cinquième brevet couvrait le petit tramway qui fut montré à une foire allemande en 1888, à l'Exposition Universelle de Paris de 1889, et à celle de Chicago en 1893. Plusieurs auteurs ont utilisé sa date de 1888 en histoire automobile, ce qui est aller un peu loin, même si sa description comme un véhicule à roues, mû par un moteur à gaz ou à pétrole était vague. Il est intéressant de noter à ce propos que le Pr Rolla C. Carpenter témoigna, lors du procès Selden, qu'il avait pris plusieurs fois le petit tram Daimler à Chicago, mais n'avait jamais vu marcher les autres véhicules Daimler exposés, bien qu'il ait été juge des véhicules exposés dans le Bâtiment des Transports. En d'autres termes, quatre ans après l'Exposition de Paris, et deux ans après que Peugeot ait traversé la France en voiture, Daimler ne possédait pas un seul véhicule à roues à présenter, en dehors du petit tramway qui marchait sur rail[1].

Le sixième brevet fut acquis pour le fameux moteur à deux cylindres en V. Comme le montre le diagramme, il utilise encore la compression de carter et possède des soupapes fixées sur le haut du piston. Il fait aussi appel à l'allumage par tube incandescent, et le réglage du moteur s'effectue toujours par l'intermédiaire de la soupape d'échappement, bien que le régulateur centrifuge ait été amélioré. Le moteur ne possède pas de commande d'arrivée des gaz.

L'un des défauts imputés plus tard à ce moteur était qu'en pratique la lubrification se révélait inadéquate, les pistons ou les bielles grippaient, et dans les deux cas, les longues tiges minces s'enroulaient autour du vilebrequin. L'utilisation de plus d'un cylindre occasionnait une importante réduction de poids, encore plus impressionnante que dans la vapeur où le principe était bien admis mais où la pratique ne permettait guère de le marquer. La machine à vapeur donne l'impulsion à chaque révolution, pour chaque cylindre (même deux fois quand il s'agit d'une machine à double effet), et par suite il n'est point besoin de volant pour soutenir le mouvement; par contre le moteur à pétrole donne sa force à une révolution, et doit surmonter les pertes mécaniques de frottement et la résistance du cycle de compression à la suivante : il lui faut emmagasiner assez d'énergie pour le faire.

Rien n'est prévu sur les parois des cylindres pour le refroidissement, mais les culasses sont refroidies par un courant d'eau. Cette disposition, semble-t-il, fut faite par étapes : le dessin ne montre aucune canalisation à eau, mais Chauveau[2] ajoute que la « culasse est généralement refroidie à l'eau » en 1890. Le moteur, sans refroidissement, fut breveté en 1888, et en 1890 Daimler a breveté le *Refroidissement des moteurs à gaz et à pétrole* par l'eau et

1. U.S. Circuit Court, etc., pp. 1810-1811. Cf. p. 163, n. 1.
2. *Op. cit.*, *Traité des moteurs à gaz*, 1890. Voir p. 100, n. 1 (pp. 209-214).
N.B. — *La Nature*, 6 octobre 1888 (voir chap. XIX) parlant du moteur du tram : « ... il est refroidi en partie par le passage du courant d'appel qui l'enveloppe à l'extérieur et par un manchon d'eau froide qu'il faut renouveler... ».

l'air en combinaison (207737). Il faut rappeler que Lenoir a adopté en 1860 le refroidissement des parois par eau.

Le huitième brevet d'invention (207738) prétend améliorer les voitures ou wagons mus par des moteurs à gaz ou à pétrole, et il montre un petit omnibus à direction par roues arrière et aux organes de commande groupés à la portée du conducteur : la mécanique est celle du petit tram (cinquième brevet). Un homme de loi spécialiste des brevets ne pourrait manquer de suspecter ici un subterfuge, afin d'obtenir un brevet pour une automobile. L'existence du brevet, antérieur de sept ans, déposé pour une automobile par Delamare-Deboutteville, rendait en effet les choses délicates. Premier temps : brevet pour un tramway à essence; deuxième temps, brevet pour transformer le tramway sur rail en une voiture à essence. D'un point de vue purement mécanique, le rapport est encore plus direct entre le bateau et la voiture, car le bateau, lui, doit être manœuvré et dirigé. Le tramway marchait dans les deux sens, si bien que le moteur pouvait être considéré comme soit à l'avant, soit à l'arrière.

En août 1891, Levassor en eut apparemment assez de l'allumage Daimler et mit au point le système à tube incandescent breveté par Panhard & Levassor pour être adapté aux moteurs Daimler.

Son neuvième brevet (232538) d'août 1893, intitulé *Perfectionnements*, etc., voit Daimler revenir à ses premières idées — l'allumage spontané — ce qui témoigne de suite dans les idées, mais sans résultats.

En 1894, Panhard & Levassor firent breveter un *embrayage compound à friction* que Lockert trouva inintéressant, mais c'était le premier *effort pour obtenir un débrayage doux*. A peu près à la même époque, Daimler prit un brevet (son dixième) pour un *mécanisme d'encliquetage*, sans doute pour éviter de repartir en marche arrière *involontaire* dans une pente. Le grand mécène de Daimler, le baron Henri Rothschild, ne fut apparemment guère séduit par ce système, car il prit un brevet pour un autre dispositif d'encliquetage quelques années plus tard. A propos d'embrayage, les premières voitures automobiles Daimler (sauf le tram) utilisèrent un entraînement par courroies, ce qui explique le rejet de ce système par Panhard & Levassor pour leurs propres véhicules. Pour le tram, le problème de l'embrayage fut résolu de la façon indiquée dans *La Nature*[1] :

« Un embrayage à frottement interposé entre l'arbre moteur et l'essieu des roues, permettant de communiquer à volonté à ce dernier un mouvement de même sens ou de sens contraire à celui de l'arbre moteur. »

1. *Op. cit. La Nature*, 6 octobre 1888, p. 292.

CHAPITRE XXII

LE MOTEUR PHÉNIX

Le progrès le plus notable dans la façon d'actionner les automobiles chez Panhard & Levassor fut le moteur Phénix. Lockert, écrivant l'année même de l'apparition de ce moteur, et après avoir montré sa partialité en faveur de Daimler, évite d'inclure le moteur Phénix dans sa liste de moteurs Daimler et de brevets divers. Dans son catalogue des voitures Panhard & Levassor, voici ce qu'il trouve à dire, sous le titre, « Voitures de tous types, moteur Phénix »[1] :

« Ils (Panhard & Levassor) construisent également sur ce type des voitures de toutes formes, avec des moteurs à quatre cylindres, pouvant développer une force de 10 à 12 CV au moyen de leur nouveau moteur, le Phénix à cylindres parallèles, qui est plus simple, plus robuste et moins lourd que le Daimler. »

Il renchérit quinze pages plus loin :

« MM. Panhard et Levassor ont été les principaux auteurs de cette transformation, en créant le *moteur Phénix*, solide, léger, robuste, etc., ayant enfin toutes les qualités, sauf celle d'être un *moteur Daimler.* »

Scott-Moncrieff, toujours fervent partisan de Daimler, et particulièrement des automobiles Mercédès, offre une version opposée :

« On attribue généralement à Emile Levassor la paternité du moteur Phénix qui possédait deux cylindres en ligne à soupapes à tige découverte, à régulation à l'échappement. Ce type de moteur fut en fait conçu par Daimler et adopté ensuite par Panhard & Levassor pour leurs automobiles. »

Ceci peut être en partie vrai, mais en ce cas deux ou trois points mériteraient d'être éclaircis. Il n'est pas sûr qu'il ait existé un brevet pour ce nouveau moteur et nul historien n'a pu prouver qu'une demande ait même été déposée. Scott-Moncrieff mentionne l'une des principales caractéristiques des moteurs Daimler : la

1. L. LOCKERT, *op. cit.*, *Voitures à pétrole*, pp. 146-147.

régulation par l'échappement. Ceci n'était qu'une méthode d'attente qui fut rapidement abandonnée, mais ni Daimler ni Panhard & Levassor ne peuvent en être considérés comme les inventeurs. La comparaison, année par année, des automobiles Daimler et des automobiles Panhard & Levassor, donne une réponse suffisante. Si Daimler avait été l'inventeur du moteur Phénix, pourquoi celui-ci fut-il monté si longtemps sur des véhicules Panhard & Levassor avant de faire son apparition sur les voitures Daimler ?

Il faut noter, en outre, que pendant la période où Panhard & Levassor adoptaient le principe du moteur à l'avant, avec embrayage, boîte de vitesses à train baladeur, et transmission aux roues motrices par chaîne, Daimler et Maybach continuaient à utiliser leur système à courroies. Selon le témoignage sous serment de Krebs[1], la transmission par chaîne unique fut utilisée par Panhard & Levassor jusqu'en 1893-1894, et par chaîne double par la suite. Etant donné que Benz a réclamé pour lui l'invention de la transmission par double chaîne, il est nécessaire de répéter que le véhicule Delamare-Deboutteville, 1884, breveté cette année-là en France, possédait la transmission par double chaîne, comme le montre clairement l'illustration fournie par Witz; le moteur, par contre, se trouvait à l'arrière, à peu près comme celui de Benz, mais un peu devant l'essieu arrière, et bien qu'ils soient horizontaux, les cylindres sont *parallèles*, comme dans le Phénix. Le plan des deux cylindres en ligne se trouve sur les véhicules à vapeur de Bollée (type Mancelle) bien sûr, bien que l'*Obéissante* ait eu ses moteurs entre les essieux, vers le centre de gravité, et plus ou moins comme Daimler le fit sur sa première voiture monocylindrée treize ans plus tard.

Dans son témoignage (§ 2060), Krebs décrivait les moteurs utilisés dans les voitures Panhard & Levassor :

« A 16. Les premiers moteurs construits jusqu'en 1893, possédaient un ou deux cylindres avec les bielles agissant sur un plan sur la même manivelle située en deux volants. Les moteurs à deux cylindres avaient leurs cylindres dans le même plan et inclinés avec leur axe disposé en forme de V. Les soupapes d'admission étaient automatiques : celles d'échappement étaient gouvernées par des tiges, le mouvement... accompli au moyen de cames glissant dans un sillon en spirale sur l'un des volants. En 1894, un nouveau modèle fut introduit à la place de celui que nous venons de décrire. Celui-ci consistait en deux cylindres parallèles dans lesquels se mouvaient deux pistons agissant chacun par l'intermédiaire d'une bielle sur un vilebrequin enchâssé dans un carter

1. *Op. cit.*, Circuit court (procès Selden), p. 163, n. 1.

qui supportait le cylindre, l'un des volants était fixé à l'extrémité de l'arbre... les soupapes d'échappement fonctionnaient grâce à des cames montées sur un arbre spécial situé parallèlement au vilebrequin et actionné par un système d'engrenages qui obligeait l'arbre à came à tourner deux fois moins vite que le vilebrequin. Un régulateur monté sur l'arbre à came déterminait la vitesse du moteur en empêchant l'ouverture de la soupape d'échappement. Cet arrangement, légèrement différent de celui qui avait été utilisé précédemment, produit le même résultat, c'est-à-dire la suppression de l'admission jusqu'à ce que la vitesse du moteur ait été réduite au-dessous de la normale. Ce genre de moteur fut construit jusqu'en 1897. »

Le texte anglais présente des problèmes mineurs : par exemple Krebs emploie le mot *cam* la première fois pour une pièce qu'on appelait, à cette époque, *coulisseau*, ou *curseur*, ou *galet*, glissant dans une rainure, laquelle est pratiquée dans le volant pour servir comme came. La seconde fois son emploi de mot *came* est tout à fait normal : sa came et son arbre à came sont du même type qu'aujourd'hui.

A la page suivante Krebs mentionne un nouveau carburateur de 1893, en spécifiant bien qu'il s'agissait d'une invention de Daimler. L'omission d'une semblable précision en ce qui concerne le moteur Phénix pourrait n'être qu'une erreur, mais Krebs était un témoin tout à fait qualifié, et la séparation des intérêts Panhard-Levassor et Daimler, plus ou moins complète à cette époque, était entièrement amiable; le nom de Daimler était utilisé par Panhard & Levassor comme propriété commerciale[1]. Scott-Moncrieff, que nous avons déjà cité, a remarqué que Levassor laissa les moteurs à Daimler et entreprit de dessiner une automobile. Cette affirmation est entièrement justifiée si on la restreint dans le temps : c'est de plus en plus une distorsion de la vérité après 1893. Il suffit de noter comment Krebs arrive à glisser sur les victoires Peugeot dans son témoignage lors du même procès, mais sans jamais prononcer une contre-vérité[2] :

« En 1894... Panhard & Levassor remportèrent les premiers prix (deux véhicules Panhard & Levassor, deux véhicules Peugeot équipés de moteurs Daimler fournis par Panhard & Levassor). »

Ainsi, page 2059, Krebs mentionne des moteurs Daimler dans chacune des cinq phrases relatives à des véhicules Panhard & Le-

1. La maison Daimler-Benz (par Fritz NALLINGER, *Annals of Mercedes-Benz*, p. 70) est l'auteur de la phrase : « Dès 1900, cependant, Panhard & Levassor ont abandonné la licence Daimler pour suivre leurs propres dessins. » A peu près dix ans plus tard Panhard & Levassor ont obtenu judiciairement de ne plus payer des droits sur la vente. Cette confusion est irrésolue.

2. *Op. cit.*, Circuit court (procès Selden).

vassor, ou Peugeot, tous antérieurs à 1894. C'est-à-dire que chaque fois qu'il parle de la source d'énergie de ces voitures, il s'agit spécifiquement d'un moteur Daimler. A la page suivante, il décrit ces moteurs et se réfère ensuite au nouveau type de moteur. Il ne lui donne pas le nom de Phénix, bien que la description qu'il en fait ne laisse aucun doute, *mais il ne lui donne pas non plus le nom de Daimler.*

On peut également suivre Rhys Jenkins[1], l'ingénieur britannique auteur d'une étude exhaustive sur les origines des véhicules terrestres qui tenait compte des derniers perfectionnements à son époque, lorsqu'il conclut un bref résumé en affirmant :

« L'un des résultats de ceci est qu'en quelques années le moteur Daimler fut complètement métamorphosé, si bien qu'il est parfois difficile de reconnaître aucune des idées originales de Daimler dans le moteur à essence moderne (*i.e.* 1902). »

Le témoignage de Krebs montre que Peugeot expérimentait déjà activement sur les moteurs Daimler faits par Panhard & Levassor en 1889 et qu'en octobre 1890 il avait créé un modèle satisfaisant et passait au stade de la fabrication. Duncan[2] nous offre un tableau légèrement plus modeste de l'activité Panhard & Levassor en 1889-1890 qui sonne plus vrai, dans un paragraphe intitulé « L'Exposition de Paris de 1889 » où il dit que Levassor « désirait continuer ses expériences avec le moteur qui se trouvait encore dans ses chantiers ». Dans le paragraphe suivant Duncan nous informe que :

« Levassor mit alors un autre moteur en chantier à Ivry et il approchait du stade final. Ce devait être un deux-cylindres en V. Désireux de glaner toutes les informations techniques possibles il informa Mme Sarazin de la nécessité d'un voyage à Canstatt. »

Duncan vient de nous dire, en haut de page, que Mme Sarazin avait ramené l'un des nouveaux moteurs et des plans avec elle d'Allemagne avec les droits belges et français qui avaient été originairement confiés à son mari. Ceci ne peut que signifier que pendant toute la période de l'Exposition Universelle de Paris le moteur que Mme Sarazin avait ramené avec elle « traînait dans les ateliers Panhard & Levassor », et que Levassor ne lui avait pas consacré suffisamment d'attention pour apprendre qu'il ne pouvait le reproduire ou le faire fonctionner avec les informations dont il disposait. Etant donné que Gottlieb, Paul Daimler et Maybach

1. Rhys Jenkins, *Motor Cars*, etc., 1902, pp. 130-131.
2. H. O. Duncan, *op. cit.*, p. 20.

avaient assisté à une partie de l'Exposition, il semble que l'affaire n'importait guère à Levassor; autre hypothèse : il se tenait dans l'expectative.

Selon Jenkins, Panhard & Levassor livrèrent à Peugeot 20 moteurs de 2 CV aux alentours d'octobre 1890, et du début de 1890 à la fin de 1893, ils fournirent une totalité de 80 moteurs. Il est probable que seulement cinq moteurs au plus aient été livrés avant l'adoption du modèle de 2 CV, et le témoignage de Krebs nous révèle que l'un de ces premiers moteurs était de 5 CV. En tout cas, Peugeot prit livraison d'une moyenne de 20 moteurs par an pendant les quatre premières années de la période de production des moteurs de Panhard & Levassor.

La carburation, cependant, ne pose aucun problème. Deux systèmes furent employés, tous deux déjà mentionnés; le premier était signé Daimler : l'air était aspiré à travers le carburant, l'un des nombreux systèmes alors employés, et le second est aujourd'hui généralement attribué à Maybach quoique, à l'époque, il ait été décrit comme une invention de Daimler. Ni l'un ni l'autre de ces carburateurs n'utilisait la commande des gaz qui est aujourd'hui courante sur les automobiles. Apparemment Panhard & Levassor s'aperçurent des lacunes du second carburateur car l'une des premières choses que fit Krebs, lorsqu'il succéda à Levassor, fut d'adopter un nouveau carburateur qui porta son nom pendant des années. Le carburateur Krebs jouit d'une très belle vogue dans les cercles automobiles, et l'on alla jusqu'à payer de fortes sommes pour le faire installer sur des machines qui ne le possédaient pas.

L'une des caractéristiques que conservèrent Panhard & Levassor fut l'antique méthode Daimler de régulation par la soupape d'échappement. Daimler et Panhard & Levassor s'obstinèrent à l'employer jusqu'à ce que les succès de Mors dans les courses, avec sa commande des gaz, les obligent à revoir le problème.

Aimé Witz[1], en 1899, offre une discussion exhaustive du moteur Daimler en V, et du moteur Phénix, adaptés à des véhicules. La description et l'illustration sont complètes en ce qui concerne le Daimler en V, mais, lorsqu'il se réfère aux soupapes de piston, il est bref et net : « Cette complication a bientôt été supprimée. »

Witz nous dit que le moteur Phénix fut introduit en 1895, car l'ancien modèle en V devenait trop lourd lorsqu'on augmentait la puissance. Les poids de l'ancien et du nouveau modèle sont respectivement 35 kg et 22 kg. Selon les explications de Witz, ce moteur avait l'avantage de permettre un moteur de quatre

1. *Op. cit., supra*, p. 123, n. 1.

cylindres et la modification fut rapidement adoptée. (En fait, cela n'était pas un trait essentiel du modèle, car Mors introduisit un moteur de quatre cylindres en V en 1896 avec quelque succès, mais le vilebrequin à deux volants Daimler n'était pas compatible avec le plan des quatre cylindres, pas plus que ne l'était le carter.)

Particulièrement intéressant est le commentaire de Witz sur son origine : « Ce moteur, créé par la maison Panhard & Levassor, est fort remarquable à tous égards et d'une grande légèreté. »

Le modèle original de Panhard & Levassor, dont cinq exemplaires, semble-t-il, virent le jour, avec le moteur dans le milieu de la voiture, n'est mentionné nulle part par Witz. Tout tend à prouver qu'il fut presque exclusivement l'œuvre de Levassor, à l'exception du moteur du type Daimler qui ne reçut pour ainsi dire aucune modification. Nulle information spécifique ne nous est parvenue sur la façon dont les soupapes de haut de piston furent abandonnées : c'est à cette occasion que semble avoir été entrepris le voyage à Canstatt avec Mme Sarazin. Les fragments cités de la correspondance Panhard-Levassor - Peugeot traitent de difficultés avec les moteurs sans entrer dans les détails, mais vers la fin de 1890, ces ennuis paraissent avoir disparu.

Les historiens de Daimler tendent à laisser supposer que les voitures Panhard & Levassor suivaient un plan Daimler et que la firme française n'entreprit aucun travail de recherche et de développement. L'histoire des essais de Levassor et de ses difficultés suffit soit à démontrer le contraire, soit à prouver que le plan Daimler était loin d'être praticable. Daimler (ou Maybach) avait introduit un quadricycle en 1889. Il fut présenté, dit-on, à l'Exposition Universelle. Il n'eut pas de postérité. Le seul autre modèle Daimler existant lorsque Levassor commença ses expériences était le modèle 1886 à moteur situé à la place que le carrossier a précisément cru être destinée aux pieds des passagers. Cette voiture était à transmission par courroie, et à entraînement final par engrenage denté sur roue interne. De tout cela, Levassor abandonna le moteur à position centrale après ses cinq premières automobiles, et les autres dispositions ne furent jamais utilisées par lui, quoique Daimler ne les ait point abandonnées avant 1895.

Levassor a dû commencer ses propres expériences de véhicule très tôt après les accords avec Peugeot aux termes desquels ce dernier s'engageait à construire les voitures tandis que Panhard & Levassor fourniraient les moteurs, accords qui datent sans doute de janvier ou de février 1890. Neuf mois plus tard, Peugeot avait réussi à standardiser son modèle et commanda les 20 moteurs. Levassor, nous dit-on, mit dix-huit mois à mettre au point une voiture capable de couvrir la distance Ivry - Point-du-Jour (9 kilomètres) sans arrêt involontaire. Tel était le but qui avait été fixé aux essais et quand il fut atteint, le modèle à produire fut déterminé.

Dans un article informatif de l'*Automobile Quartely*, Jan Norbye peint le début des voitures Panhard & Levassor sous un aspect quelque peu modifié et raccourci :

« Au début de 1891, Emile Levassor emmena la voiture d'Ivry au Point-du-Jour pour une randonnée d'essai. Une fois de retour à la fabrique, la voiture fut démontée entièrement et toutes les pièces examinées. Deux semaines plus tard, Levassor se rendit à Versailles dans le même véhicule, et il fut complètement satisfait des résultats obtenus. Une seconde voiture fut construite... »

Nous avons déjà incorporé dans notre texte des citations empruntées à la vieille histoire bien connue selon laquelle Levassor essaya à plusieurs reprises d'aller d'Ivry au Point-du-Jour sans panne ou arrêt involontaire, et toujours selon laquelle, lorsque ce jour arriva, il fut satisfait. Ceci se passait en 1891.

Il est possible que la voiture ait été démontée entièrement, comme le dit Norbye, mais c'est une technique que nous n'avons vue mentionnée dans aucun compte rendu concernant les toutes premières voitures; cependant, dix ans plus tard, la pratique en était commune. Par contraste, voici un récit de Mme Levassor, fait à un M. Loreau, à l'occasion d'une conversation lors de l'inauguration du monument à Levassor, paru dans *La Vie Automobile* en décembre 1907 :

« Je me rappelle, me disait récemment Mme Levassor, la compagne fidèle et dévouée, la collaboratrice précieuse, l'utile conseillère, que dans une excursion sur la voiture qui avait réalisé en 1891, le « voyage » d'Ivry au Point-du-Jour, mon mari me dit : « Descendons, viens voir « travailler un maître. » Bollée, chez un forgeron de village, retouche lui-même une pièce de sa voiture. »

Etant donné qu'un prospectus commercial offrant à la vente des voitures Panhard & Levassor, daté d'août 1891, fut présenté comme pièce à conviction lors du procès Selden, il s'ensuit que Levassor s'embarqua dans cette entreprise dès février ou mars 1890. Mais il a déjà été établi que c'est également à cette époque que Peugeot se lança dans ses expériences. S'il en est bien ainsi, l'histoire selon laquelle Peugeot devait fabriquer les véhicules et Panhard & Levassor s'en tenir à la fabrication des moteurs, est soit un mythe, soit un accord non respecté du côté Panhard & Levassor.

Pour n'envisager que le meilleur côté des choses, il se peut qu'il n'y ait pas eu de contrat ou d'accord formel, mais seulement une intention de la part de Panhard & Levassor, dissipée par l'aversion manifestée par Levassor pour la solution Peugeot du problème. C'est-à-dire que si Levassor pensait que Peugeot se lançait sur une voie de garage, la recherche de nouveaux marchés pour les moteurs devena t une activité normale de développement. DeDion agit de la sorte quelques années plus tard, construisant davantage de moteurs pour les autres que pour sa propre marque de voiture, mais augmentant graduellement sa production de voitures complètes.

Quelles qu'aient été les raisons, Levassor se préoccupa de plus en plus du problème, au sens figuré et littéralement, de l'amélioration de l'automobile. Ces premiers véhicules, à l'inverse des Peugeot *qui parvinrent, bien plus rapidement, à un stade opérationnel,* ne suivirent les caractéristiques du tram et de l'automobile Daimler que dans la disposition centrale du moteur, et seulement sur les cinq premiers exemplaires.

Au cours du règne de quatre ans de ce genre de voiture, environ 90 exemplaires de cette première Panhard & Levassor standard furent construits, en quatre options de base : le *dog-cart* à quatre places, le break à six places, la wagonnette, et un petit deux-places, auquel deux sièges supplémentaires tournés vers l'arrière pouvaient être fixés. Les ventes de Panhard & Levassor, de 1890 à 1894, s'élevèrent à 350 000 francs en véhicules et à une somme au moins égale en moteurs pour d'autres fabricants, Peugeot étant leur plus gros client.

Krebs a certifié que le moteur Phénix avait été introduit en 1894, mais ceci est sujet à caution car les voitures de course de 1895 utilisaient encore le moteur Daimler en V. Lavergne[1] signale que Daimler ne construisit que le moteur monocylindrique entre 1886 et 1889, date à laquelle le moteur à deux cylindres en V fut généralisé. Il précise :

« 87. Moteur Phénix-Daimler. — Le modèle actuel, qui date de 1895, a été combiné sous le nom de Phénix-Daimler par MM. Panhard et Levassor, concessionnaires des brevets Daimler (fig. 63-65) : il diffère notablement du type à deux cylindres qui vient d'être décrit. On ne retrouve, en effet, dans ce dernier, ni l'inclinaison des cylindres par rapport à la verticale, ni les soupapes placées dans les pistons, ni ces chasses d'air qui constituaient dans l'esprit de l'inventeur, une des principales causes du succès de son moteur et de sa faible dépense. Or, depuis qu'au profit de la simplicité de l'ensemble, on a supprimé le mécanisme qui leur était nécessaire, le moteur n'en marche que mieux et ne semble pas dépenser davantage. »

1. Gérard LAVERGNE, *L'automobile sur route*, pp. 142-145.

Lavergne donne d'intéressantes précisions sur un stage intermédiaire dans la création du moteur à quatre cylindres : il était d'abord prévu d'utiliser seulement deux cylindres sur route normale, et de ne faire entrer en jeu les deux autres cylindres que dans les côtes, ou lorsqu'une forte puissance était nécessaire. L'idée fut vite abandonnée comme illusoire, bien qu'elle ait été réinventée environ vingt ans plus tard pour un moteur convertible de douze cylindres, dont six cylindres seulement fonctionnaient en temps normal. La commande se faisait encore par la régulation des soupapes d'échappement mais l'effet ne s'en faisait pas sentir sur tous les cylindres si bien que l'on ressentit le besoin de réduire, grâce à une commande de gaz limitée fixée au régulateur, la vitesse des cylindres non affectés par la régulation de l'échappement. Nous trouvons avec ceci le premier stade de la commande des gaz moderne sur un véhicule Panhard & Levassor; toutefois l'influence de Daimler était encore trop forte pour que la firme française puisse rejeter la régulation de l'échappement.

Mors devait montrer la voie, bien qu'il y ait eu des voitures françaises et américaines qui utilisèrent la commande de gaz dès le début. Le système Panhard & Levassor n'était pas, pour bien préciser les choses, une commande des gaz, mais une commande auxiliaire qui par le moyen d'un volet d'admission limitait la qualité de mélange à admettre dans les cylindres à des proportions requises par l'action du régulateur de soupape d'échappement. (Delahaye pratiquait la commande par *étranglement* seulement, à cette époque.)

Si Panhard & Levassor avaient utilisé une étincelle électrique, avec la possibilité d'en avancer ou devancer l'explosion, il est probable qu'ils auraient été amenés à utiliser la commande des gaz plus tôt, mais l'allumage invariable, caractéristique de l'allumage par tube incandescent, était aussi un facteur limitatif dans le choix d'une méthode de commande.

Par l'aspect extérieur, il était difficile de distinguer les voitures possédant le moteur Phénix des modèles précédents. La petite boîte à l'avant, qui abritait le moteur, gardait environ la même longueur pour les voitures à deux cylindres en ligne, et n'était qu'un peu plus longue pour les quatre cylindres. Il était plus facile, pour les distinguer, de jeter un coup d'œil au carter qui dépassait en dessous, pot rond unique pour les deux cylindres, et double pour les quatre cylindres.

Louis Lockert[1] identifie comme « type courant 1895 » un véhi-

1. Louis Lockert, *Voitures à pétrole*, pp. 138-145.

cule presque identique à celui donné par Jenkins comme étant le modèle 1891-1894. La différence principale, nous semble-t-il, réside dans l'existence d'une marche arrière. Le moteur est clairement du type en V. La poignée de mise en marche, directement reliée à l'arbre du moteur en 1891, est montée plus haut et avec une chaîne et un pignon sur le modèle ultérieur. Quelques modèles de carrosserie sont donnés par Lockert.

A) Voiture primitive PANHARD-LEVASSOR qualifiée par la maison Panhard de « Modèle 1889-1891, moteur arrière à brûleurs » bien que la première ait été construite en 1891, moteur central, transmission par *une* chaîne. C'est bien une 1891-1892. (Voir pp. 164-165.)

(Cliché Panhard-Levassor)

B) Selon l'album du T.C.F., il s'agit de la première voiture automobile construite par M. Gottlieb Daimler. C'est en effet l'une des deux STAHLRADWAGEN 1889, de Daimler et Maybach, photographiée à la section « Les Ancêtres de l'Automobile » à l'exposition des Tuileries, juillet 1899. (Voir p. 188; et les chiffres de production Daimler, p. 226.)

(Cliché Archives du Touring-Club de France.)

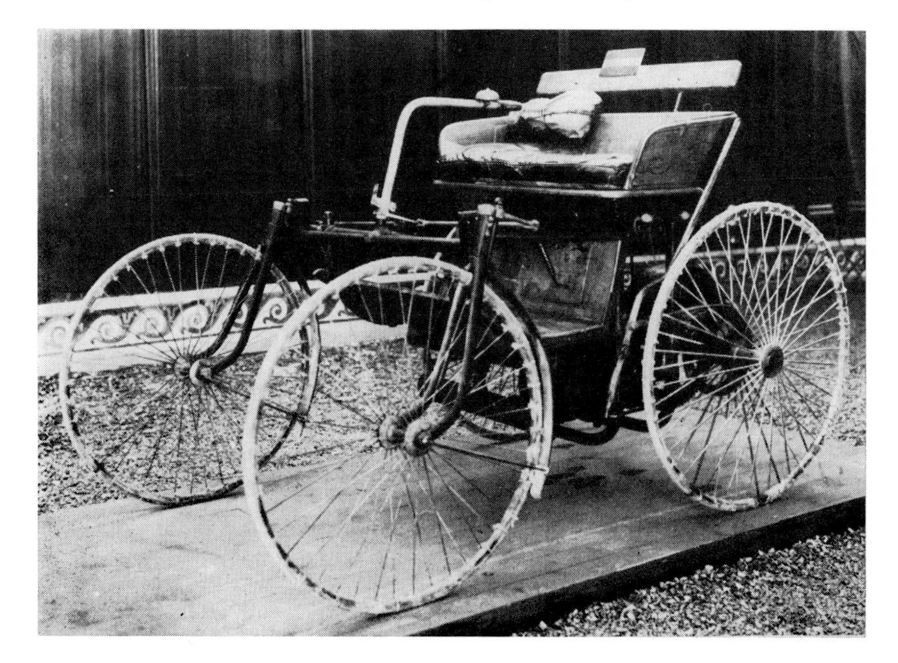

Chapitre XXIII

PROGRÈS EN ALLEMAGNE

Une comparaison des voitures Panhard & Levassor avec leurs contemporaines de Stuttgart et de Mannheim peut nous aider à résoudre certains problèmes délicats d'antériorité. Le Mitteleuropäischen Motorwagen-Vereins commença à publier en 1898 un magazine périodique intitulé *Der Motorwagen*[1], qui entreprit de révéler l'automobilisme aux adeptes allemands. Deux voitures Daimler seulement sont reproduites et illustrées pendant toute la première année de parution : un « Motor-Taxameter-Droschke » mis en service à Stuttgart en mai 1897, et couvrant 70 kilomètres par jour, et la Victoria, véhicule pratiquement identique, décapotable et élégant, de grand luxe, à usage privé.

Il semble nécessaire de nous arrêter ici un moment afin d'examiner la question de l'antériorité du service de taxi par voiture automobile. Comme d'habitude, les prétentions les plus extravagantes viennent de l'enthousiaste Scott-Moncrieff[2] qui déclare :

« A l'automne 1888, un taxi public Daimler, le premier du monde, fonctionnait à la sortie de la gare de Stuttgart. »

A la page 96 de son livre, on trouve la reproduction d'une voiture identique au taxi 1897 figurant dans le *Motorwagen*, qui porte la légende suivante : « Motor-Taxameter in Stuttgart. » *The Annals of Mercedes-Benz Motor Vehicles and Engines*[3], une brochure publiée par Daimler-Benz Aktiengesellschaft est plus modeste; dans une liste chronologique intitulée « Orientation/Synopsis des progrès Daimler-Benz », à la page 18 on peut lire :

« 1896-1897. Introduction de taxis à moteur résultant des « Services de taxis à moteur Daimler. »

1. *Der Motorwagen*, Mitteleuropäischen Motorwagen-Vereins (Autom.-Club de l'Europe centrale), Berlin, 1898, Heft II, p. 14.
2. Scott-Moncrieff, *Three-Pointed Star.*, p. 96.
3. Fritz Nallinger, *The Annals of Mercedes-Benz motor vehicles and engines*, Stuttgart-Untertürkheim, 1956; nouv. éd., 1961.

Ce qui a pour effet d'avancer d'un an le taxi sur tous les témoignages contemporains au lieu de neuf ans selon Scott-Moncrieff. Le même synopsis contient d'ailleurs, pour 1891-1896, une mention qui, tout en prenant ses années largement, parle du « premier camion Daimler à suspension avant par ressorts à boudin », alors que l'illustration dans le même livre (face à la p. 58) montre clairement que c'est l'essieu arrière qui est ainsi suspendu, comme nous avons pu le vérifier personnellement au Musée de Stuttgart.

On se rappellera que Roger, le champion français des produits Benz, mourut en 1897 : on lit dans la notice nécrologique du *Chauffeur* (qui précédait l'article du *Motorwagen* de quelques mois)[1] :

« ... (Roger a) monté en 1896 la Compagnie anglo-française des voitures automobiles où... il construisit le type de voiture de place automobile, en forme de landaulet, que tout le monde a vu circuler dans Paris. »

Pour revenir à l'examen des véritables caractéristiques structurelles de la voiture Daimler (qu'il s'agisse de la *droschke* ou de la Victoria) elle possède une direction par volant, mais l'essieu avant se meut en entier sur un pivot central grâce à une roue dentée et la force nécessaire à tourner est transmise par l'intermédiaire d'un ressort à pincettes. L'essieu est guidé par le ressort et un seul brancart; la direction devait être remarquablement incertaine. La transmission s'effectuait par des petits pignons attaquant les engrenages internes calés aux roues arrière; la façon dont l'essieu s'accommodait des inégalités de la route n'a pas été révélée; l'ensemble devait être fort bruyant, même sur la *droschke*, où les engrenages étaient recouverts.

Benz est bien mieux représenté : dans le premier numéro paraissent des illustrations de la *Confortable* (deux places avec strapontin pour un enfant); Victoria, similaire avec strapontins pour deux enfants (la gravure montre le jeune Benz au volant-manivelle, l'air très fier, et sa mère à ses côtés, assez peu convaincue) : dans le deuxième numéro, un break et un « dos-à-dos », plus grands et plus puissants. Ces deux véhicules possédaient le moteur à deux cylindres, le break avait 15 CV et le « dos-à-dos » 5 CV. Benz est à nouveau présenté à l'occasion de la course Berlin-Potsdam et retour, avec des illustrations du victorieux « dos-à-dos », le « vis-à-vis » qui prit la seconde place, et la *Velo-Confortable* qui arriva troisième. Cette prééminence de Benz, non

1. *Le Chauffeur*, n° 22, sér. 4, p. 440.

seulement dans la course, mais aussi dans les articles de la revue, ne devrait étonner aucun lecteur moderne. Avec tout le respect dû à Daimler, Benz était la marque commercialement dominante au XIXe siècle en Allemagne.

D'autres marques allemandes, nouvellement formées, figurent également. F. Lutzmann, de Dessau, offre une Pfeil O (Jadwagen marque O break de chasse) pour deux personnes, actionnée par un monocylindre de 2 CV; et une Pfeil 1, Victoria pour trois personnes, avec un monocylindre de 3 CV. La Victoria peut atteindre, selon l'article, une vitesse de 25 km/h. (Benz montre l'influence française que sa représentation chez Roger avait exercée sur lui par son utilisation de noms français pour ses modèles, tandis que Lutzmann reste résolument Allemand.)

Trois voitures électriques françaises sont montrées aux lecteurs : un coupé Krieger, un duc Patin, et une voiture de livraison CFVE.

Des cousines de la Daimler sont également visibles : le grand phaeton de l'Allgemeinen Motorwagen Gesellschaft de Berlin, au moteur Daimler de 6 CV, qui avait remporté les premiers prix dans Berlin-Potsdam-Berlin et Berlin-Leipzig-Berlin. Ces voitures ressemblent fortement à la Daimler, elles semblent avoir été fabriquées sous licence Daimler, et elles utilisaient des moteurs Daimler. La voiture A.M.G. est illustrée deux fois; vide, puis avec quatre passagers et entourée d'une foule lors d'une halte pendant une course. C'est une voiture énorme, les sièges sont à la hauteur des têtes des admirateurs.

Daimler semble s'être penché sur les applications commerciales, car un camion de 5 tonnes figure, en plus du taxi.

Des plans détaillés des châssis Peugeot, Panhard & Levassor et de la voiture américaine Duryea complétaient le tableau, auquel il faut ajouter deux planches contenant neuf illustrations, chacune montrant les vainqueurs du Paris-Bordeaux-Paris de 1895, et de Paris-Marseille-Paris de 1896 : par leur clarté, ces planches durent être d'un très grand intérêt car elles groupaient les meilleures voitures automobiles existant au monde à cette époque[1]. Bien que cela ne soit pas dit expressément dans *Der Motorwagen*, le lecteur devait certainement savoir que la distance Berlin-Leipzig-Berlin, qualifiée par la revue de test de distance, n'était que le quart de la plus courte des courses françaises, disputées trois ans auparavant.

Parmi les illustrations intéressantes, on note la Delahaye, sur

1. *Der Motorwagen*, pl. III (en face de p. 20, Heft II); et planche sans numéro (en face de p. 28, Heft III), 1898. Elles sont attribuées à la revue française *La Locomotion Automobile*, sans date.

laquelle on voit clairement les radiateurs montés à l'avant, et la grosse Panhard & Levassor à toit en pavillon, avec volant de direction.

L'impression que l'on retire de cette incursion dans la presse allemande spécialisée de 1898 est que l'Allemagne en était alors au point où la France se trouvait, en 1894, sauf que l'ignorance du public et des automobilistes en ce qui concernait l'existence de nouveaux dispositifs (ressorts, air comprimé, etc.), ne se retrouvait pas en Allemagne. Le public allemand était plus sophistiqué, ou plus flegmatique et désintéressé. Les amateurs s'attendaient à voir les choses évoluer selon les lignes de force déjà esquissées; les voitures à essence recevaient le maximum d'attention, puis venaient les électriques, enfin Serpollet et ses voitures à vapeur soulevaient quelque intérêt. Les Allemands étaient moins sceptiques que les Anglais ou les Américains sur les résultats des grandes courses françaises, peut-être parce qu'on leur disait que les voitures en question étaient actionnées par des moteurs allemands, des Daimler, des Benz. En fait, si on lit la liste des victoires sur la page de garde du catalogue Daimler-Motor-Kutsche de 1898, on apprend que les premiers prix dans Paris-Rouen, Paris-Bordeaux et Paris-Marseille ont tous été remportés par Daimler-Kutsche. Panhard & Levassor n'y sont pas mentionnés.

Toutes autres considérations doivent forcément être reliées à l'état général de torpeur où se trouvait alors l'automobilisme en Allemagne. Quelque fiévreuse qu'ait pu être l'activité à Mannheim (car Benz était certainement le plus gros fabricant allemand) et quelle qu'ait été la diligence des hommes de Canstatt chez Daimler, la vérité oblige à dire que les ventes en Allemagne même étaient fort réduites car il n'y avait pas de clientèle, ou du moins pas d'un volume suffisant — pas assez pour fournir du travail aux deux usines, sans parler des nouvelles qui commençaient à s'implanter. Daimler fait du roman dans le catalogue de 1898, où il donne pour l'Amérique du Nord une « Daimler Motor Company of Steinway, N. Y. ». Les pianos Steinway sont encore fabriqués de nos jours, mais les Daimler Steinway furent pratiquement inexistants. Quelques moteurs furent fabriqués pour cette compagnie, sous licence, à Hartford (Connecticut) pour utilisation fixe; la « Daimler Motor Company, Ltd. » de Londres finit par émerger comme l'une des plus puissantes entreprises, mais, à l'époque, l'affaire était compromise dans un gros scandale financier, et peu de voitures étaient fabriquées. Il y eut à Londres quelques activités de recherche qui consistèrent à rejeter, suivant en cela l'opinion d'ingénieurs britanniques, certaines modifications qui avaient été essayées ailleurs et adoptées. Lavergne[1] explique les changements effectués sur le moteur Phénix afin de satisfaire aux conceptions britanniques. Les ingénieurs anglais avaient décidé que le moteur français tournait trop vite : aussi le Phénix anglais avait-il été réglé à une vitesse de rotation inférieure de 20 % : un volant plus lourd avait été introduit pour plus de régularité (ce qui rendait la voiture plus lente et moins efficace). Au début de 1900 Montagu donna à son club une conférence remarquablement franche sur « Les aspects généraux de la manufacture des automobiles en Grande-Bretagne » : voici ce qu'il a dit à ce sujet[2] :

« La Compagnie anglaise (Daimler) a essuyé plusieurs revers. Par exemple, lors d'une réunion de la Compagnie en mars 1897, le président du Conseil d'administration indiqua que « les dirigeants « étaient handicapés par le fait qu'ils devaient apprendre le métier « eux-mêmes... » Ils allèrent à Paris, où ils examinèrent les chantiers Daimler de Panhard & Levassor, et ils se rendirent aussi à l'usine allemande. Voilà qui était fort sage. Or, il est simple de critiquer *a posteriori*, mais on ne peut s'empêcher de rêver à ce que pourrait être la position actuelle de la Compagnie Daimler si les dirigeants, alors qu'ils se trouvaient à Paris, avaient décidé de profiter de l'expérience et du capital intellectuel de la firme Panhard ; s'ils avaient alors et chaque année acheté les derniers produits Panhard et s'étaient mis à les copier servilement jusqu'à ce qu'ils aient réussi à sortir une automobile aussi bonne que la Panhard et qu'ils se soient abstenus jusqu'alors de toutes tentatives d'amélioration... Au lieu que la majorité des voitures de ce pays soient des véhicules démodés (bien qu'en de nombreux points admirables), et même je dirais presque antédiluviens, dans leurs détails et leurs arrangements, toutes nos Daimler d'aujourd'hui seraient aussi modernes que les Panhard du printemps dernier. La direction réversible par barre serait morte et enterrée, les voitures d'une tonne à la vitesse de pointe de 10 km/h seraient au musée de South Kensington à côté de la « Rocket » de Stephenson, une automobile sans radiateur serait interdite sur les routes... et le spectacle pitoyable d'un quadricycle dépassant une voiture automobile à bout de souffle dans la côte de Savoy serait impossible. »

Un seul commentaire suffira pour clore ce portrait peu flatteur des débuts de la Société Daimler en Grande-Bretagne : c'était Panhard & Levassor que Montagu estimait devoir être copié en 1897, 1898, 1899, et non Daimler de Cannstatt.

Il va sans dire que la Daimler Motoren Gesellschaft était la victime plutôt que la complice des manipulateurs, mais elle fut

1. LAVERGNE, *Automobile sur route*, 1900.

2. Lord MONTAGU, The General Aspects of British Automobile Manufacture, Conférence du 14 février 1900 au club, *Journal of the Automobile Club of Great Britain and Ireland*, pp. 63-65.

sans contestation possible à l'origine du retard pris en Grande-Bretagne; ce fait peut très bien avoir été l'un des facteurs qui conduisirent à adopter un nouveau nom de marque (Mercédès) après le scandale public.

Le plan adopté par Levassor en 1891 avait été maintenu virtuellement sans modification, comme nous avons vu, jusqu'en 1895. Des vitesses accrues et de plus longs parcours firent apparaître quelques déficiences dans la conception mais le passage au moteur Phénix et l'adoption de la direction par volant furent les seuls changements majeurs. Une nouvelle phase vit l'introduction de changements inspirés par des pilotes — non point comme Vacheron, dont le projet d'amélioration de la direction ne fut pas pris en considération, peut-être parce qu'il demandait de l'argent — mais comme Mayade, Levassor et d'autres en contact direct avec la firme. Des solutions individuelles à des problèmes qui les avaient tracassés pendant les courses furent essayées, chaque conducteur faisant les modifications qu'il désirait, et si cela marchait, c'était adopté. Par exemple, Mayade introduisit un radiateur en serpentin pour le refroidissement en 1896, à une époque où pour Panhard & Levassor, la solution type était un réservoir à eau à soupape de purge lorsque la pression devenait trop élevée, méthode qui obligeait à ajouter de l'eau à intervalles fréquents lors des courses ou en conduite forcée. La Benz de Herr Liebig, en faisant un parcours de 939 kilomètres en 1894, a consommé 140 kg d'essence et 1 500 litres d'eau! En 1897, la modification de Mayade avait été adoptée sur toutes les voitures Panhard & Levassor. La direction par volant n'est pas un aussi bon exemple. Ayant été utilisée par Vacheron en 1894, elle ne fit son apparition que sur un gros et pesant *dog-cart* dans la collection Panhard & Levassor de l'année suivante, et ne fut finalement adoptée sur toute la ligne qu'en 1898, après la mort de Levassor.

Un autre expédient fit son apparition à la même époque, qui amena de confortables bénéfices aux pilotes réputés. De nouveaux modèles étaient lancés et engagés dans une course et après la course, ils étaient vendus (et parfois revendus à une série de propriétaires, avec des prix chaque fois augmentés). Entre-temps, l'usine continuait à livrer les modèles plus anciens qui avaient été commandés un an ou plus auparavant. Cette situation s'appliquait seulement à Panhard & Levassor parce que la publicité que leur valaient leurs succès, vrais ou faux, dans les courses amenait une très grande demande pour leurs produits, demande qu'ils étaient incapables de satisfaire. Chez Peugeot aussi, il y avait une liste d'attente, mais les délais étaient de quelques mois seulement, et certains nouveaux modèles étaient livrables immédiatement : pour Panhard & Levassor, il fallait compter deux ans d'attente. Les pilotes de la maison et certains clients privilégiés comme le chevalier René de Knyff, par exemple, pouvaient se procurer les nouveaux modèles chaque année.

Une étrange situation était en train de se créer là, dans laquelle, en apparence, tout allait pour le mieux, et le moteur Daimler était la pierre angulaire de l'industrie automobile, tandis que Panhard & Levassor s'assuraient les marchés français et belges pour ce moteur; ces marchés étaient d'ailleurs les plus gros débouchés de l'époque. Sous les apparences, les lignes de démarcation étaient en train de se créer, obscurcies par l'insatiabilité du public pour les véhicules Panhard & Levassor. Lorsque la séparation se fit, ce fut sans bruit, sans publicité. Les deux firmes se taisaient.

Il y avait trois éléments dans le grand dessein (qui fut plus l'œuvre du hasard qu'un véritable dessein), mais ces éléments sont quand même assez vagues et nébuleux : leur classification est par conséquent moins succincte qu'on le voudrait.

Ces trois éléments étaient :

1. Les intérêts commerciaux de Panhard & Levassor;
2. L'influence de l'Automobile-Club de France;
3. Les intérêts commerciaux d'un groupe continental.

Des groupes auxiliaires, d'abord associés, finirent par devenir hostiles : Peugeot en est l'exemple. Des groupes distincts, pour une raison ou une autre, n'avaient pas une influence directe sur les événements en France. Roger, jusqu'à sa mort, fut à la tête d'un tel groupe. Il commercialisa les produits Benz mais son influence ne fut pas durable, peut-être dans une large mesure en raison de sa mort avant que la firme ne soit fermement établie. Serpollet, avec l'argent d'un protecteur américain, Gardner, constituait un autre de ces groupes. Champion d'une cause perdue, il n'en maintint pas moins très haut le drapeau de l'art automobile français face à l'invasion. Nous en avons fini avec les premiers chapitres de l'élément Panhard & Levassor, et avant de continuer, il nous faut examiner le rôle de l'Automobile-Club de France.

QUATRIÈME PARTIE

L'ÉTONNANT ESSOR

Chapitre XXIV

L'AUTOMOBILE-CLUB DE FRANCE ET L'INDUSTRIE AUTOMOBILE

Le comte de Dion, dans son style ineffable, s'est attribué le mérite d'avoir fondé le plus vaste et le plus puissant club automobile du monde, l'Automobile-Club de France. Si ce fut l'ouvrage d'un homme, ce fut en effet celui du comte de Dion. Mais ce club ne naquit pas du néant, et si de Dion le créa, ce fut parce qu'il désirait supplanter un autre groupe, plus ancien, et qui commençait à avoir de l'influence.

L'une des plus importantes figures du monde automobile des dix dernières années du siècle était le comte de Chasseloup-Laubat, fils d'un magnat des chemins de fer, et apparemment amateur du nouveau sport. On peut le considérer comme le président du comité qui fut formé peu après les épreuves Paris-Rouen, lorsqu'on s'aperçut que de nouvelles épreuves demanderaient une certaine organisation. Le mot « président » est peut-être un peu trop fort, car ce comité était plutôt nébuleux, et n'attira guère l'attention, si ce n'est du comte de Dion, qui précisément n'en approuvait pas la composition. Les membres connus de ce comité vaguement organisé étaient pour la plupart des industriels, des membres de l'aristocratie, et quelques professionnels, y compris des journalistes. On trouvera leur nom dans le tableau suivant, avec des notes sur ceux qui figurent dans l'organisation de l'Automobile-Club de France.

Quelles qu'aient été les circonstances exactes de sa naissance, le Club a toujours été associé au comte de Dion, à un point tel que lorsque ce dernier se lança dans une querelle personnelle avec le Président de la République, le Club fut fermé pendant quelque temps comme s'il avait été complice. On notera que plusieurs fabricants n'appartenaient pas au comité d'organisation : Peugeot, Gautier, Roger et Serpollet entre autres. Les fabricants admis étaient : de Dion, Levassor, Clément, Gaudry, Jeantaud et Mors.

ORGANISATION DE L'AUTOMOBILE-CLUB DE FRANCE

Le comité qui se chargea de l'organisation du Paris-Bordeaux-Paris incluait les personnalités suivantes :

Le marquis de Chasseloup-Laubat.
Le comte de Chasseloup-Laubat.
Le comte de Dion[1].
Meyan, Paul[1].
Le baron de Zuylen de Nyevelt de Haar[1].
Récopé[2].
Menier, H.
Levassor.
Giffard, Pierre.
Le comte H. de La Valette.
Dufayel.

Gautier, Emile.
Gautier, Pierre.
Moreau.
Nansouty.
Peugeot.
Ravanez.
Roger.
Serpollet.
Capitaine de Place[3].
Guédon, Yves *(Secrét.)*.

Parmi ceux qui n'étaient pas membres de ce comité, mais participèrent à la création de l'Automobile-Club de France :

Deprez, Marcel *(prés. d'honneur)*.
Berger, George *(prés. d'honneur)*.
Aucoc.
Ballif.
Clément.
Edeline.
Gaudry.
Artigue.
Jeantaud.
De Luzenski.

Marc.
Mors.
Pérignon.
Pierron.
Sabattier.
Varennes.
Lehideux, André.
Lebaudy, Robert (qui acheta l'hôtel de Plessis-Bellière, siège de l'A.C.F., au prix de 1 500 000 francs, afin d'y établir l'Autom.-Club de France).

1. Présents à un dîner donné par de Dion où la formation du Club fut proposée et décidée.

2. Selon Gerald Rose, également présent à ce dîner (et non dans la photographie prise par de Dion).

Les personnes figurant dans la colonne de droite du premier paragraphe, membres du comité original, n'eurent aucun rôle dans la formation de l'Automobile-Club de France. Ceci semble avoir été une manœuvre de de Dion. Les Chasseloup-Laubat ne furent pas offensés, mais la dilution du comité par l'afflux de nouveaux membres dévoués à de Dion leur coupa l'herbe sous le pied. Yves Guédon (selon Dick FARMAN, *Autocars*, éd. angl., 1896, p. 23), démissionna de son poste de secrétaire du comité après la course Paris-Bordeaux-Paris pour aider Adolphe Clément à préparer les concurrents Clément du Paris-Marseille-Paris.

Les premiers administrateurs du Club furent : *président*, le baron de Zuylen de Nyvelt de Haar; *vice-président*, le comte de Dion; *secrétaire général*, Paul Meyan; *vice-président*, H. Menier; *trésorier*, Lehideux.

3. Le capitaine de Place accompagna le comte de Dion dans le Paris-Rouen 1894, mais tomba apparemment en disgrâce l'année suivante.

La souscription pour la course Paris-Bordeaux-Paris, qui fut lancée par le comité original, atteignit le total de 70 000 francs; sur cette somme, 10 000 francs furent donnés par le richissime propriétaire de l'édition parisienne du *Herald*, James Gordon-Bennett. Le donateur fut déclaré ami éclairé de l'automobilisme; le journal parisien, et son frère aîné d'Amérique, le grand *New York Herald* se mirent à rapporter en détail les manifestations automobiles. Nul n'aurait pu le soupçonner alors, mais la munificence de Gordon-Bennett allait bientôt devenir une grosse source d'ennuis pour les fabricants français. Nous verrons comment.

Pendant vingt-six ans le baron de Zuylen de Nyevelt de Haar devait présider aux destinées du riche et puissant instrument de politique automobile qu'était l'Automobile-Club de France. Amateur de chevaux, nullement lié à aucune des principales firmes, il semble bien avoir été le choix idéal, et même lorsque la controverse éclatait, ce qui arrivait souvent, de Zuylen n'était jamais concerné, semble-t-il. Il faut toutefois mentionner le fait que sa femme était une Rothschild, circonstance qui devait le placer au-dessus de pressions auxquelles d'autres auraient pu être sensibles.

L'Automobile-Club de France mit la haute main sur l'organisation des courses en France, avec comme première manifestation le Paris-Marseille-Paris (1896). Nous rendrons compte de cette épreuve plus loin; cette première course fut un merveilleux exemple de la puissance et du savoir-faire du nouveau Club. L'opposition, tant redoutée du journaliste Pierre Giffard, et du directeur du *Petit Journal*, parrain du Paris-Rouen, avait été habilement désarmée par les nombreux membres influents du Club et leurs amis.

Nous pouvons interrompre ici la discussion du Club, second élément dans l'étrange situation dont nous avons parlé, car sa fonction organisatrice va continuer sans trouble majeur pendant plusieurs années; revenons à Panhard & Levassor et au développement de l'affaire.

Levassor prit le départ dans le Paris-Marseille sur la vieille n° 5, avec laquelle il avait triomphé l'année précédente. Il semble à peu près prouvé qu'en plaçant sur la ligne de départ deux véhicules à ancien moteur en V, un plan de bataille se discerne dans la juxtaposition des anciennes et des nouvelles Panhard & Levassor, en tant qu'équipe face aux marques rivales : les anciens moteurs en V avaient fait leurs preuves et pouvaient encore battre leurs concurrents, tandis que le nouveau Phénix n'avait pas reçu l'épreuve du feu. Panhard & Levassor fut la première marque à utiliser la méthode de la saturation en compétition, en engageant autant de véhicules que possible. Si toutes les voitures engagées avaient été équipées de Phénix et qu'un vice caché se fût révélé, c'eût été la catastrophe, impensable pour Panhard. La victoire d'un concurrent importait moins : ce qui comptait c'était d'éviter l'effondrement d'une légende : « La marque qui gagne toutes les courses. »

Les résultats confirment qu'il s'agissait sans doute d'une sage précaution, car la voiture de Dubois, munie d'un moteur Phénix, ne termina pas le circuit, bien qu'elle ait réussi à atteindre Marseille. Levassor eut un accident, mais tandis que la voiture pouvait continuer, les blessures de Levassor furent suffisamment sérieuses pour que d'Hostingue prenne sa place et finisse la course. Mayade, avec une voiture à moteur Phénix fut premier. Les voitures anciennes furent seconde et quatrième (un petit tricycle de Dion s'adjugeait la troisième place), et la seule autre voiture à moteur Phénix ne termina pas. Ceci se déroulait en octobre 1896.

La nouvelle année commença sous de mauvais auspices pour Panhard & Levassor. La firme lança une flotte de neuf voitures dans la première des épreuves d'hiver sur la Côte d'Azur, qui, sous le nom de Semaine de Nice, devait devenir une date importante du calendrier sportif. Elles arrivèrent troisième, quatrième, cinquième, loin derrière la Peugeot de Lemaître qui battit la plus proche de vingt minutes. La victoire de Peugeot fut éclipsée, aux yeux du public du moins, par l'exploit solitaire du comte de Chasseloup-Laubat qui remporta l'épreuve dans un break de Dion à vapeur. Pour les ingénieurs Panhard et Levassor, le fait important était que les Panhard-Levassor à moteur Phénix avaient été battues par une Peugeot à moteur Peugeot. Ce nouveau moteur avait été créé par la firme peu après que leur seconde victoire réelle ait été transformée sur le papier en un exploit Panhard & Levassor; dans le Paris-Marseille-Paris, ce moteur, encore dans son enfance, avait rencontré certaines difficultés. Peugeot lança aussi toute une flottille de petites voitures dans cette course (Marseille-Nice), dont la plus puissante faisait 3 CV 3/4, et pourtant elles battirent deux des 6 CV Panhard & Levassor, ainsi que deux 4 CV. Deux voitures Panhard & Levassor ne finirent point, ce qui était impensable. Il est impossible que les normes de qualité Panhard & Levassor aient été abaissées : il est possible plutôt que l'allure accrue et la pression de la concurrence aient entraîné ces voitures au-delà de leurs limites de capacité et d'endurance.

Il n'y eut pas de grandes courses cette année-là, mais dans Paris-Trouville, la Peugeot de Lemaître arriva à 1 mn 37 s de la Panhard & Levassor victorieuse, une marge bien faible pour une distance de 175 kilomètres.

L'année suivante, Panhard ne prit aucun risque dans la Semaine de Nice, alignant dix voitures contre les deux de Peugeot. Koechlin, au nom autrefois associé aux voitures à vapeur Bollée, amena sa Peugeot à la quatrième place, battant sept Panhard. Un nouveau nom apparaît avec Mors, qui bat six Panhard. Parmi d'autres marques qui goûtèrent aussi le sang de Panhard, se trouvaient Rochet-Schneider, Georges Richard, Bollée, de Dion-Bouton, La Parisienne, Delahaye et Daimler. Ce dernier nom est intéressant : la voiture allemande se classa 30e sur 33.

Peugeot ne menaça pas sérieusement Panhard pendant le reste de l'année 1898 : l'as de la firme, Lemaître, disparut mystérieusement des listes. La Semaine de Nice de 1899 est une autre histoire, cependant. Peugeot s'y classe premier, troisième et sixième contre les places de second et de septième à Panhard. Bollée et de Dietrich parviennent à une quatrième et une cinquième places respectivement.

Levassor mourut en avril 1897. La firme Panhard perdit à la fois un pilote et un inventeur, et l'on peut présumer que le commandant Krebs, qui le remplaçait, était conscient de la difficulté de la tâche. L'apparition de nouvelles marques concurrentes devait être inquiétante. Mais il y eut un endroit où la défaite de Panhard fut particulièrement remarquée. *Der Motorwagen*[1] publia sur une demi-page un portrait de Lemaître assis dans sa nouvelle Peugeot, bien plus basse et bien plus allongée que les lignes Panhard auxquelles le public était habitué et que Daimler venait précisément d'adopter.

Quelques pages plus loin, dans la même revue, se trouvait une photographie en pleine page de deux des dernières productions Daimler, avec la Daimler-Phénix 24 CV à quatre cylindres, et ses propriétaires les barons de Rothschild. Le même numéro (avril 1899) révèle que la Peugeot 17 CV a gagné la course de côte de La Turbie en 24 mn 23 s devant la voiture des Rothschild (43 mn 34 s). Même la pauvre Audibert-Lavirotte de Lyon, sur le bord de la crise financière après cinq ans d'expériences et d'ennuis de toutes sortes, parvint à battre les lourdes Daimler de 34 secondes; ces dernières triomphèrent toutefois des Panhard-Levassor dans la course touristique. Les pilotes Daimler étaient « Mercédès », Rothschild et Rothschild, et ils battirent le comte de Vos. Mercédès n'était pas encore une voiture, c'était le nom de guerre d'Emile Jellinek, importateur autrichien de fruits et légumes d'Algérie, qui avait son quartier général à Nice et exerçait en outre les fonctions de consul d'Autriche.

1. *Der Motorwagen*, avril 1899, Heft IV, 36.

En ce qui concerne Lemaître, dont la carrière d'as du volant remontait à Paris-Rouen, ceci fut son dernier triomphe. Lors de l'épreuve suivante, Paris-Bordeaux, il percuta l'arrière de la Mors d'Hourgière; l'accident, mineur en soi, fut aggravé par l'imprudence de son mécanicien qui s'affola, sauta de la voiture et fut sérieusement blessé. Lemaître décida de rester auprès de son aide blessé, tandis que le novice Gaétan de Knyff, cousin du « gentleman »-pilote de Panhard-Levassor, plaçait une 12 CV Peugeot au 11e rang de la même épreuve, et que Koechlin, le seul autre pilote de Peugeot, ne terminait pas la course.

Dans Paris-Saint-Malo, c'est Mors et non Peugeot, qui bat les voitures d'Ivry, et dans la principale épreuve de l'année, le Tour de France, Peugeot ne paraît même pas. La dernière course de Lemaître pour Peugeot fut Paris-Ostende, fameuse pour son arrivée « au finish » entre Girardot sur Panhard-Levassor et Levegh sur Mors, 6 h 11 mn pour 322 kilomètres; Lemaître arriva en troisième place, vingt et une minutes après les vainqueurs.

1900 fut l'année du fracas occasionné par la Gordon-Bennett dont nous reparlerons dans un prochain chapitre. Lemaître, ayant démissionné de l'Automobile-Club de France, ne pouvait plus y participer. Il est possible que cette démission ait entraîné sa séparation d'avec Peugeot; quelles que soient les circonstances, il disparaît alors, et pour deux ans, des cercles automobiles; nous le retrouvons dans une intéressante illustration de *La Vie au Grand Air* (7 avril 1901). Il s'agit d'une photo de Jellinek, du baron Arthur de Rothschild, de Mme Albert Lemaître, et de Georges Lemaître, frère, conversant ensemble avec animation en attendant les résultats du « Meeting de Nice » dans lequel Albert Lemaître pilotait précisément une Mercédès. Aucun événement n'intervenant plus alors et rien n'étant changé aux relations à l'Automobile-Club de France, nous pouvons retourner maintenant à l'étude des affaires de la maison mère, Panhard & Levassor.

Le catalogue déjà cité donnant les adresses des agents des fabricants Daimler en Angleterre et en Amérique est daté de juillet 1898. Voici comment sont décrits ses agents étrangers[1] :

« En tant que constructeurs et pourvoyeurs d'automobiles Daimler, de moteurs navals Daimler et de moteurs Daimler en pays étrangers sont désormais désignés de façon attitrée :

« Pour la France et la Belgique, la firme : Société Anonyme des Anciens Etablissements Panhard & Levassor, à Paris, 19, avenue d'Ivry. »

1. *Die Grossen Deutschen*, *op. cit.*, vol. 5, fac-similé du catalogue de juillet 1898.

Voiturette J. De Boisse et Vve Levassor, 1900. (Voir p. 209.)

(Cliché Archives du Touring-Club de France.)

Ainsi donc, en ce qui concernait la publication officielle de la Daimler-Motoren-Gesellschaft de Cannstatt, les affaires continuaient normalement. *Der Motorwagen*, tout en n'indiquant aucune modification dans la nature des rapports, montre quatre modèles de Dürkopp, dont trois ressemblent étrangement au modèle Panhard & Levassor, deux à levier de direction et un à volant, accompagnés d'un commentaire qui semble indiquer qu'ils sont construits sous licence Panhard. S'il en est ainsi, il s'agirait là d'une rupture du traité commercial original qui consacrait les liens Panhard & Levassor-Daimler et baptisait Daimler toutes les inventions à venir. Ceci suggère que quelque chose a été modifié dans le contrat lors de la disparition de Levassor. Ce dernier avait acquis les droits de fabrication pour la France et la Belgique par son mariage avec Mme Sarazin, et ses droits étaient sans doute retournés à celle-ci lors de sa mort, mais nulle annonce n'en avait été faite. Un silence discret est maintenu pendant à peu près un an jusqu'au moment où Mme Levassor apparaît comme l'associée d'un certain J. de Boisse pour un tout petit véhicule à passagers portant le nom « J. de Boisse & Vve Levassor »; puis c'est à nouveau le silence[1].

Pendant ce temps Daimler offre pour 5 600 marks un vis-à-vis de style si démodé, qui est en tel contraste avec la voiture de course 1898 de Panhard & Levassor (tous deux sont reproduits dans *Der Motorwagen*, premiers numéros de l'année 1899) que le mot de Montagu « antédiluvien » revient à la mémoire. Ou bien Daimler possédait un gros stock de ces voitures, qu'il essayait de vendre, ou bien il y avait très peu de contacts (ou mieux, très peu d'entente) entre les associés. Si l'on considère les voitures de Rothschild, l'influence de Levassor est discernable toutefois. Ces Daimler sont des Panhard & Levassor énormes, enflées, « colossales ». Sur un point, elles en diffèrent radicalement, le radiateur est extérieur à l'avant sur les Daimler, comme il est sur le bolide de course Peugeot reproduit dans le même numéro, tandis que, sur les Panhard, il est sous le châssis avec un réservoir d'expansion et sa soupape d'évaporation sous le capot (ce qu'on appelait « l'entourage » en 1900). Panhard & Levassor sont sur la bonne voie, en cherchant à maintenir leur 100 °C, mais leur technique sera supplantée plus tard.

Panhard vend encore des voitures après chaque course victorieuse, et la liste d'attente est assez longue pour permettre d'ignorer

1. *Annals of Mercedes-Benz*, *op. cit.*, p. 70 : « Dès 1900, cependant, Panhard & Levassor ont monté leur propre type, et ils ont abandonné la licence Daimler. »

les moments d'embarras lorsque Bollée et d'autres gagnent : Mors devient particulièrement dangereux. Peugeot semble avoir oublié les courses.

Panhard se tourne maintenant, de façon indirecte, par agents interposés, vers une technique de vente par relations. Les nouveaux pilotes Panhard & Levassor — Charron, Girardot et Voigt — deviennent les fournisseurs du « Tout-Paris »[1].

1. Les clients de Charron, Girardot et Voigt étaient : le roi de Suède, le Président de la République; les princes : Orloff, de Furstemberg, Karageorgewitch, de Poix, d'Arenberg, Murat, et de Wagram; les princesses : de Polignac, de Hohenlohe; la grande-duchesse de Mecklembourg; les ducs : de Luynes, de Santo-Mauro, de Bisaccia; les marquis d'Apreval, de Massabré, de Sauzéa, de Gouy d'Arsy, de Porte, de Vistabella, de Sinçay, de Saint-Paul, de Talhouet-Roy, de Chasseloup-Laubat, de Mudela; les comtes : Bozon de Périgord, de Biré, de Berthier, de Contades, Cahen d'Anvers, de Heeren, de Maillé, de Vitallis, de Brémont, de Champeaux, Desmazières, des Essarts, de Ganay, Sapia, de Viller, d'Ancourt, Marc de Beaumont, Jean de Beaumont, de Gallifet, de Lestrade, de Quelen, de Penha-Longua; la comtesse Pillet-Will; les vicomtes : Charles de La Rochefoucauld, Edouard de La Rochefoucauld, de Lestrange, de Fontarce, de Gallard, de La Boutetière, de la Combe; les barons : de Crawhez, Dorlodot, Gourgaud, Larrey, Oppenheim, Lepic, H. de Rothschild, E. de Rothschild, de Zuylen de Nyevelt de Haar, Bellet, de Langsdorff, de L'Espée; MM. Santos-Dumont, Marinoni, Nagelmacker, Maurice Binder, Mill, Glendinning (Philadelphie), Munroe Fergusson, Rolls, Say, Singer, Forain, Bishop, Dugdale, H. Menier, G. Menier, de Escandon; les comtes : Hatzfeldt, Héliade (Bucarest), Woronine de Brulator, Jean de Castellane; les vicomtes : de Sousberghe, Foy, Ephrussi, Porgès, A. Menier; Lord Iveagh, Lord Carnavon, le chevalier René de Knyff, le grand-duc Wladimir.

D'après une annonce parue dans *La Vie au Grand Air*, 22 avril 1900 et suiv. A noter que le Président de la République a fait une promenade en automobile pour la première fois le 11 novembre 1900.

Chapitre XXV

PIONNIERS OUBLIÉS

Lorsque nous avons parlé plus haut des trois éléments d'un « grand dessein » (p. 199) auquel nous reviendrons, nous avons mentionné d'autres groupes distincts, qui ne tombent pas dans une classification forcément arbitraire. Parmi ceux-ci, nous trouvons un groupe de pionniers-expérimentateurs qui commencèrent leurs recherches pendant les vingt dernières années du siècle, et illustrèrent leur art; bon nombre d'entre eux, pourtant, ne survécurent pas lorsque le stade expérimental fit place à l'ère industrielle. Disons-le encore une fois, ces derniers représentent, dans l'histoire du progrès vers l'automobile, une période oubliée dans les chroniques qui ne se préoccupent généralement que des grands noms. On ne peut dire que l'automobile ne serait pas née sans ces hommes, mais on peut certainement avancer avec justice que, sans eux, le développement aurait été plus lent.

Le vulgarisateur Lockert fit un choix de ceux qu'il considérait comme importants en 1896 et sa sélection peut raisonnablement nous servir de point de départ. Nous passons les motocyclettes sous silence, mais les tricycles constituent une catégorie intermédiaire; les premiers seront donnés ici, tandis que les suivants seront considérés comme individuels afin de déterminer s'il s'agissait de voitures ou de cycles.

Le premier tricycle à essence vendu dans le commerce fut celui de de Dion & Bouton, et fut à un moment donné le véhicule le plus répandu sur les routes de France. Une gravure de la série anglaise renommée, dite « Spy prints », de la revue *Vanity Fair*, représentant le comte de Dion aux commandes de l'un de ces petits tricycles, connut un grand succès à l'époque.

Tout de suite après, en 1895, Léon Bollée sortit un tricycle plus lourd, plus puissant, plus bas, qui, pendant un certain temps, menaça de remporter toutes les épreuves automobiles, devançant même de plus puissantes voitures. Seule une pluie torrentielle pendant l'une des grandes épreuves sur route sauva les véhicules à quatre roues d'une défaite totale. Bollée n'avait conçu qu'une seule roue motrice à l'arrière (à pneu lisse), et sur les routes humides, son tricycle souffrait bien plus du dérapage que les voitures qui avaient deux roues motrices (y compris les tricycles de Dion & Bouton). De plus, la charge supplémentaire imposée au pneumatique par la surcharge, poids du véhicule, traction, le tout concentré sur une seule roue, augmentait les chances de crevaison; plus tard, lorsque les pneumatiques eurent acquis plus de robustesse, le dessin de Bollée avait été abandonné. La même course orageuse révéla une autre faiblesse de construction : le moteur était placé horizontalement à l'arrière, et la flamme de l'allumage par tube incandescent était constamment éteinte par la pluie et le vent.

Afin d'essayer d'amener un plus grand nombre de gens à l'automobilisme, les frères Michelin, dès 1896, firent l'acquisition d'un fort contingent de véhicules (environ 100 Bollée et 250 de Dion-Bouton) et les revendirent aux enchères. Ce sont plutôt d'ailleurs les Bollée, mangeuses de pneumatiques, que les frères Michelin auraient dû favoriser.

Gladiator avait connu la célébrité comme fabricant de bicyclettes, et le petit tricycle à deux places, modèle 1895, possédait l'intéressante adjonction d'un radiateur en V au devant du véhicule, qui fut repris par Benz, Mercédès, Steyr, Alfa-Roméo et un grand nombre de voitures de course ou de sport vingt ou vingt-cinq ans plus tard. Il avait aussi la commande des gaz, chose rare pour l'époque, et le fabricant attirait l'attention sur son centre de gravité placé très bas. Un moteur à deux cylindres pour un véhicule ne pesant que 200 kilogrammes devait donner un excellent rapport puissance-poids, mais les chiffres précis ne nous sont pas parvenus. Cette marque subsista jusqu'en 1920-1930.

Rossel

La voiture Rossel ressemble étrangement à la Peugeot. Fabriquée à Lille, il se peut que les châssis utilisés soient venus de chez Peugeot, même s'il n'y a pas eu d'autres liens. Rossel offre un exemple d'amélioration avec sa contrepartie d'ennuis. La voiture, dans de fortes côtes en course, devait être poussée à la main par l'équipe; ceci était assez fréquent alors, beaucoup de voitures manquant de puissance. En arrivant au sommet de la côte, l'équipe s'arrêta pour souffler, sans mettre le frein (si frein il y avait). Un petit coup de vent fut suffisant pour mettre en mouvement la voiture qui dévala la pente quittant la route et la course... L'amélioration en question consistait en une utilisation massive de roulements à billes dans le train de la voiture à une époque où les principales marques n'employaient que des roulements lisses que le vent n'aurait jamais mis en mouvement! Le fait que toutes les voitures devaient en venir aux roulements à billes ou aux coussinets à rouleaux quelques années plus tard ne change rien à la défaite de Rossel, en avance sur son temps. Les vitesses accrues devaient imposer ce changement aux autres, de même que Panhard fut forcé d'accepter le pneumatique, bien qu'il ait continué de gagner des courses pendant un ou deux ans sur bandages pleins tandis que ses concurrents passaient leur temps à réparer les crevaisons.

Lockert, dans son article, utilise pour ses véhicules une double terminologie quelque peu troublante pour le lecteur[1] : le *moteur Daimler* n'est pas synonyme du *moteur système Daimler*, comme on le verra.

Nous mentionnerons pour compléter les illustrations de Lockert une gravure tirée de Witz[2] qui montre ce qui semble être un vis-à-vis à quatre places. Rossel avait mis au point un intéressant système de changement de vitesses.

Rossel est l'un des fabricants français qui peut être à l'origine de l'assertion, fréquente en 1902 ou 1903 en France, selon laquelle les Mercédès donnaient le ton. Rossel avançait même alors dans sa publicité qu'il fabriquait une copie de la Mercédès. Curieusement, ceci ne resta vrai que fort peu de temps car le dessin Mercédès reçut de nombreuses modifications essentielles pendant les quatre premières années de production, et Rossel ne pouvait se permettre le luxe de suivre chacune des modifications. Il avait misé sur le mauvais cheval, en supposant que le modèle Mercédès resterait le même pendant des années comme le modèle Panhard.

Tenting

Tenting fut l'un de ces pionniers persistants qui passa des années à perfectionner un système de transmission qui ne s'est pas encore imposé commercialement sur automobile : la transmission par friction. Un coup d'œil au plan emprunté à Lockert[3]

1. Lockert, *Voitures à pétrole*, pp. 156-157.
2. Aimé Witz, *Moteurs à gaz*, t. III, pp. 567-568.
3. Lockert, *ibid.*, pp. 174-175, 178-179, 182-185.

expliquera l'idée, peu familière à certains. En théorie, elle est magnifiquement simple : il se peut même qu'elle soit praticable avec nos matériaux modernes; Tenting et de nombreux autres (plusieurs Américains l'ont suivi) engloutirent des fortunes pour la réaliser.

Tenting travaillait depuis un certain temps pour Dalifol lorsqu'il découvrit les voitures Bollée, alors en réparation dans les ateliers Dalifol, et c'est ce qui amorça son intérêt pour l'automobile. Il établit son propre atelier en 1884, et trois ans plus tard il lança un moteur que Lockert, écrivant dix ans après, tenait pour l'un des meilleurs et des plus simples sur le marché.

La première voiture fut terminée en 1891; parmi d'autres caractéristiques avancées, elle comportait une direction à volant. Tenting renversa l'ordre des styles de moteur, si l'on compare à Daimler-Panhard & Levassor, car il commença avec deux cylindres parallèles (ou « conjugués » selon le terme alors utilisé), et passa ensuite à un plan en V pour lequel il gardait la position horizontale, plutôt que celle, verticale, adoptée par Daimler-Panhard & Levassor. Tenting préférait un moteur de grande dimension, estimé meilleur pour des allures lentes de rotation. Ses tentatives de vitesse ne furent pas couronnées de succès, et puisque son commerce de moteurs fixes resta prospère, il faut penser que sa faiblesse venait de la transmission.

Rousseau et Iatca[1] parlent de lui comme d'un ancien pilote de chez Peugeot; cette distinction semble avoir échappé à la totalité des chronométreurs des premières courses automobiles. Il présenta une voiture de sa marque aux éliminatoires du Paris-Rouen mais ne se qualifia pas. A nouveau en 1896, il présenta une de ses voitures, mais n'arriva même pas à la première étape, Auxerre.

La contribution la plus remarquable de Tenting est sans doute la commande des gaz, dont était doté son premier véhicule. Il n'est cependant pas certain, d'après les documents dont nous disposons, que ce dispositif se soit retrouvé sur les véhicules suivants. S'il fut abandonné, ce fut probablement à cause de l'impossibilité de maintenir une proportion régulière d'air et de carburant; c'est, en effet, ce qui a posé le problème le plus ardu aux premiers modèles de carburateur. Ce problème a pu décourager Tenting, mais le concept même était si avancé que des experts compétents comme Witz ne le considéraient pas comme une solution désirable. Witz, comme la plupart de ses contemporains, croyait en des

1. *Histoire mondiale de l'automobile*, Paris, 1958, p. 54.

vitesses de rotation fixes pour un rendement maximum du moteur. Baudry de Saunier ne concédait pas, jusqu'en 1913, que le système Daimler soit mort. A la fin de son chapitre VIII, après cinq pages sur l'ancienne méthode, il consacre une page à la nouvelle, qui se termine ainsi :

« La régulation sur l'admission semble, à l'heure actuelle, la seule qui soit reconnue bonne par tous les constructeurs... J'ajouterai que la tendance est aujourd'hui à la suppression pure et simple du *régulateur*, c'est-à-dire de la commande *par le moteur* d'un organe destiné à l'empêcher de s'emballer... »

Le vilebrequin désaxé fut une inspiration de Tenting qui devint particulièrement à la mode chez des fabricants qui l'adoptèrent aux environs de 1910. Les avantages qu'on lui prêtait comprenaient une plus grande souplesse et moins d'usure des cylindres.

L'injection du carburant a connu une nouvelle jeunesse ces dernières années; Tenting en essaya une forme sur son second (1895) véhicule, omettant le carburateur mais gardant la commande des gaz, sur ce modèle-là du moins.

Lockert indique que Tenting construisit un lot de 28 moteurs de 4 CV pour le ministère de la Guerre, ce qui, au vu de ses possibilités techniques, dut l'occuper pendant au moins un an, et eut pour résultat de l'éloigner du champ des activités automobiles pendant les années critiques 1894-1895.

Pour revenir un instant à sa carrière de compétition, Tenting engagea effectivement une voiture dans les éliminatoires du Paris-Rouen : 50 kilomètres *via* Précy-sur-Oise, Gennevilliers et L'Isle-Adam. L'histoire ne nous dit pas la raison de son échec mais il était en bonne compagnie : deux marques établies (de Dion et Peugeot) et une voiture à vapeur bien oubliée, la Le Tar.

Sur la foi de cet autre échec dans le Paris-Marseille-Paris, on ne doit pas juger Tenting trop durement pour s'être obstiné dans la friction. La boîte de vitesses, qui s'imposa finalement à tous, fut ainsi définie par l'un de ses adeptes, Levassor : « C'est brutal, mais ça marche! »

Lorsque Tenting se trouvait rue Curial, vers 1885, il fut associé à un nommé Salomon, et Witz, écrivant en 1892, appela le premier moteur : le Salomon & Tenting; plus tard, en 1899, Witz devait laisser tomber le premier nom, donnant seulement celui de Tenting. Il nous a été impossible de découvrir une relation possible entre ce Salomon et le créateur, en 1919, de la première Citroën (10 CV) ou des automobiles Le Zèbre (1909). Comme les événements en question sont distants de vingt à trente ans l'un de l'autre, la relation paraît fort ténue.

Lepape

Les caprices de la renommée sont tels que Lepape (comme Tenting) est tout juste mentionné dans l'article de Baudry de Saunier (dans l'*Histoire de la locomotion terrestre*) et il est totalement passé sous silence dans les ouvrages postérieurs. Et pourtant, il est l'auteur d'un ingénieux système de refroidissement par air, d'un moteur refroidi par eau à pompe centrifuge de circulation et d'un carburateur à enveloppe à circulation d'eau; il était aussi, sur d'autres points, en avance sur son temps. Comme Tenting il essaya de résoudre le problème de la transmission par la friction. Son arrangement spécial de traction avant et de direction par roues arrière reste contraire à l'esprit qui règne actuellement, mais ce système est largement utilisé pour des véhicules employés à l'intérieur d'usines, de docks, partout où l'espace est réduit pour manœuvrer. Lepape semble avoir été le second à utiliser un moteur à essence de trois cylindres; il fut suivi par Panhard & Levassor, Cottereau, Thomas, pour ne nommer que quelques-uns.

Lepape renonça à la direction arrière sur l'un de ses derniers modèles, le modèle 1898 exposé aux Tuileries et reproduit dans Hasluck[1]. Il plaça le moteur tout à l'avant; le capot le recouvrant possédait des volets de *verre* afin de faciliter l'inspection. Ces volets s'ôtaient pour les réparations. Les jeunes fanatiques américains qui utilisent parfois de nos jours des capots de matière plastique transparente sur leurs moteurs retouchés et poussés ne pensent guère à Lepape, qu'ils ne connaissent pas. Pas plus que ne le connaissent les constructeurs qui font de même dans les Salons automobiles.

Lepape se présenta aussi aux éliminatoires du Paris-Rouen, mais fut l'un des quatre-vingts concurrents malheureux éliminés. Il utilisa également la commande des gaz.

Lefebvre

Léon Lefebvre, avec ses automobiles Léo, entre aussi dans la catégorie des constructeurs entièrement français donnés par Lockert :

« La voiture de M. Léon Lefebvre est caractérisée par sa grande élégance, un cachet de distinction que jusqu'à présent l'on n'était pas accoutumé à voir aux automobiles qui ont, le plus souvent, un aspect lourd et disgracieux : la carrosserie est excessivement soignée, exécutée par une des premières maisons de Paris. »

1. Paul Hasluck, *The Automobile*, 1902, traduit de Gérard Lavergne, *L'Automobile sur route*, 1900, pp. 471-472, et fig. 460.

Le mérite de son *dog-cart*, aux yeux du critique du XIXe siècle, pouvait résider dans le fait que tout le mécanisme se trouvait caché dans le châssis; la voiture ressemblait donc à une voiture à cheval sans cheval (malgré la phrase de Lockert dans sa conclusion où il demandait « qu'on ne cherchât plus le cheval devant la voiture »).

Lefebvre était le fabricant du moteur Pygmée, qui était fort connu alors et l'objet d'une grande publicité. On le trouve décrit dans plusieurs traités primitifs sur le moteur à combustion interne. Son nom n'est pas expliqué, mais il était sensiblement plus court, hors tout, que le Phénix par exemple et d'autres moteurs à longue course. Ces moteurs équipaient non seulement les Léo, mais aussi les Raouval, fabriqués par la *Société de Mécanique industrielle d'Anzin*, ainsi que les Rouxel de la *Société des Anciens Etablissements Rouxel & Dubois*, reprise par M. Archdeacon qui continua pendant un certain temps d'utiliser les Pygmées sur l'Archdeacon.

Landry et Beyroux

Landry et Beyroux étaient aussi des fabricants de moteurs qui se tournèrent vers la fabrication d'automobiles. Comme leur moteur était relativement volumineux, sa place dans le véhicule posait des problèmes particuliers. Ce moteur fut placé à l'arrière dans une boîte métallique qui se rapproche du concept de « monocoque » qui a réapparu récemment dans des applications aéronautiques et automobiles. Un curieux vestige, que nous retrouvons chez Landry et Beyroux, est l'échancrure du châssis, qui ne servait à rien puisque l'essieu à fusées était utilisé. Ces voitures avaient une excellente réputation à l'époque, bien qu'à l'œil moderne, elles paraissent plutôt encombrantes. Elles fonctionnaient avec suffisamment de régularité pour terminer dans une ou deux épreuves auxquelles elles participèrent. Malheureusement, l'une de ces voitures fut impliquée dans l'un des premiers accidents de course; alors que l'un des participants saluait amicalement du bras un de ses collègues, les deux voitures s'accrochèrent, à cause de l'imprécision de la direction à levier, et le résultat fut fatal.

Delahaye

En général, les automobiles manufacturées en province ne réussissaient pas aussi bien que celles qui étaient fabriquées à Paris ou autour de la capitale. Delahaye débuta à Tours, mais très vite les ateliers furent transférés à Paris. Delahaye fut l'un des premiers à placer le radiateur de refroidissement à l'avant de la voiture; en fait, il fut le premier de ceux qui participaient aux courses de Grand Prix. Cette marque devint fort connue durant sa longue carrière : nous aurons l'occasion d'y revenir plusieurs fois.

Motorwagen choisit une Delahaye pour sa page de titre lors du Salon de l'Automobile de Paris. Delahaye fut l'un des premiers à établir le rapport entre l'empattement et la stabilité de direction. La commande se faisait par variation de l'allumage électrique et des gaz; en d'autres termes, Delahaye utilisait les deux facteurs qui sont à la base de la pratique actuelle.

Le véhicule comportait aussi deux perfectionnements qui durent être à l'origine du succès précoce des automobiles Delahaye, car il s'agissait d'une véritable supériorité sur les concurrentes : d'abord, un refroidissement adéquat qui non seulement incluait le radiateur déjà mentionné, mais aussi une pompe centrifuge commandée positivement par sa propre courroie à partir de l'arbre intermédiaire. En contraste, Panhard & Levassor actionnaient leur pompe grâce à une roue à friction glissant sur le volant de moteur. D'abord, la fonction n'était pas toujours sûre, il y avait aussi le plus grand danger que, se projetant au-dessous du moteur, la cassure ne soit facile, ce qui faillit d'ailleurs coûter à la maison Panhard & Levassor la Coupe Gordon-Bennett en 1900. Le second perfectionnement était fort simple : il s'agissait du contraire de la pratique alors courante en allumage électrique qui voulait que ce dernier soit constamment branché sur les batteries. Delahaye au contraire n'utilisait le courant qu'au moment où il voulait produire l'étincelle; de la sorte, il pouvait étendre son rayon d'action jusqu'à 2 000 kilomètres alors que 200 étaient considérés comme une bonne moyenne. M. Delahaye se retira de l'affaire qui portait son nom peu de temps après son installation à Paris.

Les frères Bollée

Léon Bollée avait mis au point un tricycle fameux, qui a été brièvement décrit plus haut. Son frère Amédée, qui partageait avec son père l'instinct de l'automobile, construisit une intéressante automobile à entraînement par courroie avec une transmission située à l'extrémité arrière imprimant le mouvement à chacune des roues arrière grâce à un système des arbres longitudinaux à joints articulés à rotules, et d'engrenages coniques. Cette voiture possédait de bonne heure un volant de direction et une fois équipée d'une curieuse carrosserie en forme de bateau aérodynamique (dit torpilleur), effilée à l'avant et à l'arrière, elle connut son heure de succès et provoqua beaucoup de commentaires dans le Paris-Amsterdam.

Le modèle présenté par Lockert était celui qui participa au Paris-Marseille-Paris (1896), qui fut disputé au milieu d'une tempête. Amédée n'eut pas de chance car un arbre s'abattit sur son automobile alors qu'il allait à pleine vitesse et la plia en deux. C'est un des rares exemples où, dans une collision entre voiture et arbre, c'est l'arbre qui avait tort. Malgré cette mésaventure, d'autres Bollée terminèrent la course à Marseille et attirèrent l'attention de deux industriels alsaciens, nommés de Dietrich. Bollée les amena sur la Côte d'Azur puis, par les Alpes, jusqu'à Lunéville, où, par contrat, la firme de Dietrich (Lunéville et Niederbronn) s'assura les droits exclusifs de cette curieuse machine. Les nouveaux fabricants jouissaient d'une situation doublement intéressante, pouvant commercialiser leurs produits en France par Lunéville et en Allemagne par Niederbronn. Environ cinq ans plus tard, la presse spécialisée, et à un moindre degré, la presse financière, ouvraient leurs colonnes à de fréquents rapports sur l'implantation de nouvelles usines devant la montée des droits de douane : les entreprises de Dietrich avaient nettement ouvert la voie.

Pour donner un exemple des délais de production de l'époque (ce qu'aujourd'hui nous appellerions la rationalisation de la production), les voitures de Dietrich fondées sur le modèle Bollée 1896 furent montrées au Salon de 1898 et décrites dans *Der Motorwagen* en 1899. Un élégant phaéton et une voiture de course sont illustrés et décrits dans l'article. Déjà, Amédée Bollée se présentait au Tour de France avec un modèle tout nouveau, beaucoup plus bas, et avec la suspension indépendante à l'avant (à deux ressorts transversaux).

Divers

La sélection du *Motorwagen* pour le Salon de Paris 1898 donnait, outre les Delahaye et les de Dietrich, une « Maison Parisienne », autre nom de la Roger, et la Georges-Richard, qui devait se transformer en quelques années de la petite voiture à moteur Benz illustrée dans l'article en l'une des plus rapides automobiles de Grand Prix. La Rochet-Schneider, faite à Lyon, ressemblait un peu à la Benz et un peu à la Peugeot, mais elle fut équipée à l'origine de moteur Benz; elle aussi, quelques années plus tard devait voir s'ouvrir une brillante carrière. Il semble n'y avoir eu aucune relation entre cette marque et la Rochet, produit d'une ancienne maison bien connue de bicyclettes, bien que cette voiture, construite à Paris, ait également utilisé un moteur Benz au début.

Des tricycles et des quadricycles donnés en page 16 de l'article du *Motorwagen*, le tricycle de Dion est l'un de ses premiers tricycles à vapeur, de la série dont il avait confié l'exploitation à Mérelle; les tricycles Bollée et de Dion ont été mentionnés, seule la Decauville est nouvelle. Cette firme produisait du matériel ferroviaire, et à partir de cet intéressant petit quadricycle à suspension avant à roues indépendantes, elle devait rapidement mettre au point un modèle hautement individualisé, à châssis d'acier embouti dans lequel le moteur, l'embrayage et la transmission étaient traités comme une seule unité; ce brillant concept devait se trouver accepté au bout de dix ans et devenir courant vingt ans plus tard. La maison Decauville était dirigée par la famille Ravenez : l'analyse détaillée de la liste des fondateurs de l'Automobile-Club de France montrera qu'elle n'appartenait pas au groupe lié à de Dion.

Trois maisons allemandes, qui commençaient alors à faire parler d'elles, serviront à montrer ce qui se faisait dans ce pays où l'intérêt du public s'éveillait. Nous parlons de Dürkopp, et de ses rapports apparents avec Panhard & Levassor. Cudell et Eisenach, eux aussi, montrent une indéniable influence française, sur l'automobilisme allemand.

Cudell adopta la ligne de Dion, par licence spéciale, et début 1899, une annonce parut dans *Der Motorwagen* qui dut bien surprendre ceux qui étaient persuadés que Daimler et Benz étaient les seuls noms dans l'automobile. Vers la fin de l'année, Eisenach publia un avis similaire dans le même journal, annonçant que la marque a acquis les droits de certains brevets pour une exploitation exclusive en Allemagne, mettant en garde contre les infractions. Une liste des agences y est aussi donnée. L'intérêt de Cudell était lié aux brevets de Dion, et celui de Eisenach à la maison Decauville. Dans le premier cas, on peut penser que les contacts ont pu avoir lieu par l'intermédiaire des échelons supérieurs non commerciaux de l'Automobile-Club de France, tandis que dans l'autre cas, ces rapports ont pu s'effectuer grâce aux relations commerciales déjà établies en Allemagne par le fabricant de locomotives. Nombre de nouveaux venus sur la scène automobile française progressaient à pas de géant à cause de leurs techniques commerciales, tandis que des fabricants plus modestes comme Tenting disparaissaient peu à peu, à moins de sortir un produit de tout premier choix et de posséder des appuis financiers.

Chapitre XXVI

LA FRANCE FOURMILLE DE FABRICANTS

La position relative de la France et des autres pays en ce qui concerne la production automobile, est particulièrement intéressante. Les chiffres suivants sont donnés d'après l'*Annuaire général de l'Automobile*, 1898, dans la catégorie des constructeurs automobiles :

Paris et la Seine, 292; départements, 327; total pour la France, 719. Allemagne, 76. Autriche-Hongrie, 18. Belgique, 63. Grande-Bretagne, 49. Italie, 26. Hollande, 11. Suisse, 24. Autres pays, 2. Les auteurs de l'*Annuaire* déclaraient n'avoir pas pu obtenir de chiffres pour les U.S.A., et il n'y avait pas de fabricants en Russie, au Portugal, au Danemark et au Luxembourg.

Il y avait donc dix fois plus de firmes construisant des automobiles en France qu'en Allemagne, et en rapport avec cette supériorité numérique, il y avait en France 5 606 propriétaires d'automobiles immatriculées, contre 268 seulement en Allemagne.

Ces chiffres de production, d'immatriculation, et d'autres aspects économiques de l'industrie automobile seront à nouveau examinés; qu'il suffise de dire que ces premiers chiffres sont sujets à des variations considérables et à caution. Etant donné que certains de ces chiffres provenaient de la publicité des marques et souvent des plus grosses productrices, on peut s'attendre à une certaine exagération. Les maisons plus petites donnaient souvent des chiffres projetés, hautement optimistes, mais leur déclaration de production passée était plus réaliste, sans doute, puisqu'un fabricant possédant un atelier de moins de dix ouvriers pouvait difficilement sortir plus de dix véhicules par an et cela se savait.

Il serait aujourd'hui impossible pour un si petit atelier de sortir tant de véhicules; mais l'une des premières manifestations de la fièvre automobile qui saisit la France fut l'établissement de maisons spécialisées dans l'automobile, ou la conversion d'usines existantes dans la même branche mécanique afin de fournir des pièces spéciales : l'importance relative et la diversité de ces fournisseurs étaient pratiquement inconnues même à cette époque, sauf chez les gens du métier et leur rôle a été largement oublié.

Un rapide coup d'œil sur quelques-uns des produits ainsi manufacturés montrera comment il était possible, pour d'aussi petites unités de production, de sortir un, deux, et jusqu'à douze véhicules par an. L'une des plus importantes de ces manufactures de pièces détachées était la maison Lemoine, qui produisait des essieux et des pièces complémentaires d'essieux en grande quantité. Hannoyer fournissait les roues, les roulements, et les ressorts ainsi que des tableaux de montage simplifiés (Lemoine également) si bien que le constructeur pouvait être sûr de choisir la pièce qu'il lui fallait; ces firmes ouvraient ainsi la voie à un artisanat pratique, où les diplômes d'ingénieurs n'étaient pas nécessaires, mais seulement un sens de la mécanique.

Le premier d'une série de quatre volumes de Milandre et Bouquet (*Traité de la construction... des automobiles*, 1898), examine les problèmes de la construction. Les deux premières pages du chapitre consacré aux essieux, contiennent des tableaux préparés par Lemoine en accord avec les meilleures pratiques des ingénieurs de l'époque; il décrit aussi les méthodes pratiquées par sa firme pour « tester » la résistance des modèles d'essieux. Les pages 121 et 122 sont intéressantes, car elles expliquent la technique de l'essieu à deux pivots, malheureusement désigné sous le nom d'« essieu brisé » en français et l'équivalent en allemand. L'origine de ce système remonte à Lankensperger et à Ackermann, avec la participation ultérieure de Bollée et de Jeantaud comme nous l'avons vu; il était inutile de faire intervenir d'autres « inventeurs ». Tous les styles populaires d'essieux y sont illustrés à l'exception du type inversé, où la chape se trouve sur la fusée même (au lieu des bouts de l'essieu porteur).

Daimler-Mercédès devait adopter le système inverse environ deux ans plus tard. A l'époque de la publication de ce livre, Daimler utilisait encore l'essieu à pivot central (comme sur les voitures à chevaux); Benz avait fait breveter un système d'essieu « brisé »; on peut penser que Daimler utilisa le système inverse pour éviter d'avoir à payer des droits à Benz. A strictement parler, avec le type de construction inverse, on peut s'attendre à une usure plus rapide de l'alésage de l'essieu qui reçoit l'axe de fusée. Mais certains essieux porteurs à deux chapes, mal forgés, se brisèrent à la chape (ou fourche), ce qui a pu faire réfléchir Daimler; en tout état de cause, l'adoption généralisée du système Elliott inversé ne vint que bien plus tard, et seulement parce qu'il permettait de placer les freins avant de façon plus convenable.

Il est intéressant de noter que Lemoine fournissait des pivots à roulements à billes sur certains modèles, pour une direction plus maniable, pour braquer avec un effort moindre.

Le seul essieu tournant (*i.e.* moteur) utilisé à l'époque était le type de Dion; il faut croire que de Dion avait la possibilité de manufacturer en usine des essieux supplémentaires s'il le désirait. La vente d'essieux pouvait compléter celle des moteurs que de Dion vendait par milliers. Ainsi les essieux proposés par Lemoine sont prévus pour un entraînement par chaîne. La figure 45 montre un tambour de frein incorporé au pignon de chaîne; par ce moyen on évitait les dangers de la méthode primitive par laquelle le freinage s'exerçait sur l'arbre transversal ce qui, comme tous les automobilistes de l'époque le savaient, laissait le conducteur sans freins si la chaîne se cassait (dans le cas d'un entraînement par chaîne unique), ou avec un freinage sur une seule roue (lorsqu'il avait une double chaîne).

Les roulements à billes pour une rotation sans friction des roues étaient présentés par trois fabricants différents de pièces mécaniques. Quelques années plus tard, quelques constructeurs importants devaient donner beaucoup de publicité à leurs roues à roulements à billes, mais sans préciser qu'il ne s'agissait pas exactement d'une nouveauté.

Une standardisation des embrayages et des transmissions s'annonçait dans le lointain mais, pour l'instant, des centaines de nouveaux systèmes de transmission se faisaient breveter, et des ateliers capables de les produire en petites quantités naissaient chaque jour. N'importe qui possédant 2 000 francs et un petit atelier pouvait devenir fabricant d'automobiles : beaucoup ne s'en privaient pas.

Le dixième chapitre du même ouvrage[1] contient en trois pages et demie tous les serrements de cœur et les quasi-désastres des premiers tenants de l'automobilisme, qu'ils soient coureurs, propriétaires ou constructeurs. Il donne une idée de ce que pouvait être l'automobilisme de cette époque héroïque; les conducteurs d'aujourd'hui, eux, auront quelque mal sans doute à découvrir tout ce qui se cache derrière ces « appareils destinés à empêcher le desserrage des écrous », dont parle le chapitre.

Ayant goûté aux joies de la manufacture d'automobiles dans un atelier de forgeron et ayant aussi dévalé une longue pente dans une vénérable voiture monocylindre de modèle 1905, temporairement sans freins à la suite de la perte d'une simple goupille engagée,

1. *Ibid.*, pp. 292-294.

l'auteur de ces lignes se sent particulièrement qualifié pour faire remarquer que les vibrations, du genre de celles que l'on éprouve sur un véhicule à un seul cylindre, ou d'autres dont le mécanisme est tout aussi primitif, causent effectivement un desserrage tout à fait incompréhensible à l'homme moderne. Les catastrophes et les retards ainsi causés dépassent l'imagination.

La progression est simple. La vibration desserre les écrous. La pièce tombe. Le conducteur doit retourner à pied en arrière, souvent fort loin, car la pièce perdue n'arrête généralement pas le véhicule immédiatement mais déclenche une série de désordres qui provoquent graduellement la panne complète.

On se rappellera qu'il fallait à Serpollet, juste avant qu'il ne devienne l'homme le plus rapide du monde, dix jours pour courir Paris-Lyon au milieu d'ennuis de la sorte.

Nous avons parlé de la disparité entre le nombre réel de fabricants et de voitures en France et à l'étranger en l'année 1898. Il convient maintenant de considérer l'attitude de l'Automobile-Club de France, exprimée par son propre président, dans cette affaire.

En agissant ainsi, il faut rappeler que l'Automobile-Club de France était le second élément d'un « grand dessein », et 1899 semble être l'année qui vit un certain éclatement : la production au stade quasi industriel devint un fait, ce qui eut pour résultat accessoire de provoquer un échange de réflexions aigres entre certains écrivains du monde automobile. Lockert, que nous avons cité *in extenso*, était, en plus de ses livres, directeur d'un magazine de vulgarisation scientifique, *Le Technologiste*. Le lecteur se souviendra que cette publication était devenue *Le Chauffeur*, mais il a pu oublier que Lockert avait également contribué à *La France Automobile*. Le caractère amical de la séparation est attesté par la profusion de gravures tirées de *La France Automobile* utilisées pour illustrer les livres de Lockert et identifiées par les lettres A.F. Utilisant les pages du *Chauffeur* comme tribune, Lockert se mit à dénigrer Paul Meyan de *La France Automobile*, à propos d'une remarque de ce dernier sur « ... une trentaine de constructeurs »; il terminait en décrivant ainsi le magazine rival[1] :

« ... un journal d'images frivoles et sans portée. Plus il y a de clichés, moins on a de texte à écrire, d'autant que le seul texte intéressant est celui qui est payé... et le seul constructeur qui existe est celui qui paye, c'est pourquoi M. Meyan en connaît si peu. »

1. *Le Chauffeur*, mai 1899.

La revue anglaise *Vanity Fair*, qui depuis 1868 publie des notices consacrées aux personnalités du jour, se penche pour la première fois en 1899 sur le monde automobile. Le mot « automobile » pour les rédacteurs de *Vanity Fair* était synonyme de comte de Dion. Le voici à califourchon sur son célèbre tricycle à pétrole. (Voir p. 211.)

(*Cliché* Vanity Fair, *coll. de l'Auteur.*)

La bataille commença à la suite de la publication, en mai, d'un article où les prévisions du prochain Salon était ainsi révélées[1] :

En 1898, 270 exposants et 4 880 mètres carrés.
En 1899, 340 exposants et 10 000 mètres carrés.

Le président du Club, le baron de Zuylen de Nyevelt de Haar avait observé que :

« La France, qui avait à peine, il y a huit ou neuf ans, une dizaine de constructeurs, en compte maintenant 600 ayant produit 3 250 voitures automobiles, non compris les motocycles qui se chiffrent par une dizaine de mille. Si nous comparons ces résultats avec ceux d'autres pays, nous trouvons que l'Angleterre compte 110 constructeurs, l'Allemagne 80, les Etats-Unis 60, la Belgique 55, la Suisse 25, et les autres Etats d'Europe une trentaine à eux tous.

« En résumé 3 250 voitures et 10 000 motocycles en France, 300 voitures dans tous les autres pays, dont la moitié pour la Belgique, n'est-ce pas là une comparaison agréable à faire, quand on songe que notre Société d'Encouragement a une grande part dans un tel résultat ? »

Ce qui conduisit Meyan à affirmer qu'il n'y avait en fait que trente véritables constructeurs en France. Voici ce que le baron de Zuylen lui répliqua :

« Il m'a été objecté qu'en Allemagne, notamment, il y aurait plus de 2 000 voitures livrées par les deux plus anciens constructeurs. Or, il ressort des indications fournies tout récemment par ces constructeurs eux-mêmes, que dans les villes les plus importantes... on compte à peine, en moyenne, trois ou quatre voitures... L'Allemagne a vu la presque intégralité de sa production absorbée par le marché français, au point même que certains acheteurs étrangers ont été obligés, pour obtenir livraison d'une marque de leur pays de s'adresser à l'agent français (*i.e.* Benz)... En ce qui concerne les constructeurs de voitures automobiles en France, je vous accorde que, sur les 600 dont j'ai parlé, une très faible partie d'entre eux sont en ce moment en pleine exploitation, mais je n'ai pas, toutefois, compris dans ce chiffre les inventeurs ou les constructeurs sur papier plus ou moins atteints de moteurmanie aiguë, dont le nombre est légion, mais bien seulement les constructeurs petits ou grands qui, possédant un atelier mécanique, font travailler un certain nombre d'ouvriers et ont tous produit au moins une première voiture automobile fonctionnant. »

La définition du baron de Zuylen semble tout à fait juste pour déterminer qui pouvait être considéré comme constructeur dans cette industrie naissante. Afin de démontrer le besoin d'une flexibilité raisonnable dans ce genre de détermination, il suffit de citer les chiffres de production d'une des plus anciennes compagnies américaines, Oldsmobile : 1897 = 1, 1898 = 0, 1899 = 0, 1900 = 0, 1901 = 425, 1902 = 2 500, 1903 = 3 299, 1904 = 5 000, etc. Pour compléter

1. *La France Automobile*, mai 1899, p. 218.

ce tableau d'une activité sporadique, disons que cette compagnie (ou ces dirigeants), avait fabriqué une seule voiture à vapeur en 1887.

Le chiffre accepté partout de la production Benz est de 2 000 voitures à la fin de 1899[1]. La deuxième citation du baron de Zuylen a donné le même chiffre pour *les deux plus anciens* fabricants à peu près en même temps. La compilation inédite du Dr Schildberger, gracieusement fournie par la maison Daimler-Benz, maintient ces chiffres globaux :

	1885-1886	*1889*	*1892*	*1893*	*1894*	*1895*
Voitures automobiles ..	1	2	3	7	1	3
Dont les exportées				2		1

	1896	*1897*	*1898*	*1899*	*1900*
Voitures automobiles.............	33	23	57	106	89
Dont les exportées	28	10	21	52	47

Le chiffre de 3 250 automobiles donné par le baron de Zuylen ne s'oppose pas de façon irréductible à d'autres chiffres publiés dans le numéro rétrospectif « Silver Anniversary » de l'*Automobile Trade Journal*[2]. Cette source donnait 1 850 automobiles en 1898, et 1 900 en 1899 comme étant la production française. Puisque le baron faisait ces déclarations au milieu de l'année, 1 850 voitures pour 1898 laisserait 1 400 pour la première moitié de 1899, ce qui est tout à fait possible, ciar dansl a seconde partie de l'année, l'activité productrice dimnuait forcément.

Il n'y a pas de raison que les statistiques françaises d'immatriculation n'aient pas été exactes à partir de 1899. *Omnia*[3], en 1907 rapportait :

« Depuis le 1er mai 1898, les voitures automobiles sont taxées d'après un tarif spécial, et depuis le 1er janvier 1901 on a ajouté à ce tarif spécial une disposition qui prend comme base de la taxe le nombre de chevaux-vapeur des voitures. On a donc ainsi, par le jeu de l'impôt, une statistique rigoureuse des automobiles circulant en France, et un tableau très complet de leur force motrice... taxes de deux sortes... Les voitures bourgeoises paient plein tarif ; les voitures industrielles, ou de commerce, paient demi-tarif. Enfin, chaque catégorie se subdivise elle-même en deux groupes suivant que les voitures ont une ou deux places, ou plus de deux places. »

L'*Annuaire général* pour 1898, cité plus haut pour son chiffre de 617 manufactures automobiles françaises, fut publié avant que ces mesures d'efficacité statistique n'aient été promulguées, mais ce chiffre est remarquablement proche des 600 du baron. Il serait

1. *Op. cit.*, *Annals of Mercedes-Benz*, p. 66.
2. *Automobile Trade Journal* (titre original *Cycle and Automobile Trade Journal*), Silver Anniversary Number, 1921.
3. *Omnia*, 1907, II, p. 127.

intéressant de donner les noms de ces 600; mais il est possible de sélectionner trente des plus éminents, dont certains ont d'ailleurs déjà été nommés. Il est bien entendu impossible de dire qu'une telle liste recouvre les 30 de Meyan, mais on peut choisir un meilleur critère que la publicité, méthode que Lockert impute à Meyan. Ce dernier, soit dit en passant, était secrétaire de l'Automobile-Club de France, en plus de ses activités journalistiques.

La participation aux courses est probablement le critère le plus valable dans cette sélection de constructeurs. La course était alors l'activité automobile la plus importante, et nous ne pouvons citer un seul constructeur qui ne participait pas aux compétitions avant 1900 qui n'ait encore été dans la fabrication d'automobiles en 1910! La trentaine des plus importants constructeurs de 1894 à 1901 sont, dans l'ordre de fréquence de participation aux épreuves :

Panhard & Levassor 25, Mors 20, Peugeot 19, Bollée 11, de Dion 9, Bolide 7, Decauville 6, Georges-Richard 5, Delahaye 5, Parisienne 5, Landry & Beyroux 5, Mercédès 5, Darracq 4, de Dietrich 4, Renault 4, Gladiator 4, Cottereau 3, Rochet-Schneider 3, Gautier & Wehrlé 3, Audibert & Lavirotte 3, Vallée 3; deux mentions pour chacun des suivants : Lebrun, Gautier, Roger, Serpollet, Fisson, Barbereau-Bergeron, Gobron-Brillié, Napier, Boyer, Corre, Liberia, Turgan-Foy et Rossel. Dans les noms mentionnés précédemment, Mercédès et Napier ne sont pas Français. Parmi ceux qui ne participèrent qu'à une seule épreuve pendant ces années-là (il y en eut 32), citons Jeantaud, Tenting, Brouhot, Schaudel, Aster, Fouillaron, Teste & Morin, C.G.V., Sirène et Clément, qui tous produisirent des véhicules.

Ce qui nous donne 38 marques françaises d'une certaine importance. Prenons l'exemple de Clément : homme d'une grande richesse, dès 1895, nous dit-on, à peine la course Paris-Bordeaux était-elle finie, il embauche Yves Cuénod, qui avait été le secrétaire du comité de la course, afin de collaborer avec lui à la création d'un modèle qui devait gagner la course l'année suivante. Il n'y eut pas de problème financier, mais la première Clément offerte au public fut un charmant petit deux places, dessiné par Krebs, avec le rappel nostalgique de l'attelage élégant, et l'atavisme de l'essieu à pivot central, en 1900-1901. Krebs était d'autre part largement engagé chez Panhard & Levassor et cette automobile était à vrai dire d'un dessin Panhard. Pourtant, moins d'un an plus tard, Krebs avait repris le bon chemin; nous le retrouverons engagé dans une activité réussie. Cet exemple est donné pour montrer à quel point il est difficile de juger du succès final sur des échecs de début ou des retards.

Chapitre XXVII

LES ASPECTS COMMERCIAUX DE CERTAINS INTÉRÊTS EUROPÉENS

Au mois de mars 1900, la course annuelle de Nice était en train de se dérouler. On se rappelle que, l'année précédente, une sensation avait été créée par la victoire de Lemaître sur Peugeot entre Nice-Castellane et Nice (distance 125 km) à 42 km/h.

En 1900, la course se déroulait entre Nice et Marseille (le mauvais temps avait fait supprimer le retour) : les 52,5 km/h de Koechlin sur Peugeot n'étaient rien en comparaison des 57,3 km/h de Knyff sur Panhard & Levassor, mais la performance tenait devant les résultats d'un nouveau venu, arrivé sans tambour ni trompette : une Mercédès de 24 CV conduite par Mercédès. En fait, les deux noms étaient des pseudonymes; la voiture était une grosse Daimler de 24 CV et le conducteur était Jellinek. La Panhard & Levassor gagnante était donnée comme une 16 CV. Les deux voitures, la Daimler et la Panhard & Levassor, étaient équipées du moteur Phénix de quatre cylindres, et, à l'exception du radiateur en nid d'abeille (celui de la Panhard avait des tubes à ailettes) la Daimler n'était qu'une énorme copie de la Panhard & Levassor. C'était bien là l'erreur, puisque la Panhard & Levassor avait poussé jusqu'à ses limites raisonnables son style de véhicule en hauteur et à court empattement. Daimler, en mettant un poids plus lourd sur de plus grosses roues, avait fait une voiture qui était extrêmement difficile à manier; deux de ces voitures devaient d'ailleurs bien vite causer des accidents mortels dans des courses.

Lemaître avait été ingénieur chez Peugeot de 1894 à 1899; nous ne saurons rien de lui jusqu'à la Semaine de Nice en 1901 et deux ans comptent beaucoup dans la vie d'un jeune ingénieur en automobile. Nous avons demandé à la maison Peugeot si l'on avait des renseignements sur Albert Lemaître et sa carrière chez eux. On ne nous a pas répondu. Mais, en 1901, il fait son apparition à Nice en tant que coureur automobile comme autrefois, mais cette fois le nom de la machine qu'il pilote est Mercédès; il ne s'agit pas de la 24 CV Daimler, baptisée Mercédès, dont nous venons de parler, mais de l'une des véritables Mercédès, plus longues, plus basses, plus sûres, plus élégantes, dont M. Jellinek avait acheté 36 exemplaires (la totalité d'une année de production des usines), avec un seul chèque, comme le veut l'anecdote.

Revenons un moment à l'année suivante et à la victoire de Peugeot à Nice pour voir un autre acteur de la pièce. En plus de sa qualité d'ami des Rothschild, Jellinek était consul de l'Empire d'Autriche-Hongrie à Nice, et à cette époque, directeur du Crédit Lyonnais. Il se présentait à la course Nice-Marseille au volant d'une grosse Daimler dégingandée de 24 CV. Nous ignorons à quel caprice il obéissait en donnant à cette voiture le nom de Mercédès, car ce n'était pas la voiture au sujet de laquelle la fameuse histoire devait être racontée. (C'était bien le nom de sa fille, mais il avait utilisé ce nom déjà une ou deux fois pour lui-même dans des courses d'amateur.) Mercédès arriva dixième et bonne dernière dans le Nice-Marseille; elle attira donc fort peu l'attention. Pour être juste envers les possibilités de vitesse du véhicule, il nous faut spécifier que cette place de dernier reflète plutôt la prudence du conducteur que la lenteur de la voiture. Saluons ici le savoir-faire de Jellinek; n'oublions pas que Bauer avait été tué au cours de cette même semaine, lors des essais de la course de côte de La Turbie, dans une machine identique.

Une illustration de *La Vie au Grand Air* (7 avril 1901) montre M. Jellinek en train de bavarder avec le baron Arthur de Rothschild, Georges Lemaître et Mme Albert Lemaître, en attendant les résultats d'Albert Lemaître sur sa Mercédès. Malheureusement pour ce dernier, ou pour sa gloire, sa voiture ne termina pas l'épreuve. Deux noms nouveaux menèrent les nouvelles voitures à la victoire : Werner, et un jeune amateur, Lorraine Barrow (il était Britannique, mais son prénom suggère une influence européenne).

On raconte généralement que Jellinek n'eut aucun mal à se débarrasser de ses 36 Mercédès grâce à ses nombreux amis millionnaires. C'est possible, mais les noms de ces amis ne nous sont pas parvenus, à part les Rothschild et un comte de Vos, qui possédait de grosses Daimler 24 CV. On n'avait pas encore inventé à l'époque l'idée bien américaine du *trade in*, par laquelle on achète chaque année une voiture neuve en revendant l'ancienne. Nous ne voulons pas dire que le marché n'existait pas. L'importance de l'écurie Rothschild n'a pas été donnée, mais celle de Lord Harmsworth se montait à un nombre respectable de voitures, soixante-dix, dit-on.

Quelques années plus tard, l'un des plus grands noms du commerce automobile était Charley. Pour le public, c'était Charley tout court, bien qu'il ait débuté dans la vie sous le nom alsacien de Charles Lehmann. Charley et Mercédès devinrent inséparables; si vous vouliez une Mercédès il fallait voir Charley. Derrière cette histoire se profilent d'autres ombres : Albert Lemaître était allé aux Etats-Unis pour le compte du baron de Turkheim et s'était distingué en vendant neuf de Dietrich à 7 000 dollars pièce. Par la suite on apprend que Jellinek, en 1901, avait confié à Lemaître la vente des Mercédès; Lemaître aurait alors *découvert* Charley et promis, s'il arrivait à vendre 40 Mercédès, de lui laisser l'exploitation de la totalité du territoire français. Cette histoire n'a, à notre connaissance, jamais été contredite et elle s'accorde assez bien avec ce que nous avons montré ailleurs. On peut penser que Lemaître avait voulu se débarrasser de la besogne de la vente sur Charley et conserver la haute main sur l'ensemble. Quelle ne fut donc pas sa surprise lorsqu'il apprit que Charley s'occupait non seulement de la France mais encore de forts secteurs d'exportation!

Quel fut le rôle de Peugeot dans tout cela ? Les ventes, moins spectaculaires que celles de Panhard & Levassor, atteignaient le niveau des 500 par an en 1900, contre 89 unités pour Daimler; ces ventes n'étaient probablement dépassées que par l'autre constructeur sans histoire, Benz, dont le chiffre toutefois devait tomber à 395 en 1901, ce qui devait obliger le vieux pionnier conservateur à se moderniser. « Laissons la course aux autres! », telle devait être la devise d'Armand Peugeot. Pourtant, un fait curieux, le limogeage de Lemaître après sa victoire, n'a jamais été expliqué, il est également impossible d'expliquer la similarité troublante qui existe entre le dispendieux modèle 1902 de Peugeot (la plupart des Peugeot étaient normalement plus petites et moins puissantes), et la voiture que Lemaître pilotait pour Mercédès.

Voilà tout en ce qui, pour l'instant, concerne ce troisième élément, les intérêts commerciaux d'un groupe européen. Ajoutons toutefois que les barons de Rothschild dont nous avons parlé ici étaient membres de la branche française.

Où en était donc la maison Panhard & Levassor à cette époque, commercialement parlant ?

Il n'y avait pas eu d'annonce publique d'une séparation. En surface tout était comme lorsque l'association avait commencé. La compagnie Daimler anglaise, au sortir de ses déboires financiers, avait visité à la fois les usines Panhard & Levassor de Paris et celles de Canstatt, mais cela remontait à 1897 ou 1898. Germain, en

Belgique, avait débuté sous l'aile de Panhard & Levassor, puisque la firme française détenait les droits belges; mais, vers 1900, ces liens semblent avoir été dissous et de nouvelles relations établies avec Canstatt. Malheureusement, rien ne fut officiellement annoncé; les références à Panhard & Levassor furent abandonnées et Daimler leur fut substitué. Il est possible que ce changement ait été effectué à l'intention du marché britannique, dont l'importance grandissait, et pour lequel les Belges étaient en lutte ouverte avec les Français.

L'abandon virtuel de Peugeot donna à Panhard & Levassor une prépondérance totale dans Paris-Bordeaux en 1899, et dans le Tour de France, où les nouvelles Bollée ne purent s'attribuer que la 5e place, tandis que Mors retombait aux 8e et 9e rangs. L'année ne fut pas sans histoire pour Panhard non plus. Dans Paris-Saint-Malo, il dut se contenter des 3e et 4e places, Mors enlevant les deux premières, et l'incertain Vallée la cinquième devant deux autres Panhard & Levassor. Paris-Ostende vit arriver Girardot sur Panhard et Levegh sur Mors, incroyablement ensemble, après une lutte épique de 335 kilomètres, à la vitesse incroyable de 54,2 kilomètres à l'heure. Dans Paris-Boulogne, plus court, Panhard obtint une modeste revanche lorsque le même pilote battit son rival sur Mors de 1 mn 36 s après 240 kilomètres; mais cela n'avait rien d'éclatant, car Levegh battait à son tour de deux heures un Anglais sur la même Panhard. Cet Anglais était Charles S. Rolls; il acheta une Mors, logiquement. Nous aurons l'occasion de revenir sur lui. C'était l'agent de Panhard & Levassor en Angleterre, en fait, mais là n'est pas l'origine de sa célébrité.

Trois Peugeot s'illustrent dans le sud-ouest de la France vers la fin de l'année automobile, en enlevant les 3e, 4e et 6e places, contre les places de 1er, 2e et 5e à Mors. Les Panhard ne participaient pas à cette course disputée dans une région commercialement importante, mais une petite Decauville fit un bon temps, si l'on considère qu'il s'agissait d'une 6 CV, comparée aux 15 des Peugeot et 16 des Mors.

1901 s'ouvrit dans la même région avec le Grand Prix de Pau, la première des courses ainsi désignée, l'ancêtre des épreuves destinées à remplacer les courses de ville à ville. L'année débuta favorablement pour Panhard : Maurice Farman et Girardot s'attribuèrent les 1re et 2e places dans leur catégorie, bien que Girardot soit retombé à la 3e place au classement général, étant rétrogradé par une petite 12 CV Darracq pilotée par le frère de Maurice, Henri Farman. Renault gagne dans sa catégorie. Ce bon départ pour Panhard fut catastrophique pour Mercédès. Il s'agissait des débuts officiels de la nouvelle marque, qui n'aurait jamais dû se présenter. L'une des voitures (l'une des Daimler 24 CV rebaptisées) fut victime d'une collision et ne put prendre le départ; l'autre, l'un des nouveaux modèles, parcourut quelques centaines de mètres avant de rendre l'âme. Cette faute, la firme de Canstatt ne la refit jamais. L'une des principales raisons du succès de Panhard & Levassor était précisément qu'ils ne lançaient jamais un véhicule dans une course sans l'avoir auparavant longuement mis à l'épreuve. De nombreuses courses étaient courues avec des modèles de l'année précédente parce que les nouveaux modèles n'avaient pas encore fait leurs preuves. Exemple de leur conservatisme fructueux : Panhard & Levassor gardèrent les bandages pleins pendant toute une saison, laissant Peugeot essuyer les plâtres, ou plutôt, réparer des crevaisons. La partie était serrée, car les Peugeot étaient supérieures tant que les pneumatiques tenaient, mais ceux-ci furent tout de même trop délicats et donnèrent la victoire aux Panhard.

A Nice, pendant le festival automobile de mars, Mercédès se racheta partiellement en enlevant le Nice-Salon-Nice, bien qu'à une vitesse horaire inférieure de 16 kilomètres à celle des Panhard à Pau. L'autre Mercédès, aux mains de Barrow, dut se contenter de la 5e place. La Mors de de Caters s'inséra entre deux puissants nouveaux venus dont les noms méritent mieux que d'être présentés en même temps que la déjà fameuse Mercédès. Rochet-Schneider prit les 2e, 4e et 7e places; si le prix d'équipe avait existé alors, Rochet-Schneider l'aurait remporté. La meilleure Rochet-Schneider était pilotée par Degrais; trois mois plus tard nous le retrouverons au volant d'une Mercédès dans Paris-Berlin en compagnie d'un ancien de Nice, Lemaître. De Caters n'émigra pas cette année-là.

Une étrange politique conduisit Panhard & Levassor à ne pas utiliser les 24 CV qui leur avaient donné la victoire à Pau. Sur leurs trois 20 CV à Nice, l'une ne finit pas, les autres firent 6e et 8e.

Seule Audibert-Lavirotte ne donna aucune inquiétude à Panhard; cette maison avait payé les droits d'inscription à la course depuis plusieurs mois, mais ne put trouver assez d'argent pour amener les voitures jusqu'à Nice. Trois Mercédès, payées par un directeur du Crédit Lyonnais, étaient au départ; ô ironie, la firme lyonnaise d'Audibert-Lavirotte, elle, était en faillite. Nous ne prétendons pas que la voiture lyonnaise était meilleure, mais nous ne pouvons pas nous empêcher d'imaginer ce qui aurait pu arriver si l'argent n'avait pas manqué. En tout état de cause, un jeune homme nommé Marius Berliet, qui avait débuté chez Audibert-Lavirotte, put profiter de certains des ateliers qu'Audibert-Lavirotte fut obligé de vendre, et c'est là l'origine d'une maison bien connue fort loin de sa ville natale, Lyon.

Paris-Bordeaux suivit un mois plus tard. Le roi fut à nouveau détrôné. Un nouveau héros, Henri Fournier, dépassa l'ancien as de Mors, Levegh, et donna la première place à Mors. Un manque possible d'esprit d'équipe chez Mors donna les 2e et 3e places à Panhard, mais ce n'était pas la victoire et Panhard avait besoin de gagner pour maintenir sa réputation. Panhard réussit à obtenir une première place dans la catégorie voitures légères, battant Darracq d'une demi-heure, mais il y avait trois Darracq et une Decauville dans la course et une seule Panhard. Panhard pouvait se consoler, si vraiment les liens avec Daimler étaient rompus, en constatant qu'aucune Mercédès n'avait terminé la course.

1901 fut une année fiévreuse; Paris-Berlin suivit la course de Bordeaux de quatre semaines. Mors se tailla à nouveau la première place, avec Fournier au volant, et une autre Mors arriva quatrième, avec un nouveau pilote promis à un bel avenir : Brasier. Panhard avait aligné quinze 40 CV : quatre abandonnèrent; Mors, six 60 CV; la 24 CV Panhard pouvait prétendre à un certain avantage de sécurité. Dans la catégorie voitures légères, Panhard présentait quatre 12 CV et remporta les trois premières places et la 8e. Les Mercédès furent à nouveau décevantes : Degrais ne termina pas, Werner se plaça 14e et Lemaître 17e dans leur catégorie et 18e et 28e au classement général, étant ainsi battues par les voitures légères Panhard, entre autres.

Ce déboulonnage d'un géant ne fut pas l'affaire d'un jour. Panhard & Levassor profitaient d'une supériorité acquise précédemment. Si Mercédès avait réussi sa rentrée, l'année aurait été bien plus mauvaise qu'elle ne le fut pour le vétéran Panhard. Le désastre n'était pas apparent. Par malheur pour Panhard & Levassor, la seule course gagnée par Mercédès était la plus importante de toutes pour les ventes auxquelles Mercédès aspirait, le marché des grosses voitures de luxe. De jeunes casse-cou américains et millionnaires qui avaient acheté une Panhard & Levassor gagnante à la fin d'une course et l'avaient expédiée aux Etats-Unis équipée d'une carrosserie spéciale et surhaussée pour mieux franchir les obstacles des mauvaises routes américaines, conduisaient désormais des Mercédès, qui n'avaient pas besoin d'être reconstruites pour la vitesse. Intercalons ici un exemple de maladresse commerciale chez Panhard : cette maison vendit une voiture gagnante à un Américain nommé Bostwick pour 60 000 francs aussitôt après une course. Ce nouveau client participa à la course suivante et fut battu par une autre Panhard, meilleure, et conduite par l'un des membres du Conseil d'Administration de Panhard. On imagine la colère du jeune Bostwick, que nous retrouverons plus loin, lorsque, devenu président de l'*Automobile-Club of America* il proclamera que les produits européens ne sont en rien supérieurs aux produits américains, et exprimera sa loyauté envers la marque Winton. Cette même erreur fut commise par Mors, mais au préjudice d'un riche client belge. Enfin, fait plus important, la politique de vente chez Panhard était fondée sur la pénurie, et seules les voitures gagnantes étaient rapides et luxueuses, tandis que Mercédès insistait sur l'obtention immédiate de voitures rapides identiques, en assurant à leurs clients que ces voitures marcheraient aussi bien que les championnes.

La période des courses était finie pour 1901, et Panhard & Levassor, ainsi que leurs confrères, purent se mettre à vendre des voitures pendant quelques mois encore. Panhard était toujours le roi, mais il prenait de l'âge, et les jeunes loups sortaient du bois.

Pour revenir à un examen du second élément dans ce « grand dessein » qui, rappelons-le, se rapportait à l'influence commerciale de l'Automobile-Club de France, nous abordons maintenant un chapitre fort peu glorieux de l'histoire de ce puissant Club.

Les signes précurseurs de l'orage avaient commencé à se manifester un an auparavant, avec les projets d'organisation de la Coupe Gordon-Bennett. Ceci, selon les termes de la donation, était la responsabilité de l'Automobile-Club de France, bien que cette responsabilité pût passer aux mains d'un autre club si ce club gagnait l'épreuve.

En bref, la Coupe était créée en vue de stimuler la croissance d'une industrie automobile autonome dans chacune des différentes nations, ce qui était donc, d'une certaine façon, à l'opposé des buts de l'Automobile-Club de France, ou du moins de ceux de la Société d'Encouragement.

L'acceptation de la première et généreuse donation de Gordon-Bennet pour la première grande course routière, Bordeaux-Paris-Bordeaux, remarquée plus haut, aurait sans doute rendu difficile le rejet de la proposition suivante, mais la hiérarchie du Club n'envisagea pas un instant l'hypothèse de la victoire d'un autre pays.

Il est nécessaire de revenir quelque peu en arrière, aussi brièvement que possible. 1899 fut la première année qui vit la suprématie automobile de Panhard & Levassor sérieusement contestée, si nous exceptons les deux premières courses où Peugeot fut si spécieusement rejeté. Malgré cela, Panhard & Levassor remportèrent haut la main Paris-Bordeaux-Paris et le Tour de France.

Par contre, Lemaître, sur Peugeot, leur infligea une défaite non moins incontestable dans la Semaine de Nice; Mors remporta Saint-Malo et Bordeaux-Biarritz et arriva *ex æquo* avec Panhard dans Paris-Ostende. Paris-Boulogne revint à Panhard d'une minute et demie, et la seconde Panhard arriva près de deux heures après les deux voitures Mors. En 1900, Panhard gagna les deux premières courses mais les effets de la décision de l'Automobile-Club de France commençaient déjà à se faire sentir.

La responsabilité du choix des pilotes qui devaient représenter la France revenait au Club et lorsque ce choix fut rendu public l'orage éclata aussitôt parce que, en dépit des remarquables exploits de Levegh, Anthony, Broc, Jenatzy, et ceux plus anciens de Giraud et bien d'autres sur Mors et sur Bollée, et de Lemaître sur Peugeot, seuls des pilotes Panhard & Levassor furent nommés.

Après un conseil de guerre, les noms de quelques-uns des nouveaux as du volant furent ajoutés comme remplaçants, mais le mal était fait. Un seul des pilotes évincés, le comte de Chasseloup-Laubat, peut être décrit comme ayant eu une attitude sage et pleine de maturité; les autres écrivirent des lettres indignées à la presse et la brèche s'élargit trop pour pouvoir être comblée. La diplomatie ne fut d'aucun secours; on n'en voyait guère l'utilité d'ailleurs. Que ceux dont les décisions prévalaient aient été tous fortement en cheville avec Panhard & Levassor n'arrangeait guère les choses.

La course elle-même ne mérita guère ce nom, et si Gordon-Bennett en tira des conclusions, il eut la sagesse de les garder pour lui. Mercédès se récusa, et l'on parla d'une participation d'Opel (à l'époque c'était une Darracq fabriquée en Allemagne), mais l'ironie des règles de la Gordon-Bennet était que les voitures devaient être entièrement fabriquées dans leur pays d'origine : voitures françaises en France, ce qui était facile; voitures allemandes en Allemagne, ce qui l'était moins avec le forfait de Mercédès (assez curieux en tout cas); c'est d'ailleurs sans doute cette circonstance qui décida finalement Benz à se lancer dans la course; si Benz avait alors eu à sa disposition un véhicule convenable, il aurait pu récolter une excellente publicité. Jenatzy, qu'on avait « snobé » mais qui ne s'en était pas soucié, se présenta avec une « Bolide ». Il s'agissait en théorie d'une voiture belge, mais la maison avait plusieurs ateliers à Paris; le problème ne fut pas posé en tout cas, ce qui était préférable car il eût été fort épineux. Jenatzy avait d'ailleurs un autre problème qui suffit à le mettre hors course sans autre forme de procès. Il n'existait pas de pneumatiques belges qui puissent supporter le poids et la puissance du véhicule de 100 CV que Jenatzy avait dessiné et construit. C'était une fort belle voiture qui enleva quelques records de côtes et d'autres épreuves similaires.

Winton représentait les Etats-Unis avec une voiture de sa propre fabrication. C'était une voiture d'aspect pratique, longue, basse et plate de profil. Elle possédait une commande de gaz et un carburateur à léchage; Winton devait à nouveau tenter sa chance dans la Gordon-Bennett un an plus tard mais sans plus de succès; cette voiture devait pourtant faire d'excellents temps aux Etats-Unis sur des pistes de course hippique, et battre plusieurs records. Winton semblait être affligé d'ennuis de carburation dès qu'il quittait les Etats-Unis; il est tout à fait possible qu'il lui ait été alors impossible d'obtenir le type exact d'essence que nécessitait son vieux modèle de carburateur à léchage, dont la sensibilité inhérente au degré de volatilité du carburant est bien connue. (Par exemple, il était nécessaire de vider le carburateur si le moteur n'avait pas fonctionné pendant plus de quelques heures : comme la contenance était de quatre litres, on imagine le coût de l'opération!)

La course était effectivement « automatique » pour Charron sur Panhard & Levassor (un *walk-over*, dans le langage du turf). La Panhard de de Knyff rejoignit d'autres accidentés, et Girardot, sur la troisième Panhard, avait une heure et demie de retard. Charron avait une pompe à eau brisée que Fournier, faisant ses débuts comme mécanicien de course, maintint en position contre le volant du moteur pendant la dernière heure du voyage. Levegh ne se priva pas de jouer au lièvre et à la tortue en dépassant Charron de temps en temps, bien qu'il ne participât point à la course, bien sûr.

Un mois plus tard, Levegh raviva les plaies des organisateurs en battant les Panhard dans Paris-Toulouse-Paris de plus de deux heures.

L'affaire aurait pu se tasser si certains ennemis de la course automobile n'avaient fait cause commune avec les conducteurs évincés et formé un club. Ce groupement prit d'abord le nom de Moto-Club mais il fallut l'abandonner, car un club motocycliste de ce nom existait déjà. Il s'intitula alors Union automobile de France. Parmi les adhérents à la nouvelle organisation se trouvaient des noms fort connus dans le mouvement automobile, comme celui d'Archdeacon, qui avait accompagné Serpollet à Lyon autrefois. La politique de l'Union était une opposition aux courses sur route en raison du danger couru par le public. Malheureusement pour leur cause, celle-ci était prématurée car les accidents mortels n'avaient guère été nombreux jusque-là : le marquis de Polignac dont nous avons rapporté l'accident dans la Landry & Beyroux, Bauer dans l'énorme Daimler et quelques incidents mineurs. L'augmentation de puissance des voitures allait très vite, dans un an ou deux, poser vraiment le problème, mais l'ignorance générale du public et les intérêts spécifiques de quelques manipulateurs d'opinion publique en décida autrement. Il y avait beaucoup de vérité dans les vibrants comptes rendus de course qui annonçaient des millions de francs de nouvelles commandes pour Panhard & Levassor après chaque nouveau triomphe. Le slogan aurait bien pu être : « Ce qui est bon pour Panhard & Levassor est bon pour la France. »

Le nouveau club organisa deux catégories de manifestations : des courses en circuit fermé (en anneau) en terrain privé, et des courses de côte. Ces deux genres d'épreuves commençaient à se populariser en Grande-Bretagne, où la course sur route comme en France était impensable. Le nouveau club comptait sans doute de la sorte renforcer sa position de principe; mais ce n'est pas ainsi que les choses se passèrent. Du seul affrontement réel que son pouvoir et son autorité aient eu à subir, l'Automobile-Club de France devait sortir vainqueur, comme on le vit tantôt. L'industrie automobile française devait-elle, elle aussi, partager cette victoire, comme on le crut d'abord ? C'était une autre histoire.

Pendant ce temps, l'Automobile-Club de France avait réduit l'influence psychologique du nouveau club, et de sa position anticourses, en intitulant l'une des courses qu'il organisait le « Tour de France ». (L'exactitude de ce terme « Tour » peut être mise en question si l'on note que les vitesses qui y furent atteintes étaient supérieures à celles que l'on avait enregistrées dans le Paris-Bordeaux qui l'avait immédiatement précédé.)

L'Automobile-Club de France, à cette époque, du moins pour ceux qui vivaient dans les milieux automobiles, semblait être une organisation de la haute société possédant un magnifique palais place de la Concorde et un merveilleux château au bois de Boulogne. Ses activités paraissaient être avant tout d'ordre mondain, et si quelques-uns de ses membres se trouvaient être d'importants industriels très lancés dans la construction automobile — quoi de plus naturel ?

Partant du principe que la plume est plus forte que l'épée, l'Union automobile publia un manifeste, expliquant sa position et demandant à tous les gens intelligents de s'y rallier avant que les routes ne soient transformées en boucherie. Le texte même ne manquait ni de justesse ni d'argumentation; il péchait par contre par impétuosité et sous-estimation de l'adversaire. Examinons les techniques employées pour désamorcer cette bombe.

La Chambre de Commerce automobile fut la première à riposter. Six jours après la publication du manifeste, « sous couvert d'une Société d'Encouragement », la Chambre émit une énergique protestation contre ce qu'elle appelait des allégations fallacieuses, uniquement destinées, selon elle, à aliéner l'attitude jusqu'à présent favorable des autorités envers les compétitions, « qui ont mis la France à la tête de l'industrie automobile ». La Chambre offrait trois démentis, sous forme de propositions :

« Vu, que les courses bien organisées n'ont jamais causé d'accidents au public.

« Vu, que les courses ont été le facteur principal à l'amélioration d'automobiles.

« Vu, que la suppression des courses fera sérieusement préjudice aux fabricants français qui ont amené leur produit à un degré d'excellence si haut, et ceci précisément au moment où les courses s'accroissent considérablement en pays étrangers. »

qu'elle faisait suivre d'une recommandation spécifique :

« Le Comité de l'Automobile-Club de France est prié instamment de défendre l'industrie automobile qui se trouve ainsi menacée.

« De Dion, *président ;* Jeantaud et Clément, *vice-présidents ;* Petit, *secrétaire ;* Richard, *trésorier.* »

S'il existait un partisan de la suppression des courses à la Chambre syndicale de l'Automobile, il ne se fit pas connaître; Petit, l'un des signataires, constituait peut-être une exception, il n'a toutefois laissé aucune preuve de ses vues indépendamment de ces propositions, à notre connaissance du moins. (Les quatre autres signataires, eux, avaient participé à des compétitions.)

La Chambre syndicale ne lança pas son appel en vain. Le jour même de cet appel au secours, le Comité de l'Automobile-Club de France se réunit et n'eut aucune peine à se décider à agir avec la Chambre syndicale, car une résolution fut adoptée séance tenante.

Le baron de Zuylen communiqua une copie de la résolution à l'Automobile-Club de Grande-Bretagne et d'Irlande, à une date que nous n'avons pu définir avec exactitude mais qui dut se situer entre le 9 et le 25 janvier 1901. En effet, le 25 janvier, le Comité de l'Automobile-Club de Grande-Bretagne et d'Irlande adoptant le manifeste de l'Automobile-Club de France, décida de demander aux clubs affiliés d'en faire de même, et publia cette décision dans la publication officielle du Club, les *Notes and Notices*[1].

1. *Notes and Notices,* Automobile Club of Great Britain & Ireland, Londres, p. 189.

L'Automobile-Club de France imposa entre-temps des sanctions interdisant à quiconque de participer à aucune des épreuves ou courses organisées par l'Union automobile de France, dont les bureaux étaient situés 4, rue Meyerbeer à Paris. Ceci s'appliquait non seulement aux coureurs, mais aux organisateurs, chronométreurs et fabricants qui envoyaient des mécaniciens ou participaient en personne. La sanction était la disqualification de toute course organisée par l'Automobile-Club de France ou par des clubs affiliés à l'étranger. Cette dernière clause n'était pas sans poids, car certains de ces clubs organisaient en effet des épreuves du type de celles que préconisait l'Union automobile. Si les membres de l'Union n'avaient pas compris pleinement auparavant la puissance de l'Automobile-Club de France, leurs yeux s'ouvraient maintenant car le manifeste de l'Automobile-Club de France donnait une liste de clubs qui étaient obligés, *par traité antérieur*[1], de reconnaître son action, de même qu'ils avaient déjà reconnu l'A.-C.F. comme l'*unique* autorité de l'automobilisme en France. Le baron de Zuylen donnait cette liste à ses amis britanniques; quinze clubs français se trouvaient ainsi engagés; huit européens et même le lointain Automobile-Club of America, de New York, l'étaient aussi.

Les pauvres dissidents de l'Union : la question qu'ils croyaient dans leur naïveté pouvoir être tranchée devant le public et dans la presse avait été escamotée en comité.

De Dion ne profitait pas directement d'une victoire Panhard & Levassor, mais il y avait tout un monde d'automobilistes à trois roues dont de Dion était le roi, tout comme les coureurs à quatre roues adoraient Panhard & Levassor. Il ne faudrait pas supposer toutefois que Panhard n'était pas représenté dans cette catégorie; Clément n'était qu'un synonyme de Panhard, par la vertu des investissements. Richard avait débuté dans la compétition en 1897 et, alors qu'il n'avait participé jusqu'alors qu'à cinq courses, les années qui allaient venir devaient démontrer sa foi dans la course, notamment lors de son association avec Brasier.

L'Automobile-Club de France était donc sorti retrempé et vainqueur de l'épreuve et l'avenir s'annonçait sous les meilleurs auspices — à part le fait que James Gordon-Bennett, en vertu des conditions mêmes de sa donation (et non par suite d'une modification des termes), devait bientôt apparaître comme l'agent de la Némésis!

1. *Ibid.*, January 1901, p. 189.

A quelques pages du manifeste que nous venons de discuter, toujours dans le même périodique de l'Automobile-Club de Grande-Bretagne et d'Irlande, un court paragraphe note que l'A.-C.F. et l'A.-C.G.-B. & I. ont signé un accord prévoyant que les automobilistes disqualifiés par un club ne seront pas autorisés à participer aux épreuves organisées par l'autre. La communication a son origine dans une intervention de René de Knyff, président de la Commission sportive de l'A.-C.F. (et incidemment champion pilote et dirigeant des Anciens Etablissements Panhard & Levassor) ; une lecture attentive de la notice révèle qu'il s'est agi d'une démarche unilatérale du club français[1].

Une brève note dans les colonnes de *Vie au Grand Air* à la fin de 1901 avisait le public de la dissolution de l'Union automobile qui avait été votée le 14 novembre 1901 ; on aurait pu espérer que tout finissait pour le mieux : c'eût été naïf de le croire.

1. *Ibid.*, 1900, p. 78 : « Competion rules of the A.C.G.B. & I. »

M. et Mme Serpollet en promenade sur GARDNER-SERPOLLET (1900). Mr. Gardner, magnat du cuivre, a lancé le premier défi américain par son investissement chez Serpollet. L'essor français n'était pas entravé. C'est Serpollet qui régna sur la Promenade des Anglais à Nice pendant des années. (Voir p. 411.)

(Cliché Archives du Touring-Club de France.)

Chapitre XXVIII

NICE, L'ÉTALAGE DU BEAU MONDE

L'industrie automobile britannique commençait à peine à se développer, après des années perdues dans la spéculation, et l'intérêt porté aux voitures françaises était à son apogée. Les membres du club britannique sont informés (non point par une réclame, mais par un article d'intérêt général), qu'une 6 CV Panhard coûte £ 544, se divisant curieusement ainsi :

Châssis, moteur, roues..	£ 360	Accélérateur	£ 20
Carrosserie	– 100	Pneumatiques 90 mm .	– 48
Radiateur	– 20	Montage	– 14

En certains cas, le graisseur automatique et la nouvelle boîte de lampe sont comptés en plus.

La voiture de 12 CV à carrosserie de course coûtait 500 francs *(sic)* avec des pneumatiques de 90 mm, un radiateur et l'ajustage de la carrosserie font £ 880. Il y a quinze mois de délais de livraison[1].

Un peu plus haut, dans la même publication, nous relevons une annonce de la maison James and Brown, qui va d'ailleurs bientôt devenir fabricant; cette firme possède deux voitures Panhard et des mécaniciens capables d'en réparer d'autres, en réponse à la lettre d'un lecteur qui se plaignait dans un numéro précédent de ne pas trouver de réparateurs.

Quelques mois plus tard, un mémoire, préparé par des constructeurs en quête d'une législation plus favorable, offre d'intéressantes statistiques sur l'état de l'industrie en France en 1900, qui nous aideront à compléter ce tableau en annonçant la fin de la domination Panhard sur le commerce français[2].

1. *Notes and Notices, ibid.*, p. 78.
2. *Ibid.*, p. 193.

Voici, extraits des documents donnés par ailleurs *in extenso*, quelques chiffres intéressants :

Marque	*Surface des usines*	*Production annuelle*	*Ouvriers*	*Capital (francs)*
P. & Levassor .	8 000 m	300 véhicules	500	5 millions
Peugeot .	8 000 –	350 —	500	
Mors ...	3 000 –	100 —	60	2 —
De Dion-Bouton	14 000 –	3 200 moteurs et 400 véhicules	1 300[1]	2
Richard .	4 000 –	150 —		3 —
Dietrich .	4 400 –	150 —		2 —
Clément .	14 000 –		500	

1. Baudin (biographe de de Dion) cite le chiffre de 1 300 ouvriers à cette époque.

Le même article estime les exportations françaises en 1900 à £ 333 000 par an.

On pourrait offrir un autre tableau combinant ces chiffres avec les activités de course des firmes respectives. Ceci donnerait :

	Courses	*Véhicules par an*	*Années de production*
Panhard & Levassor	25	300	10
Peugeot	19	350	10
Mors	20	100	5
De Dion-Bouton	9	400 (+ 3 200 moteurs)	10 ? +
Richard	5	150	4
Dietrich	4	150	4

(La dernière colonne indique l'ancienneté de l'affaire mais n'indique pas le rythme de production pendant ces années.)

Malheureusement, ces chiffres sont fragmentaires, et rendent les conclusions hasardeuses, sinon impossibles. Leur principale utilité est de prouver qu'une marque donnée (en l'occurrence Panhard) n'est pas la seule. Ces chiffres semblent aussi dire que la compétition n'était pas aussi essentielle au succès que la direction de Panhard ne le croyait.

Une meilleure appréciation de ce qui arrivait à Panhard (mais pas une explication), est obtenue par la juxtaposition de deux articles qui parurent dans le même périodique de l'Automobile-Club de Grande-Bretagne et d'Irlande. Le premier article[1] est

1. *Notes and Notices, op. cit.*, vol. 1 et 2, pp. 63-65.

le discours de l'Honorable John Scott Montagu, M.P., prononcée le 14 février 1900; le second est la lettre d'un célèbre automobiliste, écrite environ un an plus tard.

Nous ne reviendrons pas sur les commentaires de Montagu où celui-ci pensait que l'usine britannique Daimler aurait bien mieux fait de s'inspirer de l'exemple des voitures Panhard & Levassor. L'autre écrivain, Mark Mayhew, confirme ce que nous avons tenté de démontrer ici, à savoir que le rassemblement de voitures à Nice en mars est probablement représentatif des

« meilleures et plus puissantes voitures qui peuvent exister dans l'Europe entière, et qui ont fait de Nice leur point de rendez-vous pour la semaine de course. »

Ceci se passait fin mars 1901, après la victoire des nouvelles Mercédès. Mayhew était un observateur expérimenté des automobiles, mais pas toujours très perspicace. Cinq de ses commentaires sont à citer :

« Le plus remarquable peut-être... n'a pas été la puissance des voitures mais leur extraordinaire légèreté. Prenons l'exemple de la plus réussie des machines en course, la *Mercédès*, ou Daimler-Canstatt nouveau type, nous trouvons un moteur de 35 ou 40 CV, une longue voiture tout confort qui, en ordre de course, pèse un peu au-dessus d'une tonne et en tourisme environ 22 *cwt.* (*i.e.* 22 hundredweight = 2 200 livres anglaises). Cinq de ces voitures débutèrent dans les courses de vitesse et de tourisme sur de très difficiles, très dangereuses pistes de montagne, et arrivèrent au bout sans histoire. On dit que la Daimler Company britannique a un droit sur les dessins et les détails de toutes les voitures fabriquées par la firme de Canstatt. S'il en est ainsi... il faut espérer que cette compagnie... sortira une copie complète de la « Mercédès », et profitera donc des recherches et des sommes dépensées sur ce modèle.

« Il y avait deux grosses Mors de 45 CV, probablement les voitures les plus rapides de l'épreuve. L'échec de Mors et de Panhard a certainement été dû à des petites pannes répétées, patinage de l'embrayage, ennuis de pompe, etc., qui auraient facilement pu être évitées de la part des constructeurs à la fabrication et des propriétaires au cours d'essais.

« Rochet-Schneider a sorti une voiture de 24 CV extrêmement bien faite, qui fait honneur à cette maison et qui a de l'avenir. Le prix, me dit-on, en est très raisonnable par comparaison avec des marques plus à la mode.

« La plus remarquable (des voiturettes) est la 12 CV de course Darracq ; simple squelette au moteur énorme, très bruyante mais extrêmement rapide. Certains de nos compatriotes automobilistes auraient été étonnés de voir ces petits monstres avaler les côtes de la Turbie... parmi les voiturettes de promenade, rien ne saurait être plus satisfaisant que la petite 6 CV Darracq avec élégant capot et la 10 CV Mors avec son adorable carrosserie. La voiturette de Dion semble encore très populaire, mais j'ai vu bien plus de Darracq. »

Reprenons ces éléments un par un dans l'ordre inverse; certains points émergent. D'abord, Darracq et Mors fournissent tous deux des voiturettes de promenade remarquablement jolies, si nous nous référons au goût de Mayhew. La firme d'Ivry demandant des délais de livraison de plus d'un an, il est astucieux de la part de concurrents d'offrir une voiture esthétique sans délais.

La presse française fut, dans son ensemble, fort lente à percevoir les mérites de Rochet-Schneider. De nombreuses marques qui avaient été portées aux nues par cette presse avaient déjà disparu. Nous surprendrons même, un peu plus loin, un prophète prolixe de l'automobile à louer une marque allemande pour une « innovation » qui se trouvait sur les Rochet-Schneider depuis longtemps. Lavergne semble être le seul spécialiste français d'avant 1900 conscient de l'existence de cette marque. Il attira l'attention sur les efforts d'équilibrage et de régularité de fonctionnement des pièces en mouvement sur les moteurs de type Benz utilisés. Ces efforts durent porter leurs fruits car plus tard la presse fut meilleure. Mais à ce stade, ce fut un Anglais qui révéla la marque outre-Manche; et un contact inconnu le poussa à conclure un accord avec le fabricant de munitions suisse, Martini, ce qui fut suivi d'un autre traité pour le marché anglais. Mais en France nulle mention ou presque ne fut faite du remarquable exploit d'équipe de la marque à Nice.

Nous avons vu ce que Mors, avec très peu de main-d'œuvre, était capable de produire, et Mayhew, parlant des Mors qui devaient prendre part au Paris-Berlin, les appelait des 60 CV; mais la seule Mors de Nice-Salon-Nice était la plus ancienne 24 CV qui se classe troisième. Les ennuis d'embrayage sont en effet possibles, car l'augmentation de la puissance ne faisait que les multiplier chez tous les fabricants, si bien que Mercédès, par exemple, devait, en trois ans, changer trois fois de système d'embrayage. Les ennuis de pompe désignaient probablement les Panhard.

Quant aux commentaires sur les Mercédès, ils illustrent admirablement la rapidité avec laquelle l'opinion anglaise revira et abandonna le modèle classique Panhard & Levassor (qui avait été utilisé par Daimler, en Allemagne et en Grande-Bretagne) au profit du nouveau produit de Canstatt. Les archives prouvent que Lemaître ne termina pas la course, de sorte que Mayhew, qui ne peut être accusé de préjugé (à part un préjugé probritannique), peut se trouver néanmoins inclus sur la liste des *public relations* de Mercédès, en tant que personnalité de premier plan; en effet, son annonce d'un succès total de Mercédès est la seule erreur d'une étude qui, par ailleurs, montre de réels talents d'observateur.

Il faut accueillir cependant son annonce de rapports spéciaux entre la British Daimler Company et Mercédès avec la plus grande prudence. Le nouveau Conseil d'administration de la firme britannique ne pouvait pas ne pas tenir compte de l'existence des nouveaux modèles Mercédès; son prédécesseur avait été suffisamment critiqué pour avoir ignoré les modèles Panhard. Nous ne pouvons offrir de preuves à ceci mais le témoignage de Montagu, mordante attaque de Lawson, semble le confirmer, il affirme notamment[1] :

« ... cette compagnie (la Daimler britannique) a acquis un droit d'utilisation de n'importe lequel ou de tous les célèbres brevets Daimler, avec le bénéfice de toutes améliorations à venir tant qu'il s'agit *du moteur dudit Gottlieb Daimler...* ». (C'est nous qui soulignons.)

A noter que les seules améliorations pour lesquelles des droits étaient garantis étaient des améliorations du moteur. Montagu ne se prive pas de le répéter. Avec la mort de Daimler, les facilités existantes d'adaptation et d'améliorations inspirées de Levassor (mort, lui aussi) ou d'autres disparurent. Une interprétation étroite du texte ci-dessus paraît, à la rigueur, écarter le moteur Phénix, par exemple. A lire ce que Montagu avait à dire de Lawson, il semble possible que de plus vastes droits aient été détenus par le consortium Lawson, mais n'aient pas été offerts à la Daimler Motor Co., Ltd.

Dans ce contexte, il peut être significatif de se référer aux déclarations de Montagu, en page 64, que nous n'avons pas encore citées :

« Je pense qu'aujourd'hui, tout ce qui porte un intérêt à l'automobile sait que les brevets détenus par la British Motor Co. n'ont pratiquement aucune valeur. La publicité de cette compagnie mène grand tapage à leur propos, mais à l'exception peut-être du type particulier de carburateur utilisé sur le moteur Daimler, je ne pense pas qu'un seul brevet serait violé par la construction d'une copie exacte d'une automobile Daimler. Je pense d'autre part que si le reste des brevets détenus par la British Motor Co. devait être mis aux enchères demain — en y incluant le brevet qui fait marcher le klaxon sur les gaz d'échappement — on n'en tirerait pas plus de £ 100. »

La British Motor Company était la compagnie par actions créée par Lawson pour récolter les brevets essentiels et tenter de mettre la main sur l'industrie automobile britannique. De tels monopoles n'étaient pas tenus en piètre estime à cette époque, bien que les méthodes de Lawson l'aient perdu, comme on en

1. *Ibid.*, p. 63. La seconde citation se trouve p. 64.

jugera d'après le langage de Montagu. Parmi les Français qui profitèrent un peu de cette sorte de spéculation, il y eut le comte de Dion et un jeune paysan du Mans, nommé Bollée.

Bien que ce tableau de l'état de l'industrie automobile, surtout la britannique, donné par Montagu, garde tout son intérêt, il nous a entraîné un peu loin de notre présente étude Panhard & Levassor et de la fin d'une ère. La mort joue son rôle dans ce déclin, d'une façon qui semble être passée inaperçue à l'époque. D'abord, la mort du grand ingénieur-inventeur, Levassor. Puis, la mort de Daimler en mars 1900[1]. Ce fut l'occasion dans la presse française d'une floraison de louanges. Son mérite est bien entendu hors de question, comme est hors de question le droit de Benz d'être considéré en plusieurs aspects comme le prédécesseur de Daimler, mais à l'époque de la mort de Daimler, la plus importante firme automobile du monde (Panhard & Levassor) possédait un grand intérêt commercial dans le nom, et plus d'un hommage reflète ce fait. Il est fort probable que la confusion et l'incertitude aient régné à cette époque sur les relations futures des deux sociétés liées entre elles par les accords négociés autrefois par Mme Levassor et Daimler père. Il n'y a aucune raison de supposer que les fils de Daimler ou Maybach aient désiré continuer l'ancien arrangement; ces accords les privaient, en fait, du nouveau et riche marché français. La situation originale, qui avait vu Levassor apporter d'importantes contributions dans l'association, avait pris fin avec sa mort; de nombreuses techniques nouvelles avaient maintenant été découvertes; si l'on s'en tient aux apparences, la majorité des modifications qui différenciaient les produits de Panhard-Levassor de ceux de Canstatt avaient été faites à l'instigation de Levassor; par contre, l'incorporation de ces découvertes aux techniques de la fabrication avait été le fait d'ingénieurs attachés à chacune des usines.

La situation originale avait pris fin avec la mort de Levassor. A cette époque, bien des réponses avaient été trouvées aux problèmes de développement de l'automobile et, si l'on s'en tient à des indications superficielles, bien des changements étaient intervenus à la suggestion de Levassor; les modifications avaient été traduites à l'échelon production dans les usines. Après la mort de Levassor il devint difficile de trouver une modification du modèle Panhard qui n'ait pas été vue ailleurs avant d'être adoptée par Panhard (sauf le carburateur de Krebs).

1. *Vie au Grand Air*, 18 mars 1900, p. 336. A remarquer : on mentionne Lenoir, Marcus, Langen, Otto, Sarazin, Panhard, Levassor, mais pas Benz.

A la lumière de l'affirmation de Montagu selon laquelle seul le brevet Daimler de carburateur était valable, on comprend la nouvelle technique de Panhard : se pencher sur le problème de la carburation. (Il semble utile de noter en passant que Krebs aussi bien que Maybach devaient rencontrer d'autres problèmes par la suite, car tous deux avaient affaire à des moteurs réglés par l'échappement et à soupapes d'admission automatique, bien que Maybach ait apparemment réussi à adapter son carburateur à des soupapes à commande mécanique, système utilisé par Mercédès.) Montagu se référait bien entendu au second brevet Daimler (Maybach), que nous avons examiné plus haut dans les documents Lockert.

Il semble également improbable que Panhard & Levassor ne se soient pas rendu compte qu'un changement était en train de se produire. Rien ne prouve qu'un flot de renseignements techniques se soit établi entre Canstatt et Ivry; et après la mort de Levassor, le flot ouest-est se tarit apparamment. La Daimler Motoren Gesellschaft avait acquis, par la commande de Jellinek, une double personnalité. Il y avait d'une part une forte production de moteurs, surtout des gros moteurs de 24 CV. Nous retrouvons quatre de ces moteurs en Angleterre où ils équipent de grosses machines de course (dont l'une pour Montagu), mais l'accident de Bauer mit un terme au développement de ces monstres en Europe; ils allaient désormais équiper des omnibus et de gros camions. D'autre part, le commerce des voitures particulières était maintenant à 100 % couvert par Mercédès. Le modèle Mercédès était distinct des produits de Canstatt ou d'Ivry. Rien ne prouve que Jellinek ait eu l'intention de partager ses droits; en tout cas, il avait pris garde de s'en assurer l'exclusivité. Panhard & Levassor avaient joui des droits exclusifs sur la vente des Daimler en France et en Belgique. La présence de quelques grosses machines de Canstatt sur la Riviera en 1900 semble n'avoir amené aucune réaction de la part de la maison d'Ivry, quoique cela représentât une rupture de contrat. Cela ne veut pas dire non plus que la direction d'Ivry aurait accepté la commercialisation d'un grand nombre de ces machines en France si le contrat avait encore eu une valeur. L'ancien contrat protégerait-il Panhard & Levassor si une voiture fabriquée à Canstatt, mais qui ne porterait pas le nom de Daimler, était offerte à la vente en France ? Qu'arriverait-il si ce nouveau produit portait, par exemple, le nom de Mercédès ? Voilà d'intéressants sujets d'investigation qui, malheureusement, n'ont même pas été effleurés par les nombreux historiens de la marque allemande. Nous n'avons pas, pour notre part, eu accès à une histoire de la compagnie Panhard. Cette histoire fit partie des projets d'un éditeur (Plon) dans une série d'histoires de grandes affaires, mais le manque de faveur rencontré par le volume initial sur Peugeot a probablement renvoyé le projet aux calendes grecques. A en juger par les actes, qui sont plus sûrs que les paroles, Panhard & Levassor ne possédant aucun droit sur le modèle Mercédès, ne pouvaient aucunement empêcher sa vente en France ou participer aux bénéfices de ces ventes.

Nous sommes enclins à penser que la suite des événements, avec la mort de Levassor et le fractionnement d'influence qui s'ensuivit, puis avec celle de Daimler (perte plus morale que réelle, car les extraordinaires facultés du patron avaient rejeté dans l'ombre des talents comme Maybach et Levassor, pour n'en citer que deux), laissa les deux firmes avec des directeurs qui n'avaient plus grand-chose à diriger. Ajoutons à cela que le reste du Conseil d'administration chez Panhard n'était que fort peu attiré par l'idée de maintenir les droits hérités de Mme Levassor à un fort pourcentage des ventes d'Ivry. Voilà une situation mûre pour la crise. Avec l'entrée en scène du marchand de fruits Jellinek, la firme de Canstatt a pu discrètement suggérer à celle d'Ivry que celle-ci était désormais libre de suivre son destin. Comment Panhard, de Knyff, Clément et les autres financiers de Panhard auraient-ils pu craindre leur parent d'Allemagne dont la capacité de production était certainement connue d'eux ? (Le public, lui, ne connaîtrait cette capacité que lorsqu'on apprendrait que Jellinek venait d'acheter un an de production, c'est-à-dire, d'après les chiffres cités, 40 ou 36 voitures.) Ce que la direction d'Ivry pouvait ignorer, c'est que la copie géante des voitures de course de Levassor, le monstre de 24 CV qui semblait si sûr et qui était si dangereux, avait déjà été abandonnée. Etant donné ces faits, et l'anxiété des dirigeants de Canstatt, après la disparition d'un chef discuté mais apprécié, seule la venue d'un homme avec de l'argent, des idées et un programme, pouvait résoudre le problème. Tout, dans ce paragraphe, n'est que pure spéculation : les documents qui pourraient le confirmer ou l'infirmer, s'ils existent, sont bien cachés. Deux faits seuls sont prouvés : 1° Mme Levassor n'appartenait pas au conseil intérieur de Panhard & Levassor malgré la présence d'un « ancien » dans le nom de la firme; 2° Jellinek acheta bien la production entière de la firme de Canstatt.

Il reste un mystère que des années de recherche n'ont pas réussi à élucider. C'est pourquoi nous l'offrons ici, sans chercher à le cacher, en espérant qu'un autre chercheur aura plus de bonheur. Il s'agit de la disparition totale de la prometteuse 17 CV

Peugeot de toute compétition après sa victoire tôt dans la saison en 1899, et celle de l'ingénieur-créateur du modèle et pilote de course nommé Lemaître. De Lemaître nous avons appris qu'il était avec Daimler durant l'année où la Mercédès fut conçue et construite. Une Peugeot de luxe parut presque en même temps que la nouvelle Mercédès, et il est difficile de les distinguer sur une photographie. Y eut-il conflit entre un as du volant nommé Lemaître et un solide homme d'affaires nommé Armand Peugeot, qui, jetant un coup d'œil sur ses carnets de vente, refusait la compétition ? Ou bien Jellinek chercha-t-il à s'assurer les services de ce nouveau héros du jour sur la Riviera, et y eut-il transaction avec, comme résultat, l'utilisation par Peugeot du produit final de la collaboration Lemaître-Jellinek ?

Nous voici donc arrivé au terme de l'étude de ce grand dessein qui avait pris forme plusieurs années auparavant et dont les trois composantes peuvent être classées de la façon suivante : 1) Les intérêts commerciaux de la maison Panhard-Levassor; 2) L'influence exercée par l'Automobile-Club de France; 3) Enfin, les intérêts commerciaux d'un groupe existant à l'échelon européen, et les relations spécifiques de ce dernier avec la firme Panhard & Levassor. A partir de maintenant, sauf quand il sera nécessaire de donner le titre complet de la société, nous utiliserons la forme plus courte de Panhard, car la référence à Levassor deviendra de plus en plus rare. Le public avait d'ailleurs déjà adopté le label unique.

Dans ce groupe européen, nous n'avons identifié de façon absolue que Jellinek et il reste quelques problèmes en suspens concernant le groupe de l'Automobile-Club de France. Il est difficile de déterminer si l'Automobile-Club de France adopta une position de favoritisme envers les pilotes Panhard à cause de la nouvelle menace allemande ou bien si, comme cela est plus vraisemblable, il s'agissait de protéger un vieil ami, Panhard, contre les concurrents aux dents longues, comme Mors. Malgré toute l'habileté des diplomates du Club, qui avaient réussi en effet à museler toute opposition, ces mesures créèrent une atmosphère favorable à l'opprimé. Le public se réjouissait de voir perdre Panhard, de voir de nouveaux gagnants, même Allemands. Des clients, lassés des fortes enchères demandées pour des voitures gagnantes, étaient satisfaits d'acheter une voiture qui ressemblait au modèle champion, à un prix fixé, et de ne pas avoir à surenchérir sur d'autres enthousiastes pour acquérir une voiture de course d'occasion. Jellinek n'était que trop heureux de leur rendre service, mais même ses voitures n'étaient pas parfaites.

Il est difficile d'expliquer cette situation mais il semble qu'il y ait eu à la fois une sorte de dégoût et de résistance à un produit français et une disponibilité envers un substitut qui n'était pas nécessairement inférieur. Pour l'instant, en France du moins, ce double mouvement passait inaperçu. Mais il n'allait pas tarder à être remarqué.

Plutôt que de finir ce chapitre de l'histoire de Panhard & Levassor sur une note pessimiste, citons l'observation d'un autre automobiliste anglais bien connu, Henry Sturmey, dans un discours prononcé devant l'Automobile-Club de Grande-Bretagne et d'Irlande le 14 mars 1900, et intitulé « Automobiles d'aujourd'hui en Europe et en Amérique ».

« Les gros modèles comme les Panhard ou les Daimler se sont depuis le début révélés plus ou moins pratiques, et la maison Panhard & Levassor de Paris peut, à juste titre, être considérée comme la créatrice de l'industrie automobile ; à l'heure actuelle cette firme a un carnet de commandes d'une valeur de trois quarts d'un million (*i.e.* livres sterling), ce qui signifie deux ans pleins de production. »

La force de la vitesse acquise avantageait donc toujours la vieille maison Panhard; la principale différence résidait dans le fait qu'elle était maintenant l'un des producteurs dans un marché florissant, au lieu d'être *le plus fort* des deux seuls grands réellement détachés du peloton. Comme nous l'avons vu, Benz était la seule grosse maison en Allemagne, mais les ventes n'étaient pas l'objet de fanfares publicitaires; à la lecture de la presse spécialisée, Panhard pouvait encore passer pour le plus fort. Les ventes de Peugeot étaient peut-être plus importantes, mais cela n'était pas publié.

Dans les pages précédentes, il y a eu une frappante omission dans les listes de fabricants d'automobiles. Le nom a été mentionné quelques fois en rapport avec d'autres aspects de ses activités variées, mais le comte de Dion a certainement apporté d'importantes contributions à l'industrie naissante qui n'ont pas été relatées dans les brèves pages que nous lui avons consacré et qui traitaient surtout des caractéristiques de véhicules à vapeur et de l'exploitation de Mérelle.

Chapitre XXIX

LE ROLE DU COMTE DE DION : VULGARISATION ET PERFECTIONNEMENT

Sans revenir sur les relations Automobile-Club de France-comte de Dion, il faut souligner le rôle particulier joué par ce dernier dans un domaine qui lui fut longtemps réservé mais qu'il finit par partager avec deux de ses clients, les frères Renault.

L'automobile, après avoir été lancée par Lenoir, Delamare-Deboutteville, Benz, Daimler, Roger[1], Peugeot, Panhard & Levassor, en arrivait à une nouvelle phase de son développement : une phase de vulgarisation et de perfectionnement. Au cours de la présente étude, nous avons eu l'occasion d'examiner bien des efforts individuels en vue de réaliser cette perfection technique (dans les documents que nous citons on notera que bien des inventeurs croyaient avoir atteint la perfection). Mais l'homme qui émerge véritablement en 1900, tant en ce qui concerne le volume de production que l'éventail de la distribution, c'est le comte de Dion; c'est lui qui domine cette seconde phase de développement si riche en contributions françaises et qui se caractérise par ses deux aspects, popularisation et perfectionnement, inextricablement liés d'ailleurs. On note même un effet cyclique dans l'apparition de ces deux éléments; le développement technique des méthodes primitives est nécessaire avant que la phase de popularisation ne puisse intervenir; mais plus tard, les modifications destinées à accroître la popularité amènent de nouvelles imperfections mécaniques qui doivent être supprimées à leur tour de façon parfois hasardeuse. Ah! qu'il est loin ce rêve d'un âge d'or des transports où les véhicules se meuvent rapidement, effica-

1. Roger, à proprement parler, devrait être classé parmi les vulgarisateurs, comme de Dion, car c'est lui qui vendit les voitures Benz pendant dix ans; à sa mort, les voitures Benz étaient connues en Europe, en Grande-Bretagne et aux Etats-Unis à cause de Roger. Les Allemands se plaignaient de devoir aller à l'étranger (chez Roger) pour acheter une Benz.

cement et sans bruit le long des routes, lorsque le moteur vient à brusquement caler!..

Bien peu d'hommes, mais ce sont eux qui forment le sujet de notre étude, sont doués d'une imagination mécanique qui puisse aller de pair avec une patience et une persévérance illimitées; le rôle de ces hommes est précisément de traduire ce rêve quasi poétique en réalité. Le comte de Dion fut l'un d'eux.

Vers 1935, Albert de Dion dut s'apercevoir que l'une des conséquences de sa retraite de la vie active, c'était l'obscurité. Bollée, qui avait commencé avant lui, et qui s'était retiré avant lui aussi, était encore un nom dans les affaires, car sa compagnie continuait de fabriquer des segments de piston. C'est ainsi qu'en 1937, une sorte d'autobiographie vit le jour; l'auteur en était Cl. Baudin[1]. Le texte ne fait souvent que répéter ce que Baudry de Saunier venait d'écrire dans sa partie de l'*Histoire de la locomotion terrestre* et nous avons déjà mentionné la disparition de Mérelle, qui avait quelque importance dans les versions de Lockert, de Rhys Jenkins et de Grand-Carteret : par contre, on y note l'apparition d'un nouveau personnage, qui assiste le comte de Dion dans ses expériences de « moteurs à pétrole ». Son nom est Delalandre : il semble avoir échappé à l'attention des autres historiens. Selon la version de Baudin, c'est avec Bouton, « le fin artisan français, adroit, intelligent » et avec son beau-frère Trépardoux, « ingénieur des Arts et Métiers... très versé dans les questions de machines à vapeur », que de Dion s'était lancé dans la fièvre des recherches. Au bout d'un an, un petit quadricyle actionné à la vapeur commença de faire de courtes excursions à partir du 22 de la rue Pergolèse. Le train de roulement avait été conçu par un voisin, un constructeur de cycles nommé Renard (cette version semble exclure Mérelle). L'année est donnée comme 1883. Des histoires moins récentes ont mentionné une période d'expérimentation de *deux* années, ce qui rejoindrait la date de 1881 donnée par Dollfus[2] comme le commencement de la collaboration. Cette date n'a d'ailleurs que peu d'importance, car il y avait eu précédemment des véhicules à vapeur pour lesquels le pétrole avait été utilisé comme combustible : la Ravel, 1867-1870 par exemple, victime de guerre déjà mentionnée, et les cycles et voitures légères à vapeur Roper (U.S.A., 1863-1889).

L'exubérante personnalité de de Dion couvre tout le tableau brossé par Baudin et ses associés sont rejetés dans l'ombre. Le

1. Cl. BAUDIN, *Images du passé (1883-1926)*, La Rougery, éd. Blondel, 1937.
2. *Op. cit.*, le chapitre de DOLLFUS dans *Histoire de la locomotion terrestre*.

savant Trépardoux, « très versé dans les questions de machines à vapeur »... avait-il eu connaissance des travaux de Ravel ? de ceux de Roper ? Ou avait-il élaboré seul ses propres solutions ? Ces solutions ressemblaient d'ailleurs tellement à celles qui avaient été adoptées précédemment que de Dion, avec son sens des affaires, fut le premier à réaliser qu'il n'existait aucun brevet capable de protéger une jeune industrie. Le comte ne pouvait prendre de gros risques, avec le spectre de l'autorité paternelle derrière lui. Ces questions ne sont pas évoquées par Baudin; le résultat désastreux de l'affaire de la Marine française est mentionné, adouci par la vente véritable de trois chaudières légères et de faible encombrement.

L'incident du « punch allumé », au cours duquel la forte personne de de Dion fut légèrement brûlée lorsque le combustible prit feu, est mentionné de façon plaisante; il fut donc décidé d'utiliser un combustible solide (le coke), et de Dion « incapable de convertir ses associés à son point de vue » selon les termes de Baudin, autorisa Delalandre à poursuivre les essais. Grand-Carteret[1] omet certains événements à ce sujet. Dans un passage cité plus haut, il dit que lorsque Mérelle et Trépardoux se retirèrent de l'organisation, à cause d'un conflit avec de Dion, ce dernier se lança dans la fabrication d'un tracteur. En fait, Mérelle avait repris sa liberté à l'époque de l'Exposition Universelle de Paris en 1889. Trépardoux apparemment resta avec de Dion jusqu'en 1895, avant de se résoudre à la seule solution qui reste à un homme en désaccord avec son patron.

Dans nos précédentes références aux véhicules à vapeur de de Dion, nous n'avons pas abordé un intéressant phénomène qui devait se reproduire trois fois (au moins) dans l'histoire de cette industrie, mais qui se trouva pour la première fois nettement illustré pendant les dix années d'activité de Dion-Bouton et Trépardoux. La période Mérelle commença par la mise au point d'un véhicule petit et maniable; le cycle se métamorphosa par la suite en une série de modèles de plus en plus grands, de plus en plus puissants et de plus en plus difficiles à manier. Comme Baudin l'a remarqué :

> « Depuis le premier véhicule réalisé en 1883, quadricycle léger, les véhicules successifs, tout en se perfectionnant, se sont fortement alourdis. »

Le plus gros de ces modèles fut acquis par un industriel de premier plan, Albert Menier; la publicité qui en résulta fut sans

1. *Op. cit.*, *La voiture de demain*, Paris, 1898, pp. 180-183.

doute utile à la firme. (Menier était un membre de la coterie de Dion à l'Automobile-Club de France.)

De Dion n'avait pas perdu de vue les avantages des véhicules légers de transport individuel, et le tricycle de 1887 (auquel Mérelle vraisemblablement collabora) essaya à nouveau de réunir ces qualités de légèreté et de maniabilité. Cette même année, M. Faussier, directeur du *Vélocipède*, ajouta une course destinée aux véhicules à traction mécanique à son concours cycliste annuel de Neuilly, mais de Dion fut le seul participant. Il semble que le tricycle n'était pas encore prêt pour une telle épreuve, car c'était le vieux quadricycle de 1883 qui était en piste. L'année suivante, Faussier fit à nouveau appel à la concurrence motorisée : Bouton parut avec le nouveau tricycle tandis que de Dion présentait le quadricycle déjà connu. Selon Baudin, il n'y avait pas d'autres concurrents, mais d'autres historiens parlent d'une participation de Serpollet qui n'aurait pas fini la course. Cette épreuve vit la première manifestation d'un esprit d'équipe dans une course de voitures. M. Bouton arriva le premier à Versailles mais il fut dépassé au retour par le comte de Dion, qui gagna donc la première course automobile du monde, à moins qu'on ne veuile admettre que la grande course de *steam wagons* de 300 kilomètres organisée au Wisconsin en 1878, où les seuls véhicules engagés étaient d'énormes tracteurs à vapeur comme ceux de Lotz ou de Dietz, était bien la première.

A la fin des dix premières années de ses activités, de Dion était arrivé au terme de la seconde phase de son développement et le tracteur à vapeur qui devait se distinguer dans le fameux Paris-Rouen de 1894 était le modèle 1893, qui pesait en route près de deux tonnes. Le modèle intermédiaire de cette phase était le break 1892, qui était un peu moins lourd et destiné à transporter des passagers, non à tirer des remorques. Ce break fut l'objet d'une série de raffinements et atteignit son apogée en 1897. Entre les mains expertes du comte de Chasseloup-Laubat, il gagna la course Marseille-Nice-La Turbie en janvier, et c'est à son propos que Gerald Rose a pu écrire :

> « C'est la seule et unique victoire en course sur route que puisse revendiquer la vapeur. »[1]

La justification de la décision de de Dion de renoncer à la vapeur pour en revenir à l'essence réside dans ces statistiques de

1. *Op. cit.*, *Record of Motor Racing*, 1894-1908, p. 52.

course; cette décision avait d'ailleurs été prévue depuis longtemps par quelques ingénieurs au jugement sans passion. Pendant la deuxième partie de la course, de Fréjus à Nice, l'encombrant break mit 2 h 20 mn pour couvrir les 70 kilomètres que l'un des nouveaux petits tricycles à essence de Dion avala en 2 h 19 mn 26 s. La marge est courte mais le break à vapeur était le résultat de dix ans d'efforts tandis que le tricycle à essence était seulement depuis deux ans sur les routes.

De Dion avait déposé deux brevets concernant des moteurs à combustion interne pendant la première année de collaboration avec Delalandre. Le premier était un moteur rotatif de quatre cylindres (déposé en 1889), apparemment le premier du monde. On aura une idée du genre d'homme qu'était de Dion lorsqu'on saura que ses contemporains en étaient encore à deux ou trois cylindres (à l'exception de Forest), tandis que ce génie exubérant concevait et brevetait un moteur radial de douze cylindres. La motocyclette Millet avait reçu un moteur rotatif dans la roue arrière quelques années plus tard, sans succès d'ailleurs; la seule utilisation importante de ce principe en automobile devait se faire sur les voitures Adams-Farwell, fabriquées à Dubuque, Iowa, entre 1904 et 1913, avec trois ou cinq cylindres. Ces deux types de moteur devaient trouver leur voie plus tard dans l'aviation, et l'ingénieur de Saint-Louis nommé Hudson (sans rapport avec la marque de Detroit) qui, vers 1930, fit l'expérience de voitures à traction avant et moteur radial, s'inspirant de moteurs d'avion, ignorait sans doute l'existence de de Dion.

Ces moteurs, rotatif et radial, étaient peut-être trop ambitieux, car six années s'écoulèrent avant qu'un véhicule de Dion à moteur à explosion voie le jour : mais ce fut avec le petit moteur monocylindrique qui conquit une célébrité mondiale. Le premier moteur Lenoir avait une vitesse de rotation de 100 t/mn; le moteur Lenoir amélioré, l'Otto et d'autres moteurs de l'époque atteignaient 300 à 400 t/mn[1]. Le Benz (et ceci s'appliquerait à tous les deux-temps) aurait eu une vitesse équivalant au double de celle des moteurs à quatre temps; mais la supériorité du Daimler à l'époque de son introduction résidait dans le fait que sa vitesse de rotation était de 750 t/mn, la plus forte de tous. Forest avait pendant des années produit des moteurs multicylindres, à des fins navales la plupart du temps, et avait donné au monde le premier moteur

1. *La Locomotion*, 24 janvier 1903, p. 52. Baudry de Saunier : « Les soupapes de la nouvelle Mercédès sont toutes commandées. Cette marque ayant mis ce dispositif à la mode... » Une question se pose : combien ont mal interprété le soin avec lequel Baudry de Saunier ne dit pas *inventé*.

à quatre cylindres à soupapes, toutes commandées, tournant à 300 t/mn. De Dion connaissait l'œuvre de Forest, mais en s'attaquant au problème par un angle différent, il réussit à battre Daimler sur son terrain. Grâce à une nouvelle méthode d'interruption de l'allumage électrique qu'il appela « allumage électrique commandé », il réussit à obtenir 2 000 t/mn. *Grosso modo*, si l'on double la vitesse de rotation d'un moteur à essence, on en double la puissance. De la sorte, un petit moteur peut fournir autant de puissance qu'un autre, beaucoup plus gros et plus lourd, qui ne peut atteindre de hautes vitesses de rotation. Il y a aussi une réduction proportionnelle des masses à mouvement alternatif, ce qui améliore la souplesse du moteur et réduit les vibrations. A partir du moteur original d'un demi-cheval à refroidissement par air, de Dion développa toute une série de petits moteurs monocylindriques allant jusqu'à 2 CV 3/4.

Si la firme n'avait construit que pour équiper ses propres véhicules, l'effet sur le marché aurait probablement été bien moins marqué puisque d'autres fabricants parvinrent aux mêmes résultats par d'autres techniques au cours des années qui suivirent, mais les moteurs de Dion-Bouton devinrent très rapidement populaires avec les centaines de nouvelles marques qui tentaient de s'établir alors. En 1895, la maison avait de 15 à 20 ouvriers, mais la demande fut telle que 200 ouvriers furent nécessaires en 1897, 1 300 en 1900 et 2 500 en 1906. La liste de fabricants qui utilisèrent les moteurs de Dion-Bouton est fort longue; elle inclut des fabricants bien connus à l'époque : Renault, Chenard & Walcker, Hurtu, Ravel, Latil (à traction avant, 1901), Corre La Licorne, Fouillaron, Noé Boyer, Delage, Werner, Barisien (deux moteurs), Teste-Moret (« La Mouche »); des voitures anglaises utilisant le moteur de Dion-Bouton inclurent la Humber, M.M.C. et Sturmey; en Amérique il y eut Pierce (la Pierce-Arrow, plus tard voiture de grand luxe, devint familière aux Parisiens à l'époque des visites du Président Wilson), Jones Corbin, Crestmobile, et Orient Buckboard.

En outre, le moteur fut fabriqué sous licence dans ces pays et en Belgique, Autriche et Allemagne! En 1903, une annonce publicitaire des agents américains déclarait[1] :

« ... il y en a plus de 35 000 en activité par le monde... plus de la moitié des automobiles exposées au Salon de Paris avaient des moteurs de Dion-Bouton... 2 000 commandes de la « Petite Populaire » de Dion, etc. ».

1. *Cycle and Automobile Trade Journal*, vol. VII, n° 10, 1er avril 1903, p. 39.

Les créateurs de la *petite voiture*. Au guidon, M. Georges Bouton,
A ses côtés : le comte de Dion. (Voir p. 259.)

(Cliché Archives du Touring-Club de France.)

Cautner, dans un ouvrage remarquable sur les voitures légères, a résumé la contribution de de Dion avec tant d'objectivité que la citation s'impose[1] :

« Dix ans après l'invention par Gottlieb Daimler du moteur à combustion interne à vitesse de rotation moyenne, il y eut un nouveau progrès d'égale importance sur lequel vint se greffer le développement subséquent du moteur à essence. Ce fut l'invention, en 1895, par deux Français, le comte Albert de Dion et Georges Bouton, du moteur léger à essence et à grande vitesse de rotation... Ce type de moteur plus perfectionné et plus souple contribua largement à la rapide évolution et au développement des cycles à moteurs et des automobiles qui se produisit alors à cause des importants avantages de légèreté, de faible encombrement et de rentabilité relative qui furent ainsi généralisés. »

Une remarque auxiliaire sera nécessaire afin d'harmoniser ce texte avec la teneur de notre thèse. La remarque consiste à répéter que l'invention de Daimler ne fut pas, d'un point de vue impartial, d'une originalité totale et que d'autres moteurs comparables existaient avant elle; l'heureuse intervention de Levassor, traduisant l'idée de Daimler en un produit commercialisable, constitue, elle, un fait indiscutable. Les sceptiques pourront protester, car l'originalité de Daimler n'a jamais été mise en question, du moins à notre connaissance. Une analyse laborieuse de l'évolution des moteurs Daimler commence à la page 177; nous n'y reviendrons pas, mais nous invitons les sceptiques à fournir une seule preuve d'un développement en Allemagne, soit chez Benz, soit chez Daimler, qui puisse se comparer à l'effort prodigieux de Panhard & Levassor pendant la courte période de la direction de Levassor. Il faut à ce propos rappeler que le traité qui liait les deux firmes stipulait que toutes les améliorations françaises devaient demeurer anonymes sous « le nom de marque » de Daimler.

Les derniers mots de Cautner dans la citation donnée demandent à être soulignés et expliqués. Ces « avantages ainsi généralisés » constituent une contribution de l'énergique comte de Dion au moins aussi importante que le moteur à haute vitesse de rotation que nous lui imputons. Il y avait, à l'époque, d'autres moteurs légers dont la mise au point se terminait et qui offraient des avantages comparables de rendement. Le moteur Buchet, aujourd'hui généralement oublié, devait en quelques années dépasser tous les concurrents, par l'introduction de soupapes inclinées dans une culasse hémisphérique, détail repris dix ans plus tard par toutes

1. C. F. CAUTNER, *The History and Development of Light Cars*, London, Her Majesty's Stationery Office, 1957 (Ministry of Education : Science Museum). La citation se trouve p. 8.

les voitures de course, mais ce moteur ne parvint jamais à percer sur le marché. Il conquit cependant un nom sur des tricycles de course; Mercédès devait lui rendre un suprême hommage en utilisant un culbuteur sur le premier moteur construit par cette firme qui comportait des soupapes en tête, et qui fut décrit à l'époque par Baudry de Saunier comme semblable à celui précédemment utilisé par Buchet[1]. La contribution la plus positive fut donc, pour de Dion, de généraliser dans un large public les avantages dont nous avons parlé. La nuée de nouveaux fabricants, génération quasi spontanée, trouva donc une réponse toute faite avec le moteur de Dion-Bouton à tous leurs problèmes de force motrice, de même que, plus tôt, Peugeot avait résolu le même problème en achetant le moteur Panhard & Levassor, en attendant de trouver ses propres solutions. En dépit de leurs 1 300 ouvriers, les établissements de Dion-Bouton ne purent faire face à toutes les commandes, ce qui les amena à vendre des brevets de fabrication sous licence dans d'autres pays, et encouragea d'autres fabricants de moteur à se lancer.

De Dion jouit véritablement d'un succès plus grand que les pionniers établis, Panhard & Levassor et Peugeot. En 1895, ces deux dernières maisons faisaient d'excellentes affaires et tiraient des plans pour une exploitation sur une grande échelle; les carnets de commande étaient pleins, il y avait même une liste d'attente. Il n'en était pas de même pour de Dion-Bouton, avec une équipe de 15 ou 20 ouvriers suffisante pour le volume de production, à l'époque du lancement du fameux petit tricycle à essence. En cinq ans, comme nous l'avons vu, l'usine déménagea trois fois et en 1900 les effectifs avaient atteint 1 300, surpassant ainsi les vieilles maisons comme Peugeot, Panhard & Levassor, et Mors mises ensemble. De Dion ne sembla pas avoir eu la volonté d'imposer une discipline à ses clients, tandis que Panhard essayait de maintenir un programme assez strict de livraisons, en fournissant sans délais les modèles plus petits et moins populaires tout en faisant attendre deux ans ses puissantes machines de course!

Le petit tricycle de Dion-Bouton de 1895 fit beaucoup pour établir la renommée de la marque. Il fut constamment amélioré pendant les quatre années suivantes, participa aux principales courses, y récolta des lauriers et redora le blason de la maison quelque peu terni pendant la période critique de 1895. En sa qualité de membre de la plupart des comités d'organisation, de

1. *La Locomotion*, 1903, p. 52 : « La commande se fait par un culbuteur qui rappelle celui qu'imagina jadis Buchet. » Article signé par BAUDRY DE SAUNIER.

Dion prit soin d'obtenir un classement séparé des Bollée, plus puissantes et plus rapides. Nous avons déjà montré que cette précaution était parfois inutile à cause du problème des bandages et des pneus chez Bollée, mais elle reste un exemple du soin apporté par de Dion à la préparation de la compétition, soin égalé par l'excellence de la préparation technique de Bouton, ce qui donnait un remarquable travail d'équipe.

Pendant une brève période, même les dames, malgré le côté incommode de la mode « Belle Epoque » entreprirent de maîtriser le nouveau jouet et parcoururent les boulevards au guidon de tricycles, fourrures et falbalas flottant au vent! Les conductrices avaient à peine eu le temps de se rassasier d'émotions et de s'apercevoir des dégâts causés à leurs vêtements que la maison de Dion lançait sa nouvelle voiturette vis-à-vis, qui fut mise à la vente en 1899. Une valeureuse conductrice fut couronnée de fleurs lorsqu'elle arriva triomphalement dans l'une des courses de Nice. Elle battit même son mari; la chronique ne nous rapporte pas la réaction de ce dernier.

Cautner donne un nouveau témoignage sans équivoque de cette nouvelle contribution de la firme de Puteaux à l'industrie naissante :

« La voiturette de Dion-Bouton se révéla vite une réussite et de même que le tricycle de Dion-Bouton avait révolutionné le cycle à moteur, cette voiturette établit la pratique de la « petite voiture ». Elle pouvait transporter deux ou trois personnes avec un confort relatif sur des distances assez longues sans incident ; les commandes étaient simples et sans danger. D'autres pays que la France en réclamèrent ; de grandes quantités en furent produites ce qui donna naissance à une nouvelle forme évoluée d'automobilisme. En plus, cette forme réussie fut vite copiée par différents autres fabricants... »

De la part d'un auteur britannique, dans un livre consacré aux voitures légères, ces mots sont véritablement de grands éloges. Pour notre but, il est sans doute nécessaire d'attirer l'attention sur ce témoignage d'un expert hautement qualifié de l'histoire de la voiture légère sur l'immense influence exercée dans d'autres pays par ce modèle, car ces faits ont depuis longtemps été oubliés en France.

Au moment où la voiturette avait été adoptée par des concessionnaires allemands, anglais et américains, c'est-à-dire vers le milieu de l'année 1900, le comte de Dion remarquait la préférence du public pour le modèle construit par ses nouveaux clients, les frères Renault. Ils avaient débuté avec les moteurs de Dion-Bouton et les utilisaient ces premières années mais avec un système de transmission extrêmement simple de leur invention *(la prise directe)*.

C'est ainsi que la voiturette de Dion-Bouton, modèle 1901, reçut le moteur de 500 cc à l'avant, avec transmission par arbre à l'essieu arrière, type de Dion. En avril de la même année 1 500 exemplaires avaient été manufacturés et des arrangements étaient faits pour en sortir 200 par mois, gardant ainsi sa position de plus gros constructeur.

Il est intéressant de noter que l'un des premiers fabricants français, de Dion, ait pu s'emparer du nouveau dessin de châssis d'un des plus récents constructeurs et se soit lancé dans la production à grande échelle de ce système, agrémenté, il est vrai, de son propre modèle distinctif d'essieu arrière. En fait, emprunter des idées aux autres n'était pas le privilège de M. de Dion, mais était pratique courante dans la jeune industrie. Dans le cas qui nous occupe, toutefois, c'était assez extraordinaire car le plus gros fabricant de l'heure n'attendit pas de voir baisser les ventes pour réviser sa politique. De Dion était bien placé, car en tant que fournisseur de Renault et d'autres petits fabricants, il fut le premier à remarquer la préférence du public pour la solution Renault à cause du nombre de moteurs vendus aux différentes firmes.

Chapitre XXX

LES FRÈRES RENAULT

La première Renault était minuscule, même dans la catégorie voiturettes. Ceci n'était pas une réaction consciente des fabricants contre le gigantisme croissant des grandes marques. Les Panhard-Levassor avaient atteint 1 200 kilogrammes en 1899, l'année où la Renault fut lancée, et Daimler, en Allemagne, conscient de la perte éprouvée avec la mort de Levassor, préférait la solution de facilité en fabriquant des véhicules de plus en plus gros et de plus en plus imposants. C'était un prix de vente peu élevé qui intéressait au premier chef les pères de la petite Renault, et comme la plupart des matériaux bruts utilisés étaient comptés au poids, il était évident que la légèreté était un élément essentiel d'un prix peu élevé. Ces avantages étaient et sont toujours réciproques.

Beaucoup d'autres systèmes de transmission avaient été inventés, certains même expérimentés, au cours de l'histoire de l'automobile : il a toutefois été tenu pour certain que le système du moteur à l'avant, avec embrayage, boîte à vitesses, arbre à joints de Cardan et essieu arrière tournant avait été employé pour la première fois par Renault. Ceci n'est pas tout à fait exact, car Brouhot a anticipé ce système en France, comme l'a montré Witz[1]. En Angleterre un certain Lamplough avait fait breveter un système identique en 1896, et l'avait appliqué à une voiture à vapeur de sa construction. C'est de ce prototype que dérivèrent des voitures à vapeur ou à essence comme l'Albany ou l'Albany-Lamplough, construites à Londres entre 1900 et 1910. Cependant la vulgarisation de l'idée, et sa première application commerciale en série, appartiennent indiscutablement à Renault.

Pour ceux qui pensent que la primauté de la conception est essentielle, quelques exemples suffiront à montrer que le problème est loin d'être simple : l'essieu original de de Dion-Bouton, connu partout comme « essieu de Dion », abandonné pendant

1. Aimé Witz, *Traité théorique et pratique*, etc.

plus de vingt ans par l'ensemble de la corporation puis repris par quelques-uns des meilleurs ingénieurs mondiaux; le moteur à l'arrière, créé par Peugeot et assez commun avant 1900, puis oublié pendant quarante ans; et le ventilateur débrayable de refroidissement, qui dormit pendant cinquante ans.

Bien que les premières Renault aient été refroidies par air, le capot et la calandre qui couvraient le moteur se rapprochent bien plus des capots et des radiateurs des années vingt que tout ce qui a été fait entre-temps.

Renault ne tarde pas à rechercher la publicité attachée aux courses. Paris-Ostende, le fameux *ex-æquo* de Panhard-Levassor et Mors dans la catégorie des grosses voitures, vit aussi arriver la voiturette de 4 CV de Louis Renault une heure et demie avant la 3 CV légère de Peugeot conduite par Doriot. La Renault avait trois heures de retard sur les gros modèles, mais ce relatif succès n'en attira pas moins sur la nouvelle marque l'attention générale. D'abord Renault battait Peugeot, marque respectable et bien connue : à cette époque une victoire sur Peugeot par tout autre que Panhard constituait une surprise, et Renault profita de cet effet de surprise. L'autre raison était qu'il se produisait dans le public un revirement en réaction contre les machines « monstres ». Chaque année les voitures devenaient de plus en plus grosses et puissantes, et tandis que les fanatiques continuaient d'applaudir à l'escalade des vitesses, le nombre des acheteurs possibles diminuait d'année en année. Le slogan « La voiture de course d'aujourd'hui est la voiture de tourisme de demain » avait déjà été inventé, mais les constructeurs qui s'étaient laissé prendre aux histoires de journalistes sur les généreux millionnaires étrangers commençaient à trouver l'oiseau assez rare, trop rare même pour permettre de fonder une industrie. La voiture Renault arrivait donc à point, et à un moment où certains journalistes spécialisés adoptaient précisément le point de vue que nous venons de développer selon lequel les acheteurs hésitaient de plus en plus à acquérir des monstres hors de prix. La surenchère des prix de mise en main, l'augmentation des frais d'entretien, surtout en ce qui concerne les pneumatiques, étaient des facteurs qui commençaient à être ressentis.

Le concept Renault de moteur isolé des cahots de la route, de train d'une extrême simplicité avec prise directe, et le fort rapport puissance-poids qui résultait de cette combinaison (à l'opposé de la force brutale des plus grosses machines), furent à l'origine des succès subséquents; il est fort probable que la diffusion de ces caractéristiques dans les mois qui suivirent, en France comme à l'étranger, vint de ces succès mêmes, et pas nécessairement d'une vaste compréhension des raisons de la supériorité de base du concept lui-même.

1901 fut une année critique dans ce débat public sur la crise de gigantisme de certains modèles. Rose[1] affirme qu'à partir de cette année-là, il y eut deux catégories distinctes de voitures, l'une de course et l'autre de tourisme; il nous semble plus juste de réserver cette distinction aux voitures de forte cylindrée, car la catégorie nouvellement créée des voitures légères (entre 400 et 650 kilogrammes) et celle, récente aussi, des voiturettes (250 à 400 kilogrammes) n'étaient pas très éloignées de leurs contreparties en voitures de tourisme.

Le triomphe de Mors dans le Paris-Bordeaux de 1901 a été mentionné dans notre analyse de la faiblesse de Panhard, mais Paul Meyan, écrivant dans *La France Automobile*, fut prompt à relever le fait que Giraud, vainqueur de la catégorie voitures légères, avait été capable de totaliser une moyenne de 65 kilomètres à l'heure, face à ces « sortes de locomotives ».

La réputation de la maison Renault ne souffrit pas de la prolixité journalistique de Georges Prade qui dans *La Vie au Grand Air*[2], entonna le péan :

« Dans la catégorie voiturettes, je crois que la maison Renault Frères justifie le qualificatif de chronomètres qu'on a appliqué à ses véhicules.

« Quatre voiturettes partirent de Paris. Deux avaient des moteurs un peu plus forts. Elles finirent première et deuxième, à dix minutes d'intervalle. Deux avaient des moteurs plus faibles et finirent troisième et quatrième, à dix minutes encore.

« Il nous sera permis de rappeler que c'est exactement la confirmation du résultat de Paris-Toulouse et retour.

« Il en est de même pour la maison de Dion-Bouton.

« On a souvent parlé de la régularité de ses moteurs, et à eau et à ailettes. Je crois que cette fois le résultat est plus que concluant. Dans la catégorie voiturettes, les quatre Renault finirent avec quatre moteurs de Dion. »

La revue offre en vis-à-vis de cette page deux gravures : la première montre le vainqueur Louis Renault, l'autre l'équipe de quatre pilotes avec leurs machines.

1. Gerald Rose, *A Record of Motor Racing*, 1894-1908, voir p. 127.
2. *La Vie au Grand Air*, 9 juin 1901, pp. 304-305.

Chapitre XXXI

LA COUPE GORDON-BENNETT

Nous reviendrons, dans un autre chapitre, sur les épreuves de vitesse et les courses, mais il est une série particulière qu'il faut traiter à part, pour des raisons qui apparaîtront plus loin. La généreuse contribution de James Gordon-Bennett à la première grande course routière, Paris-Bordeaux-Paris, a déjà été signalée, et nous avons fait allusion au fait que la Coupe offerte n'avait pas produit les résultats espérés par le donateur et par ceux qui l'avaient acceptée. Une réserve s'impose. Nous dirons que les résultats ne furent pas ceux que l'Automobile-Club de France, le détenteur original de cette Coupe, avait prévus.

Un certain Pr Marchis, détenteur d'une chaire de physique à l'Université de Bordeaux, donna en 1903 une série de cours sur l'automobile, ce qui lui valut l'honneur d'être le seul à agir ainsi dans l'Université française; Witz et d'autres avaient enseigné le moteur à combustion interne et continuaient à le faire. Quelque temps après, Marchis eut la prévoyance de s'occuper d'aviation et passa à la Sorbonne. Ses cours donnèrent naissance à deux ouvrages qui sont aujourd'hui rarissimes. Nous avons choisi l'un de ces livres[1], qui comprend un bref traité historique, où il parle de la Coupe en question, et où il parvient à un degré d'impartialité universitaire qu'il est difficile de trouver dans la presse spécialisée.

Il est exact que la presse spécialisée a signalé le don de la Coupe en toute courtoisie, d'abord parce qu'un directeur de journal en était l'auteur et ensuite parce que cette donation ne faisait qu'ajouter un joyau à la couronne de l'automobilisme déjà portée avec tant de grâce par la France. Cette Coupe resterait en France, bien entendu, car nul ne pouvait battre les Français. En fait, en stipulant que les voitures en compétition devaient être fabriquées entièrement dans le pays qui les présentait, Gordon-Bennett avait virtuellement assuré le monopole français, car en dehors du gentil Benz, qui n'était pas un concurrent sérieux (en France, il avait

1. L. R. A. E. Marchis, *Les moteurs à essence pour automobiles*, Paris, 1904.

réussi à terminer les courses, jamais à les gagner), nulle autre voiture ne pouvait s'aligner sans emprunter une pièce ou l'autre à la France, qu'il s'agisse de pneus ou de bobine d'allumage.

Tel n'était point, cependant, le but de Gordon-Bennett. Il avait exprimé le désir d'encourager la nouvelle industrie dans tous les pays, et c'est pourquoi le règlement avait été conçu de cette façon. Etant donné que certains industriels français de premier plan ployaient sous les carnets de commandes et que de Dion et Bollée faisaient d'excellentes affaires sur les marchés britanniques et autres, le règlement ressemblait à une sorte de publicité gratuite pour l'industrie française. Mais les choses ne se passèrent pas comme prévu.

Marchis écrivait avant que le dernier mot n'ait été dit; ses commentaires ont par conséquent valeur de témoignage : ils représentent assez bien, pensons-nous, le point de vue de l'automobiliste français cultivé sans intérêts commerciaux.

« *Coupe Gordon-Bennett. Les premières années* (*ibid.*, p. 9). — Cette coupe est offerte en 1899, à l'Automobile-Club de France par M. James Gordon-Bennett, directeur du *New York Herald.* Elle doit s'effectuer sur un parcours de 550 à 600 kilomètres environ et son règlement stipule que la moindre pièce de la voiture admise à cette course doit être fabriquée dans le pays qui engage cette voiture.

« Les trois premières années de la Coupe Gordon-Bennett sont peu brillantes : pendant qu'elle reste en notre possession dans les salons de l'Automobile-Club de France, on ne semble pas y attacher une grande importance ; il paraît impossible que ce trophée ne soit pas l'apanage de l'industrie française (voir le tableau II pour les deux premières épreuves). Aussi la déception est-elle grande lorsque cette Coupe sort de France et sa perte donne plus de regrets que sa possession n'avait procuré de joie. Au début de la grande épreuve Paris-Vienne, en 1902, René de Knyff semble déjà, après sa superbe randonnée Paris-Belfort, être le vainqueur de la Coupe ; mais à la dernière étape, à quelques kilomètres d'Innsbrück, de Knyff tombe en panne et Edge s'assurant la victoire, emporte la Coupe en Angleterre. »

Afin de suivre les événements dans leur ordre chronologique, nous interrompons ici le récit de Marchis pour rappeler au lecteur que nous avons déjà considéré la première Coupe Gordon-Bennett et les malheureux résultats de la limitation des participants à la firme Panhard, avec la mise à l'écart de quelques éminents champions affiliés à d'autres marques.

Il semble qu'un mauvais sort se soit acharné sur cette épreuve. La machine de Jenatzy ne peut se distinguer à cause d'un point du règlement : il fut dans l'impossibilité d'utiliser des pneumatiques de fabrication belge capables de soutenir le lourd véhicule sur une telle distance; mais il n'y a pas d'explication pour le véhicule américain. Winton, à bord du même véhicule, avait donné d'excellents résultats aux Etats-Unis; son échec en France reste un mystère. Il se peut que les difficultés de communication linguistique l'aient empêché de se procurer le carburant nécessaire, mais ce ne sont que des suppositions. D'un autre côté, les pilotes Panhard se trouvaient dans une situation familière pour eux. La course était courue avant le départ; pourtant, sur les trois véhicules auxquels la firme avait droit, deux seulement furent lancés dans la compétition, et un seul termina. Si la concurrence avait été réelle, voilà une erreur qui aurait coûté cher à Panhard.

L'année suivante, 1901, ne fut pas meilleure et pour les mêmes raisons. L'Automobile-Club de France décida à nouveau de courir deux courses à la fois : cette fois-là, la Coupe Gordon-Bennett devait être courue dans le cadre du Paris-Bordeaux; cette dernière distance (550 km), puisque le retour à Paris avait été supprimé, satisfaisait tout juste au chapitre du règlement concernant la distance minimum. La sélection fut à nouveau opérée par le Comité du Club et à nouveau beaucoup de ceux qui n'étaient pas affiliés aux Anciens Etablissements Panhard & Levassor se sentirent frustrés. Le Comité avait essayé de prévenir cette réaction, semble-t-il, en rendant son vote public, montrant par là que les choix étaient faits de façon purement démocratique.

Les esprits rebelles avaient été réduits au silence de la façon que nous avons décrite; la cabale pro-Panhard se trouva renforcée dans le mythe de l'invincibilité par le misérable échec de Mercédès à Pau. De plus, la distinction « voitures légères » et « grosses voitures » amena l'attention du public sur ces dernières, au détriment des premières, ce qui contribua encore à renforcer Panhard. Donnons un exemple : à Pau, l'ordre du classement général (sans tenir compte des catégories) était :

1. Maurice Farman sur Panhard, g.v.
2. Henri Farman sur Darracq, v.l.
3. Girardot sur Panhard, g.v.

Une fois le classement par catégorie effectué, Girardot se retrouva à la deuxième place, et comme ce conducteur avait déjà reçu le surnom de l' « éternel second », le fait qu'il avait été battu par Henri Farman passa inaperçu.

Le répit temporaire fourni par le jeu des classements à Pau prit fin lors de la Semaine de Nice qui anéantit la légende Panhard d'invincibilité. Il est dommage que les toutes-puissantes considérations commerciales qui dominaient clairement la philosophie du Comité des courses de l'Automobile-Club de France aient balayé l'honnête patriotisme de quelques-uns de ses membres, car les vaillants efforts des voitures lyonnaises Rochet-Schneider donnèrent un remarquable résultat d'équipe qui aurait pu panser les plaies de vanité de la nation. Malheureusement pour la France, la presse spécialisée semble avoir alors souffert collectivement d'une prodigieuse myopie. Le seul pilote Mors en course, pour avoir battu la plus rapide Panhard de vingt minutes, se vit accorder, d'assez mauvais gré, une certaine reconnaissance de sa prouesse; sa victoire ne fit qu'ajouter de l'huile sur le feu et le mécontentement des membres du Club contre le Comité ne fit que s'accroître devant l'évidente partialité de certains de ses membres.

Le lecteur non familiarisé avec les habitudes de style de la presse automobile peut ne pas être sensible à l'argument que nous essayons de faire valoir. Prenons l'exemple des Anglais au Mans dans la période qui va de 1925 à 1935 environ : ils participaient chaque année en masse; gagnants, ils pavoisaient; perdants, ils se consolaient en évoquant le travail d'équipe réalisé : *Jolly good show*! Ils n'auraient certainement pas manqué de le faire à Nice cette année, s'ils avaient été placés dans les mêmes conditions que l'équipe Rochet-Schneider.

Deux mois s'écoulèrent avant que le Paris-Bordeaux ne vienne sceller le sort de la Coupe internationale (telle était l'appellation officielle de la Coupe Gordon-Bennett), deux mois de frustration pendant lesquels la presse omit les qualités de Rochet-Schneider ainsi que les possibilités de Mors et se mortifia en vantant les vertus de Mercédès. Le vainqueur fut follement acclamé; et pas un mot sur les trois voitures françaises qui précédèrent la suivante de ces « invincibles » d'outre-Rhin.

Le résultat final de l'épreuve combinée Gordon-Bennett et Paris-Bordeaux était extrêmement curieux. Girardot, le vainqueur du Gordon-Bennett, arrivait 10e au classement général de Paris-Bordeaux, précédé par Fournier et Hourgières sur Mors, Baras sur Darracq (dont le moteur, aux attaches rompues, tenait par des cordes), *cinq* autres Panhard de 40 CV et, dernière ignominie, une 12 CV Panhard! Les Allemands s'étaient retirés de la course et le seul concurrent véritable de Girardot était la Napier, qui était plutôt handicapée par la taille de son moteur, le plus gros en course. Il n'y eut peut-être jamais de victoire aussi précaire.

La troisième Coupe Gordon-Bennett fut courue dans le cadre d'un Paris-Vienne, et à nouveau l'Automobile-Club de France se débattit sans succès avec le problème du choix d'une équipe de France. Cette fois, l'échec fut double; le choix ne fut pas approuvé en France, et il n'inclut même pas la voiture gagnante!

Le problème fut aggravé par la présence au Comité même de gens tout à fait qualifiés comme pilotes de course qui voulurent défendre l'honneur de la France. On peut dire, à la décharge de René de Knyff, membre du Comité qui fut désigné pour défendre la Coupe, qu'il arriva premier au classement général à Belfort, première étape du Paris-Vienne, et qu'un Anglais nommé Edge arriva onzième. Mais un coureur automobile, qui arrive premier à une première étape, voit son prestige diminué lorsqu'on s'aperçoit que son véhicule a souffert du rythme imposé. Le Paris-Vienne comportait une bien curieuse clause. Les Suisses, qui n'oubliaient pas les accidents qui avaient coûté la vie de Levassor et celle de Bauer, avaient refusé la permission de tenir une course sur leur territoire national; le trajet Belfort-frontière autrichienne ne comptait donc pas dans l'épreuve. La Panhard que de Knyff avait pilotée en vainqueur jusqu'à Belfort avait une transmission brisée, que le conducteur traita avec douceur pendant le trajet en Suisse, en vue de l'étape finale en Autriche.

Une simple lecture du compte rendu de Marchis pourrait faire penser que René de Knyff avait mené pendant toute la course et que la victoire de Edge ne fut acquise que par l'élimination malheureuse de de Knyff à la suite d'une panne. Il y a pourtant une autre interprétation : de Knyff, exaspéré par les critiques dont il était l'objet en tant que membre du Comité et champion autodésigné, se préoccupait davantage d'une victoire sur des adversaires directs, les autres voitures françaises; que la voiture anglaise ne posait aucune menace aux Panhard serait une idée incroyable.

La solution retenue par l'Automobile-Club de France pour éviter au maximum les situations embarrassantes dans l'organisation de la Coupe Gordon-Bennett avait donc été de l'intégrer à une des grandes épreuves préexistantes. L'avantage était que le choix du Comité pouvait s'exercer librement et que si un pilote ou un fabricant se sentaient brimés, ils pouvaient faire comme Levegh l'avait fait en allant jusqu'à Lyon, et avec plus de chance, remporter des lauriers pour la France dans l'épreuve principale. Il est difficile d'imaginer que cette solution ait pu satisfaire le donateur, mais son opinion sur ce point ne nous est pas parvenue. Il se peut donc que cet ensemble de pressions cachées ait été pour quelque chose dans la conduite forcée de de Knyff qui le conduisit à la quasi-destruction de son véhicule dès la première étape; la panne, cependant, n'éclata qu'à 50 kilomètres du but. Il est évident que la solution retenue par l'Automobile-Club de France n'était pas la meilleure.

En tout état de cause, Edge gagne la Coupe dans les règles; quant à la Napier Company, elle entreprit de claironner dans le monde entier sa grande victoire dans la Coupe Gordon-Bennett; le classement général du Paris-Vienne, lui, fut totalement passé sous silence. Les effets ne se firent pas sentir immédiatement. En fait, la situation était bien plus complexe que ce récit ne pourrait le suggérer. Mercédès, présent à Paris-Vienne, ne participait pas à la Coupe Gordon-Bennett. L'Automobile-Club allemand s'était acquis une certaine notoriété en refusant d'homologuer les nominations des pilotes Mercédès; cette marque avait nommé des ouvriers comme pilotes; le Club, lui (comme cette époque paraît révolue en 1969!), les avait rejetés parce que ce n'étaient pas des « gentlemen ». Faut-il penser que ce snobisme n'avait pas été entièrement réprouvé chez Mercédès? Mercédès ne remporta pas le Paris-Vienne de toute façon, et un échec dans la Coupe Gordon-Bennett eût été ressenti plus durement encore par une firme qui avait sa publicité sur des victoires. De toute évidence, les autres pays considéraient la Coupe Gordon-Bennett d'un point de vue différent du point de vue français; si la France sentait qu'elle avait tout à perdre et rien à gagner dans une victoire Gordon-Bennett, c'était le contraire pour les autres nations. La victoire d'un quelconque pays, c'était la victoire sur le leader mondial. Paris-Vienne n'était qu'une grande course de ville en ville; la Coupe Gordon-Bennett c'était une lutte nation contre nation, pour le sport.

L'enthousiasme, en Angleterre, à l'annonce de la victoire fut à son comble. Il y avait déjà un nombre considérable de sportifs acharnés, mais la loi et les coutumes empêchaient toujours que des courses pussent être organisées. L'hostilité aux courses était encore assez forte, mais le système politique britannique, contrairement au système français, n'était pas homogène. Ce qui ne pouvait se faire en Angleterre, pouvait se concevoir en Ecosse, en Irlande ou à l'île de Man. C'est l'Irlande qui fut choisie et la presse spécialisée, après avoir débattu du lieu de la course, s'occupa des détails de procédure de l'épreuve.

Les Français, bien entendu, avaient un emploi du temps déjà surchargé, aussi n'est-il pas surprenant qu'ils ne se soient guère préoccupés de ce qui se passait en Grande-Bretagne. Le commerce franco-britannique en automobile n'était pas directement orienté vers les courses (à l'exception de Napier, précisément, qui avait commencé par travailler sur d'anciennes voitures de course Panhard modifiées). Clément-Darracq est l'autre exception notable ici, mais le gros des exportations françaises en Angleterre consistait surtout en pièces détachées, comme celles que fournissaient de Dion et Lemoine.

Il n'en allait pas de même des Allemands. Les événements d'Irlande furent suivis de près, et quand vint l'heure de la course, ils ne furent pas pris au dépourvu. Même l'incendie qui venait de ravager les usines de Canstatt, et avec elles plusieurs nouveaux modèles, ne les arrêta pas. Ils empruntèrent la seule 90 CV alors existante au client à qui ils venaient de la vendre et ils complétèrent l'équipe avec deux de leurs 60 CV. (Selon Gerald Rose, cependant, il s'agissait de trois véhicules de 60 CV.)

Marchis résume ainsi la suite des événements :

« *Coupe Gordon-Bennett en Irlande.* — C'est en Irlande qu'en 1903 la coupe est courue pour la première fois sur un circuit fermé en forme de huit. (Voir la carte du circuit, *Locomotion*, t. 3, 1903, p. 421.) La course est gagnée par une voiture Mercédès construite par les célèbres usines allemandes de Canstatt et pilotée par le fameux ingénieur belge Jenatzy, dont nous avons signalé plus haut les records de vitesse. Cette victoire donne aux voitures Mercédès une popularité extraordinaire ; le chiffre d'affaires de la maison qui les construit fait un bond énorme en 1903. »

Deux fois de suite donc, l'Automobile-Club de France, serein dans sa position d'arbitre unique de la course en France, choisit le mauvais cheval.

La seconde fois, la défaite fut administrée par un pilote que le Club avait lésé trois ans auparavant. L'offre d'une troisième place dans l'équipe française à Mors, maigre consolation, ne fut même pas opérante. Levegh, l'as de la maison Mors ayant abandonné le métier de coureur.

Apparemment, l'imperturbable Comité fut cette fois fortement ébranlé, bien que la presse ne se soit pas fait l'écho de manifestes comme celui de la Chambre syndicale de l'Automobile, que nous avons déjà cité. Cette même année, le macabre Paris-Madrid fut couru et les termes mêmes que l'Automobile-Club de France avait utilisés pour écraser l'Union automobile « étant donné que les courses... correctement organisées n'ont jamais causé d'accidents », durent résonner lugubrement aux oreilles des membres du Comité. Bien pis, la manifestation sportive britannique s'était courue sur un circuit fermé, l'une des propositions enterrées en 1900.

Pendant trois années, Panhard avait donc été le choix unique du Comité, avec un strapontin pour Mors en 1903. De peur d'avoir à nouveau à opérer un choix qui les ramènerait à Panhard, les membres du Comité décidèrent de ne rien décider.

C'était à la France de décider qui représenterait la nation afin de reconquérir cette Coupe soudain si désirable. La décision ne serait plus laissée à un jugement subjectif mais à des éliminatoires scientifiques.

Et c'est ainsi que Marchis décrit les événements :

« *Les éliminatoires françaises en 1904.* — Ce double échec stimule nos constructeurs qui décident que tout sera mis en œuvre pour essayer de regagner la Coupe. En 1903, le Comité de l'Automobile-Club de France avait désigné deux voitures Panhard-Levassor et une voiture Mors pour représenter la France en Angleterre ; ces voitures s'étaient toutes trois classées derrière la voiture de Jenatzy. Mais en 1904, sur le vœu de la Chambre syndicale de l'Automobile, une course éliminatoire est décidée afin de désigner les trois voitures françaises chargées de courir la Coupe en Allemagne. Ces éliminatoires se courent en Argonne, sur un circuit fermé, où 5 000 hommes de troupe empêchent l'accès de la route (voir la carte du circuit des éliminatoires, *La Vie Automobile,* 1904, p. 306). Les trois concurrents qualifiés pour défendre les couleurs françaises en Allemagne sont :

« 1. Théry (Richard-Brasier, pneus Michelin), moy., 99,416 km ; temps, 5 h 20 mn 28 s pour parcourir 561,960 km ;
« 2. Salleron (Mors, pneus Michelin), moy., 93,889 km ; temps, 5 h 40 mn 2 s ;
« 3. Rougier (Turcat-Méry, pneus Michelin), moy., 92,593 km ; temps, 5 h 45 mn 5 s 2/5. »

« *La Coupe Gordon-Bennett au Taunus.* — La Coupe Gordon-Bennett est courue le 17 juin 1904 sur le circuit de Taunus, parcours difficile en son ensemble, dangereux même en maints endroits (voir la carte et le profil de Taunus, *La Vie Automobile,* 1904, p. 374). L'épreuve est organisée avec beaucoup de soin ; la route est gardée de 100 mètres en 100 mètres par des sentinelles. L'empereur Guillaume II, pressentant l'importance commerciale de la victoire, assiste de bout en bout à l'épreuve. Théry, montant une voiture Richard-Brasier, parcourt les quatre tours du circuit avec une véritable régularité d'horloge (voir sur le tableau II les temps des divers tours), et gagna la course, précédant de onze minutes le champion allemand Jenatzy pilotant une voiture Mercédès. »

« *Les conditions de la Coupe Gordon-Bennett ne sont pas favorables à l'industrie française.* — Après la voiture de Théry, au Taunus, la Coupe Gordon-Bennett revient en France. Mais la situation paraît grosse de menaces. En effet, le règlement de cette épreuve qui n'autorise la représentation de chaque nation que par trois véhicules, sans se soucier de l'importance de l'industrie automobile dans chaque pays considéré séparément, est souverainement injuste. Après avoir éclipsé de son importance toutes les autres manifestations et attiré à soi l'attention générale, cette course devient de plus en plus redoutable pour la France, qui a beaucoup à y perdre et peu à y gagner.

« C'est pourquoi, dès la fin de l'année 1904, on agite très sérieusement la question de savoir si l'industrie française va se risquer, l'année suivante, à disputer la Coupe Gordon-Bennett dans les conditions du règlement. Nous allons voir que l'industrie française s'en est encore une fois tirée à son honneur. »

« *Les éliminations françaises en 1905.* — Après de nombreuses études et de nombreux pourparlers, la Commission sportive de l'Automobile-Club de France décide de faire courir en 1905 les Eliminatoires et la Coupe Gordon-Bennett sur le Circuit d'Auvergne. Celui-ci, tracé en montagne, dans un pays quasi désert, répond bien à cet objectif d'une épreuve comportant 500 à 600 kilomètres avec le moins de neutralisation possible. Cet itinéraire comporte d'ailleurs des difficultés particulières ; il présente des virages brusques, fréquents, susceptibles de mettre à une rude épreuve les qualités de robustesse et d'endurance des véhicules, la science des conducteurs (voir la carte du Circuit d'Auvergne, *La Vie Automobile*, 1905, p. 404). Les éliminatoires françaises sont courues sur ce terrible circuit le 16 juin 1905. Le tableau III donne les caractéristiques des voitures engagées dans cette épreuve. Elle se termine par la double victoire des voitures Brasier. Les trois champions français de la Coupe Gordon-Bennett sont en effet :

« Théry (Brasier), moyenne : 72,400 km ;
« Caillois (Brasier), moyenne : 71 kilomètres ;
« Duray (de Dietrich), moyenne : 70,900 km. »

« *La Coupe Gordon-Bennett au Circuit d'Auvergne.* — La Coupe Gordon-Bennett est courue le 5 juillet ; 18 concurrents se mettent en ligne ; ils appartiennent à la France, l'Allemagne, l'Angleterre, l'Italie, l'Autriche, les Etats-Unis (voir tableau II). La victoire est remportée par Théry sur voiture Brasier qui, avec une régularité tout à fait remarquable pour une épreuve aussi difficile, effectue les quatre tours du circuit (549,776 km ; 137,444 km par tour) en des temps variant de 1 h 41 mn 7 s à 1 h 48 mn 57 s. Toutefois l'équipe italienne s'était montrée très redoutable : une voiture Fiat pilotée par Nazzaro, finit seulement à 16 mn 27 s derrière la voiture Brasier. »

« *Le Grand Prix de l'A.C.F. en 1906.* — La Coupe Gordon-Bennett est courue pour la dernière fois en 1905, au Circuit d'Auvergne. Comme nous l'avons dit plus haut, la supériorité incontestable de l'industrie automobile française sur celle des autres pays exige une modification du règlement d'une course internationale, modification permettant aux nombreuses maisons françaises de mettre en évidence la valeur de leur construction. L'Automobile-Club de France institue en 1906 une course internationale, dite Grand Prix de l'A.C.F., dans laquelle toutes les maisons de construction peuvent engager trois voitures. »

Malheureusement pour l'argument de Marchis, le premier Grand Prix ne répondit pas aux attentes de ses créateurs, bien que la France eût remporté le prix. La valeur des constructions respectives se trouvait inversement proportionnelle aux vitesses atteintes, si par « valeur » il faut entendre l'argent demandé aux clients :

Renault	101	km/h	Richard-Brasier	88	km/h
Fiat	97	—	Fiat	85	—
Bayard-Clément ..	96,6	—	Panhard	83	—

En termes d'endurance, les résultats (quoique assez différents de ceux enregistrés en vitesse), étaient encore en contradiction avec les préconceptions qui avaient mené à l'abandon de la Coupe

MM. Oury et Schrader, sur 3 CV Renault, entreprenant leur Tour de France privé (juillet 1900). (Voir pp. 261-263.)

(Cliché Archives du Touring-Club de France.)

Gordon-Bennett au profit du Grand Prix de l'A.-C.F., car avec chaque compétiteur alignant trois véhicules, Richard-Brasier et Panhard en voyaient finir trois, Fiat et Mercédès deux, tandis que Clément-Bayard, de Dietrich et Renault n'arrivaient au but qu'avec une seule voiture chacun.

Marchis explique comment les Français en vinrent à considérer la Coupe Gordon-Bennett comme désavantageuse pour leur industrie. L'argument donné par Marchis cependant, après bien des années, semble être fondé sur de fausses prémisses. En fait, seul Panhard n'avait rien à gagner et tout à perdre dans cette affaire. Avant de donner une opinion contemporaine il n'est pas inutile d'offrir ici l'opinion du rédacteur d'*Automobile Topics* à ce moment-là :

« En ce qui concerne la Coupe Bennett, la France se conduit actuellement comme un enfant qui refuse de jouer à moins que les règles du jeu ne soient en sa faveur. »

En offrant cet exemple de réaction américaine, nous ne prétendons nullement en juger la valeur intrinsèque. Au moment où il fut publié, les Français, autrefois le seul pays à exporter aux Etats-Unis un lot considérable de voitures étaient en train de perdre leur place au profit de Fiat, de Mercédès et, à un moindre degré, de Napier. Les Français possédaient néanmoins encore d'assez beaux débouchés aux Etats-Unis; on avait pu parler d'une participation américaine dans la Coupe Gordon-Bennett (et Winton s'y était présenté), mais la menace, si menace il y avait, ne s'était jamais précisée. Il fallut attendre dix-sept ans pour qu'une voiture américaine vînt s'aligner dans un Grand Prix en France.

La Coupe Gordon-Bennett fut un peu comme les jeux Olympiques qui sont censés promouvoir un sentiment de fraternité et se terminent fréquemment dans l'animosité. Il semble évident, pourtant, qu'une partie des critiques lancées en 1905 et 1906 contre le règlement, qui accordait à la France seulement trois représentants de son industrie, auraient bien dû être trouvée dès 1900 ou 1901, alors que le reste du monde avait du mal à aligner un seul concurrent; le seul problème de la France était alors que le président du Comité de sélection allait se faire désigner comme compétiteur, tandis que les récriminations des fabricants évincés passaient inaperçues. Si la France avait accepté de déterminer moins arbitrairement chaque année les voitures qui devaient la représenter dans la Coupe, il n'y aurait pas eu de mauvaises surprises, et une au moins des épreuves perdues par un choix injuste aurait été remportée.

On ne peut soutenir sérieusement que l'épreuve éliminatoire constituât une charge écrasante; c'est une épreuve de cet ordre qui, en 1894, permit de choisir les participants dans la première compétition jamais organisée, le Paris-Rouen, et des automobiles présentées par des fabricants bien connus y furent éliminées.

En 1905, les exportations françaises d'automobiles s'élevaient à 100 millions de francs, soit dix fois ce qu'elles étaient la première année de la Coupe Gordon-Bennett. Ce chiffre supporte la comparaison avec la somme de 42 millions de dollars, produit brut de l'industrie automobile américaine. La France exportait donc autant que la moitié de la production américaine totale. D'autre part, les chiffres américains d'exportation augmentaient aussi dix fois entre 1902 et 1907 (cinq années, mais décalées de deux ans), sans que la course automobile, encore très rare, y soit pour quelque chose.

La course avait donc constitué un moyen de développement rapide de l'automobile mais elle parvenait maintenant à une nouvelle fonction : d'opération publicitaire qu'elle était, elle devenait un sport. Pendant ces événements, un développement des débouchés se produisait, dont profitaient bien des fabricants qui ne s'étaient pas laissé entraîner par la fièvre, ou d'autres comme de Dion ou Peugeot, qui avaient abandonné la compétition.

Dans ce bref aperçu de l'histoire curieuse et malheureuse de la Coupe Gordon-Bennett, nous n'avons nullement essayé de donner un compte rendu exhaustif des épreuves successives et des pilotes qui y prirent part. Nous n'avons fait ici que montrer un avatar du « grand dessein » tripartite dont nous avons parlé, et tenter de prouver que la Coupe Gordon-Bennett contribua au déclin de la maison Panhard, tout en étant peut-être manipulée afin d'avantager la maison Mercédès.

La position de Marchis sur ce problème n'avait rien d'original. Il regrettait vivement la Coupe Gordon-Bennett. Panhard la regrettait aussi, et avec lui de nombreux autres fabricants français; c'était la doctrine officielle de l'industrie. On se demande si Marchis partageait aussi fortement les regrets des fabricants ou s'il estimait simplement utile de rapporter leur opinion comme la sienne. Plus loin nous parlerons plus longuement de la nouvelle institution, le Grand Prix de l'A.-C.F. et montrerons comment il déçut les espoirs de ses parrains.

CINQUIÈME PARTIE

L'AVANCE SUR L'AMÉRIQUE

CHAPITRE XXXII

LES FRANÇAIS SUR LE MARCHÉ AMÉRICAIN

Si nous éliminons ici comme trop lointaine la préhistoire de l'automobile en Amérique, où figurèrent Evans, Kinsley et Read au XVIIIe siècle, Spencer, Fischer, House, Dudgeon et Copeland au XIXe, qui tous s'occupèrent de vapeur, nous ne trouvons pas de véhicule à essence aux Etats-Unis avant 1890. Parmi les inventeurs américains, on peut citer Harris, Nadig, les Duryea, Haynes et les frères Apperson, Winton, Ford et Hiram Percy Maxim. Il n'existe pas de preuve directe d'une influence française (ou allemande) sur l'un quelconque de ces inventeurs et pourtant il est possible qu'ils aient été au courant de ce qui se faisait en Europe. Si l'un d'eux savait ce que Daimler ou Benz faisait, ce ne pouvait être que par communication privée ou par l'intermédiaire de descriptions de brevets, car nulle publication américaine ne parla de ces voitures jusqu'à ce que les inventeurs que nous avons nommés eussent terminé (ou presque) leurs premiers véhicules. Fawcett, qui avait construit un tram aux environs de 1890, avait pu entendre parler de celui de Daimler. La plupart de ces inventeurs auraient pu aussi être au fait de l'exploit de Peugeot en 1891 ; ils avaient pu voir une voiture Daimler (qui ne fonctionnait pas), à l'Exposition Universelle de Chicago deux ans plus tard, mais s'il en est ainsi, nul ne l'admit. Il est également possible que quelqu'un ait importé une Peugeot, ou une Benz, ou même une Tenting ou une Daimler avant 1895, mais ceci ne fut nullement revendiqué à l'époque relativement ancienne où l'on commença à s'intéresser aux grandes « premières de l'automobile ». Ford admit avoir vu une Benz à New York, dans le grand magasin Macy's. Cette confidence, d'une rafraîchissante candeur, reste toutefois isolée. Comme Ford avait vendu près d'un million de voitures de plus que ses concurrents à l'époque où il fit cet aveu, on ne saurait lui en vouloir de s'être senti assez sûr de lui pour l'admettre.

Ford ne mentionna d'ailleurs pas le fait qu'il s'agissait d'une Roger-Benz, bien que tel fût le cas. L'origine de la Mueller-Benz, qui fit son apparition à la course du *Times-Herald* à Chicago en 1895 (remportée par J. F. Duryea), n'est pas claire. Elle a pu venir en droite ligne de Mannheim, mais il est aussi possible qu'elle ait été fournie par l'intermédiaire de Roger. Celle que le magasin Macy's aligna dans la course était un modèle Benz non modifié, fourni par Roger et vraisemblablement assemblé, sinon fabriqué à Paris. La maison Mueller entreprit un certain nombre de modifications sur le modèle de base Benz, et annonça son intention de fabriquer des voitures pour son propre compte. Nulle autre voiture d'origine étrangère ne prit part à la course de Chicago de 1895; nous sommes conduits à supposer qu'il n'y avait pas d'autres voitures aux Etats-Unis capables de franchir 50 miles d'une seule traite.

A la fin de cette année-là, l'automobiliste américain eut pour la première fois à sa disposition une presse spécialisée, pouvant l'informer de toutes les nouveautés américaines ou européennes. Pendant deux ans *The Horseless Age* règne sur le marché, mais d'autres publications, à New York et à Chicago, virent bientôt le jour.

En 1900, un périodique très soigné, de tendance assez snob[1], fit son apparition; il prétendait ne s'adresser qu'aux gens riches et intelligents, ce qui était une légère exagération. Les exemplaires que nous avons consultés se trouvaient à l'origine dans la salle de lecture du « Yale Graduate's Club ». C'est sans doute le magazine américain dont les lecteurs auraient pu, avec le plus de vraisemblance, être acheteurs de voitures françaises. Un coup d'œil à cette collection nous expliquera comment certains marchés se créaient pour les Français pendant la période considérée.

Dans la chronique mondaine décrivant les activités des favoris de la fortune, nous apprenons que M. J. Roosevelt Roosevelt (dont la première femme était Helen Astor), possédait un tricycle de Dion-Bouton, un tandem Bollée sur lequel il faisait du 45 kilomètres à l'heure, et une machine à vapeur Mobile. L'écurie Roosevelt était donc française aux deux tiers. Bien que l'*Automobile Topics* n'en parle pas, il est plus que probable que le fils ait fait bon usage de ces véhicules pour son propre amusement, mais la revue n'avait alors aucune raison de s'intéresser à Franklin Delano Roosevelt.

Un Dr Lyman est mentionné avec sa Panhard & Levassor, et l'on dit que M. Alfred Bostwick possède plus de voitures que

1. *Automobile Topics,* New York, à partir du 20 octobre 1900.

n'importe quel autre membre de l'Automobile-Club of America, lequel vient de s'installer dans un élégant hôtel particulier près de la 5e Avenue. Bostwick possédait quatre voitures françaises et « d'autres » marques américaines : « sa fameuse machine de course Panhard & Levassor » qu'il avait fait courir plusieurs fois et amenée récemment jusqu'à Bridgeport, une voiturette Clément, une voiturette Prunel, et un tricycle de course Buchet de 8 CV. Ses voitures américaines étaient une 9 H.P. Winton, une Locomobile, un quadricycle Orient et le très élégant phaéton créé pour lui par la Electric Vehicle Company. Bostwick informait le rédacteur en chef que les machines américaines marchaient aussi bien que les étrangères.

Nous ne savons si l'attaché commercial de l'Ambassade de France communiqua ce jugement à la Société d'Encouragement. M. Bostwick fut à une époque président de l'Automobile-Club of America (mais pas au moment où parut l'article); il avait été autorisé ou encouragé, on ne sait, car le prix — excessif — était de 60 000 francs, à acheter l'une des Panhard victorieuses après une course; mais par la suite, comme nous l'avons vu, il avait regretté son achat. La proportion de millionnaires à l'Automobile-Club of America n'a jamais été publiée mais à première vue ils semblent avoir été une majorité.

Bridgeport est le mot clé dans la phrase annonçant la partie de campagne de M. Bostwick. Ville industrielle située à 100 kilomètres de New York, c'était le berceau de la Locomobile Company of America. Selon l'opinion générale, la Locomobile Company faisait de bonnes affaires avec le petit « runabout » à vapeur, dont les droits avaient été achetés aux frères Stanley. Le côté décevant de cette acquisition, et le fait que la Compagnie ait dû acheter d'autres brevets à un nommé Whitney pour construire les voitures dont les frères Stanley avaient vendu les plans, tout cela ne rentre pas dans le cadre de cette étude. Ces obstacles restèrent à l'époque un secret bien gardé. L'important, c'est que la Compagnie ait mis alors sur pied un programme régulier de production de 375 unités par mois. De Dion était à l'époque le plus puissant constructeur européen, avec 4 000 moteurs par an, plus 2 400 voitures. En fait, Locomobile s'arrêta de construire les voiturettes à vapeur après avoir atteint le chiffre équivalent de 2 400, mais les Français auraient bien dû s'inquiéter d'un tel potentiel; c'est peut-être ce qui se passa, nous allons voir quelques faits qui pourraient s'interpréter ainsi.

David Wolfe Bishop et son mécanicien furent immortalisés par les photographes de l'*Automobile Topics*. Quelques semaines plus tard, ce jeune homme, orphelin célèbre et héritier d'une grosse fortune bâtie sur un empire ferroviaire, devait attirer l'attention du *New York Times* pour avoir dépassé un attelage sur le Riverside Drive et fait emballer le cheval. Le propriétaire qui conduisait l'attelage était contre l'automobile, en faveur du cheval et puissant politiquement, en sa qualité de commissaire aux parcs. Le compagnon de Bishop était le déjà célèbre Henri Fournier, qui essaya de payer la caution avec une liasse de billets. Le rusé politicien invoqua une obscure loi selon laquelle la caution ne pouvait être acquittée que par des garanties sur propriétés, empêchant ainsi les *sportsmen* de se libérer sous caution. C'est ce qui retint Bishop plusieurs heures au commissariat de police et l'empêcha de prendre le départ le lendemain de la course New York - Buffalo, la première (et dernière) course intervilles aux Etats-Unis.

Le geste de Fournier, quoique vain, représente exactement ce dont les Français allaient manquer le plus, tandis que les activités commerciales prenaient des proportions de plus en plus vastes.

M. Harlan Whipple et M. Winthrop Scarrit, de East Orange, faubourg alors affectionné des agents de change et des banquiers de New York, sont tous deux cités comme acquéreurs de « motorettes » de Dion; tandis que M. Cornelius J. Field, vice-président et directeur de la de Dion-Bouton Motorette Company (Brooklyn) en possède quatre pour son usage personnel. S'il n'était pas apparenté au géant commercial de Chicago, le nom n'en constituait pas moins une solide garantie. De Dion-Bouton était la première affaire française à manufacturer aux Etats-Unis, mais nul détail sur l'importance des opérations ne fut rendu public. Il s'agissait sans doute d'une usine de montage.

William K. Vanderbilt allait, nous dit-on encore, tous les dimanches à Hempstead, Long Island, dans sa voiture de course Panhard & Levassor, une grande machine blanche. Quelques semaines plus tard, le magazine rapporte que cette voiture, surnommée « le fantôme blanc » ou « la terreur blanche » par les populations de Long Island, n'est pas une Panhard, mais une Daimler de Canstatt, « l'une des meilleures machines de son genre jamais produites ». La plupart des articles signalent d'ordinaire des voitures françaises; il s'agit ici de la première mention d'une voiture de Canstatt, et la mention est amicale.

Alfred Harmsworth, en visite aux Etats-Unis, confie au rédacteur en chef de la revue que la tendance actuelle est à des voitures de plus en plus grosses; cette déclaration semble contredire nos affirmations précédentes. En Angleterre, selon Harmsworth, plusieurs membres de l'Automobile-Club de Grande-Bretagne et d'Irlande ont commandé des Napier de 50 CV, qu'il décrit (curieusement) comme des copies de Daimler. Il dit pourtant que sa voiture préférée, et il en a beaucoup, est une 12 CV Panhard-Levassor.

Le degré d'endurance de l'automobiliste de l'époque est indiqué par ce fait banal ; M. C. C. Wridgeway bat régulièrement des records entre New York et Washington (455 kilomètres en 17 h 50 mn par exemple) sur sa voiturette 5 CV de Dion-Bouton.

En janvier 1901, un article rapportant la lutte entre l'Automobile-Club de France et l'Union automobile est donné sous le titre dérisoire de « Tempête dans une théière ». Pierre Giffard du *Vélo* parle pour l'Union automobile et contre la course sur routes, tandis que l'*Auto-Vélo* soutient l'A.-C.F. Giffard avait été l'un des organisateurs du premier concours routier, Paris-Rouen, près de sept ans auparavant; mais il avait refusé de parrainer la course suivante à cause de l'accent mis sur la vitesse et des dangers de la course sur routes. L'article du *Vélo* est accompagné d'une grande photographie du champion Mors, Levegh, et de son élégante voiture, mais nulle référence n'y est faite dans le texte. L'article couvre trois pages; il n'est guère favorable aux positions de l'A.-C.F. et est suivi de photographies de nouvelles Mercédès avec carrosserie de course et de ville.

L'article se termine sur la mention d'une Peugeot de 100 CV que nous n'avons vu citer ni dans la presse française ni ailleurs.

Deux pages sont consacrées à une récapitulation de tous les records de vitesse français de 1894 à 1900. Cet article est signé Gilbert Combet, qui se présente comme ancien coureur de bicyclette et plus tard pilote de course en automobile. La liste est assez complète, avec les temps des vainqueurs; seul le nom des pilotes est donné, les marques de voiture n'étant pas mentionnées[1].

Les expériences locales aux Etats-Unis se déroulaient à des vitesses tellement plus basses, que la tendance générale aux Etats-Unis était de n'accorder aucun crédit aux chiffres avancés pour les records français comme fantastiques; Combet (« Max » du temps du vélo) rendait donc un signalé service à l'industrie française en publiant ces chiffres. De nos jours, les allures supersoniques aéronautiques semblent aussi incroyables.

Une explication vulgarisatrice de fonctionnement du moteur Daimler est accompagnée d'une coupe du moteur français Phénix-Daimler, non désigné sous ce titre.

On rapporte que Clarence Gray Dinsmore possède une grosse Canstatt-Daimler de 30 CV à sa résidence d'hiver à Aiken, mais

1. *Automobile Topics,* 19 janv. 1901, vol. 1, n° 14, pp. 495-496. Voir les deux pages suivantes.

LES RECORDS DE VITESSE FRANÇAIS PENDANT SIX ANS (1894-1900)[1]

A une époque où le monde automobile français tremble sur ses bases à cause de la « guerre des clubs », occasionnée par la controverse sur la compétition, il n'est pas inutile de rappeler les résultats des six dernières années. En parcourant ce tableau qui donne la date, la distance, le temps et le nom des vainqueurs (auquel nous ajoutons la marque de voiture), nous remarquons une forte progression mathématique dans le nombre des courses année après année. Dans ces six années, le plus grand nombre fut organisé en 1899. Il y en eut moins en 1900, par suite d'une intervention de la police :

Date	*Course*	*Distance km*	*Temps h mn s*	*Vainqueur (Voiture)*
1894	Paris-Rouen (*Petit Journal*).	Concours		Kœchlin (Peugeot).
1895	Paris-Bordeaux-Paris.	1 192	48 48	Levassor[2] (P.-L.).
1896 :				
9 mai .	Bordeaux-Langon.	48	1 55	Bord (Peugeot ?).
24 mai .	Bordeaux-Agen-Bordeaux.	286	10 56	Bousquet (Peugeot).
20 sept..	Paris-Mantes-Paris (motos).	103	4 22 55	Chevalier (de Dion)[3].
24 sept..	Paris-Marseille-Paris.	1 720	67 42 58	Mayade (P.-L.).
1897 :				
29 janv.	Marseille-Nice-Monte-Carlo.	233	7 45 9	Chasseloup-Laubat (de Dion)
4 avril.	1er critérium des motocycles.	100	3 9 5	Viet (de Dion).
20 juin .	1re coupe des motocycles.	100	2 46 47	Léon Bollée (Bollée).
24 juill..	Paris-Dieppe.	161	4 13 33	Jamin (Bollée).
14 août.	Paris-Trouville.	174	3 48 56	Jamin (Bollée).
22 août.	Paris-Cabourg (motos).	210	6 32 10	Bardin (de Dion).
23 août.	Lyon-Uriage-Lyon.	300	11 8 23	Etienne Giraud (Bollée).
1898 :				
6 mars.	Marseille-Nice.	226	6 53 45	Charron (P.-L.).
11 mars.	Nice-Puget-Théniers (motos).	77	2 9 32	Balvay
10 avril.	Paris-Roubaix (motos).	287	7 29	Degrais (Peugeot ?).
28 avril.	2e Critérium des motocycles.	100	1 57 49	Léon Bollée (Bollée).
1er mai .	Marseille.	180	5 34 30	Marcellin
2 mai .	Périgueux.	145	3 54 5	G. Leys (P.-L.).
11-12 mai .	Paris-Bordeaux (crit. des entr.).	573	15 15 44	René de Knyff (P.-L.).
29 mai .	Bordeaux-Agen.	143	3 1 15	Petit (Peugeot ?)
14 juin .	2e Coupe des motocycles.	100	1 56 50	Marot (de Dion).
5-17 juill..	Paris-Amsterdam-Paris.	1 502	33 4 34	Charron (P.-L.).
22 juill..	Tours-Blois-Tours (motos).	100	1 53 15	Jamin (Bollée).
30 juill..	Lille-Calais-Lille.		6 30	Kreutler (Peugeot).
21 août.	Bordeaux-Biarritz.	300	6 48	Loysel (Bollée).
21 août.	Paris-Dieppe (motos).	161	4 10	Teste.
21 août.	Lyon-Lagnieu.	48	1 3	Eldin.
21 août.	Tourcoing-Béthune.	108	2 26	Osmont.
2 oct. .	Dijon-Besançon (motos).	98	2 13	Marcellin.
6 nov. .	Paris-Beauvais (motos).	80	2 27	Ducom.
26 nov. .	Chanteloup, 1re course de côte.	(1,8)	3 52	Jenatzy (Jenatzy) pé.
11 déc. .	Valence-Die.	70	2 17	Pouly.
18 déc. .	Achères, record du kilomètre.		2 9	Chasseloup - Laubat[4] (Jeantaud) é.

é = voiture électrique; pé = voiture « mixte » pétrole-électrique.

1. Extrait d'*Automobile Topics*, vol. 1, nº 14, pp. 495-496, janvier 1901.
2. Levassor, première arrivée, se classait deuxième, Kœchlin était le vainqueur sous la réglementation.
3. Ses temps étaient vraiment 1 mn 12 s 6 et 0 m 57 s.
4. Son temps : 3 h 55 mn 37 s; Charron, 4e à 4 h 22 mn 55 s.

Date	Course	Distance km	Temps h mn s	Vainqueur (Voiture)
1899 :				
12 mars.	Dinan-Guingamp-Dinan.	180	4 42	Sebilleau.
21 mars.	Nice-Castellane-Nice.	120	2 52 50	Lemaître (Peugeot).
2 avril.	Paris-Roubaix (motos).	287	5 35 30	Osmont (de Dion).
6 avril.	Pau-Bayonne-Pau.	206	3 52 56	Lemaître (Peugeot).
23 avril.	3e Critérium des motocycles.	100	1 56 32	Teste (de Dion).
30 avril.	Lyon-Vienne (motos).	32	39	Dubuisson.
14 mai.	Chartres-Bonneval (motos).	106	2 3	De Mallac.
14 mai.	Gardanne-Saint-Maximin.	75	2 2 27	Méry.
14 mai.	3e Coupe de motocycles.	100	1 46 12	Beconnais.
21 mai.	Bordeaux-Périgueux-Bordeaux.	232	4 46 45	Barbereau.
21 mai.	Draguignan-Vidauban.	85	2 18 42	J. Gondoin.
24 mai.	Paris-Bordeaux.	580	11 43 20	Charron (P.-L.).
11 juin.	Aubagne-Aix.	70	1 54 55	Bourret.
2 juill..	Salon-Arles-Salon.	100	1 47 19	De Farconnet.
11 juill..	Toulouse.	108	2 51 30	De Lymairac.
15 juill..	Charbonnières-Roanne.	160	3 49	Demester (Aster).
16-25 juill..	Tour de France.	2 300	42 33 39	René de Knyff (P.-L.).
30 juill..	Paris-Saint-Malo (motos).	391	7 11	Renaux (Renaux).
	Paris-Saint-Malo (voitures).		7 32	Antony (Mors).
30 juill..	Lyon-Vals.	175	3 58 10	Lara.
20 août.	Paris-Lille (motos).		5 18 35	Baras.
20 août.	Lons-le-Saunier-Lyon.	256	4 49 25	Beconnais.
27 août.	Paris-Trouville.	172	2 58 30	Antony (Mors).
1er sept..	Paris-Ostende (motos).		6 8	Baras (de Dion).
	Paris-Ostende (voitures).	335	6 11	Levegh (Mors).
	— *ex aequo*.	335	6 11	Girardot (P.-L.).
10 sept..	Paris-Péronne (motos).		3 15 12	Ducom.
10 sept..	Nice-Puget-Théniers.	65	1 41 12	Meyan.
10 sept..	Dinard-Saint-Brieuc (motos).	135	2 51 28	Sebilleau.
17 sept..	Paris-Boulogne.	(256)	4 17 44	Girardot (P.-L.).
30 sept..	Bordeaux-Biarritz.	300	4 24 00	Levegh (Mors).
12 nov..	Chanteloup, 2e course de côte.		2 34 8	Beconnais (Soncin).
3 déc..	Gaillon, 1re course de côte.	1	1 16	Villemain (Soncin).
1900 :				
4 févr..	Coupe de Nice.	213	5 37 44	Pinson (P.-L. ?).
18 févr..	Course du Catalogue.	144	2 52 2	Girardot (P.-L.).
22 févr..	Pau (erreur, 25 févr.) Cir. du Sud-Ouest).	350	4 46 57	R. de Knyff (P.-L.).
11 mars.	Paris-Rouen-Paris (voiturettes).	220	4 51 4	Decauville (Decauville)[1].
26 mars.	Nice-Marseille.	196	3 25 30	R. de Knyff (P.-L.).
26 mars.	Nice-Draguignan-Nice.	200	4 45 31	Chauchard.
30 mars.	La Turbie (course de côte).	16	19 2	Levegh (Mors).
4 avril.	Salon (motos).	100	1 23 24	Beconnais (Soncin).
15 avril.	Paris-Roubaix (motos).	287	3 48	Baras (Buchet mot.).
3 mai.	4e Critérium des motocycles.	100	1 24 18	Marcellin (Buchet/Perf.).
17 mai.	Critérium des voiturettes.	50	1 51 49	Cottereau (Cottereau).
21 mai.	Critérium des motocyclettes.	100	2 17 11	Buquet.
3-4 juin.	Bordeaux-Périgueux-Bordeaux.	318	4 1 45	Levegh (Mors).
14 juin.	Coupe Bennett (Paris-Lyon).	566	10 36 23	Charron (P.-L.).
1er juill..	Salon (critérium de Province).	100	1 20 15	Jenatzy.
25-28 juill..	Paris-Toulouse-Paris.	1 348	20 50 9	Levegh (Mors).
28 oct...	Paris-Rouen (critér. de l'alcool).	130	2 15	Giraud (P.-L.).
4 nov..	Chanteloup (3e course de côte).		3 45	« Dr Pascal » (Canstatt-D.).
11 nov..	Gaillon (2e course de côte).	1	55	Beconnais (Soncin).

1. Dans ce cas le pilote était vraiment Théry; la maison Decauville semble avoir adopté cette pratique pour circonvenir les journaux donnant seuls les noms des conducteurs.

aussi deux Panhard & Levassor, de 8 et 12 CV, et un spider Tourand à quatre places, pour la ville. Tourand était un mécanicien célèbre du Havre, qui construisait des voitures de sa propre conception, et remodela un nombre assez considérable de Panhard & Levassor. Dinsmore devint un fameux client de Mercédès. Trop vieux pour courir lui-même, une de ses voitures était toujours au départ de toutes les courses. S'il avait abandonné Panhard & Levassor pour Mercédès, on peut être sûr que ç'avait été pour de solides raisons; la présence de la grosse et disgracieuse Canstatt-Daimler dans son écurie (les énormes 24 et 30 CV de Canstatt devaient se révéler homicides, comme on l'a vu), demande une autre explication. On pourrait penser, par exemple, que chez Panhard & Levassor, la politique de rareté de véhicules de course de plus en plus gros a échoué avec Dinsmore et l'a jeté dans les bras des Allemands une fois pour toutes.

Louis Stern (propriétaire d'un grand magasin), 993, 5e Avenue, possédait un omnibus léger Panhard & Levassor, pouvant transporter six personnes.

En février 1901, nous apprenons que Clarence Mac Kay (John Mac Kay signifiait câbles transatlantiques) avait décidé de se lancer dans l'automobilisme. Il avait inspecté les bolides sur le marché et pris conseil de M. Charron, le chauffeur français expert de chez Panhard.

Le prince et la princesse de Cantacuzène de Russie venaient de retourner aux U.S.A., après un voyage de 5 000 kilomètres à travers la France dans leur voiturette de Dion. La princesse était l'ancienne Miss Julia Dent Grant de New York, fille du général et de Mme Frederick Dent Grant.

Un article favorable aux nouvelles Panhard annonce des réductions de près d'un tiers; les trois numéros suivants donnent un compte rendu détaillé du Salon automobile de Paris.

Mention est faite de cinq usines automobiles en Italie, dont Fiat nommément, présentées comme copiant Panhard.

Les prix des Panhard sont indiqués comme suit :

Modèle	*Ancien prix*		*Nouveau prix*	
12 CV	22 000 francs	($ 4 400)	15 500 francs	($ 3 100)
8 —	15 500 —	3 100	11 500 —	2 300
6 —	10 500 —	2 100	7 500 —	1 500

Quant aux 16 et 24 CV, elles ne sont destinées qu'aux membres de la classe riche, et nul changement de prix n'est à l'étude. On ne trouve pas de réaction chez les richards dans les colonnes de l'*Automobile Topics*, mais au point de vue commercial d'aujourd'hui,

Panhard se suiciderait tout de suite et précisément avec la classe riche (et plus souvent parcimonieuse).

Charron, Girardot et Voigt, anciens coureurs Panhard et vendeurs de voitures, ont monté leur propre véhicule, la C.G.V. qu'ils vendent 14 500 francs pour une 12 CV, 10 500 pour une 8 CV, 6 800 pour une 6 CV. Leurs plus grosses cylindrées sont à 27 000 francs (16 CV) et 31 500 francs (20 CV); ils offrent aussi la grosse bolide de 30 CV (mentionnée précédemment) pour $ 5 000. Ils disent qu'elle dépasse les 90 km/h.

Le numéro de mars annonce que M. Hart O. Berg, représentant en Europe de l'Electric Vehicle Company, a reçu le ruban de la Légion d'honneur du gouvernement français pour sa contribution au Salon de Paris, geste que le magazine interprète comme un hommage à l'industrie automobile américaine. On a souvent critiqué le gouvernement français pour sa négligence envers les génies créateurs de l'automobilisme français; en ce cas, la critique aurait aussi pu se justifier, car la première chose que fit Berg de retour de France fut de lâcher l'Electric Vehicle Company (cheville ouvrière du monopole Selden), et de lancer sa propre firme, pour manufacturer ce qui fut décrit plus tard comme une « copie servile de la Panhard ». Les aciers utilisés n'avaient pas la qualité Panhard, pourtant, et avant peu, la Compagnie, comme les essieux qu'elle fabriquait, s'effondra.

L'Automobile-Club of America, pour la première de ses sorties de la saison, organise un voyage aux ateliers De Dion-Bouton Motorette Co., de Brooklyn, avec 28 participants. L'article donne un court historique de la maison De Dion-Bouton depuis 1883, avec dix illustrations.

Don Alfonso, frère du roi du Portugal, vient d'acquérir une voiture légère française, nous apprend-on.

Un article sur le nouveau moteur Panhard & Levassor décrit la régulation du mélange gazeux soit par un robinet à soupape unique, soit par commande des soupapes d'admission au moyen d'une soupape magnétique de succion brevetée le 7 juillet 1900. Le régulateur centrifuge agit directement sur le robinet d'admission. Ce curieux langage décrit un obturateur, mais le système complet est compliqué et ne ressemble guère à l'admission moderne, en particulier en conservant l'idée d'un régulateur.

La barre de direction avait alors presque complètement disparu en France. Un nouveau raffinement est aussi décrit : les joints de direction sont recouverts de bottes de cuir, afin d'y garder la graisse et de les protéger de la boue.

En avril 1901, la revue, selon le rédacteur qui ne cite pas sa source, publia un article qui parut aussi en France. L'auteur y parle d'une randonnée effectuée par le comte Gyulai et deux compagnons de Vienne à Linz par des routes de montagne à une vitesse moyenne de 30 kilomètres à l'heure, allure fort respectable pour l'époque et pendant de nombreuses années encore. La voiture était une 12 CV Daimler, mais on ne nous dit point s'il s'agissait d'une Daimler fabriquée en Autriche, ce qui est vraisemblable. Le moteur avait eu tendance à s'échauffer dans les cols mais le comte avait conçu un remède nouveau : la voiture arrêtée il faisait s'emballer le moteur, ce qui, selon lui, le refroidissait très bien. Pour ce faire, il faut que le régime de la pompe ne soit pas proportionné au régime du moteur aux vitesses normales de la route. Avec les arrêts pour refroidir le moteur, la vitesse moyenne annoncée devient assez difficile à croire; même en excluant les arrêts, nous trouvons là un intéressant exemple de la crédulité du rédacteur.

Le numéro de janvier 1901 d'*Automobile Topics*, que nous avons cité, avait parlé d'un artiste américain résidant à Paris, M. Dannet, comme l'un des premiers acheteurs de la nouvelle Mercédès ayant l'intention de courir aux épreuves de Nice. Voici ce qu'un nouveau numéro dit de lui[1] :

« *Le vainqueur de la Riviera.* — Les oreilles des automobilistes français résonnent encore du succès sans précédent de l'automobile Mercédès dans les épreuves de Nice. Il y a un an, la Daimler allemande était surtout connue pour ses lignes lourdes et sans grâce, lorsque Mercédès, dont le véritable nom est Jellinek, décida que les usines de Canstatt pouvaient sortir un meilleur article. Il se mit au travail avec Maybach, célèbre pour son carburateur, et bien vite la belle 35 CV, basse et sportive qui a déjà fait l'objet de mentions dans ces colonnes, commença à faire son apparition et à marquer le monde automobile. Les freins de cette voiture sont spécialement étudiés, ils ne peuvent s'enflammer et par précaution spéciale ils sont arrosés d'eau lorsqu'ils entrent en fonction... Rien d'étonnant que la conception générale, le plan et les performances de ce véhicule aient semé la terreur dans la poitrine des fabricants français. »

De la carrière de pilote de M. Dannet, on ne trouve pas un mot, ni lors de cette Semaine de Nice, ni plus tard. (On peut en dire de même pour sa vocation d'artiste.)

Il y a certainement une part d'exagération ici, mais nulle voix française ne semble avoir protesté; on avait lu les mêmes choses en France. Certains, en effet, avaient peur, et cette peur avait été créée de main de maître.

En avril 1901, J. Ransom Bridge, président de l'Automobile-

1. *Automobile Topics*, janvier 1901, p. 33.

Club du Massachusetts, est cité pour avoir déclaré que les machines françaises durent deux fois plus longtemps que les américaines; que l'avenir, en France, est au véhicule bas sur roues; il cite ensuite un journal français mettant en garde contre cette tendance qui risque de porter préjudice aux exportations vers l'Amérique. A son avis, les Français sont particulièrement fiers des marchés conquis aux U.S.A. et ils feront tout pour les garder. Par exemple, la France construit une 35 CV pour M. Mac Kay au prix de 80 000 francs et une autre pour M. Vanderbilt, qui doit laisser loin derrière elle « le fantôme blanc ».

En mai, la revue reproduit *in extenso* les remarques flatteuses de *La France Automobile* sur les nouveaux véhicules de course Daimler allemands, avec des illustrations de la Mercédès de 35 CV. Quelques pages plus loin, le rédacteur assure que la course folle à la puissance a cessé et que les fabricants ne s'en remettent plus à la force brute. Il analyse la progression en chevaux-vapeur qui a eu lieu, de 4 à 7 CV, puis très vite à 10, 12, 16, 20 et 24 CV et plus encore : les estimations de puissance réelle ont été fort libérales; elles sont, selon lui, devenues plus modestes maintenant. *L'Auto-Vélo* est cité avec un article sur la nouvelle Mors pour la Coupe Gordon-Bennett, qui doit être conduite par Levegh. Plus longue et plus basse, elle a un moteur de 28 CV et en 4ᵉ vitesse, devait atteindre 93 miles (plus de 150 kilomètres) à l'heure. Ces voitures furent en fait entrées en course comme des 60 CV; la tendance dont parlait le journaliste plus haut n'était donc guère perceptible.

Le ton général de la revue continue d'être favorable aux activités françaises. J. E. Hutton, comparant la Grande-Bretagne et la France, note avec approbation le contrôle de qualité en France, avec la vente d'essence et d'huile en bidons cachetés et les chambres à air enveloppées dans des sacs hermétiques avec de la craie, recommande aux Américains d'en faire autant. A ce jour, l'huile est normalement vendue en bidons cachetés aux U.S.A.

Un certain Dʳ F. D. L. Rust est censé avoir déclaré qu'on ne peut acheter une bonne machine en France pour moins de 3 000 dollars et que les prix vont jusqu'à 10 000 dollars; il a une haute opinion de la qualité française.

Une gravure de Lord Plunket dans une Panhard miniature de fabrication anglaise pose un problème curieux; nul n'a jamais révélé que des Panhard aient été fabriquées en Angleterre.

Six personnalités de Pittsburgh sont nommées comme ayant fait récemment l'acquisition de Motorettes. Ceci est intéressant, en raison de la présence à Pittsburgh de la compagnie Autocar, qui offrait des voitures légères similaires.

M. et Mme Shaw ont acheté une Panhard & Levassor et se préparent à l'amener à Chicago en six jours : environ 250 kilomètres par jour, et certaines routes sont considérées comme infranchissables. Peu d'automobilistes ont tenté ce voyage, à n'importe quelle vitesse.

La couverture représente Henri Fournier et le major Taylor dans une Panhard-Levassor. L'illustration a un certain intérêt historique, car le major Taylor était un grand coureur cycliste américain, qui avait accompli un triomphal tour d'Europe : il était aussi de race noire, ce qui pourrait paraître surprenant aujourd'hui à certains.

Les nouveaux modèles de Serpollet sont décrits. Le fabricant déclare qu'il n'a pas l'intention d'ouvrir une succursale américaine mais qu'il compte vendre ses droits de manufacture aux Etats-Unis. Il est étonnant, vu la vogue de la vapeur sur le sol américain, que Serpollet n'ait pas réussi à vendre ses droits. La décision de Locomobile d'abandonner la vapeur au profit de l'essence, une fois connue, avait peut-être ruiné les chances de la vapeur, et donc de Serpollet, aux Etats-Unis.

La nouvelle « Motorette n° 2 », modèle New York, partage un numéro avec le bateau à moteur Mercédès à Nice. Une série d'annonces publicitaires pour Boisselot, décrit comme « le seul moteur français fabriqué en Amérique » commence dans le même numéro. La maison fabriquait aussi des automobiles, selon la réclame, mais en dépit de cette campagne publicitaire, nulle autre référence à cette firme n'apparaît dans le magazine et nous ignorons tout de ce qu'était réellement cette maison en France.

Le nouveau cabriolet de Dion-Bouton appartenant à Jefferson Seligman (banquier et membre éminent de l'Automobile-Club of America) est décrit comme élégant avec ses sièges en peau de porc, sa carrosserie blanc de neige et le train de roulement en bleu.

Une illustration du véhicule à essence Loomis, fabriqué à Westfield, offre un certain intérêt pour ses fusées de l'essieu d'avant qui sont du type inversé dont nous avons déjà parlé et qu'on attribue généralement à Mercédès. Loomis fut obligé de se retirer des affaires quelques années plus tard par le groupe Selden.

A) Paris-Berlin 1901, section touriste. Le « break-salon » du baron de Zuylen (en blanc) est, selon la *Vie au grand air* du 30 juin, « la voiture idéale du touriste ». La PANHARD de la baronne de Zuylen, née Rothschild, est de taille normale. (Voir p. 291.)

(Cliché Archives du Touring-Club de France.)

B) Bordeaux-Périgueux-Bordeaux, 21 mai 1899. Le vainqueur, M. Barbereau, au volant, avec M. Bergéon en mécanicien, sur une voiture intéressante, très proche de la DE DIETRICH, type A. Bollée, sans doute une BARBEREAU-BERGÉON. (Voir p. 283, 321-322.)

(Cliché Archives du Touring-Club de France.)

Chapitre XXXIII

SIGNES PRÉCURSEURS DE TROUBLES

En juin 1901, *Automobile Topics* annonce que la Compagnie automobile Charron pour l'Amérique est en train de se constituer. Le coureur parisien bien connu, dit-on, s'intéresse personnellement à l'affaire. La vente des véhicules français Panhard et Mors, et plus tard, la fabrication de ces véhicules aux Etats-Unis constituent les buts de l'entreprise.

Un changement de ton très net peut s'observer dans le même numéro. Dans un éditorial de deux pages critiquant la compétition sportive, nous lisons :

« Déjà les constructeurs européens de véhicules de course projettent d'envahir ce pays dans l'espoir que nous consentirons à reprendre le flambeau dans cette course folle, bien que nos routes interdisent toute possibilité d'atteindre des vitesses comparables à celles pratiquées en France.

« Les symptômes de cette invasion à venir sont nombreux. L'A.-C.F., après le fiasco de la Coupe internationale (Gordon-Bennett) limite le poids des véhicules de course à 2 000 livres, interdisant ainsi toute nouvelle augmentation de puissance. Le roi d'Angleterre souligne que la poussière suffit à condamner l'utilisation de véhicules très rapides sur des routes ordinaires, et l'Angleterre fait immédiatement écho à ses paroles ; qui aurait cru qu'un sport aussi sale et si populaire en France soit acceptable ? L'Allemagne s'est désintéressée de la vitesse dès le début, sauf dans les *allerhochster Stelle*[1], et une énorme majorité des fabricants français ne s'intéressent qu'à des véhicules de poids et de vitesse modérés. Mieux encore, on cherche de plus en plus à juger les épreuves automobiles par d'autres critères que la vitesse ; peu de propositions sont aussi sérieuses et aussi simples que celle de M. Arnoux...

« La folie des grandes vitesses est en train de mourir, en dépit des attraits du point de vue sportif professionnel mais la question reste posée : est-ce que les machines de course européennes vont continuer à être importées aux Etats-Unis et vendues avec 45 % de droits de douane, après que le reste du monde les a déclarées stupides et inutiles ?)[2].

1. *Allerhochster Stelle* ou « premières places ».
2. *Automobile Topics*, 15 juin 1901, pp. 327-328.

A la fin de cet éditorial[1], une illustration montre la nouvelle quatre places Panhard-Levassor pesant seulement 1 300 livres, peut-être pour prouver la largeur d'esprit du rédacteur en chef. On peut aussi penser que bien des gens ne furent pas atteints par ces paroles mordantes, parce que ce genre de magazine a toujours été acheté par des gens qui regardent les dessins mais sautent les pages de texte.

Que l'éditorialiste ait eu raison ou non, voilà qui ne nous concerne point. Le magazine vient de consacrer un an à des bavardages à propos d'activités automobiles, les gens *smart* se tournent vers le nouveau sport, et il n'y a pas grand-chose à rapporter sur les Etats-Unis, du moins qui soit susceptible d'intéresser les lecteurs d'*Automobile Topics*. En conséquence, le magazine est devenu le porte-parole de la Chambre de Commerce automobile française, de façon indirecte et officieuse. La plupart de ses articles, dans les premières années de parution, ne sont que des copies ou des traductions de compte-rendus parus en France ou en Angleterre, avec parfois quelque reportages de correspondants étrangers; l'affaire était de médiocre envergure. On peut supposer que le rédacteur (unique) fournissait la moitié de la copie. Si ces premiers mois avaient été une lune de miel rédactionnelle, la dissension commençait à s'installer, des voix contraires, à s'élever; des opinions divergentes, à se faire entendre. La louange se mêlait au blâme. Exemple :

Sport et utilité. — L'article parlant avec chaleur des recherches de l'A.-C.F. dans le domaine de l'utilisation de l'alcool comme carburant et des proportions idéales du cylindre, ne s'en tient pas à ces sujets mais commence par des lamentations du style : « Tandis que la France retentit de plaintes contre la vitesse des voitures et les accidents que celle-ci engendre... »[2].

Après ce coup de patte, les résultats du Paris-Bordeaux sont donnés en détail, pourtant, avec des tableaux surmontés d'un titre dans lequel on apprend que Girardot, sur une Panhard de 24 CV à quatre vitesses, a remporté la Coupe Gordon-Bennett en 8 h 51 mn 50,2 s. On nous dit aussi que Fournier sur Mors 20 CV a mis seulement 6 h 11 mn 44,6 s pour remporter la première place dans l'épreuve principale, courue en même temps. Cette fois-là, les illustrations sont réservées à Fournier sur Mors et

1. *Automobile Topics*, 22 juin 1901, p. 356.

2. *Notes and Notices*, A.-C. G.-B. et I., 3 avril 1902, p. 100. Ces problèmes de vitesse et d'accidents sont traités de la même manière par un membre du Club dans une lettre à la revue : « Nous serons heureux de quitter (Monte-Carlo) vivants, car les accidents de voitures sont véritablement éprouvants... »

à l'Anglais Edge, concurrent malheureux sur Napier dans la Gordon-Bennett. Le lecteur attentif, s'il s'en trouvait, ne dut avoir aucun mal à découvrir que Girardot était 9e au classement général, et perdait encore deux places, si l'on incluait les cycles à moteurs. Tous les éléments du problème étaient donc réunis (et pas seulement dans cet article) et les résultats de cet étrange détournement d'une Coupe offerte pour le progrès international d'un art n'allaient pas tarder à se faire sentir partout, sauf dans les salons de l'hôtel Pastoret, et ce fut dommage.

Pour nous résumer : il est très difficile de défendre une règle qui élimine une voiture tout à fait acceptable, simplement parce que la Commission a préféré choisir une autre marque en raison des intérêts financiers de certains de ses membres, même si le choix a pu être autrefois avisé. Ce choix devient en tout cas injustifiable lorsque la voiture élue est battue de deux heures et quatorze minutes par un concurrent éliminé en Commission, lorsque dix véhicules font des meilleurs temps que la voiture choisie. C'est véritablement une chance que la Napier ait été encore battue dans ces conditions. Le choix du rédacteur est éloquent, qui donne une photographie de la Napier au lieu de celle de Girardot; point n'est besoin de note explicative.

Pendant quelques semaines, la revue s'abstient de toute prise de position. En juillet, une couverture est consacrée à une 8 CV Panhard qui a relié New York à Chicago à une vitesse moyenne de 11 miles à l'heure (18 km/h). Cette allure était considérée comme satisfaisante, mais on peut aussi l'utiliser pour montrer pourqoi les résultats européens étaient accueillis avec scepticisme en Amérique, car les vitesses annoncées sur les itinéraires comparables étaient deux fois plus élevées et sans idée de compétition sportive.

Un article rapporte en détail l'histoire d'un procès gagné par un membre d'un club américain à propos de droits de douane exagérés sur une voiture française, circonstance accueillie par les importateurs.

La fameuse six places du baron de Zuylen présentée dans la catégorie « tourisme » du Paris-Berlin est reproduite, accompagnée d'un texte favorable faisant état du fait qu'il s'agit de l'une des plus grosses voitures de tourisme du monde. Ceci est à notre connaissance la première mention publique d'une aspiration devenue tout américaine — la très grosse voiture — à laquelle la France semble avoir renoncé. Cependant, la longueur de la voiture du baron est de 14 pieds (4,20 m) ce qui correspond (si l'on ne tient pas compte de la hauteur), à une « compact » américaine d'aujourd'hui. Poursuivant la comparaison jusqu'au bout, et sous réserve de l'aspect « plein air » de l'ancienne voiture — il faut dire que tout le confort était du côté français en raison du caractère vaste et spacieux des places de passagers.

L'attaque reprend deux numéros plus tard, au début d'août 1901, sous le titre : « Wanted, a Patriotic Club. » L'auteur assure que l'automobilisme, au nord-est des Etats-Unis, est devenu un foyer de propagande de « cette forme particulière d'une folie qui ordonne l'achat et l'importation de voitures de tourisme et de course construites à l'étranger de préférence à celles que nous construisons ici ». Suivent deux pages de récriminations contre l'Automobile-Club of America, considéré comme anti-américain et de louanges pour l'A.-C.F.; le club français, lui, fait œuvre de propagandiste pour les voitures françaises, les clubs américains feraient bien de s'inspirer de son exemple. La position anticompétitive du magazine est en même temps allégée; on cite un article du *Vélo* selon lequel, à l'issue de la course Paris-Berlin, une firme française à elle seule a reçu des commandes pour un total de 600 000 francs (si ces commandes étaient des « grosses voitures », il s'agissait alors de dix véhicules seulement au prix coûtant); le raisonnement sous-entendu était : « Ces commandes seraient les bienvenues dans une usine américaine. »

Dans le même numéro, l'auteur s'efforce d'analyser la capacité américaine de production et la demande potentielle. A la lumière des événements qui suivaient, ce n'est pas sans intérêt, malgré les erreurs d'arithmétique.

« *Index de la position américaine en automobilisme.* — Si cinquante usines automobiles américaines avaient la capacité de production de l'établissement de Bridgeport qui est le sujet des descriptions ci-après, elles seraient capables de fournir 750 000 automobiles par an, soit 150 fois la production française actuelle (sans compter les motos). En tournant au tiers de leur capacité, elles produiraient encore 250 000, c'est-à-dire suffisamment pour distancer le reste du monde. C'est le taux actuel de production de l'usine Locomobile de Bridgeport, qui sort quinze Locomobile par jour avec des effectifs de 600 ouvriers. En 300 jours de travail cela signifie 4 500 véhicules à vapeur d'un coût de quatre millions de dollars environ. »

Interrompons cette démonstration un instant pour signaler que cinquante usines produiraient 225 000 véhicules et non 750 000.

Dans la suite de l'article, l'arithmétique s'améliore : la logique, elle, construit des raisonnements du type suivant : puisqu'il y a actuellement un véhicule à cheval pour 35 personnes, et que la vie moyenne d'une voiture est de huit ans (chiffre assez proche du nôtre), il existe des débouchés pour les cinquante usines.

Nous ne résistons pas au plaisir de citer un paragraphe entier de l'article :

« Le monde entier n'a pas encore compris que le seul pays où les problèmes de manufacture réelle d'automobiles par des « méthodes « répétitives » ont été attaqués sérieusement est les Etats-Unis. Les yeux sont fixés sur la France, où l'industrie s'est liée de façon spectaculaire avec la presse et les milieux des courses, fournissant un lot de nouvelles sensationnelles et une grande diversité de modèles ; mais un très petit nombre total de véhicules est produit en fait par la France, où l'idée de standardisation est inconnue, sauf pour les motocyclettes, et où l'on construit sur mesure, sur commande et non selon les méthodes industrielles. Un de ces jours, la France se réveillera pour s'apercevoir que non seulement les Etats-Unis, mais encore l'Allemagne et l'Angleterre, ont décidé de se lancer dans leur propre type d'automobilisme — la voiture à essence — ont accepté de s'en tenir à un ou deux modèles de ce type, et en ont organisé la production en quantité au coût le plus bas ; si bas que la France se trouvera privée de ses marchés... Que ce développement dépassera de loin les estimations européennes de notre position, cela va sans dire, mais il étonnera aussi de nombreux Américains qui s'imaginent encore que l'avance actuelle de la France dans le domaine de la course est supérieure à l'avance américaine en organisation de production... »

A l'observateur européen, ce jugement dut paraître bien inconsidéré. Il n'était guère étayé par les faits. Benz, le premier constructeur à adopter la standardisation et les procédés industriels, proclamait ouvertement avoir produit 2 000 véhicules à ce jour. Des chiffres, qui n'étaient peut-être pas dans le domaine public, montrent une augmentation régulière jusqu'à 600 en 1900, et le fait que ce chiffre était tombé à 400 en 1901 était certainement tenu aussi secret que possible. De Dion, le plus gros producteur, n'avait rien révélé jusqu'en 1901, l'année dont nous parlons, date à laquelle il avait annoncé une production de 2 500 voitures ou tricycles pour l'année.

Les chiffres Panhard-Levassor de 1891 à 1894 étaient dans le domaine public en 1899, 90 véhicules et 350 moteurs en tout. Peugeot avait utilisé 80 moteurs Panhard-Levassor pendant la période de collaboration. De toute évidence, les principaux fabricants avaient une idée de ce que faisaient leurs concurrents, mais seul de Dion, dont les premiers chiffres sont inconnus, égalait Locomobile. Comment les hommes d'affaires qui savaient que Benz était passé de 434 à 572, puis 603, auraient-ils pu deviner que Oldsmobile passerait de 425 (le tiers de la production de Panhard-Levassor pour cette année-là) à 2 500, puis à 3 299 et à 5 000 ? De tous les principaux fabricants, seul de Dion s'était rendu aux Etats-Unis en personne; sa modeste usine de montage de Brooklyn faisait de bonnes affaires avec une petite machine qui était du même genre que la première Oldsmobile[1]. Il n'eut pas l'occasion, au cours de ce voyage, de se faire du souci pour la concurrence; ses assises étaient sûres, comme en Europe.

L'acheteur américain avait peut-être un léger avantage avec une presse parfois moins partiale. Il fallut attendre vingt-cinq ans en France pour obtenir une reconsidération de la Mercédès. Mais pas en Amérique. Dans le même numéro, nous trouvons une photo de William K. Vanderbilt dans sa nouvelle Mercédès-Daimler à Newport. Deux pages plus loin, nous lisons le genre d'information qui échappa à la presse française pendant dix ans après la Semaine de Nice 1901. D'une manière sans équivoque, cette information a son importance :

« Un nouvel incident est à ajouter à la liste de pannes imputables à des voitures d'importation sur des routes américaines. La machine Daimler allemande, de modèle Mercédès, appartenant à W. R. Vanderbilt Jr. a souffert d'une rupture d'essieu à Newport voici une semaine. La rupture s'est produite en conduite lente, mais est attribuée à une fracture reçue lors d'une pointe de vitesse sur route de campagne précédemment. Les dégâts ont été promptement réparés. »[2]

Certains faits qui ne sont pas sans relation avec les précédents montrent que Vanderbilt était membre à vie de l'Automobile-Club de France (l'un des huit Américains ainsi honorés), qu'il avait autrefois possédé des Panhard-Levassor rapides, que la photographie en question avait été fournie par le *New York Tribune*, dont le propriétaire était James Gordon-Bennett, que l'offre par M. Vanderbilt d'une Coupe avait été repoussée, que sa voiture suivante fut une Mors, et que Mors n'était pas membre du « petit cercle » Panhard - A.-C.F. Aucun de ces faits n'était mentionné dans l'article, mais la plupart étaient connus des membres du Club à qui le « petit cercle », ou clique Panhard, escomptait vendre ses voitures de course.

Nous essayons de montrer ici que toutes les affaires humaines impliquent certaines transactions parfois malheureuses, sinon malhonnêtes, et lorsque ces affaires prennent une échelle internationale, naissent des frictions nées de coutumes et d'attitudes différentes, qui sont exploitées par des tiers à leur avantage.

Le travail de sape continue avec la couverture du numéro d'août 1901. La photographie montre deux hommes penchés sur le moteur d'une Panhard sous l'œil de deux élégantes; la scène

1. *Automobile Topics*, août 1901, p. 674. De Dion annonce que son chiffre d'affaires s'est élevé à 1 000 000 francs par mois.
2. *Automobile Topics*, août 1901.

se passe sur la Boston Post Road qui traverse un quartier alors résidentiel. La légende dit : « Sur les routes du comté de Westchester, N. Y., avec une automobile importée de France. — En panne. »

Le même numéro annonce en détail le nouveau véhicule à essence Riker, fabriqué à Elizabethport par l'Electric Vehicle Company, dont un certain nombre a déjà été construit pour permettre à des clients de se présenter aux épreuves de vitesse organisées par l'A.-C.A. en septembre. Le dessin de ces véhicules, note l'article, est strictement dans la ligne des voitures françaises de tourisme et de course les plus modernes. On murmure également (et on nous assure que le bruit n'est pas lancé par le fabricant ni par le conducteur), que trois ou quatre chauffeurs amateurs s'entraînent au volant de cette voiture pour remporter tous les prix et porter un coup décisif aux importations françaises. Il peut être intéressant de noter ici que cette voiture fut adoptée au bout de quelques mois par la Locomobile Company, lorsqu'il fut décidé d'arrêter la fabrication du petit véhicule à vapeur dont plus de 2 000 exemplaires avaient vu le jour. Cette voiture Riker, d'inspiration française de façon avouée, fut à l'origine de l'une des plus célèbres voitures de grand luxe du début des années vingt. Certaines furent vues en Europe pendant les derniers mois de la première guerre mondiale; elles étaient affectées aux officiers généraux.

Un peu plus tard, oubliant sa croisade contre la vitesse, la revue publia la liste des participants à la Semaine de Vitesse de Newport, calquée sur le modèle niçois. Sur un total de plus de vingt inscrits, tous les véhicules étaient américains à l'exception de cinq motorettes (de Brooklyn, probablement), d'une vapeur Serpollet, de la Mercédès *Red Rusher* de W. K. Vanderbilt et de sa Daimler *White Ghost.*

Deux semaines plus tard la campagne se corse d'extraits d'un article de Gaétan de Knyff dans un journal français :

« *La France tond les moutons.* — Le remarquable sens des affaires qui sous-tend l'industrie de la voiture de course en France, et l'attitude « moutonnière » de ceux qui persistent à accepter la théorie française de la course, sont mis en relief dans l'article que M. Gaétan de Knyff vient de donner aux *Français* sur le sort réservé aux bolides qui ont couru dans le Paris-Berlin. La plupart d'entre eux ont été vendus à des étrangers. Les Français ne semblent pas être prêts à payer les sommes astronomiques que l'on en demande. Ils ne se soucient pas non plus d'admettre leur manque d'enthousiasme pour la vitesse pure ; ils se rendent bien compte maintenant que la compétition est finie et que l'industrie française en a tiré le maximum de ce qui pouvait en être espéré de gloire et de profit.

« La machine de Heath (40 CV) est devenue la propriété de

M. D. W. Bishop, qui la ramène en Amérique. Certains changements ont, toutefois, dû être opérés afin de l'accommoder aux imperfections des routes américaines. Le châssis entier a été exhaussé, de sorte que le volant ne puisse frotter contre le sol dans les chemins à ornières. Le centre de gravité a été déplacé ; le conducteur fera bien de se méfier dans les tournants.

« Certaines voitures ont souffert beaucoup. Celle qui porta Fournier à la victoire est intacte. Elle reste la propriété d'un Anglais, M. Laycock.

« La Panhard de Maurice Farman a été vendue par lui à Herr Jellinek, directeur des Etablissements Automobiles Daimler en Allemagne pour 50 000 francs, et par lui revendue à M. Charley pour 40 000 francs, qui s'en est promptement débarrassé pour 50 000 francs en faveur d'un troisième acquéreur. »

Interrompons un instant cette histoire pour rappeler que Charley n'était autre que le vendeur de Mercédès pour la France et que Jellinek avait fait la meilleure affaire du trio en déboursant 10 000 francs pour étudier (en démontant, photographiant, mesurant et testant) le dernier né de son rival Panhard-Levassor. Dans un article publié plus tard, le dernier acquéreur déclara avoir payé seulement 45 000 francs la Panhard. La voiture n'avait pas fini la course : il semble qu'elle ait été achetée ensuite par un Rainey, de la Compagnie Oldsmobile. Il semble peu probable que ce monsieur ait acheté la voiture uniquement à des fins de tourisme; pourtant, nous la retrouvons lors d'une excursion sur les plages du New Jersey, avec un agent de change de Wall Street et deux jeunes femmes. C'est le seul usage qui soit pourtant passé à la postérité.

« La voiture de Henry Farman reste en France. Elle a été achetée par M. Stephen Rives, beau-frère de M. Desmarais, des pétroles.

« Le prince Orloff est devenu le propriétaire d'une 40 CV pilotée par le chevalier de Knyff.

« Leys et Jarrott ont vendu leurs voitures respectives à Lord Carnarvon et à M. Harvey du Cros, les deux *sportsmen* anglais bien connus.

« La 40 CV de Paul Chauchard traversa aussi la Manche ; elle a d'abord été vendue à M. Lamberjack qui l'a renvendue aussitôt à M. Avery pour 40 000 francs.

« Jusqu'à plus ample informé, Gilles Hourgières, Mors, Levegh, Rolls, Voigt, Pinson, Clément, de Crawhez, Boson de Périgord et Loysel restent en possession de leurs bolides, bien que les offres les plus alléchantes n'aient pas manqué.

« Fournier courra en Amérique avec la voiture de Levegh, qui est la plus puissante de l'équipe Mors, et Charron, qui a vendu sa Panhard, tâtera des routes américaines sur un bolide prêté par Pinson. »

Gaétan de Knyff, auteur des lignes précédentes, n'avait couru que pour Peugeot, dans une seule grande épreuve, mais ses affiliations à l'époque qui nous occupe nous ont échappé; il semble par le ton de l'article qu'il n'ait pas pu être rattaché à Panhard, dont le chevalier de Knyff, René, était à la fois directeur et pilote de course. Panhard avait lancé quinze 40 CV dans la course afin d'essayer d'empêcher une victoire de Mors, ce qui n'avait pas abouti en raison de la brillante prestation de Fournier. Il est notable que Levegh et Antony, tous deux anciens champions de l'époque pré-Gordon-Bennett, n'aient pas pu terminer ce Paris-Berlin. Les Mors plus lentes partagèrent le sort des Panhard vaincues, et ne furent point vendues, du moins dans l'immédiat.

Quelque chose couvait en dessous. Panhard, l'ancien sonnailler, avec quinze voitures au départ, n'en avait vendu que la moitié. Puisque, d'après l'agence Charron, le prix d'une 24 CV était de 31 500 francs, on peut penser, sans connaître le prix d'une 40 CV, que le bonus escompté n'était plus aussi important qu'autrefois. La technique commerciale appliquée à la voiture de Pinson est toutefois intéressante. Il s'agissait d'une 40 CV qui n'avait pas réussi à terminer l'épreuve. Après quelques retouches, elle sera mise en valeur par le meilleur pilote Panhard (Charron) sur les routes américaines afin d'attirer le client.

Il a déjà été dit, et ceci sera vrai de Mercédès aussi pour longtemps encore, qu'il fallait montrer des quartiers de noblesse avant d'être admis à acquérir une de ces grosses voitures de luxe; il nous semble plutôt qu'un compte en banque bien rempli faisait admirablement l'affaire.

Nous ne portons pas de jugement de valeur sur telle ou telle marque. La technique de vente s'était probablement créée spontanément, en réponse à une offre faite à l'arrivée d'une course à un pilote vraisemblablement fort étonné. Selon une de nos sources, Levassor fut accosté de la sorte à la fin du premier Paris-Bordeaux; prié de dire son prix du n° 5, il avança un très gros chiffre car il ne voulait pas s'en séparer, et fut fort étonné de voir ce chiffre accepté. Il est hors de doute que cela devint vite la seule façon d'acquérir les voitures de course Panhard-Levassor. Très peu d'exemples de techniques commerciales similaires existent pour les autres marques; il semble qu'il se soit agi là d'une spécialité Panhard. Gaétan de Knyff écrivant en France, cité par *Automobile Topics*, se trouva parmi ceux qui désiraient mettre un terme à ces méthodes. Panhard et ses pilotes semblaient être fascinés par le miracle de ces bruyantes enchères au point d'en oublier un fait essentiel : la plupart de ces clients, sinon tous, n'étaient qu'une façade pour les compagnies anglaises ou américaines récemment formées, et ce qu'ils achetaient, c'était non des voitures, mais les derniers secrets commerciaux.

L'histoire de la course automobile en France a tellement été l'histoire de Panhard-Levassor, même lorsque Peugeot gagnait, que les autres marques françaises se trouvèrent plus ou moins complices de ce genre de trafic. Mais soudain, apparut une nouvelle voiture de prestige, Mercédès, qui, elle, rompait totalement avec les méthodes établies de vente. De retour à Paris après la course, M. Charley était prêt à faire les livraisons dans les meilleurs délais. Trente-cinq copies exactes, au moins, de la première Mercédès gagnante, n'attendaient que l'acheteur.

L'article donne des précisions sur les effets des modifications apportées à la Panhard de Bishop sur le centre de gravité et la stabilité dans les tournants; ceci illustre la rapidité de propagation des découvertes, car un an plus tôt, ni les ingénieurs de chez Panhard ni ceux de chez Daimler ne semblaient être au fait des dangers inhérents à un centre de gravité placé trop haut. Si ces ingénieurs possédaient ces notions, leur avis était peut-être écarté au profit de celui du département des ventes. C'est là une vieille querelle : n'en parlons plus.

Chapitre XXXIV

LA VOIE DÉTOURNÉE

Si nous sautons une année complète d'*Automobile Topics*, nous ne trouvons guère de changement dans la politique de la rédaction. Mercédès n'était pourtant pas toujours gâté; il arrivait aussi parfois que la publicité soit à contre-courant, comme pour les autres. Par exemple : le garage de Fournier à Paris fournissait le sujet d'un article favorable accompagné d'une photographie de la 45 CV que Fournier venait de vendre à Charles Fair de San Francisco. Fair était l'héritier d'une grosse fortune sucrière et il venait d'épouser une jeune fille de la meilleure société, très photogénique; le couple était à la mode. La photographie, communiquée par le *New York Journal American* montre Fournier et son associé dans la voiture en question, devant le garage. Il est suggéré que le touriste américain peut prendre livraison de sa Mercédès à Paris. Pour une photo de Fair, on peut se reporter au magazine *La Vie au Grand Air* où on le voit bavarder avec un autre millionnaire, W. K. Vanderbilt Jr., qui se prépare alors à battre le record de vitesse sur route avec sa Mors. Deux semaines après cette publicité, *Automobile Topics* annonçait la triste fin du jeune millionnaire et de sa femme sur la route Paris-Trouville. L'article se termine par ces mots succincts :

« M. Fair était au volant de sa Mercédès. »

Les voitures françaises reproduites dans le même numéro incluaient la 5 CV Bébé Peugeot, une 6 CV Peugeot, une voiture à vapeur Miesse de fabrication belge, et la Mors dans laquelle W. K. Vanderbilt Jr. battit les records de vitesse du kilomètre (détenu par Serpollet) et du mile (détenu par Fournier). Le motocycle à quatre cylindres Clément-Garrad y est décrit et on y rapporte la course des Ardennes sous le titre : « Une nouvelle victoire des Anglais. » On voit une photographie de Charles Jarrott, qui était effectivement Anglais, adossé à la voiture gagnante, une Panhard-Levassor, dont la marque n'est pas identifiée. On nous dit plus loin que Mors se plaça deuxième et troisième. L'omission du nom de marque Panhard semble donc n'être pas entièrement accidentelle.

Le numéro suivant a une couverture intéressante. On y voit la première C.G.V. fabriquée aux Etats-Unis. Il est peut-être bon de rappeler que ces trois lettres désignent les trois champions de Panhard : Charron, Girardot et Voigt. Au précédent Salon de Paris, ils avaient exposé une voiture de leur fabrication, bien qu'ils aient continué à représenter Panhard. Nulle mention n'est faite ensuite de leur lien avec Panhard : ils demeurent en tout cas parmi les premiers à avoir lancé une affaire de construction automobile aux Etats-Unis. Un article précise que les usines de Rome Locomotive (Rome, N. Y.) ont été choisies pour la manufacture et que Smith and Mabley, de New York City, sont les agents. Le prix est fixé à 5 500 dollars pour la quatre cylindres, 15 CV, capable de monter à 40 miles (70 km) à l'heure. Ces débuts étaient prometteurs (l'agence continua de prospérer) mais la C.G.V. ne perça jamais réellement sur le marché américain. Quelques années plus tard, une voiture américaine baptisée S.G.V. fut lancée; il s'agissait d'une copie de Lancia (qui débutait après quelques années de gloire comme pilote de Fiat), mais le choix du nom S.G.V. suggère une imitation du naguère fameux trio français. On espère que ce fut un bénéfice immérité.

On rapporte que Kenneth Skinner est de retour de France avec un nouveau contrat exclusif pour de Dion-Bouton. Skinner, de Boston, devait continuer dans les affaires quelques années encore, mais la nouvelle tentative de de Dion-Bouton ne devait pas avoir plus de succès que celle de Brooklyn, dont la gloire était restée passagère. La première agence (Field's) semble avoir souffert, pour utiliser un terme à la mode, d'une « obsolescence » tout à fait involontaire : le public s'étant lassé de la petite Motorette. Skinner, lui, arrivait avec le nouveau petit runabout de Dion-Bouton, et plus tard, il bénéficia de la Populaire. Ces excellentes petites voitures étaient en concurrence avec la *curved dash*[1] Oldsmobile; les droits de douane (45 %) rendaient la lutte inégale.

Le même numéro contenait aussi un long article sur la 40 CV Panhard acquise par M. Rainey; le précédent propriétaire était identifié comme le baron de Rothschild (lequel ? pas de précision). Pour Panhard, il s'agissait là d'une excellente publicité, qui rappelait fièrement toutes les compétitions remportées à l'étranger.

1. Ou « garde-boue courbé », appellation qui permettait de distinguer ce modèle du modèle du début, au garde-boue plat.

Nous y apprenons que toutes les Panhard doivent parcourir un mile en 56 secondes avant d'être commercialisées. Comme nous l'avons déjà vu, les rapports de cette voiture avec la future Oldsmobile ne sont pas mentionnés. Là, rien d'étonnant. Il est probable que la moitié des ventes après-course des années précédentes avait servi à fournir aux autres marques des renseignements sur la fabrication Panhard. La seule chose qui ne fut pas vraiment comprise au cours de ces années de l'ère post-Levassor, c'est qu'il n'y avait plus, sur ces voitures, de progrès qui justifiaient un tel investissement. La contribution de Krebs, le carburateur à compensation, était bardée de brevets : il était donc inutile d'acheter la Panhard pour le carburateur. Une sérieuse étude du brevet lui-même était plus utile. C'était aussi la pratique courante.

L'une des premières tentatives de manufacture de voiture sur une grande échelle aux Etats-Unis fut l'œuvre d'une compagnie de bicyclettes appartenant à un certain colonel Pope, dont les premières amours avaient été la voiture électrique, de préférence aux véhicules à essence, jugés trop bruyants et malodorants. L'usine de Toledo de ce groupe industriel sortit une nouvelle voiture à essence baptisée, pendant une courte période, « International » — à des fins de prestige sans doute (comme ces voitures appelées Le Mans qui n'ont jamais vu Le Mans), peut-être aussi en vue d'une participation à la Coupe Gordon-Bennett (dont le titre officiel était Coupe internationale) et pour l'exportation.

Le modèle accuse incontestablement une influence française, à la fois dans la mécanique et dans le style, ce qui est intéressant lorsqu'on pense que les revues automobiles françaises d'alors ne juraient que par les modèles allemands. Egalement divertissants sont les sarcasmes lancés contre ce modèle par l'un des admirateurs français des produits d'outre-Rhin.

M. René de Knyff est honoré dans ce numéro à l'occasion de sa promotion au rang de chevalier de la Légion d'honneur, qui suit la publication des derniers chiffres de production des Anciens Etablissements Panhard-Levassor, révélant un bénéfice d'un million de dollars par an. Ce qui donne un chiffre possible de 500 unités, et plus probablement de 200 à 300. Avec un humour inconscient, le journaliste, après nous avoir informé que M. de Knyff est l'un des automobilistes les plus célèbres de France, ajoute qu'il « a occupé la première place pendant la première étape du récent Paris-Vienne ». Faisant preuve de tact, il ne mentionne pas la Coupe internationale dans laquelle de Knyff représentait la France et où il avait été battu par un concurrent, peu brillant lui aussi, sur Napier.

Si l'on peut penser avec juste raison que l'intérêt de la balance commerciale n'était pas étranger à la nomination du nouveau chevalier, il s'ensuit que le fait que le comte de Dion n'ait pas été récompensé, alors que ses exportations et sa production brute étaient bien supérieures, constituait un affront délibéré, dû en partie à son opposition au gouvernement alors en place; c'est une bien curieuse politique que celle qui récompense les perdants et ignore les gagnants.

De tels commentaires n'apparurent point dans la presse américaine, mais il y eut quelques remous dans la presse spécialisée en France; il serait naïf de croire que les clubs automobiles où étaient rassemblés les clients de la France ne réagiraient pas. Il existe de fortes raisons de croire que le choix de Vanderbilt, sélectionnant des voitures de course Mors au lieu de Panhard, objets de son choix antérieur, indique une brouille avec la firme d'Ivry, partagée d'ailleurs par d'autres membres de l'Automobile-Club of America et provoquée par l'affaire Gordon-Bennett.

Le numéro qui annonçait la fin tragique de Charles Fair contenait la liste préliminaire des concurrents de la prochaine « Brighton Beach Race » dans la banlieue de New York. Elle comprenait deux Mors 60 CV, la Panhard 40 CV de M. Rainey, la Mercédès de 40 CV de Harry Harkness, une Darracq 35 CV, une Mors 16 CV, et une Peerless 16 H.P. (marque américaine, d'abord à moteur de Dion, qui devint l'une des trois P, selon l'appellation donnée à un trio de voitures américaines célèbre dans les années 20); il y avait aussi une 10 CV de course de Dion, et quinze voitures américaines diverses. La course de Brighton-Beach devait devenir une course classique du calendrier sportif américain au cours des années suivantes; l'exemple est intéressant ici, car il montre comment des voitures américaines furent capables de résister à une concurrence étrangère qui les aurait battues en course sur des routes européennes.

La seule épreuve sur route importante en Amérique (New York - Buffalo) avait été arrêtée à mi-course l'année précédente par l'annonce de l'assassinat du Président McKinley. Nul effort sérieux afin de reprendre l'exemple des courses européennes de ville à ville ne devait être lancé avant plusieurs années. Le fait que lorsque de telles courses furent organisées (les courses de la Coupe Vanderbilt), il y eut des voitures américaines capables de les remporter, suggère que la raison qui avait été donnée de leur suppression n'avait pas toujours été le souci de la sécurité du public. De crainte de créer une fausse impression, empressons-nous d'ajouter que la plupart des amateurs millionnaires américains ne possédaient pas une influence politique comparable à celle dont jouissaient leurs collègues européens; les premières lois régissant l'automobile en Amérique furent rédigées pendant la période où les sentiments antivitesses et anticompétition étaient les plus vifs et les plus actifs en France. La réglementation fut, et reste d'ailleurs l'affaire de chaque Etat aux Etats-Unis, et l'une des premières dispositions fut généralement d'interdire les courses.

La piste était presque toujours une piste hippique, dont le revêtement se détériorait très vite. La longueur habituelle était de 1 mile; ce qui permettait des vitesses de l'ordre de 60 miles (100 km) à l'heure; certaines pistes d'un demi-mile permettaient avec peine d'atteindre les 40 miles (70 km). Les voitures européennes les plus rapides ne pouvaient espérer atteindre leur vitesse maximum.

Les résultats des courses de Brighton ne parurent pas dans *Automobile Topics*; on se contenta d'honorer le *sportsman* millionnaire, Harkness, qui parcourut 10 miles en 11 mn 54,8 s. Ceci ne suffisait pas à détrôner Winton (le pauvre Winton, qui avait traversé deux fois l'Atlantique pour représenter son pays, mais en vain). Winton gardait une marge confortable avec son record de janvier précédent : 11 mn 9 s.

Il ne semble pas que la silhouette de la Winton ait reçu une attention spéciale de la presse américaine; une influence européenne ne peut s'y discerner. Vingt ans plus tard, la silhouette Winton devait réapparaître sur la piste de Brooklands en Angleterre au cours des essais spéciaux dans lesquels Parry Thomas s'attribua des records de vitesse qui durèrent assez longtemps. Par contre, la voiture de Harkness suscite dans notre revue un commentaire très intéressant, car il montre la sensibilité des auteurs de la Mercédès aux théories sur le marché potentiel de la commande des gaz :

« La nouvelle Mercédès Simplex (celle de Harkness) qui a fait si bonne impression, représente un type du véhicule difficilement acceptable dans nos contrées — ces voitures semblent trop basses sur pattes et pour un emploi ordinaire, les 40 CV semblent un peu exagérées. C'est une satisfaction, toutefois, pour les ingénieurs chevronnés qui existent dans notre pays de voir que l'on a adopté sur la Mercédès le volet de commande de mélange gazeux opéré par une manette. D'après ce que l'auteur de ces lignes a pu apprendre, cette méthode fut utilisée pour la première fois sur des voitures américaines il y a plusieurs années, en fait, à une époque où le régulateur automatique était considéré en Europe comme l'unique moyen de contrôle. »

Une histoire longue et compliquée se greffe sur cet aspect particulier du moteur à combustion interne appliqué aux engins automobiles. Benz fut apparemment un des premiers tenants de la régulation volumétrique des gaz, comme avant lui l'avaient été Delamare-Deboutteville; les petits tricycles de Dion utilisaient clairement une combinaison de commande de gaz et de régulation d'allumage qui a constitué depuis soixante ans la façon la plus normale de contrôler la vitesse d'une automobile, tandis que les soi-disant pères de l'automobile perdaient leur temps avec la méthode du moteur stationnaire qui emploie un régulateur interférant avec l'action de la soupape, et un allumage non variable par tube incandescent. Une relation existait entre la soupape d'admission automatique et la carburation qui, une fois que les fabricants eurent rejeté les carburateurs à mèche et à barbotage, rendait une carburation équilibrée très problématique. Dans la période de transition, certains fabricants utilisèrent une soupape dans l'arrivée d'air qui a été prise par certains historiens postérieurs pour une régulation volumétrique des gaz, mais il s'agissait simplement en l'occurrence d'un « étrangleur » *(choke)*. Une fois ceci admis, une chose devient très claire : c'est la raison pour laquelle ces expérimentateurs pionniers avaient tant de mal à faire fonctionner leur allumage électrique et des conservateurs comme Panhard & Levassor choisissaient de garder l'allumage par tube incandescent. Même aujourd'hui avec des allumages et des carburations extraordinairement perfectionnés, le « starter » *(choke)* d'une voiture peut rapidement mettre celle-ci hors d'état de fonctionner, laissant au malheureux automobiliste le choix entre deux solutions : démonter les bougies et les essuyer (comme au bon vieux temps) ou attendre une demi-heure ou plus que les bougies sèchent.

Mors avait résolu son problème en utilisant toujours des soupapes automatiques, ce qui revenait à un carburateur séparé pour chaque cylindre, avec une chambre à flotteur commune, construction qui rappelle les carburateurs modernes.

Panhard ajouta en supplément l'allumage électrique avec le tube incandescent pendant la « période des bougies noyées ». Mercédès essaya la soupape à admission mécanique, qui simplifiait le problème des flots de gaz dans la carburation, et réintroduisait la magnéto comme source du courant de l'allumage électrique. Il faut rappeler que les batteries, à cette époque, étaient une source incertaine de courant après une période de dix heures environ. Mors n'avait pas eu de problème là, car la maison avait mis à profit ses connaissances considérables acquises dans la manufacture d'appareillage électrique pour créer un système complet comparable à la pratique moderne, avec générateur,

M. Truffault sur sa voiture qui triompha dans la côte de Gaillon en 1901. Elle fut remarquée pour les solutions qu'elle apportait aux problèmes de suspension. Ses amortisseurs furent longtemps en faveur aux Etats-Unis. On peut voir la culasse célèbre du moteur Buchet. (Voir pp. 257-258 et 308.)

(Cliché Archives du Touring-Club de France.)

distributeur, accumulateur à batteries (seul le démarreur était omis). Delahaye avait une autre solution acceptable impliquant l'utilisation d'un allumage électrique, comme nous l'avons déjà remarqué.

Les partisans de Mercédès voulaient donc bien adopter une attitude condescendante à l'égard des soupapes d'admission commandées mécaniquement sur les premières Mercédès. Il est hors de doute qu'ils ont devancé leur associé, Panhard-Levassor; mais, comme on l'a vu, les dernières contributions effectives du grand Levassor à l'alliance dataient de 1896, car il mourut au début de 1897. Pourtant, en termes absolus de priorité, les dessins du chariot Delamare-Deboutteville de 1884 montrent des soupapes mécaniques et un allumage électrique actionnés à la fois par un arbre de dédoublement à engrenage conique. Bien que cela suppose une insouciance incompatible avec la conduite ordinaire des affaires, admettons que Daimler et ses associés ne se soient jamais préoccupés de se procurer les détails de ce brevet. Il reste tout de même le fait qu'au Salon automobile de Berlin (automne 1899), où exposaient plus de cent marques, le stand de Daimler côtoyait ceux de de Dietrich (licence Bollée) et de Loutzky. Renault, soit dit en passant, confia assez tôt dans sa carrière qu'il se faisait toujours un devoir de passer au crible toutes les autres voitures exposées au Salon de Paris, en en donnant les raisons suivantes : d'abord, il notait les constructeurs qui utilisaient le principe de l'arbre de transmission sur lequel il possédait des droits de brevets afin de réclamer son dû; d'autre part, il notait les idées nouvelles qui pouvaient être utilisées sur ses propres constructions. Daimler semble bien n'avoir jamais fait une telle confession; il vaut quand même la peine de remarquer que la Loutzky, fabriquée à Paris et exposée à côté du stand Daimler, possédait des soupapes à admission mécanique. Forest, et bien d'autres, employèrent ce système avant Mercédès, mais ce qu'il faut admettre ici c'est que la nouvelle voiture allemande était offerte sur le marché américain avec un système de commande des gaz auquel les clients américains étaient habitués et dont le principe était admis, alors que Panhard, profitant de sa longue tradition de succès contre le nouveau concurrent Mors, à la fois sur le plan sportif et commercial, s'en tenait strictement aux soupapes automatiques et à la régulation des soupapes d'échappement, ce qui avait nécessité une transmission à quatre vitesses afin de donner une souplesse suffisante sur route. Une troisième solution se profilait à l'horizon — deux vitesses et un rendement adéquat du moteur, avec une souplesse obtenue grâce à un allumage variable et une commande des gaz — et lorsque ce principe fut réaffirmé par le modèle T de Henry Ford, il fut à la base d'un record de production jugé alors remarquable[1].

Le principal concurrent de Panhard dans la conquête du marché américain était Mors; qu'advenait-il donc de Peugeot? En l'absence d'agents d'importation et de chiffres précis de production de cette firme jusqu'à cette époque, il semble néanmoins que l'affaire ait été fort prospère en France. On peut dire que la production Panhard excéda celle de Peugeot en 1901 et 1902, pendant le grand bond en avant de la firme d'Ivry, mais les chiffres de Peugeot sont inconnus pour cette époque; toutefois, il ne fait pas de doute que la production de Peugeot, au dix-neuvième, siècle ait excédé celle de Panhard.

Pour en revenir au compte rendu des courses de Brighton-Beach, un reporter eut l'idée de jeter un coup d'œil sur les voitures garées par les spectateurs et trouva que 60 % d'entre elles étaient de fabrication américaine, et qu'on y trouvait plusieurs des derniers modèles sortis.

La semaine suivante, la revue annonçait la sortie de la Searchmont type VI, qui était une élégante voiture de lignes françaises, du genre voiture légère, et dont le prix était fixé à 2 500 dollars. Cette marque devait bientôt donner l'exemple d'un genre d'exportation française qui allait se révéler de courte durée. Henri Fournier, l'as du moment des courses automobiles, allait faire une tournée triomphale aux Etats-Unis. Ses talents d'homme d'affaires dépassaient de loin ses talents de pilote de course, qui étaient considérables[2]. Lorsqu'il retourna en France ce fut avec le titre de vice-président de Fournier-Searchmont Automobile Company. Les rumeurs les plus extravagantes circulèrent alors sur les liens qui l'unissaient à la firme de Philadelphie, mais à lire entre les lignes, il n'est pas difficile de deviner que cette Compagnie avait acheté sa notoriété en s'adjoignant son nom; le titre de vice-président et quelque argent avaient dû faire l'affaire, l'assistance technique se bornant à fort peu de chose.

La Searchmont, rebaptisée Fournier-Searchmont, fut commercialisée par le magasin new-yorkais de John Wanamaker, l'un des très grands magasins de l'époque (il en existe encore un à Philadelphie), et se vendit apparemment fort bien; mais la magie commerciale du nom de Fournier s'évanouit avec l'absence des

1. *The Automobile Review*, févr. 1902, pp. 27-32, *The Automobile Review and Automobile News*, 15 juillet 1902, p. 163; *ibid.*, 1er septembre 1902, p. 205.
2. *Annual Report*, Smithsonian Institution, Washington, D.C., 1901, article : « Automobile Races » de Henri FOURNIER.

gros titres, et un nommé Henry Ford arriva chez Wanamaker avec une proposition séduisante qui permit à l'homme de Detroit de se lancer dans une industrie où il avait eu du mal à percer. Un recensement des fabricants de voitures aux Etats-Unis, effectué à cette époque, ne donne aucun fabricant dans le Michigan, omettant ainsi Ford et quelques autres; cela nous rappelle la controverse Meyan - baron de Zuylen sur le nombre d'usines automobiles en France.

La voiture curieusement appelée Automotor Tonneau, reproduite dans le même numéro, a des liens encore plus ténus avec la France. Qu'on en juge :

« La voiture tonneau de type français de la Automotor Company de Springfield, Massachusetts, est le résultat de plus de cinq années d'efforts de cette Compagnie, pendant lesquelles elle a aussi produit avec succès des voitures plus petites. Ces tonneaux de tourisme sont de type français... Le moteur est un deux-cylindres d'un modèle d'importation française de 12 CV, ce qui donne d'amples possibilités à la voiture, particulièrement dans les côtes. Le radiateur est d'une forme nouvelle, imitée quelque peu de Mercédès..., la carrosserie... est en tôle d'acier. »

Nous pensons que le fabricant de cette voiture faisait preuve d'un flair qui mérite louanges. Ses confrères français avaient, eux, depuis longtemps, renoncé : tout ce qui vient d'Allemagne est admirable, voilà quel était leur *leitmotiv*. Ce Yankee choisit dans les deux productions le concept de base du véhicule et du moteur chez les Français et la ligne du radiateur chez les Allemands. Le constructeur fabriquait des tôles et des cornières avant de passer à l'industrie automobile. Son sort fut semblable à celui de la plupart des industriels de l'est des Etats-Unis qui se lancèrent dans l'automobile; il ne put amasser suffisamment de capital et assista impuissant à l'exode vers l'ouest des activités automobiles.

Un commentaire paraît dans un magazine de l'ouest, l'*Automobile Review*, qui nous a fourni les précisions sur la commande des gaz précédemment citée. Il traite de l'apparition de l'automobile et accepte comme modèle classique le style français. Les modèles de Canstatt ne semblent pas avoir été retenus par les reporters de Chicago.

Un autre article, qui précède immédiatement celui-ci et qui traite de la course de 100 miles organisée par les membres du Chicago Automobile-Club, constitue un avertissement sérieux pour l'importation française. Il rappelle au jeune Club la règle d'or de l'Automobile-Club of America selon laquelle nul club ne doit devenir un marché pour quiconque. Un fabricant français s'aventurant loin des rivages familiers de l'A.-C.F. devait se trouver bien perdu. Il semblerait que le rôle purement négatif de l'A.-C.F. dans l'amenuisement progressif des produits français sur le marché américain a été largement sous-estimé.

Pour en revenir au numéro d'*Automobile Topics*, où nous puisions avant de passer à *Automobile Review*, nous trouvons quelques renseignements personnels : Oliver H. P. Belmont, dont la fastueuse résidence à Newport possédait une allée intérieure qui permettait à ses amis d'arriver en voiture directement au pied de l'escalier d'honneur de la salle de bal, se fait construire pour 24 000 francs une 15 CV chez Mors. Charles M. Schwab, le magnat de l'acier, qui coopérait indirectement avec l'industrie européenne, en ne produisant pas les alliages raffinés nécessaires, parcourait l'Europe dans sa Mercédès de 40 CV, et venait de commander une 60 CV de la même marque.

On rapportait l'achat par William Rockefeller d'une Panhard fabriquée par Ohio Automobile Company de Warren, Ohio; il s'agissait, bien évidemment, en fait, d'une Packard, marque encore insuffisamment établie pour que le journal ne puisse éviter l'erreur!

L'un des derniers articles offrait, par contre, une sorte de compensation aux intérêts commerciaux français : Corse Payton, le nouvel entrepreneur du Park Theatre de Boston, venait, apprenait-on, de relier Boston à New York (excursion encore aventureuse à l'époque), dans son Abeille « sans chaîne ». La voiture était un tonneau du type léger à moteur Buchet de 16 CV. Le terme « sans chaîne » sonne curieusement; il rappelle le langage utilisé en cyclisme dix ans auparavant, où les vélos à transmission par arbre étaient appelés « sans chaîne » ou plus élégamment « acatènes ». La voiture de Corse Payton dut être tout à fait extraordinaire. L'Abeille ne resta pas longtemps sur le marché, et pourtant la combinaison était prometteuse. Renault exigea peut-être des droits excessifs pour sa « prise directe ». L'attribut le plus important du moteur Buchet (soupapes inclinées dans une culasse hémisphérique), a été décrit plus haut à l'occasion de l'adoption subséquente de la soupape en culasse par Mercédès.

A la même époque environ, un gros importateur de New York annonça qu'il allait importer plus de 300 automobiles de fabrication française d'une valeur totale d'un million de dollars en une seule année, et la consternation régna un instant dans les milieux automobiles. A cette heureuse époque, une affaire d'un million de dollars paraissait fantastique. Mais le *New York Sun*, qui essayait de se faire le porte-parole de l'industrie et de s'intéresser de près à l'automobile, ne trouva aucune raison de s'alarmer :

« L'annonce de l'importation de 300 automobiles françaises d'une valeur totale d'un million de dollars, en un an à compter d'aujourd'hui, ne manquera pas d'affecter l'humeur et les plans de nos propres fabricants automobiles... Les machines... seront vendues à des prix variant entre 4 000 et 12 000 dollars... ce qui signifie que le contingent sera composé de véhicules pour lesquels les Français ont acquis une réputation récemment, c'est-à-dire, de grosses cylindrées...

« Cette vaste importation d'automobiles étrangères va-t-elle contribuer à une dépression de l'industrie automobile en Amérique ?... Voici cinq ans, l'automobile était encore une curiosité... à elles toutes, un seul garage aurait suffi. Un an plus tard on les comptait par douzaines. En 1899 le total atteignait les centaines. En 1900, il y en avait entre 1 000 et 1 500. L'année dernière, elles étaient au moins 2 000... à New York seulement et de 3 à 500 aux Etats-Unis ; à l'heure actuelle les estimations les plus autorisées donnent 12 000... A la lumière de ces chiffres et de l'ardeur de la présente demande est-il déraisonnable de penser... qu'à la fin de 1903 ce chiffre aura encore doublé ? Si le lot de 300 voitures devait être entièrement vendu à Manhattan, il y avait encore assez de place dans ce quartier pour dix fois autant de voitures... (août 1902) »[1].

Il est probable que les chiffres annoncés furent atteints, tandis que les exportations françaises atteignaient 3 millions de dollars en 1901 et 6 millions en 1902. Les exportations françaises continuèrent de grimper chaque année jusqu'en 1907, et après une chute de 15 %, due à la dépression de 1908, reprirent leur ascension en 1909.

Cette brève incursion dans le domaine de l'influence française, vue dans la presse américaine entre 1900 et 1902, ouvre de vastes horizons sur le relatif succès ou échec de cette tentative de pénétration des nouveaux marchés de l'hémisphère occidental; il n'est rien de plus qu'un échantillonnage d'opinions autorisées d'éléments exerçant une influence sur ce marché, sans autre intervention qu'une attention plus marquée accordée à la publicité donnée aux voitures françaises.

1. *The New York Sun*, quotidien, récemment disparu, août 1902. (La citation est tirée de *Automobile Topics*, p. 852, 23 août 1902.)

SIXIÈME PARTIE

MARQUES SECONDAIRES

Chapitre XXXV

DE DOUZE MARQUES ET DE LEURS CONSTRUCTIONS

L'histoire automobile semble, pour sa plus grande part, avoir été écrite à la gloire des succès commerciaux tandis que les marques disparues ne retiennent guère l'attention. Peut-on imaginer une histoire politique qui ne consacrerait qu'un seul chapitre aux monarchies, sous prétexte qu'il en reste si peu aujourd'hui ?

Dans le domaine de l'automobile une telle méthode serait désastreuse, car les plus belles et les plus importantes pages de l'histoire du développement automobile ont précisément été écrites, n'en déplaise aux publicistes, par les marques éphémères dont les brillantes découvertes furent adoptées par les grandes marques chaque fois que l'acceptation du grand public suggéra la sagesse d'une telle opération. Le Salon de l'Automobile de Paris devint très tôt le plus important centre mondial de dissémination du progrès automobile : même lorsque ce progrès venait de l'étranger, comme ce fut le cas avec Mercédès, qui fut probablement la première marque étrangère à y briller. Nous donnerons plus loin une analyse détaillée des divers Salons; un examen des différentes marques secondaires de l'époque peut nous aider à rétablir une vision plus équilibrée de la progression de l'art automobile dans son ensemble.

Il est quasi impossible de passer en revue chacune des marques disparues à cause du recul que le temps nous impose mais une sélection judicieuse pourra sans doute prouver le bien-fondé de notre thèse. Afin de dissiper un malentendu possible, selon lequel seules les marques éphémères méritent ce qualificatif de secondaires, et que par conséquent aucune n'atteignit la célébrité, commençons donc notre examen par une marque qui survécut plus de soixante ans; quoique relativement peu importante dans son vieil âge, cette marque eut son heure de triomphe, et fut longtemps synonyme de qualité.

ROCHET-SCHNEIDER

On nous dit que l'entreprise Rochet-Schneider démarra avec des moteurs Benz de Roger. Avant d'arriver au stade de l'automobile qui devait, lors de la Semaine de Nice en 1901, éclipser les Mercédès, les dirigeants de cette entreprise la préparèrent méticuleusement pendant des années, fait auquel le commentaire de Lavergne ne rend pas vraiment justice :

« MM. Rochet et Schneider se sont attachés à équilibrer toutes les pièces : le type Benz a été modifié dans quelques détails. »

Ces lignes furent écrites avant que les magnifiques voitures à moteur vertical de quatre cylindres n'aient fait leur apparition, mais la préoccupation d'équilibre est hautement significative. Benz utilisa l'arbre coudé dès le début (Daimler par contre utilisait les disques jumeaux et le boulon de bielle) et son intérêt pour l'équilibrage des pièces dut sans nul doute être proportionnel aux vitesses de rotation qu'il obtenait et qui étaient basses. Ni lui ni son représentant Roger ne firent preuve de zèle pour corriger cela. D'un autre côté, quiconque désire augmenter la puissance d'un moteur de type Benz doit automatiquement s'intéresser à l'équilibrage, car toute augmentation de la vitesse de rotation provoque vibrations et déséquilibre. Le modèle de Daimler possédait de meilleures qualités inhérentes d'équilibrage car il n'avait pas de vilebrequin et les disques jumeaux étaient en équilibre; seul, le poids relativement inconséquent du boulon de bielle et la partie inférieure de la bielle pouvaient créer un déséquilibre de rotation. La première utilisation par Daimler d'un vilebrequin apparut dans son brevet destiné à un moteur à deux cylindres opposés, qui donnait aux éléments mécaniques un équilibrage dynamique, mais la séquence explosive venait détruire cet équilibre. Le premier vilebrequin de Levassor réussit à imposer un meilleur équilibre des temps du moteur, mais les pistons montaient et descendaient ensemble; les masses à mouvement alternatif, complètement déséquilibrées donnaient donc un moteur très raide. Avant d'arriver à une solution, ils essayèrent de mettre en couple deux moteurs et obtinrent un moteur à quatre cylindres qui marchait deux fois plus mal.

Lorsque Peugeot se lança dans l'aventure avec un moteur horizontal à deux cylindres parallèles, en 1895, il fit un pas vers la solution en incorporant un tambour sur le coude de vilebrequin concentrique à l'axe principal de l'arbre moteur. Ce tambour avait pour fonction primaire la régulation des soupapes, mais il améliorait aussi l'équilibrage des masses, et pouvait même servir à les contrebalancer complètement, mais nulle mention n'est faite d'une telle utilisation.

La maison Rochet-Schneider, partant d'une base toute différente, employait deux volants qui assuraient un égal travail sur chaque portée de l'arbre, et de plus, les deux larges poulies de la transmission avaient l'effet de renforcer cet équilibrage. Le soin apporté par MM. Rochet et Schneider à la résolution de leurs problèmes préliminaires put se constater lors de la Semaine de Nice de 1901 ; si les résultats ne furent pas alors vraiment appréciés la maison récolta d'excellents contrats en Suisse et en Angleterre, et assit sa réputation en France. Nous y reviendrons.

Hurtu-Diligeon

Une comparaison du moteur de la Diligeon, ou Hurtu-Diligeon, avec le Delamare-Deboutteville suggère une influence possible dans la disposition des ailettes de refroidissement, mais l'utilisation d'un ventilateur de refroidissement et l'arrangement des soupapes sont différents, de même que le souci de contrebalancer les masses par un disque. Selon Lavergne, le refroidissement par air fut trouvé insuffisant et l'on revint à l'eau. Les limitations imposées par l'état de la métallurgie à l'époque empêchèrent l'utilisation réussie du refroidissement par air pendant de nombreuses années. Hurtu semble avoir conservé des fonctions dans l'industrie automobile jusqu'en 1938.

Cambier

Cambier, qui finit spécialiste de voitures de pompiers et de véhicules de service public, fut à ses débuts un actif constructeur capable d'une grande originalité et d'une grande souplesse. Il fabriqua des moteurs à un, deux, trois et quatre cylindres. Afin d'obtenir un allumage régulier et ininterrompu il utilisait un système double, combinant l'étincelle électrique par bougie et le tube à incandescence. Il s'occupa particulièrement de faciliter la mise en marche du moteur, avec suppression momentanée de la compression. Lavergne décrit le deux cylindres horizontal qui ne semble pas avoir bénéficié d'autre dispositif d'équilibrage que les deux vilebrequins calés à 180°. Périssé donne le trois cylindres, qui possède un équilibre dynamique inhérent à cause des pistons calés à 120°. D'autres raffinements pourront se remarquer, mais nous attirons l'attention sur la remarquable conception des deux soupapes d'admission par cylindre. Les avantages peuvent être résumés en quelques mots : meilleure alimentation, meilleur refroidissement des soupapes, vie plus longue, due à une température de fonctionnement plus basse et allégement des parties vibrantes. L'idée de la double soupape fut fort populaire parmi les constructeurs de course, dix ans plus tard, elle jouit d'une grande vogue.

Lavergne[1] dans un article intitulé « L'état actuel de l'automobilisme », écrit en 1899, parle de diligences fabriquées par Cambier pour relier Oran à Mostaganem, trajet de 90 kilomètres avec des pentes de 66 millimètres par mètre, sur lesquelles il employait le moteur à trois cylindres décrit plus haut, développant 30 CV. Il les fallait pour transporter 16 passagers et 500 kilogrammes de bagages, et pour terminer le parcours en cinq heures et demie. L'entreprise n'était pas peu audacieuse, vu l'état de l'art en 1899. A notre connaissance, ces conditions sont les plus sévères à être imposées à un service de transport à l'époque.

Ajoutons, au fond du tableau, que l'Algérie était territoire fréquenté par l'habile Jellinek. Il est douteux qu'il ait manqué de noter une 30 CV à double soupape et double allumage, surtout quand celui-ci était assuré par « une machine magnéto-électrique »[2].

Brouhot

La source citée ci-dessus nous donne quelques détails sur la voiture Brouhot, sur laquelle le gros moteur bicylindre est placé horizontalement sous la caisse, mais dans le châssis, les cylindres vers le centre et le vilebrequin (qui est équilibré) vers l'avant. Une caractéristique de cette voiture était l'utilisation de deux paires de pignons coniques, l'un pour faire passer la rotation du moteur à un arbre longitudinal où l'effort passait par le changement de vitesse, et l'autre pour reconvertir la rotation, pour l'essieu arrière, encore une fois sur axe transversal. La transmission était du type à prise continue. L'embrayage, au lieu de se trouver entre le moteur et la boîte de vitesses, se trouvait placé

1. *Revue générale des sciences*, 1899, voir pp. 230-231 de l'article de Gérard Lavergne, « L'état actuel de l'automobilisme ».
2. Lavergne, *L'automobile sur route*, p. 152.

après, de sorte que le moteur était solidaire des vitesses et le débrayage les isolait de l'arbre intermédiaire (qui porte les pignons de chaîne et correspond à l'arbre de différentiel des autres voitures) — Brouhot évita le différentiel en utilisant un encliquetage dans les moyeux. Ces solutions nouvelles peuvent avoir été adoptées afin d'éviter d'autres brevets.

La véritable contribution de Brouhot consista en l'emploi des deux freins à tambour séparés sur chaque moyeu arrière, l'un, conformément à la pratique imposée par un moteur à allure constante, associait l'action de débrayage — « on ne freine jamais sans automatiquement débrayer » était la maxime du jour. L'autre était actionné tout seul par une pédale.

L'une des premières ingérences de la légalité dans l'automobilisme stipula l'existence de deux systèmes de freinage séparés : Brouhot avait prévu l'objection en plaçant ce double système sur les deux roues arrière, solution qui garda la vedette pendant de nombreuses années avant que le freinage sur roues avant ne se généralise. D'autres fabricants d'alors se montraient satisfaits du freinage sur l'arbre de différentiel, ce qui signifiait que lorsque l'une des chaînes cassait, chose fréquente, il n'y avait plus de frein du tout, risque très réel, ignoré par la garde imparfaite, assidue, aveugle qu'est la loi.

Pour terminer, Brouhot fut l'un des premiers à appliquer le principe de la soupape d'admission commandée mécaniquement (avant 1899), ce principe qui éclata pendant l'année 1901 comme une invention allemande, partout admirée par la presse automobile.

Mors

Nous avons eu l'occasion de parler des voitures Mors maintes fois, mais nous n'avons guère eu le loisir de nous étendre sur leurs caractéristiques mécaniques. Les premières voitures Mors étaient remarquablement construites et la finition était parfaite. La complexité de l'appareillage et des tuyaux extérieurs en vue de l'alimentation et l'échappement remplit d'effroi quelques-uns des premiers admirateurs, habitués qu'ils étaient à la simplicité du moteur monocylindrique. Telle est l'opinion offerte par Périssé, qui reproche, en outre, au moteur Mors

« une grande complication de tuyauterie à cause des quatre cylindres, et, par suite, une plus grande chance d'avaries ; la construction de ce moteur est très soignée, et il ne pourrait en être autrement au risque d'arrêts très fréquents ».

En se référant à la gravure de Lavergne[1] (qu'on trouvera plus complète que la fig. 28 de Périssé), on s'aperçoit vite qu'Emile Mors inventa le schéma de base du moteur en V multicylindrique, dont un grand nombre ont été construits dans la version à huit cylindres, d'abord par de Dion, puis par Ford et Cadillac. (La Ford Corsair de 1966 possédait, elle, un moteur V 4, tout comme le prototype de Mors.) L'angle de bloc à 90°, et l'arbre à cames centré dans le V n'ont pas changé depuis. Le niveau d'huile n'arrive plus aussi haut, car la distribution sous pression a fait son apparition (chez Delaunay-Belleville dès 1903); mais il ne saurait faire de doute que la disposition de Mors constituait un progrès considérable sur la pratique générale. Un assez grand nombre de voitures à l'époque avaient le vilebrequin apparent, ce qui occasionnait une consommation d'huile énorme et laissait les délicates surfaces des roulements et des cylindres exposées aux intempéries et à la poussière. Baudry de Saunier[2], en 1900, ne considère pas que la pratique soit fâcheuse :

« Le va-et-vient du vilebrequin produit une chasse d'air suffisante pour que la poussière n'y pénètre pas. »

Mors offre aussi, par son système compliqué de tuyauterie dont se plaint Périssé, une façon de fournir à chaque cylindre une part égale de mélange gazeux. Les systèmes de carburation qui fonctionnaient avec des moteurs monocylindriques et des soupapes automatiques se déréglèrent lorsqu'ils furent adaptés aux pulsations irrégulières caractéristiques des moteurs multicylindriques, surtout dans le modèle à deux cylindres sur lequel ces derniers sont en opposition. Mors utilisait un volet de commande, mais les ennuis de variations de pression furent éliminés, comme nous l'avons vu plus haut, par sa disposition spéciale : bien qu'il n'ait qu'une seule caisse, il y a un raccord pour chaque cylindre, les deux liés par le tube d'aspiration; pour le moteur à quatre cylindres, il existe quatre raccords, quatre raccords qui contiennent quatre ajustages réglant le mélange. Sauf la chambre de flotteur, commune à tous, on a en fait un carburateur séparé pour chaque cylindre. Ce problème devint moins aigu avec l'utilisation de soupapes commandées mécaniquement : ce qui explique que ce système ait été adopté par Mercédès lorsque la maison Daimler décida de se convertir aux quatre cylindres et essaya d'utiliser un volet de commande des gaz. Ce besoin de changement avait d'ailleurs

1. Lavergne, *op. cit.*, I, n° 19 : *L'Automobile sur route*, fig. 75, p. 151.
2. Baudry de Saunier, *op. cit.*, I, n° 14, *L'Automobile*, vol. II, p. 247.

probablement été ressenti lors des essais du moteur Daimler à deux cylindres opposés dont le déséquilibre était exagéré.

Le moteur à deux cylindres adopté par Mors lorsqu'il abandonna le quatre cylindres en V ne constitua pas un problème pour lui, car l'aspiration y était espacée régulièrement, avec un temps moteur à chaque révolution, donc une seule admission. D'où l'emploi de tubes équilatéraux en forme de T renversé distribuant le mélange également à chaque cylindre, ou, dans le cas du moteur à quatre cylindres, utilisation d'une double tubulure en T. L'idée rudimentaire d'un carburateur à tirage descendant, principe qui devait jouir d'une vogue considérable vers 1930, est également discernable dans cette disposition. Ce moteur était remarquable pour son arbre équilibré. Des contrepoids amovibles facilitaient un équilibrage savant des parties mobiles.

L'excellent système d'allumage entièrement électrique de Mors a déjà été salué. Il s'agissait probablement du système le plus moderne du XIXe siècle, et qui se rapprochait le plus de tout ce que l'on a pu faire depuis. La plupart des livres qui ont tenté de donner une vue générale de l'état de l'art automobile ont été écrits entre 1900 et 1914, à une époque ou la magnéto à haute ou à basse tension, à bougies ou à trembleur, était reine; Mors a donc considérablement souffert de la courte vue de ses auteurs.

Les exploits de Willie Vanderbilt sur sa *White Ghost* ou sa *Red Rusher* sont enterrés dans les vieux magazines, mais ses records du monde peuvent se trouver dans n'importe quel annuaire ou autres compilations de records sportifs : son kilomètre en 29,4 s, c'est-à-dire 122 kilomètres à l'heure sur Mors. Rappelons que c'est bien Mors qui brilla aux courses (aux dépens de Panhard) de 1900 à 1903, période du triomphe publicitaire de la firme de Canstatt. Pour faire apprécier l'ironie de la chose, et la manière dont la presse française a livré les lauriers (et par suite, l'industrie automobile) aux étrangers, nous avons fait un petit tableau des courses principales où les Mercédès et les Mors se mettaient à l'épreuve :

1900 *Nice-Marseille, 26 mars, 200 km :*

De Knyff	Panhard	1er	3 h 25 mn 30 s
Levegh	Mors	5e	3 49 37
Jellinek	« Mercédès »	10e	4 52 49

Bordeaux-Périgueux-Bordeaux, 3 et 4 juin, 318 km :

Levegh	Mors	1er	4 h 04 mn 45 s
Giraud	Panhard	2e	4 12 36

(Epreuve considérée non officiellement éliminatoire G.-B.)

Paris-Toulouse-Paris, 25 à 28 juillet, 1 446 km :

Levegh	Mors	1er	20 h 50 mn 09 s
Pinson	Panhard	2e	22 11 01

1901 *Grand Prix de Pau, 17 février, 344 km :*

M. Farman	Panhard	1er	4 h 28 mn 10 s
Barrow	Mercédès		Abandonnée

Nice-Salon-Nice, 25 mars, 404 km :

Werner	Mercédès	1er	6 h 45 mn 48 s
Degrais	Rochet-Schneider	2e	7 11 58
De Caters	Mors	3e	7 14 05

Paris-Bordeaux, 29 mai, 550 km :

Fournier	Mors	1er	6 h 10 mn 44 s
M. Farman	Panhard	2e	6 41 15
Thorn	Mercédès		Abandonnée
Foxhall-Keene	Mercédès		Abandonnée

La Coupe G.-B. contestée concurremment donna :

Girardot	Panhard	1er	8 h 50 mn 59 s
Levegh	Mors		Accidentée

(Ce dernier arriva comme passager, Mors 8 h 36 mn 39 s !)
Mercédès s'était refusé à participer à la Coupe G.-B.

Paris-Berlin, 27 à 29 juin, 1 145 km :

Fournier	Mors	1er	15 h 33 mn 06 s
Girardot	Panhard	2e	16 38 38
Werner	Mercédès	18e	21 29 49

1902 (La course Nice-Abazzia était supprimée). Donnons les résultats de la course de côte de la Turbie, succès célèbre de Mercédès :

Stead	Mercédès	16 mn 37 s	gagn. g.v.
Gabriel	Darracq	15 46	gagn. v.l.

La voiture légère était la plus rapide.

Paris-Vienne, 26 à 29 juin, distance nette de la course : 1 003 km.

H. Farman	Panhard	1er	16 h 00 mn 30,2 s	
Zborowski	Mercédès	2e	16 13 29,6 s	
de Caters	Mors	9e	19 54 58,2 s	*Bad luck*

Parce qu'on trouvera des histoires sur la pénalité (selon Rose), imposée au comte Zborowski, nous nommons le gagant des v.l. : Marcel Renault, Renault, 1er v.l. et g.c., 15 h 47 mn 43,8 s.

Voiture Mors, Tour de France 1899. Après cinq jours marqués par de nombreuses avaries, Levegh vient d'arriver à Cabourg. La photo annonce la fin de la Panhard type Levassor, et l'essor de la voiture du xxe siècle du type Brasier. (Voir pp. 317-321.)

(Cliché Archives du Touring-Club de France.)

Circuit des Ardennes, 31 juillet, 503 km :

Jarrott	Panhard	1er	5 h 53 mn 39,6 s
Gabriel	Mors	2e	6 02 45,2
Vanderbilt	Mors	3e	6 22 11,6
Zborowski	Mercédès	4e	6 46 40,2

(La maison Mors a subi la perte de ses vedettes de volant, Levegh et H. Fournier ; elle va perdre son maître-dessinateur : Brasier.)

1903 *Paris-Madrid, 24 mai, 507 km (terminée à Bordeaux par arrêt) :*

Gabriel	Mors	1er	5 h 14 mn 31,2 s
Salleron	Mors	2e	5 47 01,8
Warden	Mercédès	5e	5 55 30,8

La Coupe Gordon-Bennett, 2 juillet, 504 km :

Jenatzy	Mercédès	1er	6 h 39 mn 00 s	
De Knyff	Panhard	2e	6 50 40	
H. Farman	Panhard	3e	6 51 44	
Gabriel	Mors	4e	7 11 33	
Edge	Napier	5e	9 18 48	(disqualifiée).

(La seule équipe à terminer est l'équipe française ; Jenatzy reste l'étoile solitaire des véhicules non français ; Edge avait remporté la Coupe en 1902 ; la seconde fois où Mercédès refusa l'épreuve.)

En prenant congé de Mors, il semble approprié de jeter un coup d'œil à une mention, parue dans *La Vie au Grand Air*[1] où, en plus de M. Emile Mors, administrateur, nous trouvons le nom d'André Citroën, président du Conseil d'administration. Ce M. Citroën devait, plus tard, absorber Mors.

De Dietrich : licence Amédée Bollée

Le modèle de moteur d'Amédée Bollée, adopté sur les premières voitures de Dietrich construites sous licence Bollée, comportait un ingénieux compromis entre les moteurs à régulation sur l'échappement (comme ceux de Daimler et de Panhard & Levassor), et ceux d'une conception totalement différente. Ce système a été abandonné, de même que le procédé de base dont il était censé être un perfectionnement. Le seul procédé utilisé sur ce moteur de 1896 qui soit encore aujourd'hui de pratique courante (quoique de plus en plus rare), est le refroidissement par eau dépendant de

1. *La Vie au Grand Air*, 19 septembre 1908, p. 688.

différences de densité entre l'eau chaude et l'eau froide, sans intervention de pompe de circulation.

En 1899 la maison de Dietrich fit sensation au Salon avec un « torpilleur avec glace coupe-vent » comme on l'a décrit, avant d'entendre pour une première fois le mot aérodynamique.

Landry & Beyroux

Landry & Beyroux, constructeurs établis depuis longtemps avant de s'intéresser à l'automobile, abordèrent le problème de la soupape d'admission d'une curieuse manière, en fait en deux stades. Le mélange entrait dans le cylindre par une soupape automatique venant d'une boîte, et cette entrée était régularisée par une soupape mécanique actionnée par un régulateur centrifuge qui diminuait ou augmentait l'admission du mélange dans la boîte, comme on en peut voir dans Lavergne[1].

La solution n'offre à présent aucune importance en dehors du fait qu'elle témoigne de l'existence d'esprits inventifs cherchant sans cesse une amélioration; le besoin de supprimer la soupape automatique fut ressenti très tôt, et cet exemple le démontre à l'excès.

La maison était célèbre pour la fabrication de pompes à feu, et de plus, elle eut le triste privilège d'avoir produit l'une des voitures participantes à la première collision automobile fatale du monde.

Gautier-Wehrlé ou Continental

Gautier-Wehrlé sortit un moteur à deux cylindres horizontaux opposés, attaché aux côtés du châssis de façon à servir de renforcement au châssis lui-même.

Sa caractéristique la plus remarquable, au point de vue de ses contemporains, était un dispositif destiné à réduire la vitesse du moteur de 800 t/mn, à 100, lorsque le véhicule était à l'arrêt, moteur tournant. Cet exemple suffira à montrer au lecteur moderne combien nous sommes encore loin sur la route du perfectionnement technique. La pratique du moteur fixe était encore tellement prééminente dans l'esprit des expérimentateurs, qu'il ne semblait pas bizarre de voir tourner le moteur à une vitesse « normale », plein régime, à vide. Ceci correspondait à ce que nous appelons aujourd'hui, « emballer le moteur », tant sont différents nos

1. Lavergne, *L'Automobile sur route, op. cit., supra*, pp. 156 et 157.

concepts de normalité. Nous acceptons aujourd'hui l'idée de « ralenti » lorsque le moteur tourne tout juste assez vite pour ne pas caler : plus ce ralenti est bas, meilleur il nous semble. A l'époque de Gautier & Wehrlé, leur concept était presque révolutionnaire, tous leurs contemporains (sauf ceux qui appartenaient aux écoles de Dion et de Benz), se contentaient de moteurs tournant à 800 t/mn, à l'arrêt, en pleine vitesse ou en ville. Le bruit devait être intense, mais était accepté comme l'un des inconvénients nécessaires du moteur à essence; ce bruit explique aussi l'intérêt porté à la voiture électrique pour la ville, car le silence de la voiture électrique n'était que plus éloquent par contraste.

Cette première déviation du concept de la vitesse de rotation fixe amena la création de l'accélérateur. Ce terme faussement auto-explicite s'applique de nos jours à une pédale actionnant l'arrivée du mélange du carburateur dans les cylindres (comme sur la Mors) mais il s'appliquait originellement à tout système qui venait interférer avec le régulateur, permettant au moteur de tourner plus vite.

Gautier & Wehrlé introduisirent donc très tôt un système de décélération, avec utilisation d'un « ralenti » (le terme n'étant pas alors utilisé). Avec leur régulation par l'échappement, Gautier & Wehrlé étaient devant le même problème que Daimler et Panhard & Levassor; ils introduisirent une utile modification de la technique alors en cours. La solution passa par-dessus bord lorsque la régulation par l'échappement elle-même fut abandonnée par tous, y compris des grands ténors de l'automobile.

Pour le système de la transmission aux roues, Gautier & Wehrlé adoptèrent une disposition similaire à celle de de Dion. Les marches avant et arrière étaient obtenues par l'emploi d'engrenages coniques sur l'arbre de transmission, l'un pour le mouvement avant, l'autre pour le mouvement arrière. Cette solution reparaîtra pendant une courte période vers 1901 et 1902 sur les meilleurs modèles. Les arbres étaient transversaux et la transmission allait du différentiel aux roues arrière par le moyen de deux leviers de rotules sur les extrémités de l'essieu où les roues étaient attachées. Ce système est une légère simplification de l'arrangement de Dion, peut-être plus rapproché du concept plus récent d'essieu oscillant de Mercédès.

David

Les automobiles David utilisèrent aussi la transmission par prise continue : la puissance était fournie par un moteur de 6 CV à quatre cylindres, manufacturé par P. Gautier. Une préoccupation de confort conduisit David & Bourgeois à introduire une conduite intérieure en 1898, selon leur publicité parue dans l'*Annuaire général* de la même année. Cette réclame parut un an avant le fameux coupé Renault à qui cet honneur est généralement attribué.

Lepape

Lepape fut un autre de ces chercheurs infatigables qui créèrent plusieurs genres de moteurs. Lavergne nous donne des précisions sur son moteur à trois cylindres de 1896 :

« Trois cylindres à 120° les uns des autres et cycle à quatre temps, trois explosions tous les deux tours ; les trois têtes de bielles sont reliées au même tourillon de l'arbre moteur... Admission automatique par soupape. Allumage électrique. Régulateur spécial (*i.e.* non-Daimler). Carburateur à simple léchage et à niveau constant... réchauffé par l'eau qui a servi à refroidir les cylindres. L'eau refoulée par une pompe dans les enveloppes de ces derniers, remonte en haut d'une bâche d'où elle tombe en pluie fine au contact de l'air. Pour une puissance de 6 CV, poids 245 kilogrammes, 400 t/mn, consommation 2/3 litre par cheval-heure. Mise en train facile et marche très régulière. »

Lavergne et Lockert citent tous deux la machine à vapeur Brotherhood comme inspiratrice de ce modèle; nous trouvons donc dans ce moteur deux points importants pour notre recherche : d'abord, la reconnaissance d'un besoin de meilleur équilibrage à la construction, et aussi l'aptitude à utiliser les leçons apprises dans le champ de la vapeur. Mais les deux commentateurs s'abstiennent de signaler une autre caractéristique des moteurs Lepape qui ne devrait pas être sous-estimée : la course du piston était plus courte que l'alésage, sur le moteur à un cylindre. (Le moteur à trois cylindres, le plus ancien, a un rapport d'à peu près 16 sur 17, et donc peut être considéré comme « carré ».) Un coup d'œil aux dessins du moteur Gautier-Wehrlé fait ressortir la faiblesse inhérente du vilebrequin à longue course; les qualités thermodynamiques du moteur « supercarré », comme on l'appelle maintenant, sont bien comprises de nos jours, mais l'erreur initiale de Daimler ne commençait qu'à peine à être suspectée à cette époque; avant que ce type de construction ne soit amené à disparaître, il devait d'ailleurs connaître un renouveau de vie par l'effet de l'imposition de taxes censées être calculées selon l'alésage. Ce qui aboutit, comme nous le verrons, à toute une ère de construction de moteurs « anti-impôts », et à toute une littérature exposant les soi-disant avantages du moteur à longue course. Lepape, qui était sur la bonne voie, par accident ou par génie, fut généralement oublié au profit d'industriels plus populaires.

En 1906, nous trouvons Lepape sur la voie de la voiturette, avec une jolie petite voiture qui se baptise « Economic ».

Raouval

De même que certains chercheurs moins connus ont fait des découvertes qui se sont agrégées peu à peu au grand courant de la pratique en matière de moteurs, de même il y eut des constructeurs qui amenèrent des raffinements nouveaux de châssis ou de train. En général, ces innovateurs ont construit un véhicule où leurs idées se trouvaient réalisées, et puis ils se sont aperçus que la plupart des acheteurs n'étaient pas suffisamment raffinés pour apprécier les améliorations proposées. Quelques journalistes pouvaient bien s'enthousiasmer, mais avec les délais d'impression et de parution, la jeune Compagnie pouvait périr entre-temps. C'est ce qui se passa avec Raouval.

L'expérience avait appris aux pionniers automobilistes que les freins dont ils se servaient fonctionnaient mieux en marche avant. Ceci n'était guère surprenant, puisque le frein était surtout destiné à être utilisé dans le mouvement normal de la voiture. Faire marche arrière était normalement une manœuvre lente, ce qui fait que nul ne s'avisa de s'alarmer jusqu'à ce que les automobiles s'aventurent à gravir des fortes pentes. (Il faut rappeler aussi que la plupart de ces premières automobiles n'avait pas de marche arrière : le chauffeur faisait la manœuvre à la main.) Le désastre s'abattit sur plus d'un pionnier dont le moteur était trop faible en côte, ou dont le moteur cessait simplement de fonctionner pour une raison quelconque. La voiture, par gravité, partait en arrière, et les freins se révélaient le plus souvent impuissants. Lorsque, plus tard, de meilleurs freins furent réalisés, qui pouvaient marcher dans les deux sens, le problème fut réglé, mais il fallut attendre longtemps. En attendant, la solution la plus commune était la béquille. En théorie, cette flèche à bout métallique devait s'enfoncer dans le revêtement de la route et empêcher le véhicule de repartir en arrière; elle était pourvue d'une articulation (plutôt une charnière) à son avant, montée horizontalement sous la caisse. Si le chauffeur ouvre le loquet, la béquille tombe à un angle d'environ 40°, pointe au sol. Si le chauffeur omettait d'actionner la béquille au moment précis où le véhicule cessait d'avancer la vitesse acquise en marche arrière risquait de rendre la béquille inopérante. De plus, la secousse transmise au véhicule en cas d'arrêt pouvait bien être assez forte. Sur un revêtement mou, la béquille pouvait racler et ne servir à rien, ou bien se briser. Le brevet pris par le baron de Rothschild pour une béquille « améliorée » prouve bien que les grosses Daimler souffraient de ce défaut.

Une autre solution à ce problème impliquait l'utilisation d'encliquetages (souvent logés à l'intérieur des tambours à chaînes sur les roues arrière). Les rochets étaient bruyants et sujets à une usure rapide : il fallait pour savoir s'en servir, de la part des conducteurs, une singulière présence d'esprit; de plus, la menace de dérangement mécanique venait s'ajouter, sur ces machines primitives.

Raouval se présenta avec une solution mécanique de premier ordre, en introduisant ce qui fut appelé de façon inélégante un *no-back* lorsque ce procédé fut réintroduit comme une nouveauté par Stutz (voiture type grand sport américaine qui eut son heure de célébrité et participa par deux fois au Mans), environ trente ans plus tard. Ce procédé évite le bruit et l'usure par l'utilisation de l'action de calage de billes trempées maintenues entre une bague trempée de roulement et une cage interne interrompue, compartimentée et à rampe. En marche avant, ce procédé maintient les billes dans la position montrée sur la figure 287 *ter* de Lavergne[1]. En marche arrière les billes se tassent à l'opposé de leur logement, et se bloquent contre la rampe extérieure, immobilisant ainsi l'ensemble. Cette disposition peut être découplée, en conjonction avec la marche arrière de la voiture, lorsque le recul est volontaire. Le fonctionnement est immédiat, il n'y a donc pas de secousses. Nous n'avons plus besoin de systèmes semblables, depuis les progrès des freins, mais certaines voitures ne possédant pas de changement de vitesse automatique l'utilisent pour les démarrages en côte.

Raouval utilisa aussi le fer en U, ou poutrelle profilée pour ses châssis, structure de base de toutes voitures depuis 1901 environ à la seconde guerre mondiale. Le fer en U est encore couramment utilisé dans la construction des camions et les châssis monocoques de nos jours lui doivent encore beaucoup.

Une autre contribution importante du même constructeur est l'inclinaison de la colonne de direction, décrite par Lavergne[2] comme « une position très commode pour sa manœuvre ». Mercédès fut acclamé de tous côtés lorsqu'il introduisit cette « nouveauté » un ou deux ans plus tard (1901). Même le profil du volant, du

1. Lavergne, *ibid.*, p. 542, fig. 287 *ter*.
2. *Ibid.*, fig. 288 et 288 *bis*, pp. 542 et 543 de *L'Automobile sur route*.

type creux, a connu un renouveau aux Etats-Unis en 1960. Rousseau et Iatca[1] peuvent donner à penser qu'en chargeant ainsi Raouval d'honneurs, nous dépouillons Bollée. En effet, ils donnent une esquisse originale de leur fabrication prétendant représenter les voitures de course Bollée du Paris-Amsterdam (celles qui avaient la ligne aérodynamique, et les extrémités en lame), et sur laquelle le dessinateur a incorrectement représenté une colonne de direction inclinée. Sur les photographies publiées à l'époque, sans exception, ces colonnes des voitures Bollée sont verticales. Vacheron, dont le nom survivra comme le seul concurrent du Paris-Rouen (1894) et dont la voiture (à base d'éléments de Panhard-Levassor) possédait un volant, avait donné une légère inclinaison à ce volant (5° environ) tandis que Raouval donnait une inclinaison de plus de 45°. C'est donc à ce dernier que revient la gloire d'avoir donné une inclinaison significative au volant. Donnons l'accolade à Vacheron, en passant, pour son effort vain de persuader un constructeur d'automobile qu'il peut s'améliorer de la sorte.

Un autre développement majeur de Raouval donne à l'automobilisme la première direction progressive. Elle était destinée à faciliter les tournants rapides, et pourtant elle exigeait d'assez grands mouvements du volant pour une correction de direction minime sur route droite, réduisant ainsi les risques d'embardée. L'abandon du levier de direction peut être considéré comme le premier grand pas sur la direction telle que nous la concevons aujourd'hui, et l'idée de variabilité de la direction est certainement le second. De façon étonnante, ce génie a été complètement passé sous silence par les historiens subséquents de l'automobilisme français.

L'activité de Raouval, pour nous, cesse à la fin des propos de Gérard Lavergne que nous venons de citer. Le nom ne réapparaît pas dans les notices publiées plus tard; il avait en tout cas combiné un châssis métallique à fer en U, renforcé par des goussets et entretoisé par cinq traverses, une colonne de direction sensiblement inclinée, un volant creux, une direction progressive et une mécanique destinée à empêcher de repartir en marche arrière dans les côtes, toutes solutions démontrant à l'excès une maîtrise intelligente des problèmes mécaniques auxquels il s'attaquait, à un moment où deux des plus grands noms de l'industrie automobile n'avaient pas encore complètement abandonné l'essieu oscillant de la voiture à cheval.

1. Rousseau et Iatca, *op. cit.*, I, p. 20.

Ducroiset

La Ducroiset, qui est mentionnée après la Raouval dans le même texte, montre un intérêt précoce apporté à la réduction du poids du moteur en construisant les cylindres en tubes d'acier à enveloppes de tôle pour le refroidissement par l'eau, solution adoptée plus tard par les constructeurs de voitures de course, y compris Mercédès. Les mêmes motifs se devinent dans l'adoption d'aluminium pour les commandes de la transmission par courroie de cette voiture. Pour conclure, notons que la vitesse du moteur peut varier de 150 à 600 t/mn, une souplesse à faire des envieux parmi les grandes marques à régime fixe. On en fait avec l'avance variable de l'allumage électrique (accumulateur, bobine et trembleurs). Les Ford et Cadillac à un cylindre partiront du même principe en 1903, c'est-à-dire quatre ans plus tard.

Il y a bien d'autres exemples en plus, et cela nous laisse une question du plus haut intérêt : à savoir pourquoi la prolifération des inventions et des solutions d'une grande originalité était plutôt un phénomène français ? Quelle combinaison des facteurs économiques, sociologiques, et techniques a provoqué l'essor étonnant dont nous venons de voir un échantillonnage assez petit ?

Au lieu d'offrir une réponse, tournons-nous vers une autre personnalité qui a fait sentir son influence.

Chapitre XXXVI

LA BOLIDE ; LÉON LEFEBVRE REPARAIT

L'un des premiers fabricants fut Léon Lefebvre, dont les automobiles Léo et les moteurs Pygmée ont été brièvement décrits dans un chapitre précédent. Son activité entre 1897 et 1900 est assez obscure; nous savons cependant qu'il essaya de conquérir la gloire par la compétition, avec des résultats peu convaincants; il lança, d'autre part, en 1900, une campagne publicitaire qui revêtait des dimensions assez considérables pour l'époque. Ainsi, dans le *Manuel de construction et réparation automobile* de Baudry de Saunier, nous trouvons un placard[1] identique à celui qui parut dans la presse en mai 1900. L'auteur célèbre renvoyait la politesse avec un article sur la Bolide qui commençait de façon amicale :

« La voiture Bolide se recommande par sa puissance et par sa simplicité. Par sa puissance : son constructeur, M. Léon Lefebvre, décrocha en mai dernier le record du kilomètre pour voitures automobiles, sur la piste d'Achères. Par sa simplicité : l'étude qui suit va le montrer. »

Fin avril 1899, un célèbre duel entre Jenatzy et le comte de Chasseloup-Laubat, tous deux sur voitures électriques, se termina avec l'établissement par Jenatzy du record du kilomètre lancé (34 secondes exactement) à 105,882 kilomètres à l'heure, qui resta valable trois ans et ne finit par succomber qu'aux coups de la voiture à vapeur de Serpollet. L'idée de cette épreuve avait été lancée en fait avec une course organisée par *La France Automobile* au mois de décembre précédent, dans laquelle les voitures à essence avaient été honteusement surclassée. Cette épreuve intéressa apparemment Lefebvre, et soit le même jour, soit peu de temps après le succès de Jenatzy, sa Bolide afficha des vitesses jamais atteintes par une voiture à essence. Les résultats furent annoncés[2]

1. Baudry de Saunier, *L'Automobile*, etc., t. II, 1900; placard, p. 500; citation, p. 377.
2. *La Vie au Grand Air*, 14 mai 1899, p. 422.

à la même époque que ceux de Jenatzy, si bien qu'ils souffrirent de la comparaison : l'hyperbole se comprend mieux dans ces conditions, mais en fait, 58,8 secondes dans le kilomètre lancé était un chiffre tout à fait respectable. La Semaine de Nice avait été courue, un mois plus tôt, et avait donné lieu à un certain nombre de records : Lemaître sur 20 CV Peugeot avait fait le mille en 1 mn 36 s et le kilomètre lancé en 57 secondes; Giraud avait poussé sa Bollée de 20 CV à 1 mn 45,2 s pour le mille et 1 mn 3,2 s pour le kilomètre. L'accent à Nice avait été mis sur le mille avec l'idée de conquérir le marché britannique, mais les temps du kilomètre avaient été notés. Comme l'écrivait Georges Prade dans *La Vie au Grand Air* :

« Jeudi 23 mars. — C'est la course de mille. A Paris nous avions la course du kilomètre. A Nice, terre quasi anglaise et sur la promenade des Anglais, nous avons la course du mille. »

Lorsque les Allemands commencèrent à se concentrer quelques années plus tard sur la course de vitesse pure, ils organisèrent des épreuves métriques de 16 090 mètres, par exemple, afin d'exploiter les résultats en pays anglo-saxons sous le nom de *ten miles*.

La grande affaire de 1899 fut le Tour de France, dans lequel Lefebvre engagea une 16 CV. Il arriva à la première étape sans grande distinction, 15e sur 17, mais ceux qu'il battit n'étaient pas des inconnus, Adolphe Clément, sur une 12 CV de la maison dont il présidait le Conseil d'administration (Panhard, et non encore Clément), et Georges Richard sur une 7 CV de sa fabrication. Le lendemain, quelque part entre Nancy et Ambérieu, la Bolide abandonna, pour une raison inconnue. Si le commentaire de Rose est fidèle, l'apparence de la voiture ne facilitait pas son acceptation par le public[1] :

« La Bolide n'avait pratiquement pas de capot, car le moteur était disposé horizontalement dans le corps même de la voiture. Le radiateur, vertical à tubulures, se dressait tout droit devant le conducteur et donnait à la voiture une curieuse apparence de raccourci, car les sièges étaient pratiquement à mi-chemin entre les roues. »

Il est intéressant de noter que les trois voitures qui s'attribuèrent le record de vitesse sur route pour le mille ou le kilomètre en 1899 possédaient des moteurs horizontaux, la Bollée et la Bolide suivirent l'exemple de Benz et Peugeot. Seul Peugeot plaçait le moteur à l'arrière, les autres adoptaient la disposition à l'avant, chacun possédant sa méthode propre de transmission. Celle de

1. G. Rose, *A Record of Motor Racing*, *op. cit.*, p. 93.

Bolide était à courroie entre le moteur et les engrenages avec une poulie folle au lieu d'embrayage; des engrenages à l'essieu arrière, la transmission s'effectuait au moyen de chaînes latérales. Ainsi, tandis que la technique Panhard-Levassor de moteur vertical s'affirmait comme la plus sûre en courses sur route, il restait aux voitures à moteur horizontal à fournir les premiers triomphes en « sprint ». Ces importants faits ne passèrent pas inaperçus outre-Atlantique, et nous pouvons le prouver doublement : d'abord, il n'y avait pas de routes aux Etats-Unis qui eussent pu servir à des courses (même avec l'approbation gouvernementale), tandis que les circuits de vitesse, ou les lignes droites de « sprint », pouvaient facilement être aménagés; d'autre part, deux des premières marques américaines qui conquirent une réelle importance commerciale (qui passa inaperçue en France) et qui furent, dans l'ordre, Oldsmobile et Cadillac[1], décidèrent à peu près à cette époque d'adopter la position horizontale du moteur. Henry Ford dessina le prototype de la Detroit Automobile Company, mais l'ambitieux jeune homme rompit avec la Compagnie avant la sortie de la Cadillac après des atermoiements de près de deux ans, et ses propres voitures Ford suivirent au bout de quelques mois; elles aussi possédaient des moteurs horizontaux. Il est peut-être vrai que les Américains se tournaient, à travers ces exemples français, vers la voie tracée en 1886 par le vieux Carl Benz. Une évaluation véritable du problème présuppose le fait que Benz fut beaucoup mieux traité dans la littérature automobile publiée avant 1900 qu'après, et que la disposition horizontale était la plus commune parmi les moteurs fixes utilisés alors.

Se référant au plan du moteur de Lefebvre, Baudry de Saunier signale les avantages suivants, en dehors de la facilité avec laquelle le bloc moteur-radiateur pouvait être enlevé du châssis :

« ... très commode d'ailleurs, permet au chauffeur de démonter séparément soit le vilebrequin et les pistons qui y sont liés, soit l'arbre des cames, soit le régulateur ou le levier d'échappement, sans déplacer le moteur. »

Ceci peut apparaître comme peu important à des automobilistes habitués à couvrir plus de 50 000 kilomètres sans s'inquiéter de l'endroit où se trouve leur moteur et de son accessibilité, mais à l'époque de Lefebvre il était considéré comme normal de démonter le moteur tous les mois environ et d'en laver toutes les pièces au pétrole, même si, ce qui était rare, aucun ennui mécanique ne s'était manifesté; cela faisait partie de l'entretien normal.

1. Il n'y avait pas de liens entre la Cadillac et l'Oldsmobile à cette époque.

L'auteur du moteur Cadillac reprit cette importante notion d'accessibilité : on peut considérer ceci, d'ailleurs, comme un exemple intéressant de réinvention, qu'une comparaison des illustrations reproduisant les moteurs Bolide et américains prouvera amplement. La similarité ne s'étend pas aux apparences extérieures de la voiture; sur la Cadillac les serpentins du radiateur monté très bas, et le tablier bas et oblique rappellent les Peugeot du Paris-Amsterdam de 1898; la nouvelle vogue du radiateur « nid d'abeilles » devait d'ailleurs attendre jusqu'en 1932 où elle réapparaît (fausse) sur une calandre ornementale de luxe. Alors que la Bolide suivait la pratique courante, avec des chemises à eau fondues avec les cylindres, la Cadillac suivait l'exemple du moteur Centaure (Panhard) à chemises de cuivre, probablement afin de réduire le poids; la soupape d'échappement était actionnée par un levier coudé, lui-même mû par une bielle de poussée et une sorte d'articulation de machine à vapeur, afin de pouvoir varier la durée de l'ouverture de la soupape; mais le but annoncé par Lefebvre d'accès simplifié était suivi explicitement par l'autre modèle.

En ce qui concerne l'allumage électrique, le plan de la Bolide était infiniment supérieur, avec un distributeur dans lequel les plots étaient protégés des intempéries, à une époque où presque toutes les marques les laissaient à nu. L'auteur de cette étude peut attester de son expérience personnelle que la Cadillac 1905 avait tendance à avoir des ratés par suite de fuites d'huile sur des contacts laissés à nu.

Si le radiateur vertical monté haut au-devant de la voiture doit être considéré comme un élément esthétique, alors la Bolide doit être reconnue comme l'une des premières marques à avoir vulgarisé cette disposition. Certaines Bolide utilisèrent le modèle plat et d'autres la forme en V, calquée sur celle de la Gladiator 1895 et qui reparut aussi sur les Bollée du Paris-Amsterdam. En fait, l'idée de monter le radiateur assez haut ne fut pas du tout une préoccupation esthétique à l'origine. Les premières expériences de radiateurs placés bas révélèrent une vulnérabilité aux pierres du chemin, aux contacts avec les autres véhicules et à l'encrassage par la boue; la décision de l'exhausser fut donc technique. Si le changement produisit une quelconque ferveur artistique, elle passa inaperçue alors et ce ne fut qu'en 1901 que l'on prit garde à cette mode et qu'elle devint alors une véritable « découverte ». Si le radiateur placé bas était vulnérable, comme nous l'avons fait remarquer, il pouvait se réparer aisément chez n'importe quel ferblantier, pourvu qu'il soit du type à ailettes. Par contre, le radiateur à nid d'abeilles, qui fit son apparition au printemps 1900 sur les Daimler de Canstatt, ne pouvait se réparer aussi aisément. Le baron Henri de Rothschild fut photographié au volant d'un de ces léviathans de 24 CV, à la suite d'un pari qu'il pourrait franchir 72 kilomètres en 72 minutes. Il perdit. Non par suite de la position du radiateur si bas, bien sûr, mais il suffit de jeter un coup d'œil à la photographie pour admettre que pendant toute une saison de tourisme, le radiateur avait bien peu de chances de rester intact. L'influence du baron sur les modèles de Canstatt est un sujet litigieux, qui n'a jamais d'ailleurs, à notre connaissance, été réellement abordé. La plupart des auteurs se sont contentés de parler de l'influence de Maybach et de celle de Jellinek sur l'évolution de Mercédès à ses débuts, mais il existe un récit très clair, un discours prononcé par Henri de Rothschild aux membres de l'Automobile-Club de Grande-Bretagne et d'Irlande, dans lequel il exposait son rôle dans la naissance de la Mercédès; l'auditoire auquel il s'adressait était composé de gens rassis et distingués, devant lesquels l'exagération personnelle n'était pas admise; la firme de Canstatt n'aurait d'ailleurs pas souffert qu'un auditoire de cette qualité fût informé tendancieusement. Après avoir raconté l'amusante histoire de l'entreprenant Tchèque qui avait vendu à son oncle deux 12 CV Daimler « éléphantines », puis l'avait lui-même convaincu d'acheter deux 24 CV de la saison suivante, il s'exprime ainsi sur ce dernier modèle[1] :

« ... Elle ne gravissait pas seulement les pentes à une vitesse remarquable mais encore elle n'avait jamais la moindre panne.

« Je fis remarquer à M. Jellineck *(sic)* que si les usines Daimler pouvaient construire des moteurs tournant avec une telle régularité, il devait être facile de les placer sur des châssis plus légers, moins volumineux, et d'apparence plus élégante. D'abord il ne fut pas disposé à suivre mes suggestions. Les ... nouveaux modèles... avaient tous la même apparence massive et lourde.

« La même année (1899) aussi, la première course de côte de La Turbie fut organisée. La Daimler, conduite par le mécanicien Bauer, avala la dangereuse côte à la vitesse de 50 kilomètres à l'heure, mais, par suite de son poids, le véhicule dérapa et s'écrasa contre les rochers, le pilote trouvant la mort dans l'accident. »

(Lemaître remporta à la fois La Turbie et les essais de vitesse du mille sur Peugeot, ce qui satisfaisait aux *desiderata* du baron bien qu'il n'y fasse aucune allusion dans son discours.)

« Nous sommes arrivés à l'année 1900. A ce moment M. Jellineck *(sic)* et les ingénieurs de Stuttgart décidèrent de modifier les dimensions

1. *Automobile Club Journal*, A.-C. G.-B. et I., 15 janvier 1903, pp. 45-50. Nous avons suivi l'orthographe du *Journal*, bien qu'elle semble fautive.

hors tout du châssis, et d'une façon générale d'alléger considérablement le véhicule, afin de le ramener dans les limites de 1 000 kilogrammes, qui avaient été fixées par l'Automobile-Club de France pour les voitures devant prendre part aux courses de l'année suivante.

« C'est en 1901 que parut, pour la première fois, sur la Promenade des Anglais à Nice, la Mercédès de 35 CV. Il était extrêmement difficile de reconnaître dans cette nouvelle voiture le véhicule si lourd des premières années. La Mercédès était devenue plus légère, plus élégante, et surtout plus facile à manier.

« Je puis dire, Messieurs, que pendant l'année qui précéda l'apparition publique de la nouvelle voiture, j'avais rendu plusieurs visites à Canstatt afin de soumettre mes observations aux directeurs de la Compagnie Daimler, et que ce fut par conséquent avec la plus grande satisfaction que je vis la nouvelle Mercédès rouler silencieusement et rapidement sur la Promenade des Anglais et sur les flancs escarpés de La Turbie... Au cours des différents voyages que je fis en Allemagne, j'eus l'occasion d'échanger des observations avec les constructeurs des voitures, et je pense que certaines de mes recommandations ne furent pas vaines... »

Le lecteur aura remarqué que le baron Henri de Rothschild trouvait la Daimler de Canstatt mécaniquement proche de la perfection, et qu'elle n'avait jamais de panne. Il faudrait rapprocher ce témoignage de sa propre expérience à Nangis, où il perdit son pari par suite d'ennuis mécaniques, et malgré les voyages en Allemagne entrepris par lui pour éliminer les défauts mécaniques détectés. D'après ce texte, il semble bien que les améliorations conseillées par lui portaient principalement sur le châssis et l'apparence extérieure. Et comme M. Roger Wallace le nota dans la discussion qui suivit la conférence :

« ... il est clair que de nombreuses améliorations ont été dues à des suggestions offertes par le baron Henri. Les voitures étaient pleines d'idées françaises, et étaient naturellement recherchées par des Français. »

Une fois encore, le détour a pu paraître long; mais il nous a paru nécessaire afin de montrer que la Bolide représentait un stade intermédiaire entre la notion de voiture telle que la concevait Panhard-Levassor (notion poussée jusqu'à l'absurde par la Daimler de Canstatt) et le nouveau type que Mercédès incarnait. L'absence de capot pour combler l'espace entre le radiateur et le compartiment du conducteur rend moins évidente la dérivation; ce capot n'est d'ailleurs pas nécessaire avec un moteur horizontal, quoique la Peugeot victorieuse de cette année critique de la mort de Daimler, pendant laquelle la politique de la firme de Canstatt fut soumise à des attaques, avait bien un capot assez long et était plus basse sur roues. Cette particularité était dissimulée par les sièges surélevés; elle fut retenue pendant quelques années par de nombreux fabricants parce qu'elle offrait un réel avantage sur les routes poussiéreuses (voir les lamentations au Paris-Nice sur la poussière des routes méridionales), chose qui nous paraît aujourd'hui archaïque ou même stupide, étant en fait une façon de libérer le conducteur de la poussière soulevée par ses propres roues avant, mais non par les autres véhicules. Le poids de la Bolide était assez peu élevé, le centre de gravité placé bas; la probabilité de capotage, cette épée de Damoclès qui pesait sur les voitures de Canstatt, était réduite à des proportions minimes. Ce furent les principales contributions de la période 1897-1900 à un art dans lequel Bolide (aussi bien que Bollée et Peugeot, tous indépendamment les uns des autres), joua un rôle intermédiaire.

Lefebvre fut aussi apparemment l'inventeur du vilebrequin foré comme moyen de fournir l'huile aux têtes de bielles, ce qui était une façon de reconnaître l'insuffisance des « graisseurs à débits d'huile » (goutte à goutte) destinés à la lubrification des masses réciproques. La méthode qu'il employa, l'utilisation de la force centrifuge pour amener l'huile jusqu'au coude du vilebrequin, est d'une exécution facile. L'huile descend par gravité à une chambre pratiquée au palier central, d'où la force centrifuge la pousse par les canaux aux coussinets des têtes de bielles. C'est Mors qui innova avec la pompe pour l'alimentation du moteur, à partir de 1895, et il a employé les engrenages.

Les jours de la Bolide sous sa forme originale furent comptés par suite de difficultés techniques dans l'utilisation de la transmission par courroie. Le fameux ingénieur automobile britannique Beaumont[1], écrivant en 1906, se lamente sur la disparition prématurée, à son avis, de la transmission par courroie. Un semblant de justification de sa thèse peut se voir dans la réapparition, vers 1950, de ce type de transmission sur la Daf, petite voiture hollandaise. Le matériel généralement utilisé pour les courroies était le cuir, qui se relâchait dangereusement quand il était humide et qui était, d'autre part, sensible aux conditions atmosphériques ou autres rencontrées sur route; les courroies de caoutchouc n'étaient pas encore inventées : c'est là probablement que réside l'explication des médiocres résultats de la Bolide en course. Il est évident que Lefebvre, comme Benz, avait misé sur un mauvais cheval; la tendance générale était de renoncer à la transmission par courroie. Benz put pendant un certain temps lutter contre cette tendance, car il vendait des voitures pour 3 000 francs, tandis que Lefebvre offrait les siennes de 12 000 à 18 000 francs. Remar-

1. W. W. Beaumont, *Motor Vehicles and Motors*, *op. cit.*, t. II, pp. 165-178.

quons, en passant, que les acheteurs aux mains pleines de billets de mille prêts à se disputer les voitures de marque, ne couraient pas les rues, contrairement à certaines légendes. Une annonce parut dans *La Vie au Grand Air* pendant dix semaines de suite sans succès : elle offrait la Panhard-Levassor, qui s'était classée seconde dans Paris-Amsterdam, pour la somme de 11 500 francs.

Après une position de premier plan dans l'industrie (mesurée par la publicité et l'attention des milieux de la presse automobile), l'éclipse de la Bolide comme marque fut absolue. La photographie d'une épreuve publiée dans *La Vie au Grand Air*[1], fin juillet 1900, le Critérium de Provence (que Rose ne donne pas dans son livre), montrait Jenatzy dans une 30 CV Bolide, vainqueur de la course. Un mois plus tôt, le même pilote était apparu dans la Gordon-Bennett comme représentant de la Belgique. On se rappellera que la 16 CV Bolide qu'il avait importée à cette fin avait été retenue en douane et qu'il lui avait substitué la voiture Jenatzy fabriquée en Belgique. Nulle information sur le lien Jenatzy-Lefebvre n'a transpiré, mais il semble que les Bolide aient été fabriquées pendant quelque temps à Bruxelles.

La participation de la marque à Paris-Toulouse-Paris, plus tard, en 1900, n'attira nullement l'attention du public, car Lefebvre sur une 30 CV et de Lorys sur 15 CV devaient abandonner. Après cela, silence de plus d'un an.

Georges Prade nous donne un court compte rendu de la tentative de record de Jenatzy sur la route de Saint-Arnoult à Ablis[2] :

> « Jamais hiver n'aura vu tant de records. C'est Osmont qui, le premier, donna l'exemple et qui arriva enfin à faire chronométrer officiellement du 100 à l'heure. Rigal y répondit par du 109. En Amérique, Fournier fit du 112 avec sa Mors. En France, Jenatzy vient de faire du 105. C'est par un froid terrible, à ne pas mettre le nez dehors... »

Puis, il continue à essayer de s'exciter sur le maigre record de Jenatzy, avec peu de succès. Sous le titre « 105,500 km à l'heure », il donne en italique la vitesse de la lumière des étoiles... C'est bien gonfler le record du pauvre Jenatzy.

Le lien entre cet événement, accompli avec un véhicule mixte à essence et électrique conçu par Jenatzy, et les automobiles de Lefebvre réside dans le fait — coïncidence fragile — que les véhicules de Jenatzy étaient appelés des Bolide. Ce mot pourrait bien simplement être un adjectif, sans aucun rapport avec la

1. *La Vie au Grand Air*, 22 juillet 1900, p. 584.
2. *Ibid.*, novembre 1901.

L'électrique « Jamais Contente », première voiture ayant dépassé les 100 km/h (kilomètre lancé). A l'occasion de la Fête des Tuileries, Jenatzy, recordman du monde, promène sa femme sur la voiture fleurie. (Voir p. 329.)

(Cliché Archives du Touring-Club de France.)

marque de Lefebvre, Bolide, mais les seules voitures que Jenatzy ait piloté en compétition jusqu'alors (sauf la *Jamais Contente* bien sûr), avaient été soit une Bolide-Lefebvre, soit une Jenatzy non appelée ainsi, mais habituellement décrite comme « la voiture de M. Jenatzy ».

Jenatzy possédait une entreprise belge appelée la Compagnie internationale des Transports automobiles, située (successivement plutôt que simultanément), avenue de la Reine, Bruxelles ou 222, rue du Progrès, dans la même ville, et 56, rue de la Victoire à Paris. Dans la période 1900-1901 la Bolide belge est également attribuée à un certain Snoeck.

La voiture mixte de Jenatzy présentait de quasi insolubles problèmes de poids (elle transportait 400 kilogramme de batteries) si l'on voulait la réduire à 1 000 kilogrammes. La participation du baron de Caters dans le Nice-Abazzia en 1902 (n° 44, « Jenatzy ») suggère que le problème avait pu être résolu, mais la course fut annulée à la dernière minute; des essais de vitesse lui furent substitués après les épreuves principales sur la Promenade des Anglais, avec une catégorie spéciale pour les voitures mixtes. La voiture Jenatzy, seule de sa catégorie, gagne le prix, mais le temps était plus long d'une seconde complète sur le record établi à Ablis avec la même voiture. Jenatzy se retira à Bruxelles et reporta son attention sur le problème des pneumatiques (il est devenu fabricant de pneus) et sur le pilotage en course des Mercédès, avec quelques succès dans la Coupe Gordon-Bennett, comme nous l'avons vu.

Lefebvre restera sur la liste des fabricants automobiles jusqu'à la guerre de 1914, mais son œuvre reste enveloppée de mystère. Ses innovations dans la période héroïque semblent ne lui avoir rien rapporté. Il existe de vagues preuves reliant ce brillant expérimentateur à l'également habile et capable Belge qui apparemment fournit un certain support financier, mais la série de rebuffades essuyées par Jenatzy en France le poussa finalement vers le camp de Stuttgart : cette association porta d'ailleurs ses fruits, puisque c'est lui qui réussit à s'approprier la Coupe Gordon-Bennett qui semblait être la propriété exclusive de l'A.-C. F. et qui, pour une saison, fit de cette Coupe le grand événement sportif qu'elle aurait toujours dû être.

Le pimpant petit Belge à la barbiche rousse accomplit la révolution qui renversa le vieux géant Panhard et le nouveau champion Mors, tout en humiliant le moins important Napier dans la même bataille. Mais ceci ne concernait plus Lefebvre; son heure était passée.

Chapitre XXXVII

DECAUVILLE : LE CHOIX DES INGÉNIEURS BIRKIGT ET ROYCE

L'une des maisons qui eurent un rôle à jouer dans l'automobilisme français et apportèrent quelques solutions originales pendant cette période, fut la Société des Voitures automobiles Decauville. En plus du tramway Daimler de l'Exposition de Paris en 1889, si familier aux lecteurs de l'histoire automobile, il y eut aussi un tramway Decauville, ou plus exactement un « petit train » qui transporta des millions de visiteurs, selon C. Tampier dans un article consacré à l'usine Decauville : celle-ci fournissait du matériel ferroviaire, surtout à voie étroite, et plus récemment, des tramways électriques. En 1900, le président du Conseil d'administration de la Société nouvelle des Etablissements Decauville était un certain M. Ravenez; le même poste dans la société automobile était occupé par M. Ravenez fils : les vastes ressources de la maison mère étaient donc à la disposition de l'automobilisme. En 1898, les débuts avaient été prometteurs : une place de premier (dans la catégorie voiturette) dans le Paris-Amsterdam-Paris, dont les 1 432 kilomètres constituaient un formidable test pour les capacités de n'importe quelle voiture de l'époque. Le pilote, Chabrière, boucla la boucle en 50 h 14 mn 36 s, ce qui était fort méritoire, car l'une des Panhard mit 52 h 30 mn. Cependant, dans la catégorie des grosses voitures, une autre Panhard n'avait mis que 33 h 4 mn 34 s. Le modèle établi par Decauville avait reçu un nom évidemment destiné à évoquer une vision de grâce, en contraste avec le diminutif en *-ette*, contenu dans le mot *voiturette* (officiellement enregistré par le constructeur Hurtu-Diligeon en 1897 — seul Decauville l'a respecté) de suite utilisé de façon générale. La *voiturelle* se tailla vite un succès populaire comme biplace à roues à rayons, suspension indépendante à l'avant (se qualifiant ainsi comme le premier véhicule à essence à posséder cette disposition qui ne fut généralisée que trente-cinq ans plus tard). Les premiers modèles avaient un refroidissement par air et une transmission à deux vitesses (on pourrait ajouter également que la transmission était refroidie par air, car les engrenages étaient à l'air libre!). Ils reçurent bientôt un refroidissement à eau et trois vitesses, avec une allure maximum de 35 kilomètres à l'heure, mais le principe général restait le même avec une direction à barre, et le moteur sous le siège actionnant les roues arrière par des roues dentées.

Ces véhicules durent être extrêmement efficaces, car ils récoltèrent huit places de premier dans des compétitions en 1899, et dans la seule course qu'ils ne remportèrent pas, quatre des cinq véhicules engagés finirent l'épreuve. Théry et Gabriel furent parmi les premiers champions de la marque, bien que la gloire leur soit venue plus tard avec des grosses voitures d'autres marques. Cornilleau fut également pilote Decauville; il était ingénieur en chef et construisit plus tard la Cornilleau-Sainte-Beuve.

Pour l'Exposition de 1900, aux Tuileries, la maison ajouta des voitures de 5 et de 8 CV à ses voiturelles. Dans ces voitures plus vastes, elle suivit le modèle conventionnel, avec le moteur vertical à l'avant, la transmission à quatre vitesses, l'entraînement par arbre, mais elle renonça à la suspension indépendante à l'avant. Le capot couvrant le moteur était original, une sorte de sphère en quartiers avec les tubulures à ailettes sur le radiateur qui décrivait un U à l'envers devant le tablier semi-circulaire. A 6 000 francs pour la 5 CV et 6 500 pour la 8 CV, ces voitures étaient dans la catégorie des prix modérés.

L'article cité énumère fièrement les chiffres d'exportation pour 1899; 87 voitures dont 18 en Angleterre, 7 en Hollande, 2 aux Indes Néerlandaises, 1 en Egypte, 1 en Grèce, 2 en Suisse, 13 en Italie, 4 en Espagne, 9 aux Etats-Unis, 4 en Belgique, 1 en Mandchourie et 26 en Allemagne, sans compter celles qui étaient fabriquées sous licence par Farzeug-Fabrik à Eisenach. La totalité des exportations françaises en 1899 s'élevait à environ 48 000 kilogrammes pour l'Allemagne, le même poids pour la Belgique et 46 000 pour l'Espagne. Il semble que Decauville ait à lui seul compté pour 20 % des exportations vers l'Allemagne, 3 % vers la Belgique, et 4 % vers l'Espagne. Le chiffre allemand est particulièrement impressionnant, car il montre une demande très nette pour ce genre de véhicule et est probablement à mettre en parallèle avec la chute des ventes de Benz en 1899.

Le trait le plus remarquable des usines Decauville était la présence d'un circuit d'essais complet sur les lieux mêmes de production, avec non seulement une piste normale, mais aussi toute une série de types de revêtements, de déclivités, afin de permettre un meilleur contrôle de toutes les opérations expérimentales, la recherche et la comparaison. Ceci se passait vingt-cinq ans avant que la General Motors[1] n'acquière son propre circuit d'essais. On objectera que celui de la G.M. était bien plus important, mais toutes proportions gardées, celui de Decauville soutient la comparaison.

La compétition n'est pas un titre de gloire de Decauville. La dernière course gagnée fut le Bordeaux-Biarritz de 1899. Ses premières voitures étaient très légères, bien sûr — du type qui, plus tard, fut appelé voiturette en compétition. La maison participa à des courses entre 1901 et 1903, mais seulement dans la catégorie « voitures légères ». Les résultats furent inégaux, les 16 CV engagées dans le Paris-Bordeaux se placèrent 5e, 8e et 10e dans leur catégorie; les deux voitures engagées dans le Paris-Berlin abandonnèrent.

L'année la plus chargée fut 1902 et commença avec six voitures sur la ligne de départ du Circuit du Nord. Pas une seule ne termina. Il s'agissait de l'impopulaire Concours du Ministre : le gouvernement essayait par là d'encourager l'utilisation de l'alcool comme carburant dans une tentative d'autarcie économique. Cette course n'eut guère de succès, sauf dans l'agriculture, car elle entravait les efforts d'exportation; elle fut acceptée par la corporation comme un mal nécessaire, une sorte de troc : pour faire plaisir au gouvernement, une course avec l'alcool comme carburant était organisée, mais les autorités accordaient une nouvelle course. Beaucoup d'encre coula, en faveur de l'alcool; d'autres articles prophétisèrent la fin des réserves de pétrole du monde dans vingt ans.

Dans Paris-Vienne, sept Decauville furent engagées. Six terminèrent la course, dans ce qui fut leur meilleur effort de l'année, mais la première n'était que 16e dans sa catégorie et 33e au classement général, ce qui était difficilement exportable publicitairement. On parla néanmoins de la Decauville, lorsque le capitaine Genty (qui courait sous le nom de La Touloubre), à mi-chemin d'une forte pente de montagne entendit des appels au secours d'un motocycliste nommé Derny dont les freins avaient lâché et qui avait perdu le contrôle de sa machine. Dans un incroyable sursaut de force et d'audace, Genty arracha l'infortuné motocycliste à sa selle lorsqu'il passa à portée de la Decauville. Par contre, Théry, toujours sur Decauville, eut l'expérience inverse dans la même course. Ses freins lâchèrent et il s'écrasa au bas de la pente (l'Arlberg); il réussit néanmoins à réparer et à terminer la course.

Cinq voitures participèrent au Circuit des Ardennes, et la

1. Arthur Pound, *The Turning Wheel, a history of General Motors*, 1908-1933, N.Y., Garden City, p. 211.

meilleure Decauville fut celle de La Touloubre, avec une 6e place à 69 km/h. Théry percuta une vache; la plaisanterie : « Théry est entré dans une vache et y est resté », fut la joie des mordus de l'automobile.

Le Paris-Madrid de 1903 fut la dernière épreuve à laquelle la maison Decauville participa. Quatre partants, deux abandons, et Page se plaça 3e dans sa catégorie et 13e au classement général, bien devant Théry qui fut 6e et 26e. Ses voitures de Paris-Madrid étaient présentées comme des 30 CV et pesaient 650 kilogrammes. Libéré de ses obligations envers Decauville, Théry devint le héros national l'année suivante avec sa victoire au Gordon-Bennett sur Richard-Brasier.

Il semble y avoir eu presque une conspiration du silence dans la presse technique autour de la Decauville. Baudry de Saunier, dans *La Vie Automobile*, et plus tard dans *Omnia*, ne la cite que rarement et ne lui consacra apparemment aucune des études détaillées dont un certain nombre paraissait chaque année. Par contraste, l'expert britannique Beaumont[1] consacre dix pleines pages de son ouvrage au modèle 1902-1903, 10 CV à deux cylindres et à la 16 CV, quatre cylindres du modèles 1903-1904. Beaumont affirme que Decauville construisit aussi quelque 40 CV à double chaîne, mais ne donne pas plus de détails ou de plans.

Il faut s'arrêter sur le nouveau concept de moteur et des engrenages traité de façon unitaire. A cette époque, la pratique la plus commune était de monter le moteur, le débrayage et les engrenages comme trois entités séparées. L'embrayage était généralement un cône, et ce cône s'encastrait à l'intérieur du volant du moteur, mais le mécanisme de débrayage et toutes les pédales auxiliaires, arbres et leviers étaient montés sur le châssis ou le faux-châssis; le gauchissement ou faussage du châssis imposait l'emploi d'un cardan entre le moteur et les engrenages. En fait, la solution Decauville était de substituer une pièce d'acier embouti au faux-châssis qui était la façon la plus commune de suspendre le moteur et le carter des engrenages au châssis. Ainsi, en fermant l'espace entre les côtés du châssis, Decauville obtenait un carter sous le moteur, un pare-poussière, et une construction unique qui facilitait le dégauchissage et ne différait de ce qui est aujourd'hui couramment pratiqué que dans le fait que la partie supérieure du volant restait à découvert, alors qu'elle est aujourd'hui cachée.

L'essieu arrière des modèles 1903-1904, malgré l'utilisation de

1. W. W. Beaumont, *op. cit.*, p. 335, n. 1 (vol. II, 1906), voir pp. 112-122, fig. 126-136. (Il a consacré pp. 217-221 du vol. I à la « Voiturelle » de 1898-1899.)

roulements lisses, représentait le principe de l'arbre-essieu tournant flottant dit *floating axle*, dans lequel les moyeux de roue tournent sur le pont de l'essieu, qui encaisse le poids et la tension des tournants, tandis que le couple moteur, ou effort de poussée, n'est assumé que par les arbres demi-essieu qui tournent dans leur logement et transmettent le mouvement par des griffes ou des encoches à l'autre extrémité du moyeu de roue. Pendant de nombreuses années, au moins jusqu'en 1931, cela fut considéré comme la meilleure solution en matière d'essieu (les roulements lisses avaient bien entendu été supprimés) et on la trouvait sur la plupart des automobiles de qualité. Il n'est pas sans intérêt de noter que cette forme d'essieu ne se trouve pas parmi les fameux quatorze points établis par les autorités américaines au titre de la prévention des accidents, et pourtant la tendance qui existe actuellement chez les grands coureurs de « stock cars » est de modifier les essieux standards, afin d'obtenir ce type d'essieu. L'on sait, bien sûr, que les « stock cars » ne sont pas du tout des voitures de série; ce sont des voitures très poussées qui conservent les apparences extérieures de voitures de série. A titre de clarification : la roue se tient sur place si l'arbre se casse avec l'essieu flottant; avec les autres systèmes, la roue s'en va.

La dernière caractéristique avancée de la Decauville était un allumage par batteries, avec générateur pour fournir le courant en marche et pour garder les batteries chargées. Le système Mors, déjà décrit[1], était le seul autre système utilisé sur voiture courante : on peut dire que c'est ce genre d'allumage qui a été ensuite adopté de façon générale, mais qu'à l'époque, il s'agissait d'une véritable rareté. Peut-être encore plus que Mors, Decauville peut être considéré comme le père du générateur des voitures modernes, sinon de l'alternateur. Voyez ce qu'écrit Beaumont :

> « Le modèle de dynamo a récemment été encore amélioré... L'armature et les bobines sont prévues et proportionnées de telle sorte que lorsque le moteur tourne à une vitesse supérieure à la normale, nulle surcharge n'apparaît en voltage, et lorsqu'on emballe volontairement le moteur, l'ampèremètre n'indique pas plus de 4 ampères. »[2]

Evidemment, de nos jours, 4 ampères seraient insuffisants, mais cela suffisait alors amplement à l'allumage et à la charge des batteries. Le commentaire de Beaumont est révélateur :

> « J'ai consacré autant d'espace à Decauville en raison de l'originalité du plan de la petite voiture, malgré ses faiblesses de matériel

1. Cf. p. 317, *supra*.
2. W. Beaumont, *op. cit.*, vol. II, p. 122.

et de structure en plusieurs détails, et à cause des nombreux traits méritoires des plus grosses voitures, qui représentent une réincarnation de la voiturelle légère originale. »[1]

Que Decauville ait devancé de nombreuses solutions modernes et qu'en ce sens il ait été plus avancé que ses contemporains est clairement démontrable. Que les améliorations proposées n'aient pas toutes été parfaitement au point et qu'elles n'aient pas toutes donné satisfaction à la clientèle, voilà qui n'est pas improbable; mais aucun véhicule de l'époque n'était exempt des pannes et la Decauville reste une fascinante énigme.

Dans les descriptions pratiques de Beaumont, on trouve rarement des éloges et son commentaire sur Decauville aurait pu porter ses fruits en Grande-Bretagne, où son opinion est estimée. Il semble bien que la représentation de Decauville en Angleterre n'ait pas été à la hauteur de la tâche. Hobson lançait bien des campagnes publicitaires de temps à autre, mais il était apparemment incapable de provoquer une publicité gratuite dans la presse spécialisée comme la maison mère le faisait en France. Lorsqu'il se lança dans la publicité, ce fut pour pousser les ventes d'une voiture belge, la Nagant, à laquelle il associa son propre nom, en créant la Nagant-Hobson. L'une de ses rares réclames cite des lettres de coloniaux, l'un de Nouvelle-Zélande, l'autre d'Australie, tous deux satisfaits de leur Decauville. La rareté du nom Decauville dans les annonces de voitures d'occasion indique que peu d'exemplaires en furent vendus en Angleterre.

Les Decauville furent l'objet de quelque publicité aux Etats-Etats-Unis d'Amérique en 1904, mais, là aussi, la représentation n'était pas vraiment à la hauteur et le marché américain resta de marbre. La plupart des solutions offertes par Decauville étaient hétérodoxes et aucune campagne d'explication n'avait préparé le public; quand ces pratiques furent devenues monnaie courante, Decauville avait cessé la fabrication d'automobiles.

Chaque année, à l'époque du Salon, *Autocar* publiait une liste de toutes les marques offertes sur le marché anglais. En 1908, deux modèles furent encore enregistrés avec Hobson comme agent. C'est en 1909 (c'est-à-dire pour la saison 1910), que parut la dernière mention et aucun vendeur n'était cité. Hobson ne publiait pas d'annonce publicitaire dans ce numéro.

Le fait que l'originalité de Decauville n'attira aucune récompense ou aucun honneur sur les inventeurs ne signifie pas que ces innovations furent perdues pour le milieu des gens de métier et des

1. *Op. cit.*, vol. II, p. 122.

ingénieurs. Decauville arriva à un moment où les méthodes courantes avaient accompli un cycle complet d'évolution et de dépérissement : les problèmes, eux, se posaient toujours dans les mêmes termes, les meilleures méthodes finirent donc par l'emporter. Il est probable que, dans la pratique (et non en théorie), l'idée Decauville d'unité moteur-transmission n'était pas assez rigide, et que des ruptures de roulements devaient se produire. Ce genre de panne est toujours très mal accepté, surtout lorsque les solutions sont hétérodoxes, et pourtant le progrès dépendait de ces tentatives originales. Peugeot, par exemple, perdit beaucoup de courses dans les années 1895 et 1896 pour avoir utilisé des pneumatiques alors que Panhard-Levassor s'en tenait aux bandages pleins; où serait l'automobile aujourd'hui sans pneumatiques ? Mais c'est Panhard, et non Peugeot, qui récolta les lauriers.

Decauville indiquait donc une voie nouvelle que ne suivit pas l'ensemble du mouvement automobile. La manufacture de tramway parut-elle plus rémunératrice, comme ce fut le cas pour la compagnie américaine qui avait entrepris de fabriquer les Mors aux Etats-Unis ? Ou bien la maison fut-elle trop faible pour survivre à la crise de 1908 ? Voilà qui a échappé à notre vigilance, mais il n'en demeure pas moins que le nom mérite d'être conservé dans les mémoires.

La maison commença avec de minuscules petites voitures qui ne pouvaient guère s'aventurer plus loin que les grands boulevards; elles eurent leur heure de célébrité dans des festivals où elles défilèrent couvertes de fleurs à 5 kilomètres à l'heure, mais elles furent rapidement remplacées par d'autres modèles. Malgré leurs qualités, ces autres voitures, comme dans le cas de Benz, ont pu souffrir, à l'exportation surtout, d'avoir été précédées de minuscules modèles. Tous les fabricants essayaient d'éliminer les imperfections, mais, naturellement, les premiers venus dans le marché donné étaient forcément le moins au point, ce qui donnait aux suiveurs un avantage; ils n'avaient pas été associés à des échecs.

La voiture Decauville a connu un regain d'intérêt dans les années récentes pour une raison curieuse. Certains détails de son histoire ont été incorporés dans des livres récents; celui de Montagu de Beaulieu[1] nous servira d'exemple. Aucune des anecdotes révélées ne donne, certes, la vraie mesure de l'importance de la Decauville et sa place réelle dans l'histoire de l'automobilisme; le tableau que nous avons présenté n'en est pas modifié.

Le fabricant anglais de grues d'atelier nommé Henry Royce

1. Lord Montagu de Beaulieu, *Rolls of Rolls-Royce*, Londres, 1966, p. 112.

acheta une Decauville en 1902 et c'est là l'origine d'une légende que Montagu ne se fait pas faute de rappeler :

« En 1902, Royce acheta une voiture Decauville à deux cylindres et fut si atterré de son imperfection qu'il décida d'en fabriquer une lui-même. Cela, c'est la légende, et pendant le reste de sa carrière Royce devait rester un incorrigible « perfectionniste » ; mais si la Decauville était une si mauvaise voiture, pourquoi y eut-il tant de ressemblances entre la première Royce et la marque française ? Cette Royce avait même l'aspect extérieur d'une Decauville (le profil grec classique du radiateur qui est encore aujourd'hui sur les « Silver Cloud » ou les « Phantom » n'apparut que lorsque le nom de Rolls fut associé à la marque), à un point tel que lorsque Charles Rolls aperçut pour la première fois une Royce devant l'hôtel Midland de Manchester, il crut, en fait, avoir affaire à un produit de l'usine Decauville... »

C'est à la suite de cette rencontre autour d'une fausse Decauville que naquit la voiture connue sous le nom de Rolls-Royce. On ne peut pas dire que Decauville engendra Rolls-Royce, et pourtant il est indéniable que la motivation initiale de Royce fut fournie par Decauville. Pourtant, Royce n'adopta le concept d'unité moteur-transmission que beaucoup plus tard.

Bien que ceci n'entre pas exactement dans le cadre de notre étude, on peut dire que la raison pour laquelle Rolls se prêta à sa fructueuse collaboration avec Royce fut selon le même Montagu, « l'impossibilité, de la part de Panhard, de marcher avec son temps ». Panhard n'avait rien à offrir pour lutter contre Mercédès, ce qui n'était pas le cas de Peugeot; et Panhard avait apparemment aussi commis la faute de livrer à Rolls un lot de châssis en provenance de modèles invendables, méthode qui devait également valoir beaucoup d'ennuis à Henry Ford lorsqu'il l'essaya quelques années plus tard.

C'est un parallèle extraordinaire que présente l'histoire racontée par Nicolé Franco Jr. et José Rodrigues de La Viña dans l'*Automobile Quarterly*[1] : l'achat par Mark Birkigt, ingénieur-constructeur de la voiture de grand luxe Hispano-Suiza d'une Decauville, tout comme Royce! Voilà un hommage sans pareil : les ingénieurs en chef de Rolls-Royce et d'Hispano-Suiza ont été tous deux acheteurs de la marque Decauville.

1. Vol. 3, n° 1, printemps 1964, p. 6.

SEPTIÈME PARTIE

DES COURSES AUX ÉTOILES

CHAPITRE XXXVIII

ADOLPHE CLÉMENT OU « SANS PEUR ET SANS REPROCHE »

L'un des hommes qui ont le plus contribué à combler la brèche entre les grands précurseurs comme Panhard-Levassor et de Dion, et leurs successeurs fameux, est Adolphe Clément. Nous sommes redevables à H. O. Duncan[1] d'un fascinant portrait de l'industriel, du type de ceux que l'on appellerait aux Etats-Unis un *tycoon*, un homme dont l'imagination semble avoir été aussi fertile dans le domaine commercial que celle de Raouval dans le domaine mécanique.

L'histoire du succès de Clément remonte en fait à 1889. Il était alors déjà établi comme fabricant de cycles et le cycle Clément était considéré comme une bonne machine. La meilleure façon de faire progresser les ventes à cette époque était d'obtenir de la publicité en participant à des courses; cette année-là, le champion maison, Fred de Civry, s'illustra au London Palace et Clément revint en France avec, en poche, les droits français sur la nouvelle maison de pneus, Dunlop. Clément, pour s'assurer ce marché, avait dû acheter 2 000 actions de Dunlop. Selon Duncan, Clément s'était exécuté en protestant et il considérait les actions comme autant de papier sans valeur. Les 50 000 francs qu'il investit chez Dunlop s'avérèrent rapidement une bonne affaire. A l'issue de différentes scissions ou « reconstructions », selon le mot anglais, ces 2 000 parts devinrent 132 000, et Adolphe Clément fut immensément riche.

Darracq avait construit un cycle nommé Gladiator, et les premières productions automobiles de cette firme furent également connues sous le nom de Gladiator; nous en avons déjà fait mention. L'histoire d'Alexandre Darracq sera narrée plus loin, mais les chemins de ces deux industriels se croisent brièvement ici. Selon *La Vie au Grand Air* Clément devint administrateur-directeur de

1. H. O. DUNCAN, *World on Wheels, op. cit.*

la Compagnie Clément-Gladiator en 1895. Par la suite, les choses sont moins claires, et les souvenirs de Duncan s'embrouillent; il s'agit néammoins avant tout d'un développement de l'affaire de cycles; il semble que le brasseur d'affaires anglais Lawson ait combiné Darracq-Gladiator, Clément-Gladiator et la succursale parisienne de Humber (qui s'était également lancée dans l'expérimentation automobile), et que l'ensemble se soit agrégé à son empire du papier. L'activité de Lawson, qui produisit plus de sociétés anonymes que d'automobiles, n'a que peu de rapport avec notre sujet, et nous y reviendrons brièvement d'ailleurs. Son importance réside dans le fait que l'arrangement laissa à Clément beaucoup d'argent et beaucoup de loisirs. C'est à cette époque que Panhard & Levassor se constituaient en société et l'on parlait d'un regroupement encore plus vaste. Les titres d'actions Panhard étaient jalousement gardés et le public n'en vit pas la couleur. C'est ce qui, apparemment, irrita Clément, non pas de façon personnelle, mais parce que l'affaire semblait bonne et qu'il voulait en profiter.

Il se mit à acheter des terrains en quantité considérable, et lorsque la nouvelle société se mit en quête de terrain pour étendre le champ de ses activités, elle s'aperçut que tout appartenait à M. Clément. Malgré toute la puissance financière et l'influence de son Conseil d'administration, dont nous avons vu quelques exemples plus haut, la société n'avait plus que deux solutions : abandonner le site ou s'adresser à Clément. C'est cette deuxième solution qui prévalut; et Clément quelque temps après devint actionnaire Panhard; il fut même, pendant un certain temps, président du Conseil d'administration.

Sous son propre nom, il lança la voiturette qui avait été dessinée par Krebs, mais ce ne fut pas un succès car ce genre de voiture à moteur à l'arrière, qui avait été vendu en grand nombre par le rival Peugeot, commençait à perdre la faveur du public, et l'essieu avant à pivot central suffisait à faire fuir le client un peu raffiné : pourtant, c'était un petit véhicule assez joli et commode. Apparemment, Clément réussit à se débarrasser de tout un lot d'invendus de ce modèle par les soins de la maison Stirling, premier fabricant écossais d'automobiles.

Clément fut sans nul doute l'un des plus brillants industriels de son époque et il est instructif de noter que son flair commercial ne lui servit en rien dans le choix d'un modèle exploitable. On pourrait presque croire que les gens de chez Panhard savaient ou avaient de fortes raisons de penser que la voiturette de Krebs n'aurait aucun succès commercial et que cette manœuvre constituait une vengeance parfaite. Nous offrons cette hypothèse à titre de pure supposition : le côté « canular » de cette affaire nous séduit pourtant. Peut-être qu'un jour, les archives nous livreront le fin mot de cette histoire!

Il serait toutefois faux d'imaginer que le véhicule de Krebs était techniquement fautif, si nous exceptons la direction, qui était un retour à la méthode abandonnée par tous depuis dix ans, sauf par Daimler. L'échec de Krebs tient essentiellement à une question de mode. Après la Clément, les voitures populaires à moteur à l'arrière disparurent jusqu'à la fin de la deuxième guerre mondiale. Stirling, en Ecosse, fut ravi de profiter de l'aubaine et fournit aux néophytes écossais le « dernier modèle parisien »!...

La grosse affaire de papier de Lawson subit quelques revers et il fallut attendre 1903 avant que le brasseur d'affaires puisse terminer ses achats et que Clément cesse ses fonctions d'administrateur-directeur de Clément-Gladiator; il lui fut donc interdit, à partir d'octobre 1903, de construire des voitures sous le nom de Clément ou Clément-Gladiator.

Au cours des semaines qui suivirent, Adolphe Clément fit une bouleversante découverte historique; ému jusqu'aux larmes par l'histoire du chevalier Bayard, il n'eut de cesse que les tribunaux ne lui aient accordé de changer son nom en Clément-Bayard. La presse ne broncha pas lorsque l'ouverture du Salon Automobile suivant révéla l'existence d'une nouvelle marque de voiture dont la devise était « Sans peur et sans reproche », et le nom Bayard-Clément. M. Clément-Bayard faisait donc des Bayard-Clément. Le contrat signé avec Lawson, par lequel Adolphe Clément abandonnait son nom, ne mentionnait pas de possibilités de combinaisons autre que Clément-Gladiator.

Une autre ramification des relations Clément-Panhard met en scène Charron, dont le nom a été cité comme pilote chez Panhard. Pour esquisser brièvement la carrière de ce champion : son premier acte de présence dans une grande course fut modeste, quatrième du Paris-Mantes-Paris le 20 septembre 1896 sur un tricycle de Dion-Bouton. Il ne participa pas à la grande compétition de l'année, Paris-Marseille. En juin 1897, son nom reparut comme pilote Panhard-Levassor dans Marseille-Nice-La Turbie, mais il ne finit pas la course. Paris-Dieppe le lança vraiment, car il fut quatrième au classement général et deuxième dans sa catégorie (6 CV). A Trouville, il rétrograda à la 12e place, mais d'autres pilotes Panhard lui tinrent compagnie. L'équipe n'était pas en forme car elle fut battue par Mors, Peugeot, de Dion (à vapeur), Bollée et même Landry & Beyroux.

L'année suivante, en 1898, Charron s'adjugea la 1re place du Marseille-Nice en mars, la seconde au Criterium des Entraîneurs et la 1re à nouveau dans la grande épreuve de l'année, Paris-Amsterdam. En 1899, Lemaître s'imposa à Nice, Charron ne fut que 7e; mais il reprit sa place de premier dans la grande course Paris-Bordeaux. Dans l'incroyable Paris-Ostende, qui vit arriver ensemble Levegh sur Mors et Girardot sur Panhard, Charron eut près d'une demi-heure de retard. Sa seule victoire en 1900 fut remportée au cours d'un morne Gordon-Bennett : et encore Levegh sur sa Mors, qui ne courait pas pour la Coupe, joua-t-il au chat et à la souris avec lui; l'année suivante, sa meilleure place fut 6e dans le Paris-Berlin. Il semble que les responsabilités de l'affaire aient pesé plus lourdement sur lui que sur de Knyff, qui l'avait battu dans cette course et dans d'autres.

Charron avait lancé une affaire à Paris avec deux de ses collègues coureurs automobile, Girardot et Voigt. En 1901, les associés achetèrent la totalité de la production annuelle de Panhard, évaluée à 2 millions de francs. Puisque Panhard travaillait déjà depuis un certain temps avec des listes d'attente de près de dix-huit mois, il n'est pas étonnant que les voitures en question n'aient été livrées à Charron qu'en 1903.

C'est à cette même époque que le trio organisa la compagnie C.G.V., destinée à entreprendre la manufacture d'une grosse voiture baptisée C.G.V. Les ateliers furent prêts en 1901, et la production démarra immédiatement. L'année suivante, on annonça la fabrication du même véhicule dans les ateliers de locomotive de Rome, Etat de New York. Duncan, que l'on voit décidément partout, se présenta alors avec une offre d'achat de plusieurs millions de la « Westminster Syndicate, Inc. » de M. Jackson. Malheureusement pour Duncan, qui perdit une commission de 100 000 francs, l'affaire ne se fit pas.

C'est à cette époque que Charron s'associa avec Clément; l'événement dut beaucoup au fait qu'il épousait aussi la fille de Clément. Les commentaires contemporains laissaient entendre que Charron allait être placé à la tête de l'ensemble d'affaires Clément.

Un mystère inexpliqué place l' « A. Clément Light Car Company » à Hartford (Connecticut) à la fin de 1902 ou au début de 1903. Clément était en relation avec les fabricants de cycles américains, et chaque année il se rendait dans les villes américaines où l'on fabriquait des bicyclettes afin de se tenir au courant des progrès américains. Hartford était l'une de ces villes, mais l'apparition éphémère de ce nom parmi les fabricants reste un

L. Ravenez (président du Conseil d'Administration Decauville), 3e dans la Coupe des Voiturettes, 11 mars 1900, au guidon de la DECAUVILLE, avec son ingénieur en chef des usines, M. Cornilleau. A noter, la suspension indépendante et le refroidisseur. C'est la prochaine version de cette marque qui était achetée par les ingénieurs Royce de ROLLS-ROYCE et Birkigt de HISPANO-SUIZA. (Voir pp. 344-345.)

(Cliché Archives du Touring-Club de France.)

mystère. Il semble plausible que Clément ait prévu d'exploiter la voiturette Krebs ou toute autre voiture légère et y ait renoncé, ou que la tentative C.G.V. en Amérique ait obtenu la priorité, ou bien encore (et c'est le plus probable) que le monopole Selden n'ait exercé des contraintes contre lui. Il se peut aussi que le « A » du titre ait désigné Albert, le fils aîné d'Adolphe.

En 1903, une autre affaire fut conclue avec l'Angleterre, affaire qui peut avoir été inspirée par la tentative infructueuse de Duncan d'angliciser la C.G.V. L'agent de Clément en Angleterre s'appelait Weigel; il réussit à persuader le comte de Shrewsbury et Talbot d'organiser la manufacture de Clément-Bayard en Angleterre. Les amis de Clément dans la nouvelle compagnie étaient Lamberjack, personnage pittoresque bien connu sur la scène automobile française, et A. Lucas, dont le nom évoque aux oreilles de l'automobile britannique des années qui suivirent des fournitures électriques et l'allumage. A un banquet d'inauguration tenu à l'hôtel Cecil, le comte dévoila les plans de la société :

« Les automobiles Talbot seront fabriquées écrou pour écrou, vis pour vis, de la même manière qu'elles l'ont été dans les gigantesques ateliers de M. Clément outre-Manche. »

Pendant un certain temps, le résultat fut connu sous le nom de Clément-Talbot dans les îles britanniques; mais nous n'entrerons pas pour l'instant dans les détails compliqués des liens emmêlés qui relient Clément-Talbot, Bayard-Clément, Talbot (France) et Darracq (Angleterre).

Clément se lança dans la compétition avec l'intention apparente de mettre à l'épreuve à la fois ses voitures et ses pilotes. Dans le Circuit du Nord, il se présenta dans deux catégories, la voiture légère où Tart arriva 6e avec une 16 CV tandis qu'une 20 CV, aux mains de Domptet, ne finissait pas, et la voiturette, où une 10 CV pilotée par Barbaroux se plaça 4e (mais abandon de Vonlatum).

La première tentative sérieuse suivit de près, avec le Paris-Vienne, où la maison réunit huit voitures sur la ligne de départ. Que trois de ces voitures aient abandonné en course ne constitue pas un trop mauvais résultat dans une course qui vit l'éclipse de bien des étoiles, y compris celle de René de Knyff sur Panhard, qui ne fut pas heureux. Voici quel fut l'ordre d'arrivée des 20 CV, voitures légères : Tart, 6e, Barbaroux, 9e, Weigel 12e, Comiot, 28e, et Vonlatum 35e. Tart fut aussi 13e au classement général, devançant ainsi le vainqueur de la Gordon-Bennett, Napier, et Mors, l'une des voitures les plus rapides du jour. Deux de ces pilotes devaient atteindre la célébrité dans un autre champ que celui de la compétition : Barbaroux, surveillant de l'étude et créateur de modèle chez Clément, qui fut appelé à Mannheim quelques mois plus tard pour redessiner les automobiles Benz lorsque la crise y éclata (il créa la Benz-Parsifal 1902, que les héritiers de Wagner purent priver, par décision judiciaire, de l'adjonction de Parsifal) et qui devait bientôt, comme nous le verrons, être à l'origine de la perfection mécanique de la grande marque de luxe Delaunay-Belleville; le second était le Britannique Weigel, déjà cité, qui introduisit Clément sur le marché anglais, étant ainsi à l'origine du plus bel imbroglio automobile franco-britannique au cours duquel les Clément, en traversant la Manche, devinrent des Talbot, et les Talbot fabriquées en France, des Darracq en passant le « Channel »!

L'année suivante, le sinistre Paris-Madrid vit toute une flottille de Clément sur la route; les 18 CV furent 1re et 6e, tandis que les 40 CV (voitures légères!) ne dépassaient pas la 11e place dans leur catégorie.

Dès 1904, les voitures parurent sous le nom de Bayard-Clément. Leurs débuts, dans les éliminatoires du Circuit de l'Argonne destinés à désigner les représentants de la France pour la Gordon-Bennett, ne furent guère réussis, brisant tout espoir pour Adolphe Clément de s'attribuer une victoire-surprise. Albert Clément, le fils, plaça la nouvelle 80 CV à la 11e place, ce qui après tout n'était pas mal pour un premier essai. Les autres 80 et 100 CV abandonnèrent. Elles firent mieux dans l'autre course de 1904, le Circuit des Ardennes, où la 80 CV arriva seulement quatre minutes derrière des vétérans comme Heath et sa 90 CV Panhard; elle avait aussi un avantage de 1 h 10 mn sur la 90 CV Mercédès, qui avait été montée en épingle par les journalistes sportifs français. Dans la catégorie voiturette, Albert Clément fut vainqueur dans sa 18 CV, mais dans les voitures légères, la 30 CV Clément-Bayard conduite par Hanriot, après avoir mené pendant trois des cinq tours, dut se retirer, laissant aux Darracq les trois premières places.

La dernière manifestation de l'année fut la première Coupe Vanderbilt, courue dans Long Island (Etat de New York); ce fut peut-être la plus réussie du point de vue commercial pour la nouvelle marque. Quatre nations s'y affrontaient; seule l'Angleterre était absente des grands pays producteurs. Il y avait cinq Mercédès, trois Panhard, une de Dietrich, une Clément-Bayard et deux Fiat sur la ligne de départ. La course se réduisit vite à un duel entre Heath sur Panhard et Albert Clément, qui mena pendant les deux derniers tours (il y en avait dix). Si la firme avait alors trouvé un vendeur efficace aux Etats-Unis, nul doute qu'elle ne se fût taillé un succès considérable. (Heath gagna; son temps : 5 h 26 mn 45 s; Clément, 2e : 5 h 28 mn 13 s). Fiat n'était pas encore établi sur le marché américain, Panhard commençait à se démoder (une victoire Panhard ne faisait pas de gros titres), mais la déroute totale des Mercédès — cinq entrants, cinq abandons — était une autre histoire, car la vogue de ces voitures était encore immense.

Avant d'aborder le reste des marques mineures, une digression apparente montrera combien il est difficile de séparer la performance du véhicule de celle du pilote dans les courses automobiles; ce problème s'est posé déjà lors de notre discussion de la valeur de la Clément-Bayard et se reposera pour d'autres. Prenons par exemple la Semaine Automobile de Nice, au printemps de 1900, à l'apogée de Panhard :

Course de vitesse, 201 kilomètres

		h	mn	s
De Knyff	Panhard	3	25	30
Hourgières	Panhard	3	32	01
Charron	Panhard	3	33	00
Pinson	Panhard	3	44	32
Levegh	Mors	3	49	37
De Perigord	de Dietrich	3	52	47
Girardot	Panhard	3	52	53
Kœchlin	Peugeot	3	59	35
Labouré	Benz	4	51	32
Jellinek	« Mercédès »	4	52	49

On nous dit que Mors fut le véhicule le plus rapide mais qu'il dut changer souvent de pneus. Si nous examinons brièvement les précédentes performances des pilotes Panhard, nous découvrons que :

De Knyff, en cinq courses s'était classé une fois 1er, une fois 2e, trois fois 3e ou plus;
Charron, en huit courses, trois fois 1er, trois fois 2e, deux fois 3e ou plus;
Girardot, en cinq courses, une fois 1er, trois fois 2e, une fois 3e;
Hourgières, en quatre courses, deux fois 1er, une fois 2e et une fois 12e.

L'année suivante, l'A.-C. F., aux prises avec le problème délicat du choix de la meilleure représentation dans le Gordon-Bennett, fit le choix suivant :

Chevalier René de Knyff	32 voix
M. F. Charron	25 —
M. L. Girardot.....................	15 —

avec un vote séparé pour les remplaçants :

M. George Huillier (Hourgières)	26 voix
Comte de Chasseloup-Laubat	25 —
M. Velghe (Levegh)	14 —
M. Lemaître	14 —

Si l'on songe que la Commission sportive de l'A.-C.F. était presque omnisciente à cette époque, il n'en reste pas moins que lorsque les Britanniques et autres songèrent à lancer eux aussi des commissions de courses un ou deux ans plus tard, ils insistèrent pour que ces commissions soient complètement étrangères à l'industrie automobile. Nous notons dans le tableau ci-dessus que le chevalier de Knyff avait été choisi, bien que Charron eût collectionné trois fois plus de places de premier et trois fois plus de places de 2e. Le choix s'explique mieux si l'on se souvient que de Knyff était administrateur-délégué de Panhard-Levassor. Charron, dont le score était le meilleur, n'était pas en mauvais termes avec la firme — il devait bientôt devenir le gendre d'A. Clément, alors président du Conseil d'administration. (Quant à lui, sa propre maison Clément & Cie n'était pas encore engagée dans les compétitions, et ses sympathies allaient sans doute toutes à Panhard.) Le choix le plus remarquable dans la première équipe était celui du laborieux Girardot (baptisé « l'éternel second » par les journalistes sportifs pour être arrivé trois fois second : donc, trois fois = éternel) de préférence à celui du talentueux « gentleman-pilote » Huillier, qui, avec une course de moins que Girardot, avait un meilleur tableau de chasse. Malheureusement, Huillier (ou Hourgières, son nom de course), venait récemment d'abandonner la vénérable Panhard en faveur de Mors, et Mors n'était pas en odeur de sainteté dans la Commission. Velghe, on s'en souvient, avait eu des résultats remarquables, mais dans les deux dernières années seulement, alors que la carrière de course du courageux comte de Chasseloup-Laubat remontait à 1895, avec un abandon cette année-là, une place de 3e, une de 6e, une de 16e et une spectaculaire 1re place sur automobile à vapeur en 1897, la seule de son genre dans l'histoire des Grands Prix, plus toute une série de records de vitesse sur route en compétition avec Jenatzy, en 1898, sur voitures électriques. Si l'on excepte les électriques, le comte était un fidèle de de Dion, et en tant que fondateur de l'A.-C.F., de Dion n'était pas sans influence.

Lemaître, lui, était un vétéran. C'était lui qui avait sérieusement menacé de Dion jusqu'à Rouen, en 1894, lors de la première mondiale des courses, avec un retard de 3 mn 30 s seulement.

Bien que sa carrière n'ait pas été uniquement un tissu de victoires, il avait réussi à finir second derrière le comte de Chasseloup-Laubat dans cet autre triomphe de Dion, le Marseille-Nice-La Turbie de 1897; deux ans plus tard, il avait remporté à son tour cette même épreuve. Il avait, à son actif, deux autres premières places, deux secondes, une neuvième (et devançait ainsi Huillier que la Commission sportive lui avait préféré — tant que ce dernier était resté fidèle à Panhard). En huit courses, il ne comptait qu'un seul abandon. Alors que la faute de Levegh avait été de défier l'ordre établi en fournissant une bonne course avec une Mors, celle de Lemaître semble avoir été d'avoir menacée par deux fois d'éclipser la gloire de de Dion, lors de ses rares tentatives en compétition, avec une Peugeot; Peugeot, firme provinciale, comme Lemaître, lui-même provincial, était également considérée comme renégate; après avoir utilisé pendant un certain temps les moteurs Daimler (fournis par Panhard-Levassor) elle n'avait pas succombé à la magie du nom et s'était lancée, avec succès, ce qui n'arrangeait rien, dans la fabrication de son propre côté.

Voilà une énigme. On peut voir dans l'action de la Commission sportive l'exercice d'un choix entre hommes, sans compter les voitures, mais c'est douteux. Que la marque ait eu la plus grande influence, voilà qui est le plus probable. Le public avait choisi l'homme avant la machine. Toujours est-il qu'il y a maints exemples d'un mariage homme-voiture qui dura longtemps, et qui apporta du bonheur à la maison-fabricant et au pilote.

Chapitre XXXIX

ALEXANDRE DARRACQ ET LES USINES « PERFECTA »

Il existe certaines ressemblances entre la carrière d'Alexandre Darracq et celle d'Adolphe Clément, mais les différences qu'elles présentent sont aussi nombreuses et l'alliance finale entre la Darracq et la Talbot — que l'on peut considérer comme sa descendante directe — se fit sans la participation de l'un ou de l'autre des deux pionniers.

Alexandre Darracq était Basque; il finit par se rendre à Paris où il entra dans l'industrie du cycle avec un certain Aucoc qui, probablement, fournit les capitaux. Darracq était ingénieur, mais on a souvent dit, en appréciant froidement les faits, qu'il tenait par-dessus tout à faire de l'argent et, apparemment, il y réussit. Les deux associés invitèrent à diriger leur usine un Anglais nommé Pullinger, qui, plus tard, s'intéressa à l'automobile à Lyon, chez Teste & Moret. Les Anglais inclinaient à dire que c'était parce que les Français les estimaient au courant de tout ce qui se rapportait au cycle. Il est vrai qu'à l'époque, Humber, Rudge et Coventry faisaient de bonnes affaires dans le cycle, mais Peugeot et Clément faisaient de même. Ce qui distingue la façon dont Darracq aborda le problème, c'est qu'il se procura un excellent ensemble de machines-outils et se mit à produire des cycles en grande quantité, alors que la plupart étaient fabriqués dans de petits ateliers n'ayant qu'un ou, au plus, deux employés. Il lança alors une guerre des prix, vendant ses machines 350 francs environ quand les anglaises en valaient 450. Grâce aux qualités de son outillage, les cycles britanniques n'étaient pas d'une supériorité suffisante pour mettre un terme à la petite guerre de Darracq.

La machine Darracq, soit dit en passant, était connue sous le nom de « Gladiator ». La rapide ascension, qui avait amené Darracq à une position prédominante sur le marché, n'avait pris que cinq années, de 1891 à 1896.

C'est alors que l'affaire fut rachetée par un syndicat d'industriels anglais. Les termes du marché interdisaient aux vendeurs la fabrication des cycles. Aucoc se retira avec sa part du butin, mais Darracq sentait, semble-t-il, qu'il n'avait pas donné toute sa mesure et c'est, en effet, ce que l'avenir devait prouver.

Il monta une nouvelle usine qu'il dota de machines-outils meilleures et plus récentes et se mit à fabriquer des pièces de cycles. C'était une idée entièrement neuve, née dans son cerveau fertile et qui convenait admirablement au marché (car il y avait des milliers de petits ateliers dont les propriétaires mécaniciens préféraient produire leurs propres cycles, en petite quantité, suivant la demande). Cela convenait également aux clauses du contrat de vente par lequel il avait abandonné tous ses droits sur la marque « Gladiator » et sur sa première usine. Ce contrat, en effet, ne faisait pas mention de la fabrication des pièces détachées. Pas plus qu'il ne parlait du reste des automobiles qui commençaient à intéresser Darracq et pour la production desquelles personne, à Paris, n'était mieux placé que lui.

La difficulté pour Darracq, en ce qui concerne l'industrie de l'automobile, n'était pas le manque de capitaux ou des facilités, mais l'incapacité de décider de quel côté se lancer. En 1896, trois systèmes étaient en compétition : vapeur, électricité, combustion interne. De Dion paraissait avoir exploré, à peu près complètement, les possibilités de la vapeur, et en dépit de sa randonnée triomphale à Rouen, la vapeur ne semblait pas porter de grandes promesses. Les véhicules à essence étaient exploités avec vigueur par Panhard & Levassor et par Peugeot; mais leurs difficultés n'étaient rien en comparaison de celles que connaissaient les autres constructeurs qui s'essayaient dans ce domaine. Darracq choisit de tenter l'expérience avec l'électricité qui paraissait alors, à l'imagination des foules, aussi merveilleuse et pleine de possibilités que la puissance atomique l'est de nos jours. L'électricité était, plus que tout, à portée de la main : elle servait aux grandes illuminations, elle éclairait les restaurants les plus modernes, etc.

Darracq, semble-t-il, construisit au moins un véhicule électrique qui fut exposé au Salon de l'Automobile en 1896; mais, apparemment, il n'y en eut pas d'autre. Duncan dit que cette voiture fut amenée à Londres où l'on espérait trouver un agent pour prendre en main les ventes; mais ce fut sans succès.

La nouvelle fabrique prit le nom d'Usines « Perfecta » et une publicité à grand tapage rendit ce nom familier dans le monde cycliste qui était, à cette époque, un monde plein d'activité et d'enthousiasme. Bientôt l'appellation fut donnée à un tricycle à moteur, et en peu de temps, les choses allèrent très bien dans ce domaine.

Les courses étaient aussi importantes pour le véhicule à trois roues que pour l'automobile, mais les vestiges de cette notoriété passagère sont plus difficiles à découvrir car sa presse était encore plus éphémère que celle de l'automobile. 1896, en ce qui regarde les tricycles, fut largement une année de Dion. En 1897, les tricycles Bollée, plus puissants, commencèrent à harceler les petits de Dion et le comte de Dion parvint rapidement à faire établir des catégories séparées dans lesquelles des de Dion battaient les de Dion avec, de temps à autre, une petite pointe contre les Clément qui venaient tout juste d'être motorisées. Les Bollée luttaient seulement avec des Bollée. Ce n'est qu'en 1897 que les Usines « Perfecta » devinrent productives.

Le premier événement majeur dans lequel le tricycle « Perfecta » de Darracq fit son apparition fut la Course de Périgueux en mai 1898. Il arriva quatrième, entouré de de Dion, de puissance égale et avant les Bollée, plus puissants, mais aussi plus lourds.

Comme il a été expliqué plus haut, les Bollée étaient sujets à des ennuis des pneus. (De Dion avait deux roues motrices, de sorte que l'effort était partagé en deux, et que la distribution du poids était peut-être de 25 % sur chaque pneu arrière. Les Bollée n'avaient qu'une roue motrice dont le pneu devait supporter tout l'effort et environ la moitié du poids du véhicule et du conducteur. C'était plus que ne pouvaient assurer les techniques de fabrication des pneus à cette époque; Bollée demandait à ses pneus un effort deux fois trop grand.)

Le tricycle « Perfecta » suivait le modèle de Dion et évitait ainsi cette partie des ennuis que connaissaient les Bollée.

Il est peut-être bon d'indiquer que le public des premiers véhicules à moteur, moins sophistiqué qu'aujourd'hui, considérait les tricycles comme des automobiles. Cependant, il faisait nettement la distinction lorsqu'il s'agissait de cycles à moteur.

On peut donc considérer le tricycle comme l'ancêtre de la « voiturette », non du point de vue de la mécanique, mais socialement parlant.

On peut relever une allusion à la manière dont allaient les choses dans *La Vie au Grand Air* du 29 avril 1900, où il est dit que les épreuves du Paris-Roubaix qui, pendant cinq ans, avaient été une course de bicyclettes, étaient depuis trois ans une course de motocyclettes.

En 1899, Teste, plus tard conducteur chez Panhard, fit la course Nice-Castellane-Nice sur la nouvelle 3 CV de Dion (presque deux fois plus puissante que le modèle de l'année précédente), en 2 h 59 mn battant de 21 mn Rigal sur une Gladiator 2 CV, mais il n'y avait pas un seul tricycle Perfecta.

En 1900, toutefois, la Semaine de Nice donna sa chance à Darracq et une nouvelle étoile, Béconnais, couvrit les 213 kilomètres Nice-Marseille en 203 mn, le meilleur temps sur véhicule à moteur. *La Vie au Grand Air* montre son mépris du mercantilisme en donnant seulement la liste des conducteurs suivant leur rang, sans dire un mot de la marque des véhicules. Cette attitude puritaine fut parfaitement comprise et les constructeurs des moteurs Soncin (Emile Ouzou & Cie) rendirent service en même temps aux journalistes et au public en faisant paraître une annonce pour leurs moteurs et en donnant le nom de leurs clients, les fabricants de véhicules.

Les constructeurs d'automobiles, pour leur part, ne montrèrent pas une telle libéralité. Ils sentaient, apparemment, que le public connaissait leurs conducteurs et savait que les Panhard arrivaient en tête.

Les records sur ligne droite étaient une autre affaire, ainsi qu'en témoigne le commentaire acerbe de *La Vie au Grand Air* :

« Il est dommage que ni Charron, ni René de Knyff, ni Girardot, ni Gilles Hourgières, ni Teste n'aient voulu mesurer sur cette piste la force de leurs moteurs. »

Les records pour les véhicules munis de moteurs à combustion interne furent pourtant abaissés :

Kilomètre	Voitures :	Levegh	Mors	48,2 s
	Tricycles :	Béconnais	Perfecta	39,0 s
Mille	Voitures :	Levegh	Mors	1 mn 10 s
	Tricycles :	Béconnais	Perfecta	1 mn 18 s

Les non-combattants sur lesquels se lamentait l'auteur de l'article étaient tous des conducteurs de Panhard et on comprend ce que cela veut dire. A propos de la course Nice-Castellane-Nice le même journaliste loue la vitesse des cycles à moteurs :

« Béconnais, donc vainqueur des motocycles, l'est aussi des grosses voitures. Oui, sur son simple tricycle — il est vrai que c'est un tri Perfecta !, il bat même de Knyff, de deux minutes environ. Son temps est 3 h 23 mn 11 s » (René de Knyff : Panhard, 3 h 25 mn 30 s).

Darracq ne fut pas long à découvrir que, parmi les clients fortunés, nombreux étaient ceux qui ne désiraient nullement un tricycle. De son côté, Léon Bollée qui, antérieurement, avait mis sur le marché un puissant tricycle, en était venu à la même conclusion et s'était mis à fabriquer une voiture légère. Parmi les auteurs les plus prolifiques de la presse spécialisée, plusieurs s'étaient efforcés de lancer le thème : « Faisons léger », et Darracq se rangea à leur avis. Tandis qu'il y avait en France littéralement des centaines d'expérimentateurs, dont chacun possédait la « solution parfaite » et ne manquait que de capitaux pour l'exploiter, il n'en était certainement aucun, dans ce pays, qui eût derrière lui plus d'années d'automobilisme que Léon Bollée — et il était pourtant jeune. Après tout, Léon avait voyagé en automobile dans sa petite enfance, il avait conduit la voiture à vapeur de son père dans la course Paris-Bordeaux en 1895 et, depuis, avait produit un tricycle à grande puissance qui était largement connu.

Dans leurs commentaires, Nickols et Karslake[1], traitent plutôt ironiquement l'erreur que commit Darracq dans le choix auquel il s'arrêta, mais leur supériorité vient de ce qu'ils voient les choses après coup et ont une bien meilleure compréhension des véhicules et des moteurs à combustion interne, ce qui est aujourd'hui du « folklore » pour les enthousiastes de l'automobile. En fait, Baudry de Saunier, auteur bien connu de cette époque et spécialiste des questions techniques, consacre[2] un chapitre entier de son premier livre au tricycle (« La voiturette Bollée ») et un autre dans le second volume, intitulé « La voiture Darracq (système Léon Bollée) ». Les deux descriptions sont élogieuses et, d'après le ton modéré qu'emploient les auteurs cités en parlant de semblables erreurs commises, à leurs débuts, par d'autres firmes encore en activité, il semble bien que leur façon de critiquer Darracq aurait été considérablement tempérée si cette firme était encore de nos jours sur la brèche.

L'année 1900 paraissait devoir être quelque chose de spécial : première année du XXe siècle! Quand elle arriva enfin, elle parut décevante à beaucoup. Elle le fut certainement en ce qui concerne l'Exposition Universelle qui fut en retard, comme le sont toujours, semble-t-il, les Foires mondiales. Mais c'est surtout l'industrie automobile que ce retard remplit d'indignation. En effet, selon toute apparence, aucun des organisateurs de l'Exposition n'avait pensé, en temps voulu, à prévoir des installations pour cette activité nouvelle qui fut, comme on aimait à le souligner « exilée » à Vincennes. *La Vie au Grand Air* (29 avril 1900) décrit le hall d'exposition (il contenait sept ou huit voitures), et ajoute un foudroyant paragraphe sur la faillite des autorités qui n'ont rien fait pour

1. I. NICKOLS and K. KARSLAKE, *Motoring Entente*, Story of Sunbeam, Talbot, Darracq, Londres, 1955, p. 119.
2. BAUDRY DE SAUNIER, *op. cit.*, *L'Automobile t. et p.*, t. 1, 1898; t. 2, 1900.

encourager les automobilistes. Le numéro suivant du journal était consacré aux « Sports à l'Exposition » mais le rédacteur en chef démentit sa tirade de la semaine précédente : sur les 34 pages publiées à propos de l'Exposition, on en avait chichement attribué une et demie aux automobiles, encore y était-il aussi question d'un wagon-lit dans le Transsibérien; la gymnastique bénéficiait d'un espace égal, deux pages pour le tir, deux pages pour Messieurs les Commissaires, etc.

En 1900, l'automobile avait cessé d'être une nouveauté et les journalistes s'intéressaient aux choses comme elles étaient avant. *Le Figaro*, dans ses douze luxueux tirages de l'année, lui consacre un seul petit bavardage, se plaignant, du même souffle, des automobiles sur les Champs-Elysées et d'un tramway qui menaçait d'envahir l'Etoile. L'importance des voitures à moteur est cependant reconnue par l'insertion de quatre pages centrales en couleurs où le chapitre entier de Baudry de Saunier sur la nouvelle Darracq est reproduit. C'est, naturellement, une annonce et, pour l'époque, un formidable effort de publicité.

De tous les pionniers de l'automobile, Daimler compris, aucun ne paraît, dans la suite des années, avoir réussi aussi bien que les membres de la famille Bollée, à vendre leurs prototypes un aussi bon prix. Duncan[1], qui servit souvent d'intermédiaire dans de tels marchés, fait autorité lorsqu'il rapporte que le promoteur anglais Lawson paya à Léon Bollée 20 000 livres en espèces pour les brevets et droits de fabrication britanniques du tricycle et qu'il vendit ses brevets et droits de fabrication français pour la voiture légère, dont il a été débattu plus haut, 250 000 francs, plus une commission non avouée. Le scandale Lawson ne retomba nullement sur Bollée.

En 1905, il avait réussi à fabriquer une voiture extraordinairement silencieuse (la plupart des voitures antérieures à 1910 étaient bruyantes), sur laquelle un autre syndicat anglais avait pris une option pour 40 000 livres, auxquelles furent ajoutées 2 000 livres, lorsque la société, gênée pour trouver des fonds, demanda un délai. La somme entière fut d'ailleurs perdue, car les acheteurs se trouvèrent dans l'impossibilité de conclure le marché. Ainsi Bollée eut l'argent et la voiture! Une des mystérieuses autos françaises, dont la publicité parut pendant quelques mois en Amérique dans les journaux d'affaires tels que *Automobile Topics* en 1906, était la De Léon, de Paris, mais les détails manquent pour l'identifier exactement.

1. *Op. cit.*, *World on Wheels.*

En 1924, les usines Léon Bollée au Mans furent rachetées par l'industriel anglais W. R. Morris; ainsi dans un certain sens, Bollée continua en tant que membre du groupe Morris.

Il est bon de rappeler que le frère de Léon, Amédée Bollée, avait vendu les droits de fabrication de sa voiture mue par courroie à la firme de Dietrich de Lunéville et Niederbronn en 1898-1899. Hautement vantée par la presse du temps, elle fut supplantée, quelques années après, par un modèle plus moderne, dû à un constructeur marseillais : Turcat-Méry. Amédée chercha, semble-t-il, à revenir en 1919 en tant que fabricant d'automobiles.

Quant à Darracq, vers la fin de 1900, il offrit un nouveau modèle dont le trait principal était la transmission à cardan (c'est-à-dire du type standard), suivant l'exemple de Renault — et du type Mancelle de la voiture à vapeur Bollée.

Il est probable que ce fut le modèle Renault qui fut imité car il avait grandement retenu l'attention depuis sa première apparition plus d'un an auparavant; et cependant il y a le contact Darracq, Léon Bollée.

Sur la nouvelle Darracq, le levier de changement de vitesse restait sur la colonne de direction, en souvenir de Léon Bollée. Lorsque les autres constructeurs l'adoptèrent, on avait oublié que la Darracq-Bollée possédait ce système en 1900, quelque quarante ans plus tôt.

Pendant cette année 1900, le bouillant Darracq entreprit, quelque peu inconsidérément, d'affronter la firme établie (Panhard) avec quelque chose de plus gros et de meilleur. Puisque la course était le moyen d'acquérir la faveur du public, il se mit à fabriquer ce que Rose appelle une voiture de course de 50 CV et Duncan de 70 CV. Nickols et Karslake agrandissent le chiffre de Rose quelque peu en disant qu'il n'avait sans doute pu obtenir de renseignements plus précis, quand il écrivit son livre en 1908 et ils sont d'avis que la voiture pouvait être encore plus puissante qu'il ne le disait. Il semble qu'elle ait été connue sous le nom de *La Capricieuse*. Elle fut détruite par le feu en 1901 en se rendant à Pau où elle devait participer à la première course et où la Mercédès fit de si piteux débuts. L'infortuné propriétaire de la Darracq était un sportif nommé Meyer.

Pendant la saison 1900, Darracq ne manqua pas de succès dans les courses de tricycles avec son « Perfecta » muni soit d'un moteur Soncin, soit d'un moteur Buchet. Dans *La Vie au Grand Air*, les commentaires parus en début de saison font souvent mention du « Perfecta »; mais apparemment Darracq ne se montra pas assez compréhensif et, vers la fin de l'année, seuls étaient nommés, dans les comptes rendus, les conducteurs et quelquefois la marque du moteur; mais il n'était plus question de Perfecta. Soncin et Buchet faisaient, de temps en temps, paraître des annonces.

Pour en revenir à la décision, prise par Darracq, d'employer une transmission à cardan, il est probable qu'une autre influence avait agi sur lui. Au cours de l'année 1900 le constructeur d'une petite voiture légère appelée « Sirène » proclamait dans ses annonces que cette automobile n'avait ni courroies, ni chaînes et l'illustration montrait qu'elle était munie d'un arbre à cardan semblable à celui que Renault avait inventé deux ans plus tôt, mais qu'aucun constructeur connu n'avait encore adopté. Renault jouissait d'un succès considérable et Darracq fut sans doute influencé par cette évidente faveur du public. Peut-être aussi estima-t-il que ses Usines Perfecta pourraient produire plus économiquement une voiture à cardan. Il est difficile à savoir.

Tournant le dos à la Darracq-Bollée, comme il a été dit plus haut, Alexandre Darracq monta une voiture simple munie d'un moteur à cylindre unique placé verticalement à l'avant, trois vitesses, avec un tambour de frein sur l'arbre transmetteur (le seul système de frein dont disposait le conducteur sur cette voiture), deux cardans sur l'arbre, engrenages coniques et différentiel dans le pont arrière. Le moment de réaction devait être absorbé par les ressorts simples à l'arrière. Le moteur à refroidissement par eau était annoncé comme étant de 6 CV et demi. Il était carré avec un alésage de 100 mm et une course de 100 mm. Ce type du moteur à course réduite illustrait la tendance, qui se faisait jour en France, parmi les nouveaux fabricants, à se libérer des dogmes d'outre-Rhin, en faveur depuis si longtemps.

Nickols et Karslake conclurent que la nouvelle Darracq était une copie de la Renault. Tel était également l'avis exprimé cinquante ans plus tôt par W. W. Beaumont, certainement l'un des ingénieurs les mieux informés de son temps. Ses deux livres, précédemment cités, prouvent par leur importance et leur valeur, sa compétence en la matière. Cependant les faits semblent ici « se télescoper » quelque peu. Il est parfaitement exact que la Renault fut la première voiture munie d'une *prise directe* selon l'expression de Louis Renault et que ce système attira considérablement l'attention des gens de l'automobile. De même, il ne peut être mis en doute que Darracq adopta la transmission par cardan plus tard que Renault; mais les deux modèles présentent d'importantes différences et il est fort probable que Darracq a été privé, au cours des années, d'un certain lustre auquel il avait droit.

La petite Renault était munie de ressorts à pincettes qui nécessitaient une bielle de poussée afin de supporter les charges des couples de freinage et d'entraînement.

Darracq au contraire, comme il a été dit plus haut, évita ce dispositif en se servant de ressorts simples. Ce système plus simple (dit Hotchkiss), devint le modèle standard dans le monde entier avant la généralisation de la suspension indépendante. Vers le milieu de 1901, Renault avait avancé de 1 CV 3/4 à 4 CV (84 mm × 90 mm) mais il n'adopta le moteur carré qu'une année après Darracq, époque où cette formule nouvelle emporta un beau succès dans Paris-Vienne. Au moment où se place l'imitation dont il est fait état, Renault n'avait encore remporté aucune course, tandis que Darracq était fortement attiré par la compétition. Mors menaçait alors le règne de Panhard et le fait que Darracq choisit le même système de ressorts (mais sans les amortisseurs de Mors), prouve que l'ingénieur, en lui, combinait, après une judicieuse sélection, les traits qu'il trouvait les meilleurs. C'était peut-être l'attitude généralement adoptée par les constructeurs. Louis Renault lit-on dans le compte rendu de sa rencontre avec un reporter à l'un des premiers Salons, examinait toujours soigneusement chaque modèle présenté, d'abord pour y découvrir des idées nouvelles et aussi pour voir si sa *prise directe* n'avait pas été contrefaite. En tout cas, il ne faut pas confondre *la prise directe* avec la transmission par cardan. Cette dernière remonte à Bollée (1873) et les liens Bollée-Darracq existaient déjà bien avant l'invention Renault.

Pour la carrosserie, Darracq suivit l'exemple de Mors, et d'autres constructeurs qui trouvaient trop écrasé le « nez » trapu des Panhard (adopté par Daimler dans ses grosses 24 CV précédant les Mercédès) et qui donnaient à l'avant de la voiture une pente plus douce. Renault fut le premier à placer un écran vertical devant le moteur (qui était à refroidissement par air) et un couvercle semi-cylindrique au-dessus du moteur, réalisant ainsi le premier capot du modèle que Mercédès devait adopter trois ans plus tard. Entre-temps Renault était revenu au capot en pente, forme typiquement française, avec ses traits propres, les tubes du radiateur sur le côté. L'énorme différence de taille entre la Mercédès et les premières Renault tend à faire oublier leur ressemblance; mais, en l'espèce, elles étaient pareilles. S'étendre davantage sur le sujet serait hors de propos puisqu'il s'agit ici de Darracq et de son histoire.

Le nouveau modèle choisi par Darracq fut un succès. Les essais qu'on en avait fait semblaient justifier son choix et il proposa, en 1901, de construire 1 200 voitures, de ce modèle. C'était, pour l'époque, un énorme programme, bien que certains fabricants aient avancé, à un moment ou à un autre, d'extravagantes prétentions. Benz, cependant, se vantait d'avoir produit, entre 1885 et 1900, plus de 2 000 automobiles, ce qui était probablement vrai. Panhard, pour sa part, préférait faire imprimer des gravures représentant ses importantes usines, sans indiquer qu'on y fabriquait encore des machines utilisées en menuiserie. Il se gardait de donner les chiffres réels de sa production, indiquant à la place, des prix de vente individuels élevés (par exemple 60 000 francs au millionnaire américain Bostwick). Il parlait de délais de livraison de deux ans, mais passait sous silence le nombre de voitures livrées par mois.

Le Journal de l'Automobile-Club de Grande-Bretagne et d'Irlande, estime à 300 le nombre d'autos produites en 1900 par Panhard.

Dick Farman, bien connu à Paris comme à Londres fut le premier à importer la Darracq dans cette dernière capitale et à l'y proposer aux acheteurs. La voiture se vendait apparemment bien en Angleterre, car on n'y trouvait rien de semblable à un prix aussi bas (£ 250). A la même époque, un fait extraordinaire se produisit. Panhard, le roi des constructeurs, réduisit d'environ 30 %, et à grand tapage, le prix de sa 6 CV. C'était un rabais considérable; cependant elle coûtait encore £ 300, de sorte que, pour l'emporter sur la Darracq, il fallut monter en épingle la longue expérience de la firme et la solidité, mondialement connue, de sa production. Darracq, lui, ne devait jamais se faire une réputation de solidité, mais beaucoup estimaient que, pour le prix, ses voitures se tenaient vraiment assez bien.

Tandis que la petite 6 CV 1/2 se vendait bien en Angleterre, Darracq s'occupait de la compétition, domaine dans lequel il faisait preuve de quelque virtuosité, sans succès, d'ailleurs. Une de ses voitures de course était du modèle de la 6 CV 1/2 à châssis tubulaire. Quand il augmenta sa puissance, il choisit le châssis de bois renforcé (ou de fer garni de bois) qui était alors en faveur. Quatre de ces voitures furent munies d'un moteur vertical de 8 CV et deux cylindres et une autre d'un moteur à quatre cylindres de 16 CV (deux de ses moteurs de 8 CV accouplés). Cette sorte de rationalisation devait souvent se produire dans les solutions adoptées par Darracq. Ainsi arriva-t-il que, à dessein ou non, les automobiles construites sur ces principes pesaient environ 425 kilogrammes, soit simplement 25 kilogrammes de plus que le poids maximum autorisé dans la catégorie voiturette. Dès lors, à Pau, les Darracq coururent comme voitures légères; tandis que, le mois suivant, leur poids réduit à 400 kilogrammes, elles prirent part à la compétition sous l'étiquette voiturettes. Dans les deux courses, Farman fut vainqueur de sa catégorie. La renommée de Darracq était assurée.

Nickols & Karslake émettent l'opinion qu'une sorte d'accord avait pu se faire entre Darracq et Renault. En effet, les Renault de cette année-là étaient des voiturettes (non convertibles comme l'étaient les Darracq) et, toutes les fois que les Renault participaient à une compétition, les Darracq couraient comme voitures légères. C'est une façon de voir les choses — Darracq préférait peut-être ne pas risquer d'être battu. En poursuivant la technique de la double catégorie, Darracq permettait à ses publicistes de maintenir l'illusion qu'il avait, en production, deux types distincts.

Enhardi par la vigueur que son train arrière à transmission aux engrenages coniques montrait dans la compétition sportive, Darracq porta à 9 CV la puissance de son modèle de production et, en grande partie, grâce à ses ventes importantes en Angleterre, ses profits pour l'année, arrêtés en septembre 1902, s'élevèrent à 2 750 000 francs, en augmentation sur les confortables 1 875 000 francs de 1901.

Devant ces chiffres, Darracq sentit que son programme original de production était trop modeste; son expérience l'amena également à penser qu'il pourrait encore vendre bon marché en faisant de la production en gros.

CHAPITRE XL

L'AGIOTAGE ANGLAIS : DARRACQ CHOISI COMME COMPAGNIE EN EXPANSION

L'augmentation de production nécessitait davantage de capitaux, et parce que la Darracq était aussi connue en Angleterre qu'en France, M. Darracq arrangea l'affaire de façon que huit Londoniens s'associèrent pour fonder la firme A. Darracq & Co., Ltd., au capital de £ 650 000.

Contrairement à M. Clément, dont les opérations anglaises étaient menées sous le nom de Talbot, usine anglaise, M. Darracq resta à Paris et l'usine à Suresnes avec, comme directeur Alexandre Darracq. Plus tard, les noms devaient être confondus, mais on peut dire qu'à l'époque, il n'existait aucune parenté entre les deux firmes Clément-Talbot et Darracq.

Les actionnaires anglais avaient toutes les raisons de se féliciter de Darracq : à la fin de la première année (qui, en réalité ne comptait que cinq mois) la société accusait un bénéfice net de £ 100 000 sur lequel 29 % furent payés aux vendeurs comme frais non remboursables tandis qu'un dividende de 12 1/2 % était annoncé. Le résultat fut que la valeur des actions monta de 20 à 30 shillings.

Si l'on considère le nombre de firmes réduites à néant par l'affaire Gordon-Bennett en 1904, Darracq s'en sortait plutôt à peu de frais. En 1903, il exprimait sa surprise de n'avoir pas été invité par l'Automobile-Club de France à « faire triompher les couleurs françaises qu'il avait si bien portées dans le passé ». Cette magnifique suffisance aurait désarçonné un autre homme que le président du Club, mais le baron de Zuylen était un aristocrate, il fit une riposte polie : « Nous n'avons encore jamais vu de voitures Darracq dans la catégorie des grosses voitures... »

Pour lutter contre Darracq, le baron avait besoin d'une artillerie plus puissante que celle dont il avait fait usage pour réduire

Levegh & Huillier au silence. Il se trouvait que Darracq était président de la Chambre syndicale de l'Automobile qui soutint fortement sa protestation. De plus, bien que fils de ses œuvres, il s'était élevé à un rang important et ses succès en affaires lui avaient donné du poids; mais le baron de Zuylen avait pour lui de s'être toujours tenu à l'écart du commerce et d'avoir épousé une Rothschild. Il écrivit, imperturbablement : « L'équipe qui nous représentera a notre entière confiance. »

Il va sans dire que face à Jenatzy, sur la nouvelle Mercédès, le confiant Comité, le confiant président de l'Automobile-Club de France et les dernières équipes françaises choisies sombrèrent dans la défaite. Non qu'il faille réellement parler d'une journée Mercédès, puisque les deux autres voitures de ce type, tout comme les automobiles anglaises et américaines durent abandonner avant la fin, mais Jenatzy le « Démon rouge », ainsi que se plaisait à l'appeler la presse sportive, dut sentir, lui, que son jour était arrivé. Revanche éclatante sur ses malheurs dans la première course Gordon-Bennett où sa voiture de course avait été enfermée par la douane française. Il avait été forcé de courir dans une voiture de tourisme dépouillée et, bien qu'arrivé en tête à deux des contrôles, devant le gagnant final, il s'était retiré avant la fin, écœuré par les chiens et les gendarmes.

L' « excursion » de Darracq dans la fabrication de voitures destinées à la Gordon-Bennett paraît avoir été une des tentatives les plus hasardeuses de l'industrie. Ceux qui furent tentés à l'usine de Suresnes prouvaient simplement, semble-t-il, que personne encore ne savait construire un pont arrière qui pût résister à la poussée d'un moteur de 100 CV.

Les voitures ne purent achever le parcours dans des éliminatoires et ne se distinguèrent pas davantage en d'autres occasions. Il faut peut-être voir là l'origine du reproche, qui lui fut fait couramment par la suite, de fabriquer des essieux arrière défectueux. L'Opel, choisie comme n° 3 de l'équipe allemande, et construite à Rüsselsheim sur les mêmes plans Darracq, se conduisit encore plus mal que les modèles d'origine française. Et sa première apparition (c'est à peine si elle avait quitté la ligne de départ), ne fut pas moins embarrassante que les débuts de sa coéquipière à Pau, en 1901.

Seule, la version anglaise aurait pu avoir une chance. En effet, dans la compétition entre pays, la Grande-Bretagne était la plus faible, comme le prouve le résultat de la course finale où la Wolseley, seule voiture anglaise à aller jusqu'au bout, arriva la dernière. Le sort avait désigné l'Angleterre pour les premiers essais éliminatoires et, quand la décision fut prise d'y faire entrer une équipe Darracq, on s'en souvient, n'avait pas d'usine outre-Manche. Pour tourner la difficulté, on confia le travail à une firme d'ingénieurs de la Marine, G. et J. Weir, de Cathcart, Glasgow. (Un des Weir faisait partie du Conseil d'administration de A. Darracq & Co. Ltd.) Sans doute auraient-ils pu monter trois voitures en dix semaines, en dépit du fait qu'ils n'en avaient jamais construit auparavant; malheureusement ils devaient convertir en pouces, en filets anglais B.A.S., etc., les mesures données sur les plans. Un sous-contrat fut signé à cet effet avec des spécialistes et l'incroyable devint réalité : au terme de ce programme contre la montre, après un labeur sans trêve ni repos, les voitures furent réellement montées. Seulement, pour les amener à Londres à temps pour l'examen officiel, il fallut louer un train spécial!

La course elle-même avait lieu dans l'île de Man et, à ce qu'il semble, les voitures y furent transportées sans avoir jamais roulé! Filson Young[1] fait, dans une belle envolée de prose poétique, un vivant tableau du valeureux équipage défendant une course perdue. Quant aux chroniqueurs de Darracq[2] en Angleterre, ils disent platement :

« ... Les deux Français *(sic)* ont montré rapidement que leurs automobiles pouvaient marcher ; sans le moindre doute, ils se sont retirés aussi rapidement en s'apercevant que, faute de freins, elles étaient incapables de s'arrêter. »

Même si nous devions accepter cette assertion, encore faudrait-il tenir rigueur de cette faute à des ingénieurs de la Marine, alors qu'un bateau peut être arrêté en renversant la machine, technique adoptée dix ans plus tard par les conducteurs du fameux modèle T Ford ?

Young, témoin oculaire, offre un compte rendu plus utile, comme le montre l'extrait suivant où sa seule atteinte à la vérité est l'emploi du pseudonyme « Arrow » pour désigner Darracq.

« ... il y avait une équipe de trois infortunées dont le repaire était un hangar contre le mur du port. Nuit et jour, une armée de mécaniciens étrangers leur donnait leurs soins... ».

« Et bientôt, tandis que nous attendions encore, dans la fraîcheur de ce petit matin de mai, et que les chants d'oiseaux se faisaient plus forts, un autre signal nous frappa l'oreille et, celui-là, de sinistre augure. Loin, parmi les champs des basses vallées, comme les coups de feu des lourds canons, résonnaient les premières d'une suite de détonations retentissantes. Nous nous regardâmes en disant : « C'est une des Arrows. »

1. Filson Young, *The Joy of the Road,* Londres, 1907.
2. Nickols et Karslake, *op. cit., supra,* p. 362, n. 1.

C'était le nom du terrible mais malheureux trio qui avait sa demeure sur la jetée de la Batterie. Des efforts herculéens, semblait-il, avaient éveillé l'une d'elles aux tristesses de la route et, maintenant, elle était en marche, mais si ardente était sa passion refrénée, si violent et glouton son appétit frustré qu'une fois sur douze, environ, ses aspirations s'engouffraient crûment dans ses entrailles pour y exploser avec un bruit terrible. Elle devait être à trois « miles » quand nous l'entendîmes pour la première fois, car il s'écoula plusieurs minutes avant que les explosions, augmentant de volume devinssent si assourdissantes que nous ne pouvions mettre en doute l'arrivée immédiate de la machine. Enfin elle apparut, s'enflant comme un insecte de cauchemar, beaucoup plus grosse et beaucoup plus bruyante ; elle ralentit et se rangea près de nous et, pour une fois, obéissant à la volonté de son conducteur, elle s'apaisa dans un rugissement. Nous pûmes alors parler à l'homme et entendre le récit de son voyage. C'était quelque chose d'assez extravagant. Il était couvert, visage compris, de l'huile qui giclait de quelque trou négligé ; le siège fragile s'était dérobé sous lui, tandis qu'il était secoué et rebondissait au-dessus des roues et des chaînes fatales ; le capuchon d'un des commutateurs électriques avait disparu, de sorte que, pour modifier la vitesse du projectile insensé sur lequel il se déplaçait, il devait tenir avec insistance le pouce appuyé sur le bord pointu et tranchant du commutateur, recevant chaque fois une décharge électrique accompagnée d'une coupure. « Ce n'est pas comme « si je n'avais rien d'autre à faire » dit-il, avec une remarquable modération tout en essuyant l'huile et la sueur qui couvraient son visage et le sang qui coulait de ses doigts, « mais, en tout cas, elle marche ». Et il retourna à ce qui était réellement pour lui une tâche effrayante. Le moteur repartit dans un coup de tonnerre et, avec un éclair de flamme jaune, long de six pieds, la voiture s'élança. Un bruit semblable à celui d'un petit canon retentit longtemps après qu'elle fut hors de vue. »

A la suite de cet article, on pouvait lire le portrait d'un coureur d'automobile qui était réellement la personnification même de l'espèce. Cependant le lecteur avisé aura probablement remarqué que Filson Young a introduit dans son histoire un ou deux éléments incompatibles avec la voiture dont il parle : les chaînes, par exemple, sur lesquelles aurait été perché le conducteur.

Il est caractéristique de constater que Darracq estimait ces 100 CV capables d'avoir du bon, mais, tandis que Levassor avait toujours ajouté du poids pour augmenter la solidité et la durabilité, formule que Daimler poussa jusqu'à l'absurde en 1900, avec les *juggernaut* de 24 CV, Darracq s'attachait à mettre une puissance plus grande sur le même châssis léger. Ainsi, avec deux des blocs super-carrés (160 mm × 140 mm) de quatre cylindres placés en V dans un carter modifié, chaque bloc incliné à un angle de 45°, il obtint un moteur de forme V-8 semblable à celui que la Société industrielle des Téléphones avait, depuis peu, introduit sur ses voitures Ader (l'esprit inventif de la firme était l'ingénieur de l'aéronautique, Clément Ader). Cette forme V-8 fut réemployée par De Dion avant la première guerre mondiale, adoptée plus tard (et retenue pendant plus de cinquante ans) par Cadillac, elle fut appliquée pour la première fois valablement à la production massive par Ford.

Pour en revenir à Darracq, dont le V-8 en appelait, plus que les autres, à la confrérie sportive, il était muni de soupapes en tête actionnées par culbuteurs (Darracq s'inspirait de son expérience Perfecta de 1900 avec moteur Buchet) et, comme ses voitures Gordon-Bennett, ce modèle avait le changement de vitesses incorporé dans le pont arrière, sans différentiel. C'est probablement ce système allégeant qui coûta, à Darracq, une place dans l'équipe de coureurs en 1905. En effet, Wagner, qui avait mené dans deux des trois premiers tours de piste, eut tant de difficultés avec ses pneus qu'il perdit beaucoup de temps, manquant une place de troisième, et fut éliminé. L'absence de différentiel faisait racler les pneus aux tournants et, dans l'état où était alors l'industrie du caoutchouc, cela pouvait suffire à donner le coup de grâce à des pneus malmenés.

Cette absence de différentiel, au contraire, n'était pas un handicap dans les courses de vitesse; aussi le « monstre » Darracq, la première 200 CV du monde, fut-il expédié en Amérique pour essayer de battre des records sur les sables de Floride, à Ormond Beach.

Pendant ce temps, M. Darracq avait réduit de 160 millimètres à 150 (9 896 cc) l'alésage de ses quatre cylindres; ainsi l'engrenage conique de sa 80 CV ne sautait-il pas comme l'avait fait celui de la 100 CV. En plus d'une 4e, 9e et 11e place dans les éliminatoires françaises pour la Coupe Gordon-Bennett (qui réunissait des voitures très rapides), les Darracq s'attribuèrent des places de 1re et 4e dans le Circuit des Ardennes (grosses voitures), de 1re avec une 40 CV dans les voitures légères et une 1re dans la classe des voiturettes avec une 20 CV. Les succès dans les compétitions pour grosses voitures avaient pris deux années; mais c'était une belle riposte à l'épigramme du baron de Zuylen.

Il peut être intéressant de souligner que, dans ce même Circuit des Ardennes (1905), une panne d'arbre à cardan, sur la ligne de départ, élimina effectivement de la course la 100 CV C.G.V., prouvant que les premiers as de Panhard, malgré leur longue expérience de la compétition, étaient tout aussi incapables de maîtriser l'effort de leurs 100 CV, pourtant moins légères.

Chapitre XLI

DARRACQ ROULE

A. Le triomphe Darracq en Amérique

L'éclat de la firme Darracq fut considérablement rehaussé par son succès dans la seconde Coupe Vanderbilt à Long Island en 1905, d'autant plus que son principal adversaire était Panhard, aux mains expertes de Heath. Le triomphe qui suivit, pendant l'hiver, aurait dû confirmer en Amérique une renommée si bien établie ; mais, on ne sait trop pourquoi, sans doute par la faute de la firme elle-même, ces exploits furent vite oubliés.

Tout commença avec l'as du volant, Hémery, vétéran des coureurs de Darracq depuis Paris-Vienne où il avait décroché, dans la catégorie des voitures légères, une honorable quatrième place (huitième dans la classification générale), Paris-Madrid où, de nouveau, il s'était classé quatrième. Il semble avoir été laissé de côté lorsque fut formée l'équipe qui tenta de se qualifier dans la Coupe Gordon-Bennett en 1904 (et ceci permet une intéressante réflexion en vue de sa performance ultérieure en 1905 sur grosse voiture, dans le Circuit des Ardennes). Cependant, l'année suivante, aux essais éliminatoires, son coéquipier Wagner fit la meilleure performance, menant dans le dernier tour de piste, où la de Dietrich de Duray l'emporta sur lui de justesse avec la mince marge de 2 mn 23,4 s. En vérité, pour Hémery, la première saveur de victoire avait été la Coupe Florio en 1904. Sa seconde course, sur grosse voiture, fut le Circuit des Ardennes où il arriva en tête, avec quinze minutes d'avance sur la Panhard qui suivait. Si Hémery pensait répéter son triomphe de la Coupe Florio (en septembre 1904, il avait gagné la course de voitures légères à la vitesse moyenne de 104,3 km/h tandis que Duray sur une 100 CV arrivait quatrième dans celle de grosses voitures à la moyenne de 85,8 km/h), il se prépara à être déçu. C'était une course contre la montre, système adopté pour la sécurité et dans lequel chaque coureur part à son heure et son temps est compté séparément. Il est très difficile de suivre une telle compétition et de se faire une idée de la position des concurrents jusqu'à la proclamation finale des résultats. Hémery partit et arriva premier. Il crut qu'il avait gagné, mais le compte définitif accorda la victoire à Raggio sur Itala, Duray sur de Dietrich fut classé second, Lancia (F.I.A.T.) troisième et Hémery, quatrième. Comme il avait battu le même Raggio, l'année précédente, dans la catégorie des voitures légères, Hémery dut trouver dur d'admettre ce résultat et cela malgré les habituels clichés sur « les chances du jeu ». Des décisions dans lesquelles entrent des commissaires et des paperassiers ont toujours été sujettes à chicanes.

Comme il a été dit plus haut, ce fut Darracq qui remporta la seconde Coupe Vanderbilt, avec une confortable avance de trois minutes et demie, suivi de Heath sur Panhard, vainqueur de la première Vanderbilt. Si on lit les réclames, car Darracq considérait que ses intérêts en valaient la peine, on peut conclure qu'il jouissait des fruits d'une victoire bien gagnée. Hémery, toutefois, peut fort bien avoir connu, en fait, un délai de grâce au lieu de la célébrité tapageuse qui s'attache, d'ordinaire, au vainqueur d'un Grand Prix. A sa place, les journaux prirent en main la cause de l'infortuné Lancia qui, sur Fiat, avait mené pendant sept tours de piste. Tamponné par le maladroit Christie, il perdit du temps et fut relégué à la quatrième place. Rose, le chroniqueur averti, pense que cet accident est dû à une erreur de jugement de la part de Lancia; mais le commentaire qui suit — « Pour la seconde fois, il perdit une course qu'il avait dans les mains » — exprime sûrement l'opinion générale. Ce sont, à n'en pas douter, des jugements où l'émotion a une grande part! La première course qu'il avait exactement dans ses mains était la Coupe Gordon-Bennett, courue trois mois auparavant et dans laquelle une défaillance de radiateur l'avait obligé à abandonner. Mais il semble bien que sa Fiat ne pouvait l'emporter : en effet, ses deux coéquipiers, qui allèrent jusqu'au bout, le firent, tour de piste après tour de piste, à une vitesse inférieure à celle du vainqueur Théry. Dans la même Coupe Vanderbilt, d'ailleurs, les autres Fiat s'étaient nettement montrées incapables de maintenir l'allure des voitures de tête. C'est un fait que la seule victoire remportée précédemment par Lancia, pure coïncidence, l'avait été dans la course où Hémery avait remporté sa première première place : la Coupe Florio. Lancia, premier dans la catégorie des grosses voitures et Hémery dans celle des voitures légères.

Il faut aussi tenir compte du fait que les Italiens étaient plus nombreux dans la région de New York.

Peut-être pourrait-on voir dans la vie d'Hémery quelque similitude avec la brève carrière d'Henry Fournier, un moment idole incontestée en Amérique, acclamé partout où il allait, mais à qui le succès auquel il n'était pas habitué avait tourné la tête. Ceci, en dernière analyse, lui avait valu, au cours d'une suite d'apparitions en public aux Etats-Unis, une fort mauvaise presse. Mais les traces d'un pareil traitement sont moins apparentes, dans son cas, que dans celui de Fournier.

Hémery, le héros, figurait en Floride parmi les concurrents aux essais pour le record de vitesse sur route. Le 60 « miles » à l'heure (ou un mille à la minute) remporté, en 1898, par Jenatzy sur la *Jamais Contente* électrique était, naturellement, de l'histoire ancienne[1]. Déjà Gabriel, en 1903, avait dépassé ce chiffre tout le long du parcours Paris-Bordeaux. L'étape suivante, dans le monde du « mile » (100 mph), avait été atteinte par Rigolly dans une lutte avec le baron de Caters, commencée au printemps de 1904 et où les chances s'équilibraient. Rigolly, sur la fameuse 100 CV Gobron & Brillié, couvrit le kilomètre lancé en 23,6 secondes, un record. Le baron de Caters, sur une 90 CV Mercédès fit un temps légèrement inférieur, mais, le 19 mai, il réussit 23 secondes. La firme Gobron & Brillié lança à Mercédès l'habituel défi, lui offrant de se mesurer, sur un kilomètre d'épreuve, avec n'importe laquelle de ses voitures. Le silence, habituel aussi, accueillit cette offre. En conséquence, à la mi-juillet, Rigolly fit, à Ostende, une nouvelle apparition et rapporta à Gobron & Brillié le record du monde, avec le chiffre de 21,6 secondes, ou 167 kilomètres à l'heure, à peu près 100 mph. La firme Darracq s'assura, de son côté, une gloire considérable, à la même rencontre, avec un temps de 22 secondes. C'était un record dans la catégorie des voitures légères et une bonne seconde plus vite que la 90 CV de réputation mondiale.

La Darracq Paris-Madrid d'Hémery avait découvert l'Amérique. Elle participa à des courses en Floride au cours de l'hiver 1904-1905, mais ces rencontres se déroulaient sans cérémonie et elles n'ont laissé aucun compte rendu durable.

Au contraire, la compétition suivante, qui devait commencer en janvier 1906, fut annoncée à grand tapage comme étant celle

1. Néanmoins, au point de vue des records homologués, si l'on impose la qualification *électrique*, ce record dura jusqu'à nos jours. Un fabricant de batteries excédait le chiffre en 1968, mais d'une façon peu régulière, en traînant la voiture électrique à une vitesse de 150 km/h ; libérée, elle la maintient.

où le prochain bond en avant : 120 milles à l'heure — deux milles à la minute — serait réussi. La phrase que l'on entendait partout à l'époque était « deux milles à la minute ». C'était ce que tout le monde allait voir. Aussi y avait-il, par conséquent, une compétition pour la distance de deux milles. Exactement comme en Europe, où les épreuves du kilomètre et du mille s'étaient courues concurremment, on avait l'intention de relever les temps des coureurs, d'abord quand ils passaient devant la marque du mille et de nouveau quand ils passaient, dans la même foulée, celle des deux milles.

Outre la Darracq 80 CV qui venait de gagner la Coupe Vanderbilt (course de prestige aux Etats-Unis), l'agent américain surprit fort les concurrents et les fanatiques de vitesse en découvrant la 200 CV V-8 Darracq que le constructeur avait montée précisément pour cette occasion. Au monde accoutumé aux voitures de course jusqu'à 100 CV, Darracq avait offert le principe de gigantisme que Detroit adopterait pour son propre compte.

C'est à ce point que le drame allait éclater. Le rideau se leva sur un coup de tonnerre : le nouveau champion Hémery avait pris la mouche — pourquoi ? Les raisons de ce brusque accès de colère se perdent dans les brumes du temps, en admettant que l'épisode ait jamais existé : question de préséance, peut-être ou, simplement, impatience d'une foule venue pour voir de la vitesse et se moquant de problèmes tels qu'une piste mal nivelée et couverte de sable fin. (Bien entendu, on parle de « piste » dans un sens imprécis — on se sert de la plage comme elle se trouve.) Quoi qu'il en soit, Hémery dut céder la place à un mécanicien français inconnu appelé Demogeot.

La seule voiture qui pût vaincre la Darracq, si elle tenait la piste malgré les conditions, était la Stanley à vapeur à double chaudière, pilotée par Fred Marriott. Henry Ford était là avec la longue six cylindres qu'il conduisait lui-même. Il savait fort bien refuser de courir quand il avait le sentiment d'aller à un échec, expliquant que sa voiture ne marchait pas comme il fallait et cette raison était, apparemment, toujours acceptable.

Les gens de Stanley s'étaient rendu compte que la Darracq n'avait pas de différentiel. Ils élevèrent donc aussitôt une protestation, alléguant que la voiture était *a freak* (de la camelote), mot souvent lancé, à l'époque, en Amérique, dans les courses automobiles. La plainte fut jugée par délibération. On dit que Ford, appelé pour la soutenir, fit observer que la Stanley, avec ses deux chaudières, était à peine conforme au règlement. De plus, ajouta-t-il, essayer de disqualifier son unique rival lui paraissait mesquin.

Il voulait, en cela, éveiller le sens américain du *fair play*.

A cette époque-là, les partisans de la vapeur la défendaient avec plus d'enthousiasme aux Etats-Unis qu'en Europe; mais les organisateurs de courses étaient moins sophistiqués que le baron de Rothschild et il ne leur était pas venu à l'idée d'offrir des prix spéciaux et de placer les voitures à vapeur dans une catégorie séparée. C'est par cette attaque de flanc que Mercédès avait pu échapper à la prédominance de Serpollet aux essais de la Semaine de la Vitesse à Nice.

Ainsi, la course eut lieu, dans une atmosphère surchauffée, et quand on compara les temps, il apparut que la Stanley était la plus rapide sur le mille (28,2 secondes) et que la Darracq allait plus vite sur les deux milles (58,8 secondes).

Deux milles à la minute étaient enfin atteints, et par Darracq. Un nouveau héros, nommé Demogeot, sortait de l'épreuve couvert de lauriers. Le photographe de *Automobile Topics* veillait pour sa revue et le numéro suivant[1] contenait une photo de l'infortuné Hémery essuyant des larmes de frustration. Il devait terminer la saison avec Darracq, après quoi il courut pour Benz, sauf au Grand Prix de 1907 où il conduisit la troisième Mercédès à la dixième place, seul de son équipe à aller jusqu'au bout.

Les remous sucités dans la presse par l'absence de différentiel sur la Darracq durèrent plusieurs semaines dans les journaux américains. Tracy, très sportivement, quand on se souvient qu'il avait été battu dans la Coupe Vanderbilt par la 80 CV Darracq, dit que si le système était acceptable dans son pays d'origine (ce qu'il était), il n'y avait aucune raison valable d'élever une protestation.

Cependant, les statisticiens de la compétition mirent un point final à l'affaire : il n'y avait jamais eu auparavant de course de deux milles, donc, aucune raison de faire figurer cet événement dans les tableaux montrant les progrès constants de la vitesse en ligne droite. Et le record pour le mille, en 1906, fut attribué à la Stanley à vapeur avec 28,8 secondes. Le triomphe de la première voiture à battre le record du « deux-milles-en-une-minute » n'avait guère été qu'un prodige éphémère : on en avait parlé à peine plus de neuf jours. Le record de vitesse sur route a dépassé en 1965 le 500 mph, soit moins de 12 secondes pour les deux milles; mais aucun relevé de temps sur la distance de deux milles n'a été fait. Il est donc possible que le record appartienne encore à la Darracq 1906.

1. *Automobile Topics*, 3 février 1906, pp. 1456-1478.

Cette voiture[1] ou son double (la publicité Darracq en Grande-Bretagne se servait, l'année suivante, du même ambigu « La deux-milles-à-la-minute Darracq ») fut acquise par Algernon Lee Guinness, dont l'intérêt pour la marque remontait aux courses de l'île de Man. Alerté par la vitesse qu'elle avait atteint (109 mph) sur la route Arles-Salon, il l'acheta pour courir à Ostende où il manqua de peu le record de Floride, avec un kilomètre en 19 secondes ou 117,66 mph. Il pilotait la même voiture à Scheveningen où il battit un « record du monde » non homologué, à Dourdan, où il s'attribua le « record de France » et à la course de côte de Gaillon où il abaissa le record de 4 secondes, soit 25 secondes, ou 90 mph. Tous ces titres sont consignés dans un petit in-octavo du numéro du Salon anglais de l'*Autocar*[2]; suivait une invitation à voir, à leur stand au Salon la « Deux-milles-en-une-minute » Darracq et l'invitation était répétée sur la réclame incluse dans la revue. Le texte, qui fait un compte rendu, stand par stand, des automobiles exposées, ne dit pas un mot de cette remarquable voiture de course. Le chroniqueur plaçait en tête, évidemment, l'Adams, « une des nouveautés de l'exposition » parce qu'elle était munie d'un moteur V-8 (une Antoinette, fabriquée en France).

Guinness, qui aurait pu être pour Darracq ce que le chevalier de Knyff avait été pour Panhard, semble avoir été déçu par l'organisation de cette firme. Bien que, au cours des deux années suivantes, il ait piloté ses voitures de temps en temps, on le vit aussi au volant d'une automobile belge, la Minerva, qui devenait populaire. Son frère se fit remarquer à la course dite « Four-inch Race » dans une Hillman-Coatelen. (Coatelen était Français, et il est devenu ingénieur en chef chez Sunbeam.) Cependant, en 1906, A. L. Guinness n'exerça ses talents que dans quelques courses de côte et de vitesse en ligne droite. Le principal événement pour Darracq, en Europe, fut la course des Ardennes, où il obtint une 2e et une 8e place.

C'est dans la Coupe Vanderbilt de 1906 que Darracq montre, une fois encore, un certain génie dans la création de voitures de course capables de l'emporter. Curieusement, Pomeroy[3], dans *The Grand Prix Car* n'accorde à Darracq qu'un seul Grand Prix, celui de 1905. Ce devait être le Circuit des Ardennes qu'il avait accompli « dans un fauteuil », pourrait-on dire, car il fut vainqueur non

1. *Automobile Topics*, ce numéro cité ci-dessus, n. 1, dit que S. B. Stevens de Rome, N. Y., acheta les deux Florides Darracq, sans doute pour surpasser Hémery.
2. *Autocar*, 17 nov. 1906 (hors-texte).
3. Laurence Pomeroy, *The Grand Prix Car, 1906-1939*, Londres, 1949, p. 20.

seulement dans la catégorie des grosses voitures, mais aussi dans celles des voitures légères et des voiturettes. Avec tout le respect dû à Pomeroy, peut-être l'homme le plus capable en ce domaine (il fut, pendant de longues années, l'éditeur de *Motor*, à Londres), la Coupe Vanderbilt est généralement considérée comme étant de la taille du Grand Prix — certainement autant que le Circuit des Ardennes — et Darracq remporta la Coupe Vanderbilt en 1905 *et* en 1906. Il est vrai qu'en 1908, une querelle s'éleva entre l'Automobile-Club of America et l'American Automobile Association qui manœuvrait pour avoir le contrôle de la compétition aux Etats-Unis et qui organisa la Coupe Vanderbilt, tandis que la première de ces sociétés mettait sur pied une course pour le Grand Prix. On pourrait donc ergoter au sujet de 1908, mais ceci ne regarde pas Darracq qui ne participait pas à ces courses.

B. Les affaires anglaises

1907 ne fut pas une année favorable à la firme de Suresnes. Wagner était second dans la Targa Florio quand il dérapa et fut mis complètement hors course. Dans le Grand Prix, Rigal et Caillois ne purent faire mieux que 5e et 6e; alors que de nombreux champions et des marques fameuses étaient, il est vrai, encore moins heureux. Hémery, qui courait sur Mercédès, fut le seul de son équipe à terminer et Wagner, qui avait abandonné Fiat, mena la course pendant trois tours de piste, mais fut contraint de se retirer. La Coupe de la Commission sportive, courue en même temps, comportait une limitation de carburant. Elle apporta la preuve que Darracq était vraiment l'ami de l'automobiliste peu fortuné : ses voitures, en effet, arrivèrent 1re et 3e. Demogeot, le héros de la Floride, conduisait la voiture classée 3e. Une excellente performance fut accomplie par une équipe d'automobiles La Buire de Lyon qui terminèrent 2e, 4e et 5e. Les deux marques avaient une course de piston de 120 mm, mais sur la Darracq, l'alésage était de 122 mm, tandis qu'il était de 95 mm sur la La Buire. Ceci confirme l'excellent rendement de la Darracq.

Un fait curieux se produisit au Circuit des Ardennes de 1907. Ce circuit comportait en réalité deux courses : l'une pour les voitures et les coureurs du type Grand Prix, et l'autre pour les voitures nouvellement appelées *Kaiserpreis*, type tourisme. Dans la première, A. Lee Guinness, au volant d'une Darracq, obtint une 2e place, à la vitesse de 57 mph (98,4 km/h) alors que, dans l'autre, il arrivait 3e sur une Minerva, voiture belge. Les Minerva s'assurèrent des places de 1re, 2e et 3e et le temps de Guinness fut de 59,3 mph. Bizarrement, les voitures de tourisme avaient été plus rapides que les voitures de course. En effet, la Darracq et les deux Mercédès qui l'encadraient avaient fait, au minimum, deux milles à l'heure de moins que les Minerva inscrites. Aucune compétition n'eut lieu en Amérique cette année-là, aussi la saison fut-elle courte pour les amateurs de ce genre de sport.

Le chant du cygne de Darracq en ce domaine fut la « Four-inch Race » (ainsi nommée parce que les voitures de quatre cylindres étaient limitées à un alésage de quatre pouces, suivant la formule $D^2 n = 64$ ou moins, n étant le nombre de cylindres). C'était une nouvelle tentative pour réduire la course au type normal des voitures de tourisme. Darracq eut la course « dans le sac » jusqu'au tout dernier tour de piste où le carburateur de la voiture de tête prit feu. Son conducteur perdit près de dix minutes à l'éteindre et une Hutton, qui n'avait dépassé la deuxième Darracq que dans les deux derniers tours, l'emporta avec une marge de deux minutes. A. Lee Guinness, au volant d'une Darracq plus lente, arriva 2e et George, sur celle qui avait mené jusque-là, dut se contenter d'une 3e place. En 1908, Darracq évita toutes les compétitions importantes, à l'exception de la Targa Bologna, dans laquelle un pilote local fit, sur une de ses voitures, un seul tour sur les huit prescrits. Dans une compétition dominée par certaines des nouvelles voitures de course que l'industrie italienne mettait sur le marché, il est bon de noter que l'automobile gagnante fut une Berliet (firme lyonnaise).

Les projets pour un Grand Prix en 1909 furent dûment formulés, mais ils rencontrèrent une forte opposition et on n'enregistra que neuf inscriptions (quarante étaient stipulées).

L'idée fut abandonnée quand on sut que Benz, Berliet, Brasier, Clément, Darracq, de Dietrich, Fiat, Mercédès, Panhard-Levassor, Peugeot avaient signé un accord d'après lequel, sous peine d'un forfait de 100 000 francs, ils s'abstiendraient de participer à la course. Quand celle-ci eut lieu, comme prévu, Darracq demeura naturellement en dehors.

Si, maintenant, l'on en revient au côté terre à terre de l'affaire, la fabrication des voitures pour Monsieur Tout le monde, jusqu'à l'année 1904, Darracq avait construit trois modèles : la 9 CV, la 12 CV et la 24 CV. Il leur ajouta ensuite une 15 CV, quatre cylindres, 90 mm sur 120 mm, 3 053 cc, dans laquelle il délaissait la tête en T que Mercédès avait rendue élégante et plaça toutes les valves sur un même côté, avec un seul arbre à cames, suivant le modèle de sa 24 CV de 1903. Ce dernier système était plus simple et, en même temps, il élevait le taux de compression; mais il augmentait également les problèmes d'allumage; aussi les premiers ingénieurs l'avaient-ils laissé de côté. Sa faveur, cependant, augmentait peu à peu. Il ne valait pas le système de soupapes en tête qui avait été apporté à Darracq par les moteurs Buchet; mais il était supérieur à la tête en T. (Les premières soupapes en tête provoquèrent des pannes coûteuses; par exemple, quand une clavette de soupape ne tenait pas, la soupape tombait dans la chambre de combustion, brisant le piston, entaillant les parois du cylindre et, généralement, causant de sérieux dommages; c'est pourquoi de nombreux constructeurs, Buchet inclus, préférèrent revenir en arrière et abandonner ce système.)

La 15 CV répondait, semble-t-il, à un besoin particulier du marché; aussi prit-elle rapidement la première place dans la production Darracq. En 1905, elle était devenue la « Fameuse quinze » et, jusqu'en 1907, la firme la maintint sur sa liste de modèles. En fait, elle y resta un an de plus sous la nouvelle forme 16/18 CV, Les affaires allaient si bien qu'il fallut, pour aider à leur expansion, faire appel à d'autres capitaux. La A. Darracq & Co. (1905) Ltd. fut créée, avec un capital d'exploitation de £ 425 000 net. Le rapport de 1906, rendu public en septembre (bénéfice : £ 203 328. dividende : 25 %), justifiait pleinement l'opération; exactement quatre mois après la formation de la Darracq-Serpollet Omnibus Co. Ltd., par laquelle M. Serpollet et la Société Darracq devaient se partager la somme inespérée de £ 300 000 en parts ordinaires, tandis que les actionnaires souscrivaient pour un capital de production de £ 200 000, ou parts ordinaires préférentielles avec une prime d'un shilling.

Il serait bon d'ajouter que Serpollet, peu connu encore du grand public, était un nom familier dans les milieux de l'automobile, même en Angleterre. Sa popularité, outre-Manche, venait sans doute de sa présence dans les courses de vitesse sur la Promenade des Anglais, chaque hiver, à Nice, cette seconde patrie des Anglais fortunés.

Il est difficile maintenant de savoir si Léon Serpollet aurait connu le succès avec son modèle, car il mourut subitement, en février 1907, à l'âge de 48 ans. Nous avons brièvement parlé, plus haut, du système Serpollet. Il était unique, aucun autre ne pouvait lui être comparé et, apparemment, aucun autre ne pouvait le remplacer. Alexandre Darracq ressentit vivement cette perte. Il fit appel à M. Niclausse, qui était attaché à une firme fameuse pour ses machines à vapeur et dont une branche avait essayé, mais sans succès, de fabriquer, en petit, des automobiles à essence, entre 1904 et les années 20. La société survécut, tant bien que mal, pendant quelque temps, mais en 1912, elle fut déclarée en liquidation volontaire avec une perte d'environ £ 37 000.

La firme A. Darracq & Co. (1905) Ltd. abandonna 156 000 livres, montant de ses parts dans la société; mais, plus qu'une affaire d'argent (£ 150 000 était la somme qu'elle avait mise initialement dans l'affaire), c'était l'écroulement d'un rêve.

En cette malheureuse année 1907, en dépit du climat incertain des affaires (la faillite se produisit en 1908), en dépit de la mort de Serpollet et des espoirs déçus de ventes lucratives dans le domaine public, la société enregistra un profit de 194 000 livres. Les directeurs mirent £ 100 000 en réserve et ramenèrent le dividende de 25 à 20 %. Comme il arrive lorsqu'il s'agit de *glamor stocks* la réaction fut entièrement disproportionnée. Vingt pour cent est un bon profit pour un investissement d'un an; mais les actions, qui étaient montées à 73 shillings et plus, tombaient maintenant à un tiers environ de ce chiffre.

Darracq survécut grâce aux affaires qu'il faisait en Angleterre où le mal était moins grand qu'en France; mais de nombreuses compagnies françaises, qui n'avaient pas cette compensation, s'en tirèrent moins bien. Au cours des trois années où la société fut au plus bas, le bénéfice ne tomba jamais au-dessous de £ 100 000 et les réserves ne descendirent jamais plus bas que £ 50 000; mais l'action tomba au-dessous du pair en 1909 où le dividende fut porté au point très bas de 7 1/2 %! Les deux années suivantes furent prospères et les perspectives étaient favorables; mais il fallait compter avec Charles Y. Knight. Knight, qui n'avait pas réussi à intéresser les constructeurs américains à son moteur sans soupapes (c'est-à-dire à soupapes-chemises), dont la principale vertu était le silence, à l'inverse des modèles standard à soupapes, avait accordé des brevets à quelques-uns des plus grands fabricants européens dont Panhard, Minerva, Daimler anglais et Mercédès. Les nouveaux modèles de ces firmes sortaient maintenant avec ce que l'on pensait être un perfectionnement largement reconnu. Darracq, cherchant à monter une contre-offensive publicitaire, décida d'adopter la soupape rotative offerte par un des intarissables innovateurs des Salons de Paris, un certain C. E. Henriod; cet ingénieur, spécialisé dans l'expérimentation, avait présenté depuis une quinzaine d'années au moins, toute une série d'améliorations nouvelles.

Sa soupape rotative avait été l'attraction du précédent Salon;

elle était décrite comme suit dans l'*Autocar*[1] qui en donnait une coupe :

« Probablement le trait essentiel du moteur, et celui auquel il doit son succès est le fait que le piston masque la soupape. C'est-à-dire que, au sommet de sa course, le piston recouvre entièrement l'ouverture ; ainsi, au moment de l'explosion la soupape est complètement à l'abri de l'effet de la combustion. »

Au moment où parut cet article, la presse spécialisée avait pris d'une manière générale une attitude positive en ce qui touchait les comptes rendus d'invention dans le domaine de la mécanique. L'expérience avait appris aux chroniqueurs que ce qui avait pu paraître, au début, un moyen bizarre d'atteindre un but, pouvait fort bien, en fin de compte, se révéler être le bon. De plus, ils avaient eu le temps de remarquer que ce n'étaient pas toujours les chefs d'industrie qui ouvraient la marche. A la lecture intégrale de l'article cité, on ne peut ignorer, cependant, une pointe de réserve dans l'esprit du journaliste.

Heureusement pour la société Darracq, son habitude bien établie de continuer à produire les modèles à succès (par exemple le système standard de soupape à champignon), tant que la demande était appréciable, la servit en cette circonstance; mais le public se posait souvent des questions sur les voitures à nouvelles et révolutionnaires soupapes rotatives. Où étaient-elles ? Quand feraient-elles leur apparition ? Ces questions étaient encore sans réponse quand la firme fit, en septembre, son rapport de fin d'année, rendu public en décembre. Il devint alors évident pour tout le monde, qu'en retirant de ses réserves £ 50 000, la société pouvait maintenir une balance commerciale de £ 749. Alexandre Darracq, semble-t-il, s'était retiré de la direction générale en juin 1912.

Dans sa monographie[2] Duncan parle de la vie solitaire que Darracq menait à Monte-Carlo :

« Après avoir gagné des millions de francs grâce à sa carrière industrielle et liquidé tous les intérêts qu'il avait dans différentes entreprises, Darracq décida de se retirer entièrement des affaires. En octobre 1912, il démissionna de la Compagnie Darracq Ltd.

« On entend parler de lui par la suite à propos des nouveaux casinos de Deauville et de Luçon dans lesquels il avait des intérêts.

« Pendant la Grande Guerre, il posséda à Turin quelques usines d'automobiles qui fabriquèrent un grand nombre d'obus pour les armées italienne et française. Après l'armistice, Darracq acquit à Monte-Carlo une magnifique propriété privée... »

1. *Autocar*, 11 octobre 1911, p. 784.
2. H. O. Duncan, *op. cit.*, *World on Wheels*.

Dans le livre *Motoring Entente*[1], une légère variante fixe la date de sa retraite au mois de juin de la même année.

Le côté le plus extraordinaire de la personnalité de Darracq est qu'il ne conduisait jamais lui-même une automobile[2]. Ceci peut expliquer, probablement, son intérêt pour les transports en commun qui amena la débâcle Darracq-Serpollet; mais d'où venait à cet homme, dont le seul apprentissage de la construction mécanique avait été un emploi d'artisan dans un arsenal, l'étrange habileté avec laquelle il arrivait à combiner des éléments connus pour fabriquer une machine qui, non seulement marchait, mais qui obligea le plus grand constructeur à baisser ses prix ? Son modèle n'alla-t-il pas, même, jusqu'à battre ce même constructeur dans un Grand Prix où il vainquit également la Mercédès que s'arrachait la clientèle et la de Dietrich, jugée alors extraordinaire ? Ajoutons à tous ces succès le record du « deux-milles-en-une-minute » et la victoire sur Mercédès et l'imbattable Rigolly sur Gobron-Brillié, dans le kilomètre lancé.

Peut-être était-il en avance sur son temps. Levassor, dans le court espace de temps de huit années, fit de l'automobile, jusque-là faible bébé que l'on devait entourer, nuit et jour, de soins constants, un garçon capable de se tenir debout sur ses pieds — mal bâti, gauche, mais maladroitement vivant. Darracq, après avoir aidé à mettre sur roues l'homme ordinaire, grâce à la production massive de cycles, entreprit de faire de même pour l'automobile. Mais l'âge de l'homme du commun, dans son sens le plus complet, n'était pas encore arrivé et, à cause de ses succès personnels dans le domaine financier, il lui fut, peut-être, plus difficile de garder cet idéal qu'il ne le serait à l'industriel d'aujourd'hui, imbu du culte de son identification avec la construction sociologique du monde. Il semble bien, en effet, que vers la fin de son règne, Darracq perdit de vue cet idéal : les articles consacrés à la société, après sa disparition, reconnaissaient que l'usine de Suresnes paraissait tenir plus au profit qu'à la qualité. Qualité n'est pas un terme absolu, mais il entraîne sûrement à confusion les gens qui ont ce que les Américains appellent « le goût de champagne et les moyens de se payer de la bière ». Une Darracq six cylindres à £ 850 ne devrait pas être comparée d'un œil trop critique avec

1. Nickols et Karslake, *op. cit.*, *Motoring Entente*, etc., *supra*, p. 362, n. 1.

2. *Histoire de la locomotion terrestre*, *op. cit.*, *supra*, p. 20, dit à la p. 343 que L. Bonneville apprit à conduire à Darracq. Un certain L. Bonneville était enregistré comme fabricant d'automobiles à Toulouse entre 1898 et 1905. Un auteur de plusieurs livres sur l'auto porte ce nom également. L'histoire rapportée par Duncan est la plus amusante.

une Rolls-Royce à £ 950 (Rolls-Royce à l'âge de trois ans) ou avec une Mercédès à £ 1 800. La Gobron-Brillié, on peut être étonné de l'apprendre, se vendait environ £ 100 de plus que la voiture de Stuttgart : après tout, ces automobiles étaient plus longues, plus larges, plus rapides et elles avaient deux pistons de plus (et deux cylindres de moins). Il va sans dire que la plupart des critiques venaient de ceux qui n'avaient acheté aucune de ces dernières voitures.

Il n'est, d'ailleurs, nul besoin de verser une larme sur Darracq; il se retrouva parfaitement sur ses pieds. Cependant, la fraternité sportive devrait rendre plus généreux spécialement les fanatiques français qui tendent à le présenter — lui et ses usines — avec condescendance, comme étant Anglais. C'est injuste et inexact. La Coupe Vanderbilt qu'il remporta deux fois lui fit honneur, mais fit aussi honneur à la France, en apportant un agréable divertissement au petit monde de la compétition. Il fit plus qu'aucun autre, à l'exception, peut-être, de de Dion et Ransom E. Olds, pour mettre l'automobile à la portée de tous, dans la première décade du XXe siècle. Voici l'appréciation laconique de Max Pemberton[1], écrite vingt ans avant la mort d'Alexandre Darracq et qui pourrait fort bien lui servir d'épitaphe :

« Monsieur Darracq a construit pour les millions, il en a tiré quelques-uns. »

1. Max Pemberton, *The Amateur Motorist*, Londres, 1907.

Chapitre XLII

LA GEORGES-RICHARD « TOUJOURS DISPONIBLE, TOUJOURS PRÊTE »

Georges Richard était dans les affaires dès 1895, selon un récit ancien de Baudry de Saunier[1]. Il parut aussi au premier *Annuaire de l'automobile*[2] publié en 1897. Il fut cité à nouveau parmi les exposants du Salon de l'Automobile de Paris 1898, et ses créations décrites et illustrées dans *Der Motorwagen*[3]. Nous insistons sur cette relative ancienneté de la maison parce que Doyle[4] donne curieusement 1904 comme date de fondation de l'entreprise, dans *The World's Automobiles, 1880-1958*.

Max Richard, fondateur d'une fabrique de cycles bien connue à l'époque, donna le 24 juillet 1897 dans le Paris-Dieppe une place de 11e à la firme; il conduisait une biplace de 4 CV Georges-Richard. Georges Richard lui-même avait été éliminé à Forges-les-Eaux par une panne de bougie; il n'avait pas de bougies de rechange! Un mois plus tard, il se plaça 10e dans Paris-Trouville, cette fois avec une 3 CV. En dépit de sa faible puissance, il finit devant trois Panhard-Levassor et une Mors. En 1898, il se classa premier en catégorie 2 de Marseille-Nice; et 4e au Critérium des Entraîneurs. Védrine, sur 4 CV, fut 15e et dernier dans Paris-Amsterdam, mais 1 432 kilomètres étaient beaucoup pour une si petite voiture. Dans le Tour de France, qui se déroula du 16 au 24 juillet 1899, et fut une course et non un « tour » au sens anglais, Georges Richard entra dans un arbre lors de l'étape Vichy-Périgueux et se retira. Il ne reparaît dans aucune course importante avant 1902.

En attendant, il s'activait à vendre des voitures. Il faisait paraître régulièrement un placard publicitaire montrant son petit biplace *Le Véritable Poney* qui donne plus de renseignements que ce

1. Baudry de Saunier, *L'automobile théorique et pratique*, vol. II, 1900, pp. 312-333.
2. *Annuaire général de l'automobile*, 1897 et suiv.
3. *Der Motorwagen, op. cit.*, voir p. 144, n. 2 et p. 207, n. 1, de la présente étude.
4. G. K. Doyle, *The World's Automobiles, 1880-1958*, Londres, 1959, p. 138.

que nous reproduisons ici, extrait de *La Vie au Grand Air* du 24 décembre 1899. La voiture est décrite comme ayant :

« Une courroie sans déplacement latéral, et des engrenages (train baladeur), quatre vitesses, marche arrière par l'interpolation d'un pignon, une béquille contre la dérive, un délai de livraison de deux mois pour 7 CV, six mois pour 10 CV, et douze mois pour 14 CV, à 10 000 francs, 12 000 francs, 16 000 francs, resp. »

Delahaye seul offrait une 14 CV cette année-là, et au prix de 20 000 francs; G. Richard n'était donc pas trop gourmand.

Une 10 CV Georges-Richard fut au nombre des abandons dans le Circuit du Nord, ou « Course du Ministre » (à l'alcool), en mai 1902. Dans le grand Paris-Vienne un mois plus tard, une équipe de Georges-Richard de 16 CV, pesant 640 kilogrammes chacune, se plaça 18e, 23e et 38e dans la catégorie voitures légères. La performance est plus impressionnante que ne le suggèrent ces chiffres, car il s'agissait d'une des premières courses dans lesquelles les voitures plus légères commencèrent à inquiéter sérieusement les grosses voitures, et les sept voitures lourdes qui finirent de 16e à 23e dans leur catégorie, furent toutes plus lentes que Léger sur la première Georges-Richard. Le lot comprenait une 24 CV Panhard, une 18 CV Decauville, deux 16 CV, l'une de Dietrich, l'autre Peugeot, et quatre Serpollet (à vapeur). Les Georges-Richard firent un bon travail d'équipe, toutes trois terminèrent l'épreuve, et il faut comprendre que ce n'était pas un médiocre résultat. Deux cent dix-neuf voitures avaient été engagées, cent trente-sept prirent le départ à Fourche-de-Champigny, et pour les amateurs de statistiques, la place moyenne de Georges-Richard fut la 52e, tandis que la place moyenne des 134 autres concurrents fut 67e; Georges-Richard se classait donc au-dessus de la moyenne.

Léger fut l'as de la firme dans cette épreuve; c'est peut-être une légère exagération lorsqu'on parle d'une 18e place, mais pour un premier essai dans un Grand Prix, ce fut, pour la maison Georges-Richard du moins, un coup de maître.

Stead, pilote du second véhicule, amenait avec lui une expérience considérable, avec une place de 8e sur huit à finir dans le Nice-Salon-Nice de 1901, sur Panhard comme débuts, et suivie d'une victoire en course de côte à La Turbie sur Mercédès au printemps de 1902, 23e dans Paris-Vienne sur Georges-Richard, comme on l'a vu, puis une 10e place dans la catégorie lourde du Circuit des Ardennes sur de Dietrich (G.-R. ne participait pas à cette course). L'année suivante il eut un accident avec une de Dietrich dans Paris-Madrid, mais revint se battre pour Georges-Richard - Brasier.

Salleron, le moins rapide des pilotes Georges-Richard dans cette course, ses débuts, passa chez Mors en 1903. Tous ces pilotes devaient devenir célèbres par la suite.

Dans la catégorie voiturettes, les résultats de Georges-Richard furent relativement meilleurs : G. Rivierre arriva à Vienne 5e, Georges Richard, lui-même, 7e, et 63e au classement général (Salleron était 75e). Les petites Renault, d'une puissance à peu près équivalente, furent deux fois plus rapides. Le souvenir de l'accident du Tour de France peut avoir eu des effets modérateurs. Salleron mit deux fois plus de temps que Richard à finir la course, mais il n'en battit pas moins une Serpollet, une Crouan, une Ader, une Libéria, et la lanterne rouge, une Dechamps belge. Il avait en plus dépassé les restes de la Mercédès de Bellamy, écrasée au bas de l'Arlberg, après que ses freins, brulés, eurent lâché.

C'est dans la même année, 1902, que se produisit un événement qui devait bouleverser le sort de Georges Richard, et aussi peut-être celui de Mors et de l'ardent Henry Fournier aussi! La conception des voitures de course Mors avait été confiée à Brasier, ingénieur des Arts et Métiers, qui avait été le collègue de Mors comme ingénieur avant qu'Emile Mors ne décide de se lancer dans la manufacture d'automobiles en 1895. Nous avons déjà relaté la seule fois où Mors avait bricolé une automobile au profit d'un autre chercheur précoce, mais Brasier était avec lui lorsque le petit « dog-cart » V-4 de Mors fut lancé. Six ans plus tard, la maison qui avait grandi en taille et en prestige, avait remporté plusieurs victoires, battant les principales marques. C'est alors qu'Henry Fournier, qui avait été le mécanicien de Charron dans la 1re Coupe Gordon-Bennett (1900) et avait pu voir Velghe les dépasser à plusieurs reprises dans sa Mors plus rapide, fit une rentrée fracassante au volant d'une Mors, éclipsant cette fois le mélancolique Velghe, qui à lui tout seul, en 1899 et 1900, avait réduit les Panhard à merci. L'année suivante vit la séparation Brasier-Mors, et la naissance d'une nouvelle alliance avec Georges-Richard; le lien entre le départ de Brasier et l'entrée de l'ambitieux Henry Fournier ne saurait être sous-estimé.

Paris-Madrid vit paraître pour la dernière fois une Georges-Richard en course. Il s'agissait de l'un des modèles de 12 CV, et Georges Richard lui-même était au volant jusqu'à l'accident qui ressemble un peu à celui de son associé, Brasier, dans la course de Berlin. Les foules étaient fort indisciplinées à cette époque, et aimaient se précipiter sur la route pour voir la voiture qui venait de passer, disparaître à l'horizon. Brasier tua un enfant à Monchenot dans de semblables circonstances : la seule autre alternative était de foncer dans la foule. Richard se trouva devant le même dilemme, mais il eut la place d'éviter les spectateurs, il perdit le contrôle du véhicule et s'écrasa, se brisant une hanche. Pour évoquer un autre de ces accidents tragiques : Tourand, dont nous avons parlé plus haut, essaya lui aussi vainement d'éviter un enfant, mais son mécanicien et un soldat trouvèrent la mort.

La saison 1903 fut la dernière dans laquelle Mors devait gagner une course; ce ne fut ni Fournier, ni les anciens pilotes Georges-Richard qui la lui offrirent, mais un inconnu nommé Gabriel qui enleva en bolide le Paris-Madrid devançant son coéquipier Salleron d'une bonne demi-heure : Louis Renault, qui avait couvert une distance jalonnée entre Bonneval et Chartres à une moyenne de 90 kilomètres à l'heure sur sa 30 CV légère, finit entre eux deux : sa décision, prise alors, de retirer son équipe de la course, surprit le reste des pilotes Renault à Couhé-Verac, lieu de la mort de son frère Marcel. Salleron faillit avoir un grave accident. Après 225 kilomètres de combat singulier avec son ancien coéquipier Stead, les deux voitures se rapprochèrent très dangereusement et frisèrent la catastrophe; la de Dietrich de Stead fut démolie, et peu s'en fallut qu'il ne fût tué.

Pendant la dernière année, sous le nom de Georges-Richard, il est intéressant de noter que la maison offrit au public un petit landaulet, ancêtre de nos modernes décapotables; cette innovation semble bien devoir être portée au bénéfice de la firme.

Il est temps maintenant d'aborder l'examen des métamorphoses de Georges-Richard, voiturette ou automobile légère, en Georges-Richard-Brasier, voiture lourde et championne du monde.

Chapitre XLIII

GEORGES-RICHARD-BRASIER ; RICHARD-BRASIER

Le même Paris-Madrid, qui vit la dernière apparition d'une Georges-Richard, fut aussi l'occasion d'un des débuts d'une nouvelle marque, Georges-Richard-Brasier, dont trois voiturettes portaient les couleurs : Georges-Richard-Brasier ou Richard-Brasier par abréviation, remportèrent les 2e, 4e et 16e places dans leur catégorie. Leur avenir était tracé. Entre la voiturette classée première, une Clément, et Barillier sur la première des Richard-Brasier, il y avait Lavergne sur Mors, de Caters sur Mercédès, deux grosses voitures, et Théry sur une Decauville du type voiture légère : les nouvelles se trouvaient donc en bonne compagnie. Cette première sortie suggérait que la nouvelle voiture était « une gagnante »; il faut penser que ce fut aussi l'avis de Théry, car la saison suivante le retrouva au volant d'une Richard-Brasier et à l'orée d'une brillante carrière.

On a pu soutenir que le nom de Georges-Richard-Brasier avait été adopté dès que Brasier eût rejoint Richard; il semble, en fait, que seules les voitures à la création desquelles il avait collaboré ont porté son nom d'abord, car les voitures du Paris-Vienne, qui marquèrent le retour de Georges Richard à la compétition après une absence de deux ans, étaient désignées sous le nom de Georges-Richard, comme nous avons pu le voir lorsque nous avons discuté de cette course.

L'œuvre de Brasier devait avoir droit aux pleins feux aux éliminatoires du Circuit de l'Argonne, le 20 mai 1904; ces éliminatoires étaient destinées à empêcher toute polémique sur le choix des pilotes pour la Coupe Gordon-Bennett. Ce fut le jour de gloire de Brasier; Théry, l'ancien pilote des Decauville légères, amena la 80 CV Georges-Richard-Brasier à la ligne d'arrivée près de 20 minutes avant le suivant, Salleron sur Mors. (La Mors était naturellement encore fondamentalement un modèle Brasier.) Le grand Panhard dut se contenter du record de vitesse de la journée : Farman boucla le premier tour en 49 mn 10,8 s avec Gabriel à ses trousses à moins de 30 secondes sur une de Dietrich ; au second tour, Farman fit 48 mn 44,6 s, mais il fut incapable de maintenir cette allure et rétrograda à la 8e place, laissant la 7e place à son coéquipier, Teste, qui arriva 1 h 20 mn après Théry.

La Gordon-Bennett fut courue sur le circuit de Taunus. En un curieux contraste avec l'attitude du gouvernement français (illustrée par le fait que le Président français n'avait jamais assisté à une course), le Kaiser lui-même assista au spectacle en entier, même jusqu'à la déroute des voitures allemandes, et félicita personnellement le vainqueur français, Théry, et le fier auteur, Brasier.

Contrairement aux éliminatoires, où une Panhard s'était lancée à l'assaut du record du tour, pas une seule voiture dans le circuit Taunus ne songea à défier Théry, bien que deux minutes seulement aient séparé le vainqueur Mercédès du précédent Gordon-Bennett, Jenatzy, du nouveau vainqueur, et dans la première partie, une seconde seulement les séparait ! Des voitures en concurrence, sept étaient inférieures et onze supérieures en puissance déclarée. Les Mercédès autrichiennes et allemandes étaient annoncées comme des 90 CV, mais elles ne soutenaient pas la comparaison avec les 80 CV de Richard-Brasier entre les mains de Théry. Les Mercédès, allégées au maximum, pesaient encore 999 kilogrammes (contre une limite de 1 000 kg et une tolérance de 7 kg pour magnéto) qui ne leur laissaient pas de marge pour du poids supplémentaire, tandis que la Georges-Richard-Brasier ne pesait que 988 kilogrammes avec amortisseurs. Plusieurs experts de l'époque saluaient la tenue de route supérieure de la Richard-Brasier, et l'attribuaient à l'emploi d'amortisseurs, s'étonnant que Mercédès, dont le manque inhérent de stabilité sur route était remarqué, n'en ait pas utilisé. Ils ignoraient le simple fait que les amortisseurs auraient ajouté un poids considérablement plus élevé que le kilogramme unique auquel Mercédès avait encore droit selon le règlement.

Certains commentateurs ont accusé Jenatzy d'avoir perdu du temps à changer de pneus et aux contrôles. Mais, à l'époque, *La Vie Automobile*[1] déclare :

> « Ayant arrêté son moteur au contrôle de Limburg, il perdit six minutes pour remettre en marche. Jenatzy n'eut, également (comme Théry), aucune crevaison. »

1. *La Vie Automobile*, juillet 1904.

Le baron de Caters, dont la 90 CV Mercédès fut 4e, est censé s'être plaint de Salleron qui, sur Mors, l'aurait gêné. (Salleron, on s'en souvient, porte quelque responsabilité dans l'accident de Stead. Le baron courait, lui depuis 1897, avec d'excellentes voitures, et sa première victoire, en 1907, était encore loin à venir.) Scott-Moncrieff[1], par contre, en partisan de Mercédès qu'il est, tourne cela de façon différente :

« Il y eut une bataille royale pour la 3e place entre de Caters sur sa Mercédès et Rougier sur la 100 CV Turcat-Méry. Ils finirent trois quarts d'heure après Jenatzy et avec seulement 31 secondes d'écart. La Mercédès était 3e, mais Rougier obtint une minute de bonification à la suite d'une protestation, ce qui le mit à la 3e place et de Caters à la 4e. »

Voici ce que Scott-Moncrieff dit de la forme de Jenatzy :

« Jenatzy conduisait avec un brio erratique, mais il n'avait aucune chance devant Théry, à qui sa régularité avait valu le surnom de « Chronomètre », et qui augmenta régulièrement son avance. Mais, pour être juste envers Jenatzy, la différence n'était pas due seulement à une façon de conduire. La Richard-Brasier que pilotait Théry avait une bien meilleure tenue de route que le véhicule de Jenatzy. Elle battit le record du tour à 53,5 milles à l'heure (à peu près 90 km/h). La raison était que, pour la première fois dans l'histoire, les constructeurs de la Richard-Brasier s'étaient penchés de près sur le problème des amortisseurs. C'était cette tenue de route améliorée qui permit à Théry d'augmenter son avance, jusqu'à ce qu'à la fin des quatre tours il eût distancé Jenatzy de onze bonnes minutes. Cette avance aurait pu être moindre si Jenatzy n'avait pas dû s'approvisionner en essence à un moment donné. »

Il faut relever d'abord l'erreur de cet auteur lorsqu'il parle de « la première fois dans l'histoire ». Comme nous l'avons indiqué plus haut, les Mors construites sous l'inspiration du même ingénieur Brasier, possédaient des amortisseurs en 1902. Ce fait était assurément connu de Mercédès, car deux Mors avaient battu les Mercédès dans le Circuit des Ardennes cette année-là, et deux Mors à nouveau battirent les meilleures Mercédès en 1903 : dans les deux courses, les Mors avaient des amortisseurs, les Mercédès, point.

Ensuite, il y a la petite anecdote de la panne d'essence : l'échec s'explique ainsi par une erreur de Jenatzy. C'est bien mal traiter l'homme qui avait donné la Gordon-Bennett à Mercédès en 1903.

Le récit publié dans *La Vie Automobile* ne parle pas de la promotion de la Turcat-Méry à la 3e place qui fut probablement

1. *Op. cit.*, p. 96, n. 1.

décidée après la rédaction de l'article, et ne fut pas considérée comme suffisamment importante pour qu'une correction soit publiée plus tard. Après tout, il ne s'agissait que d'une petite maison de Marseille, et pourquoi ennuyer M. Lamberjack, ou toute autre personnalité parisienne pro-Mercédès ? Il n'y avait que deux Mercédès dans la course, parce que la 3e place dans l'équipe allemande avait été accordée à la maison Opel, dont la 100 CV Opel-Darracq ne put parcourir que 7 kilomètres avant de tomber en panne de transmission, faisant preuve ainsi du même degré de préparation que les Darracq britanniques lors des éliminatoires.

Un dernier mot essaiera de clarifier une situation que des déclarations ont rendue confuse. On peut considérer le rôle de pilote comme essentiel, auquel cas nous avons Théry, qui conduisit avec une grande régularité et même pendant les quatre tours. On peut aussi considérer le véhicule comme essentiel, comme le prouve l'exemple de la Richard-Brasier, seule de sa marque dans la course, sans équipe de support; ce fut la voiture la plus rapide dans trois des quatre tours. La seconde voiture la plus rapide fut une Mercédès. Il y avait quatre autres Mercédès identiques, dont trois représentaient l'Autriche : Jenatzy sur l'une d'elles réalisa une belle mais insuffisante performance : 11 mn 28 s de retard sur la Richard-Brasier; la suivante, qui finit 3e pour être reclassée 4e, eut 56 mn 28,4 s de retard; la suivante, pilotée par un important chef d'atelier, avec cinq ans d'expérience de la course remontant à la lourde Canstatt-Daimler, arriva avec un retard de 1 h 9 mn 46 s et la dernière, avec 1 h 42 mn 11 s. L'une d'elles, conduite par l'Américain Warden, abandonna. On peut dire que la moyenne d'écart des Mercédès (sans compter l'abandon) avec la Richard-Brasier fut de 59 mn 58 s. La Richard-Brasier était une voiture nouvelle sans expérience (sauf celle acquise lors des éliminatoires de l'Argonne), tandis que les Mercédès étaient les fameuses 90 CV, dont une seule avait échappé à l'incendie des usines de Canstatt en 1903; jamais ces voitures ne donnèrent d'ailleurs les résultats escomptés, hormis dans les courses de vitesse sur 1 kilomètre ou d'autres épreuves similaires.

La 100 CV (chiffre global de *Vie Automobile*[1]) avait un rapport alésage-course de 160 mm × 140 mm, tandis que la 90 CV Mercédès avait des dimensions de 165 mm × 140 mm : de sorte que la différence en chevaux ne donnait vraiment pas un avantage

1. *La Vie Automobile*, mai-juin 1904, pp. 436-440. On a chiffré la puissance au frein de ce moteur à 96 CV à 1 200 t/mn.

au Français. Il semble clair que le modèle de Brasier fournissait plus de puissance à partir d'un moteur légèrement plus petit. Si l'on pense que ces quelques pages s'attachent trop à de petits détails, il faut se rappeler le nombre de commentaires en « oui... *mais...* » suscités par des victoires de ce genre, dont 1904 n'est qu'un exemple entre mille! « Théry sur Richard-Brasier gagna la Coupe Gordon-Bennett, *mais...* », huit mots pour la victoire française mais huit phrases (ou même parfois huit pages) pour expliquer que la victoire n'était qu'un coup de chance, ou qu'elle ne signifiait pas grand-chose.

Tandis que les réserves qui s'imposaient ne semblaient pas avoir atteint les rangs des « supporters » de Mercédès, les cadres du quartier général en avaient pleinement conscience, ce qui explique le bref exemple de style épistolaire adressé à *La Vie Automobile* (entre autres) :

« Cher Monsieur,

« Voulez-vous annoncer dans *La Vie Automobile* que les Mercédès ne courront pas officiellement au Circuit des Ardennes.

« Bien à vous.

« Jellinek-Mercédès. »

Pour en terminer avec cette course et cette saison, on peut mentionner que le Circuit des Ardennes fut gagné par l'une des toutes dernières 90 CV Panhard, pilotée par Heath, suivi à une minute par Teste sur une autre Panhard. La 60 CV Mercédès déclare forfait et la seule 90 CV Mercédès dans la course, conduite par Fletcher, finit 11e, 1 h 28 mn 11 s derrière Heath.

Selon Scott-Moncrieff, la Coupe Gordon-Bennett 1904 fit la réputation de Brasier et en un sens cela est vrai. Il avait dessiné les voitures Mors qui, l'année précédente, furent la nouvelle étoile au firmanent français, mais sur les photographies de publicité on ne voyait que les voitures et les heureux pilotes, avec parfois M. Emile Mors, ce qui était toute la représentation de l'usine. Un résumé de la carrière de Brasier fut publié dans *La Vie Automobile* à l'époque de la Gordon-Bennett, mais il ne semble pas qu'il y ait eu une campagne de publicité au moment où il s'associa avec M. Georges Richard. En fait, Richard ne semble pas avoir fréquenté les courses après son spectaculaire accident dans Paris-Madrid, et c'est Cuénod qui s'incline à Saalburg pendant que l'empereur donne à Théry une photographie dédicacée en souvenir de la mémorable victoire.

L'attitude essentiellement hostile du monde automobile français envers la Gordon-Bennett a été montrée; une des conséquences directes, qui se relie à notre propos ici, était qu'une victoire dans la Gordon-Bennett n'ajoutait rien au prestige du vainqueur en France. Ceux qui ne suivaient pas le sport de très près avaient simplement l'impression que quelque chose n'allait pas dans cette Coupe, et cela n'aidait pas au prestige du vainqueur en quelque lieu que l'attitude hostile française soit connue. Si un Anglais (ou un Allemand) avait gagné, il aurait été un héros chez lui et la voiture victorieuse en aurait brillé. Le Français, cependant, gagna une course préalablement stigmatisée comme peu de chose; donc l'honneur était également peu de chose, insignifiant.

Une fois encore en 1905, le choix des voitures de l'équipe de France fut laissé à des éliminatoires. Celles-ci furent organisées dans le cadre du Circuit d'Auvergne. Deux des 96 CV Georges-Richard-Brasier, conduites par Théry et Caillois, furent harcelées par Duray sur une 130 CV de Dietrich. La Darracq de Wagner, après avoir mené deux tours sur quatre, manqua de trois minutes sa chance de « porter les couleurs de la France » selon les termes mêmes de Darracq lors de son exclusion de l'équipe, cinq ans auparavant, par la Commission sportive de l'Automobile-Club de France.

En juillet, Théry remporta sa seconde Coupe Gordon-Bennett. Deux Fiat de 110 CV s'adjugèrent les 2e et 3e places avec la Richard-Brasier de Caillois à la 4e place, la 120 CV Mercédès de Werner à la 5e; les temps totaux étant respectivement 7 h 2 mn 30 s, 7 h 19 mn 9 s, 7 h 21 mn 22 s, 7 h 27 mn 6 s, et 8 h 3 mn 30 s.

Une fois de plus, la Georges-Richard-Brasier s'était montrée la meilleure voiture, et tandis que d'autres courses allaient reprendre le flambeau de la compétition internationale, la Coupe internationale, elle, allait rester sur une étagère de l'hôtel Pastoret. La Gordon-Bennett était enterrée. Il est curieux de noter que, malgré l'éveil de nouveaux pays à la construction automobile, aucun d'eux n'ait pris l'initiative de lancer un défi direct à l'Automobile-Club de France, ce qui aurait eu pour avantage de poser de nouveau le problème.

Chapitre XLIV

BRASIER CONTINUE SEUL

La carrière météorique de Georges-Richard-Brasier semble avoir pris fin avec la Gordon-Bennett qui en avait été le point culminant. La Société Georges-Richard devint « Unic » et s'établit à Puteaux et Suresnes (près de Talbot) pour continuer pendant plus de quarante ans, produisant des taxis et des camions. L'adresse de Brasier fut désormais 57, quai d'Ivry, Ivry-Port, et à Reims jusqu'au milieu des années vingt. Nous suivrons quelque temps ce dernier dans notre étude.

Brasier n'abandonna pas la compétition, mais parut au Grand Prix de 1906, qui fut couru sur un circuit routier fermé, établi à l'est du Mans. C'était la course que le club français et les industriels avaient créée à la place de la Coupe Gordon-Bennett. Un nouveau venu, Baras, mena au premier tour, avec Duray sur de Dietrich 6,8 secondes derrière, ce qui n'était pas un mauvais début pour la nouvelle 105 CV Brasier (l'alésage avait été amené à 165 mm comme sur la Mercédès du Gordon-Bennett de 1904, mais les ingénieurs de Stuttgart étaient venus au Mans avec un moteur rénové et gonflé, 120 CV 175 mm × 150 mm, soit une augmentation de 10 mm sur chaque dimension). Dans les tribunes, tout le monde ne se rendait pas compte de ce qui se passait car le premier homme à passer fut Lancia sur Fiat, mais il était en fait 5e sur temps. L'allure était trop rapide pour la de Dietrich, qui s'était retrouvée 18e au second tour ; la Brasier était maintenant appuyée par Piery sur une autre Brasier, mais ce fut la fin du feu d'artifice Brasier. Le Hongrois Szisz, dont la Renault avait été 3e et puis 4e, s'avança alors à la première place et y resta. Barillier, le troisième pilote Brasier, passa de la 12e à la 7e place, et au troisième tour était juste derrière Szisz. La grande vitesse des Brasiers est démontrée par le fait que Barillier rétrograda à la 11e place, puis remonta à la 8e au cinquième tour, et à la 5e au dernier tour. Baras, qui établit le record de vitesse du tour sept à 122 km/h, finit 13e, suivi de Duray, et Piery se plaça 15e sur la troisième Brasier.

Tout ceci se passa le premier jour; la deuxième journée, sur la même distance, fut plus meurtrière. Rougier, sur de Dietrich, s'adjugea le record de vitesse de la journée. Les deux Fiat, la Brasier de Baras et la de Dietrich de Duray améliorèrent leurs temps, les autres furent plus lentes. Szisz menait devant la Fiat de Nazzaro par plus d'une demi-heure; ce dernier à son tour avait trois minutes d'avance sur Albert Clément (Clément-Bayard) et la première des Brasier peinait à plus d'une heure. Ce n'est que par contraste avec le vieil ennemi Mercédès que Brasier ne se débrouillait pas trop mal :

Premier jour : Brasier, 5e, 13e, 15e.
Mercédès, 12e, 16e, 1 abandon.
Deuxième jour : Brasier, 4e, 7e, 9e.
Mercédès, 10e, 11e.

De même, dans le Circuit des Ardennes, le 13 août 1906. Brasier ne put faire mieux que 4e, avec Mercédès 9e et 10e; deux Brasier et une Mercédès abandonnèrent. Il se peut que, Théry n'étant plus pilote, les victoires précédentes aient été dues entièrement à lui. La position relative des automobiles de Canstatt n'en supporte pas moins l'idée que Brasier continuait à fabriquer une marchandise supérieure.

Le Grand Prix 1907 vit Brasier 3e derrière Fiat et Renault, 7e après une de Dietrich et deux Darracq, et 12e après deux Clément-Bayard, une Mercédès et une Motobloc. Ce n'est, là encore, que par rapport à Mercédès (10e et deux abandons), que leurs résultats pouvaient paraître satisfaisants.

L'industrie automobile française se trouvait alors devant un délicat dilemme. L'Allemagne et l'Italie possédaient chacune un seul véritable prétendant à la gloire internationale dans les épreuves de vitesse et chaque pays encourageait le sport, considéré comme essentiel à l'industrie. Fiat, moins fermement ancré que Mercédès, était le plus combatif. L'industrie française, avec Renault, Brasier, de Dietrich, Darracq, Clément-Bayard et Motobloc (pour les prendre dans l'ordre du Grand Prix de 1907), se disputant la suprématie, et Panhard dans un coin, pansant ses plaies, commença à se lasser de la compétition avec ses résultats capricieux et ses coûts énormes. Le système mis au point à l'origine par Panhard avait échoué : il n'existait plus de hordes de millionnaires prêts à racheter les voitures championnes. Seul Gobron-Brillié, qui continua sereinement à utiliser les mêmes voitures en course de 1903 à 1906, semble avoir réussi à exploiter commercialement la course, et ce fut par un moyen simple : aussitôt que quelqu'un surpassait les records précédemment établis, Gobron-Brillié les reprenait tout de suite.

L'industrie automobile française avait soigneusement mis au point une formule de Grand Prix (le premier étant couru en 1907), qui était censée supprimer les intolérables conditions de « partialité » de la Coupe Gordon-Bennett; dans ce premier effort, la seule consolation avait été l'humiliation de Mercédès et des voitures françaises tout à la fois, et le triomphe de l'Italie. Pas exactement le résultat prévu! Ni le nouveau venu Salzer, ni le Diable Rouge Jenatzy n'avaient pu finir, et le capricieux as français Hémery, passé dans le camp Mercédès, avait offert aux Allemands la maigre consolation d'une place de 10e, à la remorque de Fiat de deux heures. L'un des clichés du folklore automobile était que Fiat était une version italienne de la Mercédès. Ni l'une ni l'autre de ces compagnies n'ont reconnu avoir eu des liens entre elles, et si l'on peut admettre qu'il y avait effectivement des points de ressemblance entre la Fiat de 1903 ou de 1906 et son prétendu modèle, il est évident qu'alors l'élève surpassa le maître. Où que soit la vérité, il n'en reste pas moins que Fiat battit nettement tout ce que la France pouvait rassembler de mieux, et qu'à son tour la France battit le plus beau fleuron de l'industrie allemande. Il faut se rappeler que la Daimler Motoren Gesellschaft ne tarda pas à se dissocier d'efforts indépendants comme ceux de Fletcher dans le Circuit des Ardennes en 1904. Cela signifiait-il qu'une voiture était assez bonne pour être vendue au public mais pas assez bonne pour être mise publiquement à l'épreuve ? Les experts, qui ont pu se pencher depuis sur ce monde disparu de la course, ont gardé un silence prudent sur les atouts qui avaient pu permettre à une Fiat solitaire d'arracher la victoire, tandis que les deux autres produits milanais trouvaient la course trop dure et s'effondraient, l'une dès le début et l'autre dans le dernier tour. Mercédès était si mal placé que la mélancolie n'était même plus de mise — mais combien il dut être douloureux pour les industriels français de perdre, après avoir lutté si fort contre les inconvénients supposés de la Gordon-Bennett! On s'était plaint que le règlement opérait une véritable discrimination contre la France, si riche en usines automobiles. Une défaite française dans la Gordon-Bennett était acceptable, car elle offrait une consolation à ceux qui pensaient qu'une sélection différente des marques et des pilotes par la Commission sportive eût amené la victoire. A la place, une conclusion désastreuse sur le plan commercial, une conclusion inévitable, s'imposait : Fiat, la première marque italienne, construisait des véhicules supérieurs aux meilleures voitures françaises. La compagnie italienne ne se fit pas faute d'exploiter son avantage, surtout aux Etats-Unis, où les produits français étaient encore fort recherchés.

On pourrait mentionner que l'industrie française, pour essayer de répondre aux adversaires des monstres des courses (très bruyants dans la presse automobile) qui se plaignaient du coût fantastique de la consommation en carburant, avait imposé des limites à cette consommation dans le règlement des Grands Prix. De même que Levassor dans le Paris-Bordeaux de 1895 avait ébloui tout le monde en se classant premier, et que ses fanatiques avaient fermé les yeux sur le point du règlement qui le rendait inéligible pour le premier prix, de même, aujourd'hui, les applaudissements allaient à Fiat, alors que, en fait, une Darracq avait gagné, du point de vue de la consommation.

Rigal offrit donc à Darracq la consolation d'une médaille d'or accordée à la voiture qui posséderait la plus grande quantité de carburant dans son réservoir à la fin de la course. Voici l'ordre des voitures pour la consommation, exprimée en litres restant dans les réservoirs :

Conducteur	*Voiture*	*Surplus*	*Meilleur tour*		*Temps*		
Rigal	Darracq	42,49 litres	41 mn	21,2 s	7 h	12 mn	36,4 s
Barillier	Brasier	42,2 —	40	55,8	7	27	54
Baras	Brasier	38,25 —	40	17	7	5	05
Caillois	Darracq	36,0 —	41	11,4	7	15	58,6
Szisz	Renault	30,25 —	39	4,4	6	53	10,6
Nazzaro	Fiat	11,26 —	38	24	6	46	43
Duray	De Dietrich	(Abandon)	37	59	(meilleur tour de toutes voitures)		

On verra pourquoi certains pensèrent, après la course, que Szisz aurait dû attaquer son rival italien plus vivement, pour augmenter sa consommation. Ce point se justifie si l'on songe que l'autre Fiat n'avait pas pu conserver l'allure de la course. On peut estimer à 23 litres d'essence la consommation par tour. Ce fut, en fait, la consommation de la Fiat. Les commissaires de course prirent les plus grandes précautions afin d'éviter toute fraude, toujours possible dans ce genre d'épreuves. Tous les tuyaux furent soigneusement examinés, l'intérieur des réservoirs sondé avec des baguettes flexibles et inspecté à la lampe électrique. Le nombre requis de litres de carburant fut mesuré d'abord dans un réservoir provisoire d'où on le fit couler par gravité dans le propre réservoir de chaque voiture — on tint même compte de la température ambiante afin que chaque voiture obtienne exactement la même quantité de carburant.

Malgré leur insuccès, les Brasier firent preuve d'une belle régularité dans leurs apparitions aux Grands Prix; les trois voitures engagées finirent toutes en 1906 et 1907; la première année, 10 kilomètres à l'heure et la deuxième année 5 kilomètres à l'heure, séparèrent leur meilleure voiture du gagnant. Dans leur dernière apparition au Grand Prix de 1908, l'équipe de Brasier subit un revers total : pas une seule ne finit. Salzer sur Mercédès conquit le record du jour dès le premier tour (36 mn 31 s) avec une facilité qui laissa la Brasier de Bablot à neuf secondes. L'allure fut plus vite fatale à Salzer, qui se retira après le second tour. Bablot eut des malheurs au cinquième tour, tombant de la 6e à la 18e place et étant éliminé au neuvième tour.

On n'avait pas vu Théry en course en 1906 ou 1907, car il y avait renoncé après la dernière Gordon-Bennett en 1905, mais il fut persuadé de reprendre le volant d'une Brasier dans le Grand Prix de 1908, avec le vain espoir qu'il amènerait avec lui la chance magique qui l'avait toujours servi chez Richard-Brasier. La presse n'avait pas manqué de spéculer sur son retour, se demandant s'il pourrait s'adapter aux nouvelles conditions. Le vieux fidèle Théry avait apparemment été lui aussi victime du jeu suicidaire de Salzer : au pair avec Szisz, ils avaient tous les deux tourné en 37 mn 6 s et leurs 35 secondes de retard sur Salzer n'étaient pas grand-chose sur 60 kilomètres. Bien que Szisz ait abandonné tout de suite, Théry compléta neuf tours, toujours aux trousses des Benz et Mercédès, mais en vain.

On a dit que cette course fut déterminée largement par les pneus, mais nul n'a dit comment Brasier fut affecté par ce problème. Il se peut que les voitures Brasier aient usé plus de pneus qu'il n'était prévu, comme cela se produisit pour d'autres concurrents. Le tour le plus rapide du vainqueur fut 38 mn 26 s et même sans tenir compte du tour unique, suprême et sacrifié de Salzer, cela n'avait rien de remarquable. Parmi les voitures qui firent un meilleur temps dans l'un des tours, il y avait Benz, Brasier, Fiat, Renault, Clément-Bayard et certaines répétèrent leur exploit.

Le nouvel as allemand, Lautenschlager, fut plus « chronomètre » que Théry (ainsi baptisé par la presse au Circuit de l'Argonne en 1904) : il semble bien que son chronométrage ait été étudié et qu'il marchait sous ordres communiqués d'un quartier général. En contraste avec le premier tour, où 39 mn 59 s lui valurent seulement une 17e place, pas une seule voiture ne fut aussi rapide aux quatrième, cinquième et septième tours, et pourtant Lautenschlager dépassa Hémery (sur Benz) dans le cinquième tour pour le devancer de 1 mn 38 s. Dans le septième tour, Hémery traîna à seulement 51 secondes derrière Lautenschlager; à nouveau la menace fut éloignée par un tour à 41 mn 18 s, mais Rigal apparut soudain menaçant avec un tour rapide à 37 mn 28 s. La réponse de la Mercédès fut un neuvième tour en 38 mn 42 s qui fit de Lautenschlager le seul pilote à boucler trois tours en moins de 39 minutes par tour. Des ennuis de pneu ralentirent à nouveau Rigal et la voiture allemande put à nouveau ralentir à 46 mn 8,8 s le tour et finir encore « dans un fauteuil » devant les deux Benz et Rigal, qui remonta à la 4e place (qui avait été celle de Théry au quatrième et au neuvième tour) tandis que les Brasier se retiraient de la course.

Les voitures Brasier semblent avoir rendu l'âme en 1926, mais il faut noter l'apparition cette année même d'une nouvelle voiture, la Chaigneau-Brasier. Nous n'avons pu établir une relation quelconque avec l'ancienne firme, mais les deux maisons étaient domiciliées à Ivry-Port. Les caractéristiques et résultats de la Chaigneau-Brasier dépassent le cadre de cette étude.

CHAPITRE XLV

GOBRON-BRILLIÉ : DEUX PISTONS DANS CHAQUE CYLINDRE

Si la compétition était la clé du succès commercial, comme tant de maisons semblaient le croire, alors Gobron-Brillié occupe une place centrale. Pendant les années où cette firme participa aux compétitions, il fallut compter avec elle, et ses succès furent plus qu'honorables. La marque apportait aussi un certain nombre de solutions nouvelles à des problèmes mécaniques dans lesquels se débattait la jeune industrie. Celui qui s'impose immédiatement lorsque, entre fanatiques de l'automobile, on en mentionne le nom, est le fameux moteur à pistons opposés, naturellement. Chaque cylindre, il n'y en eut jamais plus de quatre, possédait deux pistons se déplaçant dans deux directions opposées : ils s'éloignaient l'un de l'autre à l'admission et à l'explosion, et se rapprochaient pendant la compression et l'échappement; l'équilibre des masses réciproques était ainsi réalisé effectivement. C'était une tentative de régularité, et la maison fut créée à une époque où Panhard venait d'apprendre, à ses dépens, que si l'on accouple deux moteurs verticaux à deux cylindres pour obtenir un moteur à quatre cylindres sans modifier le vilebrequin, le résultat est si mauvais que le véhicule tout entier vibre. Selon Baudry de Saunier[1] : « Lorsque le moteur dépasse son régime, il prend un mouvement de tangage fort désagréable », se limitant à 700 t/mn. Cela semble évident aujourd'hui, mais il faut bien faire des expériences.

La fin de juillet 1900 vit les débuts de Gobron-Brillié sur la scène des courses, avec l'ingénieur Brillié comme pilote. Complètement surclassée par les Panhard et la Mors de Levegh, la démonstration ne fut pas si mauvaise si on la compare à celles de marques établies telles que de Dietrich et Peugeot. Comme pour les

1. *Op. cit.*, *L'Automobile t. et p.*, II, 1900, p. 120.

compositeurs jouant leurs propres œuvres, ou les poètes lisant leurs poèmes, il y a peu d'exemples d'ingénieurs automobiles qui aient été extraordinairement doués pour la course. La voiture de Brillié portait plus de poids que toutes ses concurrentes et sur la base de la puissance en chevaux proclamée, son handicap était le même. Le chiffre des chevaux revendiqué par les constructeurs de cette époque n'était pas plus sûr que celui avancé par les constructeurs d'aujourd'hui; dans le cas qui nous occupe, le moteur spécial à double piston de la Gobron-Brillié rend la comparaison encore plus difficile. Tentons-la tout de même :

	Alésage	*Course*	*Cylindres*	*Puissance*	*Temps*
Gobron-Brillié .	110 mm	200 mm	2	18 CV	43 h 30 mn
Mors	119 —	165 —	4	24 —	20 50
Panhard	110 —	140 —	4	24 —	22 11
De Dietrich ..	110 —	160 —	4	16[1] —	37 35
Peugeot	140 —	190 —	2	15[1] —	41 00

* Nous différons légèrement des indications de puissance de Rose dans ses tableaux de la course et dans ses notices-résumés de toutes les voitures; dans ces dernières la puissance de de Dietrich est donnée comme étant de 18 CV, comme celle de la Gobron-Brillié, et la Peugeot[1] est donnée comme étant de 30 CV.

Une base raisonnable d'évaluation des potentialités comparatives des moteurs Gobron-Brillié devra prendre en considération la cylindrée effective du type normal et du type Gobron-Brillié, en divisant par deux l'alésage et en doublant les cylindres. Une telle comparaison a le défaut d'omettre le meilleur rendement du moteur à piston équilibré qui a, en fait, été réalisé, ainsi que le taux de compression plus élevé.

Pour éviter que les commentaires faits au début de ce chapitre ne paraissent trop partiaux, laissons la parole à une évaluation critique de l'un des périodiques spécialisés en mécanique au sujet du véhicule au Salon de Paris suivant :

« *Voitures automobiles à Paris*[2]. — Le problème de la fixation du moteur dans une voiture soulève d'importantes difficultés, puisqu'il n'a pas de base ferme. Le moteur est, pour ainsi dire suspendu. Ceci nécessite un soin extrême dans l'équilibrage du moteur : toutes les façons possibles ont été examinées mais, curieusement, l'allumage des mélanges entre les pistons, qui constitue le principe du moteur équilibré, a rencontré peu de faveur auprès des constructeurs automobiles. Les meilleurs résultats, dans la façon de produire un moteur silencieux et sans vibration, ont certainement été obtenus avec deux cylindres dans lequels

1. *Op. cit.*, Rose, *Record of Motor Racing*, pp. 123-125, 312-316.
2. *The Engineer* (Londres), 1er mars 1901, p. 207.

les gaz explosent entre deux paires de pistons. Les gaz sont admis mécaniquement en quantité exactement suffisante afin de provoquer une expansion adéquate. Les bielles inférieures agissent directement sur le vilebrequin, et les bielles supérieures sont reliées à une traverse elle-même reliée au même vilebrequin par des tringles verticales. Le moteur Gobron-Brillié construit sur ce système donne au véhicule une vibration quasi imperceptible... »

Brillié était un ingénieur de quelque originalité, et en plus de cette nouvelle méthode d'équilibrage, il se passait entièrement de carburateur et y substituait un système de contrôle qui alimentait en carburant chaque cylindre individuellement d'une manière qui ne devait plus être revue sur les automobiles de série pendant plus de cinquante ans. La technique, sujette à un certain degré de raffinement, est connue aujourd'hui sous le nom d'injection. Elle se popularisa dans le monde de la course et fut par la suite adoptée sur les automobiles du type grand sport. C'est évidemment ce système qui a été essentiellement utilisé avec des moteurs Diesel dès le début.

Il y avait un restaurant connu sous le nom de « Chez Gobron » dans le quartier de la porte Maillot : c'était le rendez-vous des premiers automobilistes. L'une des rares mentions de M. Gobron est la plainte qu'il éleva à l'époque contre l'activité commerciale de l'A.-C.F. — plainte lancée avec l'appui de la Chambre de Commerce automobile. On pouvait attendre une attitude semblable d'un constructeur engagé dans la compétition automobile devant la partialité pro-Panhard du Club que nous avons exposée en détail. Mme Gobron fut photographiée[1] dans l'une des plus grosses voitures de la maison; son attitude pénétrée et son maintien royal cadraient admirablement avec le véhicule. Gobron le restaurateur et Gobron le fabricant ont pu être, ou ne pas être, le même homme, mais la carrière (indépendante par la suite) de M. Brillié suggère que l'argent venait du côté Gobron.

En 1901, Gobron-Brillié présente trois voitures dans la course principale, Paris-Berlin. Le prix que la voiture a payé pour son poids excessif dans Paris-Toulouse n'avait sans doute pas été gaspillé en vain, car la voiture était maintenant réduite à 600 kilogrammes ou légèrement plus. Ceci lui permettait de courir dans la catégorie « voitures légères » et de la sorte augmentait ses chances. C'est ainsi que Roland, le pilote de la meilleure Gobron-Brillié finit 7e dans sa catégorie, et 31e au classement général, suivi à la 10e place (35e au classement général) d'un pilote au nom franche-

1. *La Vie au Grand Air*, 19 avril 1902, p. 248.

ment fatal pour un pilote de course : Dernier. Dans cette course, cependant, la dernière Gobron-Brillié, à la 13e place, était pilotée par un nommé Rigolly, qui n'avait pas encore conquis la notoriété.

L'année suivante, 1902, c'est avec politique que Gobron-Brillié s'intéressa à la course en participant à une épreuve qui était l'enfant chéri du ministre de l'Agriculture. Celui-ci pensait qu'il était absurde pour la France d'importer de l'essence alors que l'agriculture regorgeait de surplus transformables en alcool utilisable dans les moteurs de voiture. Si le champagne était bien, en effet, le rafraîchissement préféré des pilotes (du moins en fin de course), l'alcool était tout à fait impopulaire comme carburant; la vraie raison qui amena certains à suivre le ministre était qu'il s'agissait en fait d'un troc; donnant-donnant, le ministre avait sa course, les constructeurs, la leur. Alors que dans Paris-Berlin, les voitures Gobron-Brillié avaient été présentées comme deux de 8 CV et une de 12 CV, ces véhicules de 1902 furent proposés comme des 16 CV. Les poids était maintenant de 642, 643 et 645 kilogrammes, ce qui indique un modèle plus standardisé. Une voiture dut abandonner, mais Rigolly montra le bout de l'oreille en terminant 3e; les voitures furent une demi-fois plus rapides qu'en 1901.

Depuis le précédent de la licence Germain-Panhard-Levassor en Belgique, il n'était pas rare que des fabricants français cèdent leurs droits de manufacture à d'autres; nous avons vu plusieurs exemples en Allemagne dans le courant de ce travail; l'Opel-Darracq, pour n'en citer qu'un seul. Gobron s'était lancé dans un tel programme en 1901; *Le Chauffeur* rapporte qu'un accord avait été conclu avec Nagant Frères de Liège, fabricants de munitions, et avec la Société nancéienne d'Automobiles à Nancy.

Brillié avait piloté une Nancéienne dans la catégorie voitures lourdes de Paris à Berlin, se classant 20e (et 30e au classement général), juste derrière la Gobron-Brillié légère de Dernier. Sa voiture était donnée comme une 10 CV, alors que deux des Gobron-Brillié étaient des 8 CV et l'autre une 12 CV, comme nous l'avons vu. Cette Nancéienne de 725 kilogrammes était la plus légère des voitures lourdes, ce qui suggère que le fabricant de Nancy avait des idées concernant l'amélioration du produit, semblables à celles des dirigeants de la Daimler britannique au sujet d' « améliorations » à apporter à la Panhard. Pourtant une autre Nancéienne, parmi les abandons, était, elle, dans la catégorie légère, à 640 kilogrammes, malgré ses 10 CV. La Nancéienne renonça à la compétition du Grand Prix.

Paris-Vienne fut l'événement de l'année, et les engagements Gobron se limitèrent à la catégorie légère, toutes les voitures étant de 18 CV. Dernier arriva premier du lot, 11e sur Gobron-Nagant, juste derrière un autre Belge, Déchamps sur Déchamps. La première Gobron-Brillié fut celle pilotée par Rigolly à la 14e place, puis Achille Fournier (frère d'Henry), 16e; la 20e place revint à Conrard sur Gobron-Nagant suivi de Koechlin (nom autrefois associé à la Mancelle à vapeur de Bollée et à Peugeot), 22e sur une autre Gobron-Brillié, tandis que Berrue traînait en 29e place, toujours sur Gobron-Brillié. Le dernier membre de l'équipe parisienne, Duray, au nom plus tard célèbre en Amérique, devait abandonner.

La première victoire en course de la maison se produisit dans le Circuit des Ardennes, cette même année, lorsque Rigolly se révéla gagnant dans la catégorie légère avec une avance de 9 mn 30 s sur Guders (Panhard 24 CV). Son coéquipier, Roland, comme beaucoup d'autres, fut aveuglé par la poussière qui était intense, mais dans son cas, cela le fit heurter un trottoir et il ne put retourner en course. Dernier et Conrard marquèrent la dernière apparition des Gobron-Nagant dans une course importante avec les 13e et 16e places respectivement. Toutes les voitures étaient de 18 CV.

Un aspect particulier de la participation de la Nancéienne à Paris-Berlin, très peu remarqué à l'époque car il s'agissait d'une marque peu connue finissant 20e, était qu'il s'agissait techniquement d'une voiture allemande; par conséquent, dans cette course qui vit le triomphe des Français et la déroute des Allemands, la Nancéienne de modèle Brillié fut la troisième voiture allemande à finir, derrière deux Mercédès et devant la Nesseldorf, la seule autre allemande à finir.

Lorsque Gobron-Brillié décida de se lancer dans la catégorie lourde, la maison ne fit pas de demi-mesures. Elle se servit au maximum du poids conféré par le modèle hautement original du moteur à pistons opposés, et y rajouta un châssis tubulaire renforcé. Laurence Pomeroy[1] s'y est arrêté dans son étude extrêmement documentée sur l'historique de la voiture et du moteur de Grand Prix, et a commenté son extrême légèreté. Il dit aussi que le châssis tubulaire fut introduit par Brillié, mais en cela il se trompe, car Peugeot l'utilisait déjà précédemment sur ses voitures de course et de commerce (ainsi que Georges-Richard) et sur la 30 CV Audibert & Lavirotte de course, moins connue, qu'ils avaient

1. Laurence Pomeroy, *The Grand Prix Car 1906-1939*, Londres, 1949, p. 371.

destinées aux épreuves de la Semaine de Nice en 1901. Ce genre de châssis était aussi très répandu sur voiturettes et autres constructions légères, étant presque général jusqu'après 1900.

D'habitude, *The Engineer*[1] n'était pas enthousiaste pour la compétition sportive, mais sa ligne générale n'y était pas franchement opposée. Ses commentaires sur le nouveau modèle de Gobron-Brillié de 1903 sont intéressants :

« Un exemple frappant des extrêmes jusqu'où vont les fabricants de modèles de course a pu s'observer à Nice parmi les véhicules se disputant les différentes épreuves de vitesse. Le plus extraordinaire fut la 120 CV construite par Gobron-Brillié. Le moteur, on s'en souvient, est du type vertical, à un cylindre et deux pistons entre lesquels le mélange fait explosion, le piston supérieur possédant une traverse qui est reliée au vilebrequin par des tringles. Le piston inférieur agit sur le vilebrequin directement. Dans l'énorme machine de course, le moteur a deux cylindres et quatre pistons. (*N.B.* : Ceci est une erreur ; les photographies d'accompagnement montrent clairement qu'il y a quatre cylindres.) Une caractéristique de la Gobron-Brillié normale est le carburateur « positif », par lequel l'essence ou l'alcool alimente la chambre de mélange en quantités exactes par un mécanisme à rochet : cet arrangement provoque une grande économie et un silence remarquable de fonctionnement, car la quantité admise est exactement proportionnelle à la capacité du cylindre. Sur la machine de course, cependant, la maison a adopté le carburateur à flotteur avec papillon-valve, les tubes d'aspiration étaient chemisés à l'eau chauffée par le moteur. Le châssis est fait de tubes d'acier façonnés en treillis ; ces tubes supportent le moteur et la transmission. Depuis le véhicule construit depuis quelques années par Audibert et Lavirotte, de Lyon (dont la maison n'existe plus), ceci est le seul gros véhicule de course de construction tubulaire. Le moteur est très volumineux et est recouvert d'un énorme capot d'aluminium de la forme d'un demi-bateau renversé. L'empattement est de 13 pieds, et une voiture de ces dimensions, avec un moteur de 120 CV attaché à un châssis tubulaire, est véritablement révolutionnaire. La voiture n'a pas encore fait d'essais de vitesse et n'a pas pris part aux manifestations de Nice... »

Un supplément du *Journal*[2] *de l'Automobile-Club* de Grande-Bretagne et d'Irlande décrit les exposants du Salon de Paris 1902 et confirme la correction que nous avons intercalée dans le texte précédent :

« La Société des Automobiles Gobron-Brillié attirera l'attention par l'exposition d'une automobile de course de 100 CV. Cette nouvelle voiture, à quatre cylindres et huit pistons, doit participer aux courses de 1903. Les nouvelles 18 CV et 27 CV de l'an prochain seront également exposées à côté de la voiture de course utilisée par Rigolly la saison passée et les coupes qu'il a gagnées avec elle. Comme chacun sait,

1. *The Engineer* (Londres), 24 avril 1903, pp. 412-413.
2. *Journal de l'Automobile-Club*, Supplement, p. 23, 11 déc. 1902.

les usines de cette marque sont à Boulogne-sur-Seine, et la Compagnie exprime le vœu que les membres de ce Club les honorent de leur visite. »

C'est Gérard Lavergne[1] qui, dans sa critique de l'automobilisme pour 1903, nous donne des détails sur le poids de ce nouveau moteur de 100 CV Gobron-Brillié :

« Le moteur de 100 CV de la maison Gobron-Brillié a abaissé à 3,6 kg le poids du cheval, volant compris ; il est à quatre cylindres, munis chacun de deux pistons. »

et quelques pages plus loin il donne les résultats des courses de l'année :

« Le 17 juillet 1903, à Ostende, Rigolly, sur Gobron-Brillié de 100 CV, a abaissé à 26,4 s le record du kilomètre lancé ; cela correspond à la vitesse de 134,328 km... »

Le but premier, en construisant la 100 CV (désignée par Rose[2] et quelques autres comme une 110 CV et par *The Engineer* comme une 120 CV), était indéniablement de gagner des courses, mais c'était aussi de capter l'attention de la presse spécialisée. L'équilibrage des moteurs continuait d'attirer l'attention, mais même un commentateur aussi scrupuleux que Lavergne, dans l'article qu'il consacre en partie à ce sujet, ne mentionne pas du tout Gobron-Brillié. Dans le cas qui nous occupe, la maison innova dans la puissance brute — c'était la première 100 CV à paraître et à prendre part à des courses, en contraste avec la Darracq qui brûla avant d'être révélée au public, ou la mystérieuse Perry-Keen britannique 20/150 CV, engagée dans la Coupe Challenge organisée par l'*Autocar* en août 1902; l'empattement, 13 pieds (4,30 m), était également record.

Cette voiture dépassait toutes les limites établies jusqu'à présent par les 90 CV Mercédès et les 80 CV Panhard, les plus grosses voitures de l'époque. La notoriété ainsi gagnée rattrapait les bien maigres résultats dans le malheureux Paris-Madrid (seule course importante de l'année de ses débuts). Rigolly fut le premier de l'équipe à arriver, 21e des 52 voitures qui finirent dans la catégorie lourde et 29e au classement général. Duray finit 35e et Koechlin 44e. On pourrait dire que Koechlin voyageait en bonne compagnie, car il était immédiatement avant Mme du Gast, cette grande dame du sport qui conduisait une des plus lourdes voitures de la course dans un style irréprochable, et s'était arrêtée pendant une demi-heure environ pour s'occuper du coéquipier gravement

1. *Revue générale des Sciences*, t. XIV, pp. 940-945.
2. Rose, *Record of Motor Racing*, *op. cit.*

blessé, Stead. Les essais des Gobron-Brillié n'avaient probablement pas été suffisants; mais l'équipe complète termina la course, ce qui ne pouvait se dire dans le cas des grandes marques. Sur dix-sept engagés, Panhard eut sept abandons avec pilotes célèbres comme de Knyff, Henri Farman, Rolls, Maurice Farman et un mystérieux personnage courant sous le pseudonyme de Efgée. Chez Mors, encore sept abandons et autre galerie de célébrités : Henry Fournier, Rigal, Vanderbilt, baron de Forest. Mercédès fit légèrement mieux, avec seulement 25 % d'abandons en contraste avec les 40 % de Panhard et les 50 % de Mors. Les abandons chez Mercédès inclurent Werner, Foxhall Keene et Terry. On ne nous dit pas si ces deux derniers eurent à souffrir d'essieux brisés, maladie chronique des Mercédès, mais ce fut bien la raison de l'abandon de Werner, décrit en ces termes[1] par Charles Jarrott, dont la de Dietrich se plaça 3e :

« Puis ce fut la grande descente vers Ruffec, où j'eus l'impression de gagner du temps, et je vis alors la voiture de Werner en miettes sur le côté droit de la route : quelque chose était arrivé apparemment à son essieu arrière. Voyant que ni Werner ni son mécanicien n'étaient blessés, je ne m'arrêtai pas... »

Le nom de Gobron-Brillié reste l'un des rares, parmi les milliers de marques qui ont disparu, à se trouver dans les tables de records du monde, car Gobron-Brillié en battit plus d'un. Intercalons ici le salut final de Rose, le chroniqueur de toutes les grandes courses de 1894 à 1908[2] :

« ... la liste (des participants du Grand Prix de 1907) se terminait par le vétéran Gobron-Brillié, avec le fidèle Rigolly au volant. Cette

1. Charles JARROTT, *Ten Years of Motor Racing*, 1906.

2. Un exemple de reportage : les records de vitesse du kilomètre lancé et du mille arrêté pour les années 1903-1905 se trouvent en tableau à la page suivante. On verra tout de suite que la Semaine de Nice 1903 est aux Mercédès, mais que Mors et Gobron-Brillié ont battu les records ainsi établis en juillet et novembre.

En 1904 Gobron-Brillié a triomphé à Nice, mais Rose se tait. On ne trouve pas un mot sur la défaite de Mercédès. Et puis...

Sous la rubrique « Echos et nouvelles » dans *La Vie Automobile*, 1904, on lit :

A la p. 258 : « M. le baron de Caters a l'intention de s'attaquer au record du kilomètre qui appartient à Rigolly, qui réalisa sur cette distance une vitesse de 152,452 km à l'heure. C'est sur la nouvelle route d'Ostende que le baron de Caters fera sa nouvelle tentative; la voiture qu'il montera est une nouvelle 90 CV Mercédès » (avril 1923).

P. 290 : « Le baron de Caters manqua d'emporter le record de Rigolly, mais son temps de 24,4 est un record belge. »

P. 324 : « Le baron de Caters s'est attaqué, ainsi que nous l'avions annoncé, au record du kilomètre lancé, détenu par Rigolly. Disons de suite que le bon sportsman a pleinement réussi... après plusieurs essais, à abaisser de trois cinquièmes de seconde le temps du record, couvrant le kilomètre en 23 s juste... avec la voiture 90 CV Mercédès qu'il doit piloter dans la Coupe Gordon-Bennett... »

Tableau

Les records de vitesse pendant les années de participation Gobron-Brillié

Date	*Lieu d'épreuve*	*Voiture*	*Conducteur*	*Mille*	*Kilomètre*
1903 :					
7 avril	Nice, Course du	Mercédès.	Braun.	1 mn 03,72 s	
	Mille.	Gardner-Serpollet.	Le Blon.	1 mn 06,26 s	
		Darracq, v.l.	Baras.	1 mn 08,20 s	
	Ire Coupe	Gardner-Serpollet.	Serpollet.		29,19 s
	H. de Rothschild	Gardner-Serpollet.	Le Blon.		30,55 s
	(Nice).	Mercédès.	Werner.		32,30 s
		Mors.	Augières.		32,66 s
	IIe Coupe	Mercédès.	Hiéronimus.		31,76 s
	H. de Rothschild	Mercédès.	Werner.		32,73 s
	(Nice)[1].	Mercédès.	Braun.		32,73 s
	A la suite	Mercédès.	Braun.		(30,79 s)
	de l'épreuve	Mercédès.	Werner.		(31,10 s)
	(record non	Mercédès.	De Caters, bn.		(33,10 s)
	homologué).	Darracq, v.l.	Baras.		(34,69 s)
2 juill.	Phœnix-Park.	Mors.	De Forest, bn.		26,60 s
4 juill.	Dublin.	Mercédès.	Hutton.	1 mn 28,40 s	
(Castellwellen et Cork : Gobron-Brillié, Darracq, et Mercédès gagnantes)					
(On ne publia pas ces temps. Mors emporta la Coupe de l'Autocar)					
17 juill.	Ostende.	Gobron-Brillié.	Rigolly.	58,8 s	26,8 s
		Darracq.	Beconnais.		30,8 s
11-18 juill.	Semaine	Gobron-Brillié.	Duray.		28,4 s
	d'Ostende.	Mors.	De Crawhez, J.		29,0 s
		Mors.	Augières.		29,4 s
		Mercédès.	Poegge.		31,2 s
		Napier.	Stocks.		31,4 s
17 oct. .	Duke of Portland.	Mors.	Rolls, Hon. C. S.		26,4 s
5 nov. .	Dourdan.	Gobron-Brillié.	Duray.		26,4 s
		Gardner-Serpollet.	Le Blon.		27,6 s
1904 :					
31 mars.	Semaine de Nice.	Gobron-Brillié.	Rigolly.	53,6 s	23,6 s
(Coïncidence curieuse : on ne trouve pas d'histoire de la Semaine de Nice cette année chez Rose : année de défaite pour Mercédès.)					
19 mai	Ostende.	Mercédès.	De Caters.		24,4 s
			Deuxième effort.		23,0 s
19 juill.	Ostende.	Darracq.	Baras.	48,6 s	22,0 s
20 juill.	Ostende.	Gobron-Brillié.	Rigolly.	50,2 s	21,6 s
		Clément-Bayard, v.l.	Hanriot.	56,0 s	26,2 s
13 nov. .	Ostende.	Darracq.	Baras.	48,6 s	21,4 s
1905 :					
13 juill.	Ostende.	Darracq.	Wagner.	49,8 s	23,4 s
14 sept.	Mont Ventoux	Mors, 120 CV.	Collomb.		26,0 s[2]
	(côte).	Gobron-Brillié.	Rigolly.	52,8 s	23,4 s[2]
		Mercédès.	Stead.		26,2 s[2]

1. La deuxième Coupe Henri de Rothschild était offerte parce que tout le monde croyait que les voitures à essence ne pouvaient pas battre les voitures à vapeur Serpollet.

2. Course de côte : ces chiffres ne sont pas comparables aux courses en palier. Rigolly était le premier pilote du monde à faire le mille en moins d'une minute. Serpollet était le premier à faire le kilomètre lancé en trente secondes.

voiture fut l'une des plus remarquables de l'histoire de la course, principalement en raison de son extraordinaire longévité. Conçue au début de 1903, ses fabricants eurent suffisamment de foi en elle pour l'utiliser, année aprés année, contre les modèles sans cesse améliorés de leurs rivaux, et il est certain qu'elle se maintint assez bien. Dans le Circuit d'Auvergne de 1905 ses résultats furent égaux à ceux d'un grand nombre de nouveaux modèles, les surpassant parfois, et dans le Grand Prix, elle s'acquitta honorablement de sa tâche jusqu'à ce que des ennuis de radiateur viennent l'empêcher de poursuivre. »

Chapitre XLVI

LUXE LÉGENDAIRE : LES TROIS D QUI ONT DISPARU

Sur un total de plus de 50 marques françaises dont le nom commençait par un D, et qui ont paru à une époque ou à une autre sur le marché, nous avons surtout parlé de de Dion, Darracq, et Decauville pour différentes raisons. Il semble maintenant nécessaire de traiter, ne serait-ce que brièvement, de trois autres marques qui partagent la même initiale et qui, ce qui est plus important, furent célèbres bien au-delà des frontières françaises comme des symboles de grand luxe et d'élégance. Bien que toutes trois aient survécu d'une certaine façon à la seconde guerre mondiale, il y a toute une génération de Français qui, à quelques exceptions près, n'en a jamais entendu parler. Chronologiquement, nous parlons de Delahaye, Delaunay-Belleville et Delâge.

Delahaye

Emile Delahaye devint le propriétaire d'une petite fabrique de machines-outils située 34, rue du Gazomètre à Tours, à la fin du XIXe siècle. Il s'était occupé auparavant de matériel ferroviaire et il n'est pas étonnant de voir que la force du courant d'expérimentation automobile qui existait alors l'amena à y participer. Nous ignorons les circonstances exactes de cette conversion à la nouvelle technique; il n'est pas improbable que la vue d'une Bollée, car on en voyait circuler à Tours, ait été stimulante.

Souvestre[1] donne 1894 comme date de cette activité précoce, que confirme Rousseau[2] écrivant 70 ans plus tard. La maison présenta deux véhicules dans le Paris-Marseille-Paris de 1896,

1. Souvestre, *Histoire de l'automobile*, Paris, 1907, p. 419.
2. Jacques Rousseau, Delahaye Days, *Automobile Quarterly*, été 1964, pp. 165-177.

l'une aux mains du constructeur, l'autre conduite par le vétéran du « safari » Paris-Lyon de 1890 sur Serpollet, dont nous avons abondamment parlé, Ernest Archdeacon. Les deux pilotes se distinguèrent : Rousseau leur attribue les 4e et 6e places, respectivement; mais dans leur propre catégorie (classe A, série 1), Archdeacon fut en fait 2e et Delahaye 3e. Deux caractéristiques importantes de ces premiers modèles méritent mention : le refroidissement à eau par pompe et radiateur, et la régulation de la vitesse par variation de l'allumage et par obturateur. Lockert nous dit qu'Emile Delahaye se préoccupait aussi d'élégance, et il ajoute une autre innovation qui est probablement la plus importante contribution à la tenue de route faite par un constructeur du XIXe siècle : l'empattement long. Voyons comment Lockert nous le décrit[1] :

« M. Delahaye, de Tours, vise, lui aussi, à l'élégance dans les formes extérieures de son automobile, sorte de Phaéton...

« La caractéristique de la voiture Delahaye c'est son empatement *(sic)* considérable. *L'empatement*, c'est le terme technique, c'est-à-dire une grande distance entre les essieux extrêmes : plus l'empatement est grand, plus la stabilité augmente. »

Notons au passage l'amusante orthographe de Lockert pour le mot « empattement ».

Il n'en reste pas moins que Delahaye et Lockert donnent ainsi *a posteriori* une leçon de stabilité véhiculaire élémentaire aux ingénieurs d'une grosse firme automobile américaine qui compte 70 ans d'expérience, dont 60 de fabrication. Le *Wall Street Journal*[2], parlant du défi Volkswagen à General Motors, nous informe que celui-ci avait l'intention de construire une voiture de dimensions extérieures semblables, *mais avec un empattement plus court.* On n'explique pas le raisonnement : apparemment parce que le style américain préfère que les essieux soient plus « rentrés » par rapport aux extrémités! Voilà où en sont des ingénieurs pour qui des considérations aussi importantes pour la sécurité passent après des détails d'esthétique. Freinage, suspension et raffinements détaillés cachent ses caractéristiques brutes aujourd'hui, au point que même les ingénieurs ne comprennent pas la nature homicide d'une telle décision. Ce point nous amène forcément à une nouvelle citation du vénérable Lockert, tirée du paragraphe suivant :

« Cette question a une grande importance quand le véhicule roule sur un macadam raboteux ou sur un pavé qui n'est pas uni. Si les

1. Louis LOCKERT, *Voitures à pétrole*, pp. 98, 219.
2. 30 sept. 1968 (p. 1, col. 6).

essieux sont trop rapprochés, la voiture prend un mouvement de tangage ou de galop, et il faut réduire la vitesse, sous peine d'avarie grave. Si au contraire les essieux sont suffisamment éloignés l'un de l'autre, le roulement de la voiture reste satisfaisant, même sur des routes très médiocres, avec une vitesse considérable. »

Il existe de remarquables similitudes entre les solutions adoptées par Emile Delahaye et les idées de Benz, notamment dans la méthode de variation de la vitesse de la voiture, laquelle, dans le cas de Delahaye, selon Lockert, « donne une élasticité de puissance extraordinaire pour un moteur à gaz ». Le lecteur, submergé peut-être par la multitude de détails qui a été présentée à son attention, peut se demander dans quelle mesure ces solutions sont si importantes, et où se trouve l'originalité de Delahaye.

Voici donc quelles étaient les améliorations qu'offraient les véhicules de Delahaye au public, et qui n'étaient généralement pas employées par ses concurrents :

1. Un refroidissement à eau, une pompe de circulation, un radiateur à l'avant, situé suffisamment haut pour être protégé contre les avaries et la boue — faiblesse des Daimler d'environ 1899. (Girardot était le premier à monter un radiateur chez Panhard, mais *sous* la voiture, et à l'arrière, et une saison plus tard.)

2. Une pédale d'accélération (non désignée sous ce nom), qui déterminait le volume de mélange admis dans le cylindre, et commandait par conséquent la vitesse du moteur en la faisant varier, à une époque où le moteur avait généralement un régime fixe.

3. Un allumage électrique susceptible de variation afin de commander d'une autre façon le régime du moteur, alors que la plupart des autres marques se contentaient du tube à incandescence invariable.

4. Un grand empattement (plus long de 10 à 20 % que celui des concurrents) ; des pneumatiques, ce qui était aussi une caractéristique de Peugeot, mais non de Panhard-Levassor.

Tous ces éléments sont présents dans les automobiles d'aujourd'hui, sauf, pour le refroidissement, chez deux ou trois fabricants qui utilisent le refroidissement par air. Cette prééminence se trouve résumée par Rose de la façon suivante[1] :

« Les Delahaye étaient peut-être les voitures les plus originales et les plus perfectionnées. La voiture possédait un moteur de deux cylindres équilibré horizontal, avec un vilebrequin à double coude, l'allumage électrique, et un radiateur à l'avant du véhicule disposé horizontalement sur le tablier. »

1. Rose, *Record of Motor Racing*, *op. cit.*, p. 46.

Rousseau, dans l'article « Delahaye Days » que nous venons de mentionner, introduit Charles Weiffenbach en l'année 1898, et nous raconte comment il apporta avec lui certaines techniques modernes apprises dans l'atelier de mécanique Ravasse, connu pour son travail de précision, où des pièces des tricycles Léon Bollée avaient été fabriquées. Que ce M. Charles ait été associé à la maison Delahaye pendant plus de cinquante ans, et en soit même devenu le chef incontesté, voilà qui est admis sans question, mais il y eut d'autres personnes qu'il ne faudrait pas oublier, et parmi celles-ci, l'ingénieur Varlet.

En 1898 Emile Delahaye conclut un accord avec Léon Desmarais et Georges Morane selon lequel l'usine de Tours fut abandonnée au profit du 10 de la rue du Banquier où les deux nouveaux associés avaient fabriqué jusqu'alors de la machinerie hydraulique (ce qui pourrait bien expliquer la décision de fabriquer des voitures de pompiers, autrefois le domaine de Cambier à Paris et de Mieusset à Lyon). Pendant les trois années suivantes, 850 voitures furent produites, sans se préoccuper de problèmes de compétition, puisque la compagnie, après s'être distinguée à ses débuts, avait sagement renoncé à ce genre d'ambition, jusqu'aux jours de René Dreyfus et du Prix du Million, quelque 40 ans plus tard.

En 1901 Emile Delahaye se retira d'une affaire qu'il avait si bien lancée, dans des circonstances qui sont restées secrètes jusqu'à nos jours. Peu après, nous entendons parler de M. Varlet, dont Baudry de Saunier dit[1] : « Un de nos spécialistes les plus cotés pour sa connaissance rare de notre mécanique », et sous la direction duquel la maison s'embarque dans la construction d'une nouvelle série de moteurs verticaux de deux et quatre cylindres. Séduit par des considérations de simplicité, Varlet opta pour la soupape d'admission automatique sur le nouveau moteur, baptisé « Titan », fabriqué en trois versions : 12 CV deux cylindres; 16 et 24 CV quatre cylindres. Les dimensions diffèrent de celles données par Rousseau, mais il est utile de faire remarquer que la plupart des pièces du moteur 12 CV étaient interchangeables avec celles de 24 CV. Plus tard, Delahaye devait montrer une tendance à offrir une gamme trop étendue de modèles, ce qui a pu lui nuire. En 1912, la firme offrait à ses clients un choix de dix châssis standards différents, ce qui paraît de nos jours presque incroyable. Pendant ce temps, elle continuait à fournir par ailleurs toute une série de véhicules d'utilité publique (balayeuses, dépanneuses, camions utili-

1. *La Vie Automobile*, 1903, pp. 771-774; « Les nouveaux types Delahaye 1904 », article signé de Baudry de Saunier.

M. Delahaye au guidon de sa voiture à pétrole DELAHAYE n° 42, classée 3e de sa catégorie après la PANHARD & LEVASSOR de Mayade et la DELAHAYE de Archdeacon, 24 septembre-3 octobre 1896. Premier usage du radiateur à l'avant. (Voir p. 218.)

(Cliché Archives du Touring-Club de France.)

taires, véhicules postiers, etc.) et pendant la première guerre mondiale, elle fut avec Ariès, Berliet et Renault, l'une des marques de guerre le plus connues. Ceci pose d'ailleurs un intéressant problème : une voiture de luxe peut-elle porter le même nom qu'un camion et garder son prestige social ? La Cadillac (pour prendre un exemple à l'étranger) existe toujours, mais les camions produits par la même firme sortaient sous le nom de G.M.C. Il y a l'exemple de trois de ses concurrents, Locomobile, Peerless et Pierce-Arrow, qui produisent tous des camions pour la guerre, et qui dix ans plus tard se retrouvèrent tous dans de graves difficultés financières. L'exemple de la France offre Berliet, Rochet-Schneider et d'autres qui demanderaient un examen approprié (Delaunay-Belleville sera abordé plus loin). On peut se demander si l'absence d'une véritable voiture de luxe chez Renault est le résultat d'une politique délibérée de la direction, du gouvernement, ou est imposée par la clientèle.

La douloureuse histoire de Delahaye pour se maintenir dans le monde de l'automobile sera abandonnée pour un instant. Au fur et à mesure que le sort de Delahaye s'identifie à celui de Delâge, les observations qui s'imposent seront données plus loin. Les plus belles années de la firme furent pourtant entre 1937 et 1939. Le monde ne s'était pas encore aperçu qu'Hitler poursuivait un but politique en subventionnant les écuries de course de Mercédès-Benz et Auto-Union; mais une inquiétude, au sein de l'A.-C.F., qui pourrait faire pardonner la malheureuse affaire de la Gordon-Bennett, conduisit à la création du Prix du Million, destiné au fabricant capable de sortir une voiture qui battrait les plus rapides des Allemands à l'autodrome de Montlhéry. Ici, la présence d'un motif politique était plus que tolérable, elle était même louable : car cela ne faisait que contrer une concurrence motivée politiquement outre-Rhin.

La firme attendit sagement quatre jours avant la date limite pour s'engager dans la compétition et elle remporta le Prix. René Dreyfus fit plus pour le moral français qu'il ne peut savoir, même aujourd'hui, car il s'agissait d'une bataille entre la France républicaine et le national-socialisme. En 1938, le petit guerrier réédita son exploit, en battant le grand Caracciola sur Mercédès 3 litres superchargée à Pau; il remporta un succès moins net à Cork quelques semaines plus tard. Les tableaux des courses de Grand Prix des cinq années qui précédèrent la guerre sont tristes à lire pour le Français épris de gloire automobile, la seule autre victoire française étant, en 1934, dans le Grand Prix belge; cela est triste, car il s'agissait de la dernière victoire du pauvre Bugatti; le pilote ? Dreyfus.

Le Prix du Million offre un trait intéressant qu'il ne faudrait pas négliger. Il n'y avait que deux autres concurrents, Bugatti avec une huit cylindres en ligne (superchargée) et la S.E.F.A.C. maintenant oubliée, qui fut subventionnée par le gouvernement français; il n'est pas contradictoire de souligner cet appui, face aux éclatants succès des marques allemandes appuyées par le gouvernement, car les Allemands investissaient leur argent dans des affaires qui marchaient!

Au dernier Salon de l'Automobile, avant la deuxième guerre mondiale, la Delahaye fut la vedette; le nouveau châssis douze cylindres avait été revu dans une perspective d'utilisation courante; c'était le type même de châssis qui tentait l'inspiration des carrossiers. En mai 1939, l'Exposition Universelle s'ouvrit à New York, et pour les fanatiques de l'automobile, ces grandes voitures de luxe offrirent une satisfaction esthétique indescriptible. Une fois encore, les vagues du malheur déferlèrent : le dernier numéro spécial de *L'Illustration* (8 octobre 1938) consacré à l'automobile portait en première page :

« Dans ce numéro : 12 pages sur l'accord de Munich. »

On voyait aussi Chamberlain agiter triomphalement un papier! Ce qui avait été conclu, c'était en fait un arrêt de mort : et aussi l'arrêt de mort d'un certain type d'automobilisme. Tout cela n'était pas alors évident : on s'en rendit compte plus tard. *L'Illustration* du 8 octobre 1938, écrivant « La Delahaye est véritablement l'automobile de race », rédigeait en fait une véritable épitaphe.

A vrai dire, c'est peut-être une exagération de prétendre que l'automobilisme grand luxe est mort : les exportations de la Rolls-Royce pour les années 1966 à 1968 se chiffraient à £ 9 500 000, si l'on en croit l'article de la page 57 de *L'Autocar* du 13 octobre 1968. On pourrait également commercialiser des 3 D.

Les chantiers de l'Ermitage

Lorsque Delaunay-Belleville devint fabricant d'automobiles, la maison était déjà largement célèbre pour ses produits, particulièrement ses chaudières à vapeur, connues pour la rapidité avec laquelle elles produisaient de la vapeur — caractéristique appréciée surtout dans les cercles navals; en fait, ces chaudières étaient utilisées par la Marine britannique, qui n'a pas l'habitude d'acheter à l'étranger. Les forges et fabriques avaient déjà produit une variété de pièces destinées à d'autres fabriques de voitures. Ajoutons que c'était à cette époque que Louis Renault, âgé de 15 ans, travaillait dans la salle d'études chez Delaunay-Belleville après avoir été refusé chez Panhard avec un « Panhard & Levassor ne fait pas d'apprentis »[1]. Passons la parole à Baudry de Saunier dans *La Vie Automobile* :

« Le nom Delaunay-Belleville est trop connu du monde entier de l'industrie, il a trop souvent sonné aux oreilles de nos lecteurs certainement pour que nous ayons à présenter les fournisseurs attitrés de notre marine de guerre, nouveaux venus dans notre monde.

« Nouveaux venus est-il d'ailleurs une expression exacte ici ? Si la firme Delaunay-Belleville est neuve pour nous en matière automobile, il n'est pas moins vrai que les grands établissements de Saint-Denis sont rompus de longue date à la fabrication des organes principaux qui constituent une automobile. Vous dirai-je les constructeurs très réputés qui, depuis plusieurs années, font fabriquer leurs vilebrequins, tailler leurs engrenages et même décolleter leurs soupapes chez Delaunay-Belleville ? Il vous importe peu, probablement. En construisant pour autrui, les établissements Delaunay-Belleville se sont demandé l'année dernière pourquoi ils ne construiraient pas pour eux-mêmes. Et les voilà partis pour une renommée nouvelle »[2].

La place d'honneur, dans le reportage du magazine consacré au Salon de 1904 au Grand Palais (p. 801, première page du numéro du 17 décembre 1903 et de l'article), est accordée à la photographie d'un châssis de cette marque : le métier est évident. Pour d'autres détails, il suffit de reprendre les remarques qu'offre Baudry de Saunier en conclusion :

« ... je veux rapidement énumérer les plus saillants caractères... Le plus notable est évidemment le graissage. Le moteur actionne par excentrique une pompe sous le capot du moteur qui refoule l'huile dans les paliers, les manetons du vilebrequin, la bielle et le pied de bielle. Conséquences : graissage forcé, propreté parfaite, économie d'huile, disparition de tout organe extérieur de graissage. Ce système est appliqué depuis de longues années à tous les moteurs à vapeur employés dans la marine.

« Les autres caractères spéciaux à cette nouvelle marque sont la visite facile de tous les organes et la démontabilité réellement facile de la caisse. Il n'y a, sincèrement et absolument, que quatre boulons à retirer pour enlever la caisse ; aucune tuyauterie, aucune commande quelconque n'est liée à la caisse.

« Les usines Delaunay-Belleville ne font que des quatre cylindres (type 16-20, type 24-28, type 40-45). Le premier est à transmission par cardans ; les deux autres par chaîne. La seule ambition que semble

1. *Omnia*, 7 juillet 1906, p. 7.
2. *La Vie Automobile*, n° 166, 3 décembre 1904, p. 779.

avoir eue jusqu'ici la marque Delaunay-Belleville est qu'on dise que sa mécanique est impeccable. Quant on l'a examinée de près comme je l'ai fait, on convient qu'il peut en exister d'aussi bonne, mais certainement pas de meilleure. »

Le rédacteur en chef de *La Vie Automobile*, Baudry de Saunier, retourne à l'étude de la Delaunay-Belleville dans le numéro du 7 janvier 1905 avec 7 pages (c'est-à-dire l'essentiel du numéro) consacrées à des descriptions, des photographies et des plans de la machine. Nous n'avons pas rencontré ailleurs, chez ce scrupuleux écrivain, une telle débauche de précisions; tentait-il de rétablir un équilibre qu'il avait rompu en louant si fort (mais moins longuement) la Mercédès, lors de sa parution ? Des extraits de cet article[1] sont représentatifs des produits de la firme pour les dix années à venir, les meilleures années, celles où elle réussit à concurrencer avec succès les plus grandes marques mondiales, sans lancer un vaste réseau d'agences, mais avec des succursales dans les principales capitales mondiales et les capitales de loisir comme Biarritz et Nice. En Angleterre et aux Etats-Unis, avec un instinct très sûr des problèmes spéciaux posés par les habitants, la maison Delaunay-Belleville confia ses intérêts à la Burlington Carriage Co. Ltd., de Londres, et à Brewster and Co. de New York City.

L'ingénieur dont le nom est associé avec les grandes années de Delaunay-Belleville est Marius Barbaroux qui, après avoir créé lui-même une automobile en 1898, entra chez M. Clément. Sérieux, il pilota ses créations dans le Paris-Aix-la-Chapelle, le Circuit du Nord (alcool), le Circuit des Ardennes et le Paris-Vienne, honorablement classé. Il est bien possible que les pourparlers avec Ganss aient commencé immédiatement après le Paris-Vienne, mais en tout cas il avait été appelé au secours de l'ancienne firme de Benz à Mannheim, chancelante sous l'assaut du nouveau modèle de Canstatt. Avec une équipe de Français (travaillant à côté de la « chaîne » de montage de l'ancien type allemand), il avait sorti la malheureuse 16-20 CV Benz-Parsifal. Beaumont[2] l'estimait, mais sa puissance, choix de Ganss, était beaucoup trop faible pour concurrencer la Mercédès et, de plus, elle dut être débaptisée à la requête des héritiers de Wagner. La malencontreuse combinaison se concrétisa par la séparation de Barbaroux et de son patron, Ganss, de la vieille compagnie. Vers la fin de 1903, il se trouve installé à Saint-Denis, où son chef-d'œuvre prit rapi-

1. *Ibid.*, n° 171, 7 janvier 1905, pp. 1-7 : « Les voitures Delaunay-Belleville, 1905 », BAUDRY DE SAUNIER.
2. W. W. BEAUMONT, *op. cit.*, vol. II, pp. 109-112.

dement forme aux Chantiers de l'Ermitage. Il semble être resté chez Delaunay-Belleville vingt ans avant d'entrer à la firme Lorraine-Dietrich où il donna à son tour une belle et luxueuse voiture de sport à l'écurie française avant que la production fût progressivement rationalisée et donc nationalisée.

Etait-ce parce que les chaudières Delaunay-Belleville étaient utilisées dans la marine russe ou à cause des relations particulières entretenues par la famille impériale russe avec Paris, en tout cas Delaunay-Belleville marqua un point en s'attirant la clientèle du tsar Nicolas. A son tour, le tsar, en demandant une voiture dont le départ fût absolument silencieux, provoqua à Saint-Denis la création d'un modèle avec lequel seules les voitures électriques d'aujourd'hui pourraient rivaliser sur ce point précis. Les démarreurs électriques n'existaient pas encore; un système électrique fut pourtant inventé l'année même de la première Delaunay-Belleville. La plupart des voitures partaient en manipulant l'allumage, mais le système ne marchait pas toujours. Quelques solutions à air comprimé avaient été offertes, mais, à vrai dire, nul ne voyait l'utilité d'un démarreur — le chauffeur pouvait bien faire usage de la manivelle — nulle sollicitude ne s'éveillait pour lui — sauf les matins où il fallait faire partir le moteur... Les systèmes les plus efficaces utilisaient l'air comprimé, mais ils étaient bruyants (un peu comme les démarreurs à pétard des gros camions Diesel d'aujourd'hui). Le tsar avait été explicite; il connaissait la valeur d'un départ discret (rappelons que les Présidents français avaient jusqu'alors refusé de se risquer en public en automobile!). Les ingénieurs Delaunay-Belleville trouvèrent une intéressante solution qui s'accordait bien avec leur mépris traditionnel des solutions fantaisistes. Elle mettait en jeu deux pièces supplémentaires, un réservoir d'air comprimé, et un arbre à cames supplémentaire. Lorsque le tsar s'installait dans sa voiture, le chauffeur tournait une manette, qui admettait l'air comprimé dans les cylindres du moteur *au lieu de mélange gazeux* : la voiture était déjà en première et commençait à se mouvoir dans un silence absolu; le moteur n'était mis en marche qu'à 20 km/h (vitesse normale de cérémonie), le chauffeur fermait alors la manette d'air comprimé, ouvrait celle du mélange gazeux et, avec une imperceptible hésitation, l'équipage continuait sa route[1].

Il est malheureux que le génie mécanique des Chantiers de l'Ermitage n'ait pas été utilisé pour résoudre certains problèmes politiques des Romanov...

1. *Omnia,* n° 198, pp. 244-251, article illustré sur la voiture du tsar.

La maison choisit comme slogan : « La voiture qui dure », ce qui n'était pas une exagération. En fait, cette caractéristique de robustesse a pu être fatale, car les Delaunay-Belleville d'occasion étaient recherchées par les propriétaires de taxis et voitures de place; une fois utilisées dans ce domaine, leur fraîcheur passée, ces voitures perdaient sans doute du charme dans l'imagination des futurs acheteurs. On ne pouvait distinguer alors le véritable riche du parvenu; ce problème devenait aigu au fur et à mesure que l'automobile atteignait le stade de l'occasion. Aux Etats-Unis, Rolls-Royce était censé racheter ses voitures lorsqu'elles commençaient à se défraîchir; si cette légende a un fondement, la dépression de 1929 y mit fin et une imaginative entreprise de café de luxe racheta toute une flotte de Rolls-Royce et les transforma en camionnettes de livraison dans New York. On pourrait avancer que ce coup fut fatal à Rolls-Royce pendant les dix années suivantes et que, seuls, les grands événements de la deuxième guerre mondiale réussirent à faire oublier la fâcheuse association. Ce ne fut pas le sort de Delaunay-Belleville à New York; mais pendant les deux ans qui séparèrent le début de la guerre et l'entrée en guerre des Etats-Unis, Brewster and Company, privé de sa source de châssis de qualité, se lança dans la construction automobile, avec un châssis qui était une copie conforme de la Delaunay-Belleville, sauf pour le moteur, un Knight. Après la guerre, Brewster continua de manufacturer sur une petite échelle. Burlington fut sans doute une victime de la guerre, puisque nous retrouvons Delaunay-Belleville Automobiles Ltd. (England) à Maidavale en 1919, offrant une carrosserie d'Iteren (de Bruxelles) sur « The Car Magnificent », série de six cylindres, de 20 à 50 CV. Les bureaux de la compagnie, décrits comme « temporaires » en 1919, sont toujours au même endroit, dans St. James Street, en 1921, et toujours « temporaires ». Une nouvelle 12 CV quatre cylindres (ce dut être une dure décision pour Delaunay-Belleville après tant d'années de six cylindres — six cylindres étant le symbole de l'élégance et du luxe à partir de 1906) fut offerte à £ 760 et une 20 CV six cylindres fut aussi au Salon de Londres cette année-là. Le prix de cette voiture (châssis nu) était abaissé de £ 1 600 à £ 1 075 (réduction d'un tiers); *L'Autocar* offre l'explication suivante[1] :

« La production de 1921 a été réduite étant donné que les véhicules étaient manufacturés à perte, mais les usines, nous dit-on, ont été réorganisées et une production très augmentée est en projet. »

1. *Autocar*, 12 novembre 1921, p. 977.

On peut sentir ici la loi de fer de l'offre et de la demande : à l'autre bout de l'alphabet se trouve Voisin, la nouvelle sensation; ses prix, dont une voiture à £ 1 600, ne sont pas réduits dans le catalogue du même Salon. Delaunay-Belleville espérait en ce miracle qui, selon les vues simplistes de quelques économistes, est la réponse à tous les problèmes : le volume de production. Ce volume de production est bien sûr une entité physique — les masses, ou les consommateurs, déterminent ce volume. Mais il n'est pas possible de résoudre un tel problème par une équation algébrique; le volume de production peut être prévu, mais les masses sont plus fluides; on peut estimer leur nombre, les techniques modernes de sondage d'opinion peuvent indiquer ce qu'elles désirent. Mais ces techniques n'étaient pas à la disposition des industriels de 1922; en tout cas, ce qu'il faudrait pouvoir mesurer c'est une émotion, ou un sentiment : ennui, excitation, etc. Le choix laisse bien des secteurs insatisfaits : de chaque côté de la ligne de partage, on trouve un nombre égal de gens qui ne se reconnaissent pas dans ce client normal, théorique, composite et fantomatique. Delaunay-Belleville partait d'un terrain connu, le genre de client que la maison avait autrefois satisfait, et la qualité du produit (phénomène contrôlable) et se laissait tenter par une analyse des coûts qui montrait, mettons, qu'en doublant le volume de production, le prix de vente pouvait être réduit d'un tiers tout en étant encore profitable. La fausseté du raisonnement résidait dans l'hypothèse selon laquelle le nombre de personnes désirant posséder une Delaunay-Belleville pouvait être doublé. Cela ne semble pas avoir été le cas.

Un triste memento des souvenirs fanés d'une gloire passée qui semble avoir fait vivre la firme à la fin des années vingt, est cette brochure de huit pages avec couverture en imitation de crocodile (alors que Voisin sortait ses fameux catalogues embellis d'art moderne). Le nom de la marque est donné en lettres d'aluminium en relief sur la couverture; le texte commence bravement ainsi :

« Plus que tout autre, une voiture Delaunay-Belleville inspire à son propriétaire un sentiment de légitime fierté.

« Aux lettres de noblesse que sa priorité et son rôle dans les grands événements historiques ont valu à notre marque, s'ajoutent les qualités distinctives d'une race fortement constituée.

« Dans le monde entier, le nom de Delaunay-Belleville évoque d'une façon irrésistible la réputation d'une voiture de haute classe, confortable, robuste, sûre, inusable. »

A chaque page, une photographie avec une date et une brève légende :

1909. Sa Majesté Edouard VII descendant de sa 15 CV six cylindres.
1910. Le Président Théodore Roosevelt montant dans sa 15 CV six cylindres.
1911. Sa Majesté le tsar Nicolas II montant dans sa 50 CV six cylindres.
1913. M. Raymond Poincaré, Président de la République, dans sa six cylindres Delaunay-Belleville.
1914. Le général Gallieni dans sa 15 CV six cylindres Delaunay-Belleville.
1917. Le général Pershing, commandant en chef des Armées américaines, accompagné de M. Painlevé, arrive à Paris dans sa six cylindres Delaunay-Belleville.
1918. Le 7 novembre 1918, M. Erzberger, venu pour signer l'armistice, a pris place à La Capelle, dans cette six cylindres, pour être conduit auprès du maréchal Foch.
1929. S. E. M. Maurice Herbette, ambassadeur de France en Belgique, montant dans sa six cylindres Delaunay-Belleville.
1929. Le général Dubail, grand chancelier de la Légion d'honneur montant dans sa six cylindres Delaunay-Belleville.

Autres temps : autres mœurs. Cet appel nostalgique s'adressait au propriétaire, dans un monde où le propriétaire était assiégé, pourchassé, où le nouvel argent appartenait à la classe des directeurs; les tsars étaient morts, les rois sans emploi et le corps diplomatique en demi-solde. Par miracle, peut-être à cause de cette vertu que la maison invoquait dans la dernière phrase de la même brochure « les moins coûteuses, parce qu'elles sont les plus honnêtes », elle survécut aux années trente, et fin 1946, au Salon de Paris d'après-guerre, la maison annonça une 13 CV six cylindres, type R.I. 6.

Une référence éphémère dans la presse spécialisée annonça que l'agence gouvernementale chargée de distribuer équitablement (ceci se passe en 1946), des matériaux rarissimes en avait alloué à Delaunay-Belleville suffisamment pour la construction... d'une automobile. Cette conclusion nous paraît ironiquement appropriée; voilà un exemple de la rationalisation de la production! En fait, la société la plus rationalisée du monde d'aujourd'hui n'a pas encore une automobile qui durera autant que :

« ... les plus vieilles Delaunay-Belleville avec leurs ronds radiateurs à l'avant de locomotive, si familières à tous les chauffeurs... Il en est qui totalisent près d'un demi-million de kilomètres !... et qui continuent... »[1].

1. Toutes les citations dans ces deux dernières pages sont reprises d'une brochure publiée par la firme aux environs de 1929 (elle n'indique aucune date, aucun imprimeur).

DELAGE

Louis Delâge fut d'abord employé aux Travaux publics, mais l'attrait de l'automobile était tel qu'il quitta une place à 600 francs par mois pour celle de dessinateur chez Turgan & Foy (à 200 francs) ; c'était une des premières fabriques de camions : il en devint rapidement le chef d'atelier. Devinant sans doute la faillite de la vapeur, il passa chez Peugeot, où selon Duncan[1] « il fut promu de chef d'atelier expérimental à celui de l'essayage des châssis », promotion qui nous semblerait aujourd'hui une rétrogradation.

En 1905, il fonda Delâge & Cie, avec l'aide d'un ami, ils se mirent à fabriquer des pièces pour la « Helbé » (dont le nom est formé des initiales des partenaires, Lévêque et Bodenréder). Ce n'était évidemment qu'un travail provisoire de quelque mois destiné à arrondir le capital de l'affaire.

La Delâge, création de Louis Delâge, devint une réalité à l'automne de 1905, avant que son fabricant n'ait atteint sa 30e année. Alors que le nom évoque aujourd'hui une image de luxe et de raffinement (en admettant qu'il évoque encore une image !), les débuts furent à l'opposé; ce fut une petite voiture lancée à la sauvette. Lorsque nous avons commencé notre étude, l'une des caractéristiques du mouvement automobile que nous avons choisie pour examen était le phénomène du cycle de croissance, c'est-à-dire la tendance à une augmentation graduelle, mais persistante, des dimensions physiques du véhicule (nous parlons des dimensions extérieures et non de la cabine des passagers). Si ce cycle de croissance existe bien (nous l'avons vu se répéter trois fois au moins) nous n'avons pas sans doute assez insisté sur le phénomène[2], il semble donc approprié de le mentionner pour souligner que dans le cas de Delâge ce cycle ne se répéta pas. Elle n'a eu qu'un cycle, et les améliorations apportées au cours des années étaient du domaine du luxe plutôt que des dimensions.

Il y a plus d'informations détaillées dans le portrait de Louis Delâge, signé « Eau forte » dans la série d'*Omnia*[3] que dans n'importe quelle autre source que nous avons pu consulter, ce qui explique que nous nous en soyons inspiré d'aussi près. Ecrit à une époque où le sujet est un homme de 32 ou 33 ans, ravi de son succès,

1. H. O. DUNCAN, *op. cit.*, voir ces pp. 557-558.
2. John KEATS, *Insolent Chariots*, Philadelphie et New York, 1958. Protestation vigoureuse contre les dimensions exagérées qui fit sensation à sa parution.
3. *Omnia*, n° 136, 1908, p. 500 : « Les hommes : Louis Delâge », Eau forte (pseud.).

l'article est accompagné d'une photographie qui nous le montre en marche vers le succès, plein de confiance en lui, souriant, vivant. Le contraste avec le portrait qui accompagne l'esquisse de Baudry de Saunier, à l'ère de la voiturette est grand. Ce dernier portrait, probablement pris à l'époque où la firme Delâge fut rattachée à Delahaye (1935) montre un homme fatigué, un vaincu. Baudry de Saunier lui évite l'embarras d'un entretien dans ces circonstances, il appartient à un glorieux passé. Le vieux Delâge trouverait difficile de parler de ses défaites. C'est mieux de prendre l'histoire de son essor, même s'il est un peu vantard.

Pourtant, on nous dit que la nouvelle automobile Delâge (l'accent circonflexe sera utilisé dans tout ce chapitre, à la fois pour la marque et pour l'homme; nous ignorons à quelle date l'accent cessa d'être utilisé), fit ses débuts au Salon de 1905. Charles Faroux, parlant des voiturettes à ce Salon[1] en note plusieurs qui se maintinrent pendant quelques années (et parfois plus), comme la Grégoire[2], la Wolseley, la Sizaire & Naudin, la Cadillac. (Faroux doutait d'ailleurs assez de la fameuse suspension indépendante de Sizaire & Naudin.) Eloignons-nous un instant et considérons la Cadillac qui ne fit des débuts aussi modestes que pour devenir si grande et pensons au péril des prophéties, surtout en matière d'évaluation du goût étranger :

> « Comme on me l'avait dit à Detroit en octobre dernier, *Cadillac* est venu prendre le vent. La voiturette américaine n'a pas plu : il fallait s'y attendre, parce que son aspect diffère trop de celui des voiturettes européennes. On aurait tort de croire la chose définitive : l'agent de la marque en France, M. Rudeaux, est intelligent et actif. Sur son initiative, la puissante marque américaine, qui est, il ne faut pas l'oublier, la plus grosse productrice du monde (7 000 châssis annuels), va établir une voiturette qui ne choquera pas l'œil européen. Dès lors, je crois qu'elle fera rapidement son chemin. »

Elle fit son chemin effectivement, mais pas sous la forme d'une voiturette, et ne fut nullement influencée par le dessin de l'*Alençon*, que Faroux, sur la même page trouvait « particulièrement séduisante ».

La publication d'*Omnia* commença en janvier 1906, à une époque où la voiturette et la voiture légère étaient de toutes les conversations dans le monde automobile; pourtant il nous faut attendre juillet avant de trouver Delâge dans ses colonnes : c'est

1. *La Vie Automobile*, n° 222, 30 décembre 1905, pp. 837-839.

2. *Ibid.*, Grégoire, 1899-1924. Très rarement mentionnée, toujours très originale. Grégoire, 1945-1951 (absorbé par Hotchkiss). La relation avec l'ancien Grégoire n'a pas été établie.

dans un article spécial tiré d'une série sur « Les voiturettes intéressantes » de Ph. Marot[1]. En introduisant Delâge, ce journaliste distingue, de façon imagée, plusieurs catégories de voiturettes!

« Nous avons toujours prêté un appui désintéressé aux jeunes maisons dont le but était de populariser l'automobilisme de façon honnête, sans chercher à écouler sous le nom de « voiturettes populaires » des « tacots » construits en zinc ou en fer-blanc ! »

Le numéro suivant d'*Omnia* traite de « la voiture légère Lion, type 1906, puissance 8 CV de MM. les fils de Peugeot frères ». Ce véhicule fut le grand rival de la Delâge dans les courses à venir dans cette catégorie. Pour cette raison, et aussi parce qu'il ne nous a pas été possible de consacrer à ce véhicule la place qui lui revenait, il semble approprié d'éclaircir ici un chapitre confus de l'histoire Peugeot à cette époque[2] :

« Après avoir démontré leur supériorité notoire dans la construction de la bicyclette et de la motocyclette, les Fils de Peugeot frères éprouvèrent l'ambition de pousser plus loin leur œuvre, de donner au public la voiture légère à laquelle il tend si amoureusement les bras... Et la voiture légère fut conçue ! — Mais immédiatement un gros obstacle se dressa. *La Société des Automobiles Peugeot*, bien qu'émanée jadis de la grande famille, mais devenue majeure et puissante, elle-même, possédait le monopole de la fabrication d'automobiles sous le nom de Peugeot... Les Fils de Peugeot frères obtinrent le droit de fabriquer des voitures légères sous la condition expresse qu'elles ne dépasseraient pas, sans la caisse, le poids de 345 kilogrammes... »

En plus de ces sévères restrictions de poids, ils ne purent utiliser le nom de Peugeot, d'où le nom de Lion (de Belfort).

Ainsi, tout était prêt pour la confrontation des rivaux nouvellement établis. Il est fort probable que cette rivalité s'aiguisait du fait que Louis Delâge était un ancien de l'autre société Peugeot (la Société des Automobiles Peugeot). La course se déroula en épisodes quotidiens pendant une semaine (du 6 au 12 novembre). En contraste avec les débuts heureux de Delahaye, l'une des Delâge eut un terrible accident au cours duquel la voiture entra dans un arbre et le malheureux chauffeur se fendit le crâne. Le mécanicien, au nom familier de Chenard, s'en tira bien, avec quelques côtes cassées.

Delâge n'aligna que deux voitures, la n° 3, de 100 mm d'alésage, d'un poids de 646 kilogrammes qui fut éliminée par l'accident et la n° 14 (106 mm, 719 kg). La première avait un moteur de Dion et on peut penser qu'il s'agissait de la toute première voiture de

1. *Omnia*, 14 juillet 1906, pp. 24-26.
2. *Ibid.*, 21 juillet 1906, pp. 39-41.

Delâge; la nº 14, par contre, possédait un moteur Delâge & Legros (ce dernier ne reparaîtra pas dans cette histoire). La relation avec de Dion est sans importance sauf pour certains partisans tardifs de Delâge qui pensent qu'elle a pu ternir le lustre de la marque. Rousseau[1], par exemple, introduit Némorin Causan comme l'auteur du moteur de la 1908 victorieuse, à un cylindre, 100 × 150 mm, l'amélioration spécifique portant sur l'emploi de quatre bougies, deux volants de moteur, et l'allongement de la course. Le moteur Delâge normal (de même que le de Dion) était un 100 × 130 mm; il semble donc bien que Rousseau parle ici d'un moteur standard « modifié ». Les deux volants du moteur nous donnent la clé du problème, car l'allongement de la course impose un nouveau vilebrequin; si le moteur à l'étude doit être produit en masse à l'avenir, il faut faire forger de nouvelles pièces, tandis que s'il ne s'agit que d'un essai, d'un prototype de moteur, la méthode adoptée est la bonne.

Cette première confrontation plaça donc Delâge à la seconde place, mais devant les Lion-Peugeot, tandis que la première place allait à la révolutionnaire Sizaire & Naudin, avec sa fameuse suspension indépendante à l'avant, que l'on a présentée souvent comme la première voiture à essence équipée de la sorte, au détriment de la voiturelle Decauville de 1900, et de la Bollée.

Passons sur quelques années qui ne présentent pas d'intérêt et venons-en à 1911, qui amène un duel mémorable[2] entre une Delâge, pilotée par un nouvel as, Bablot, et un autre très grand champion de l'époque, Boillot, au volant d'une Lion-Peugeot[3], suivi de très près de deux autres Delâge; ce fut l'une des courses les plus disputées de l'histoire de la compétition sportive car le 4e, Guyot, n'était qu'à 2 mn 26 s du gagnant! Pepinster résume ainsi la course : « Delâge a triomphé par sa méthode et sa régularité. Lion-Peugeot a été victime de sa fougue. »

Omnia, qui avait réduit en 1910 le nombre de ses pages consacrées à l'automobile, cherchant à s'écarter de récessions comme celles de 1907-1908, reprit bientôt l'ancienne formule essentiellement automobile : un article[4] sur la nouvelle « petite six cylindres Delâge 1912 », également de la plume de Pepinster, nous dit que

1. ROUSSEAU et IATCA, *Histoire mondiale*, etc., *op. cit.*, p. 146.
2. F. Gordon CROSBY, peintre anglais, a fait une œuvre très connue de ce duel de la Coupe de la Voiturette à Boulogne, 1911.
3. Société anonyme des automobiles Peugeot (1897-1910) : Armand Peugeot. Les Fils de Peugeot frères (section automobile), 1908-1910 : Lion. Société anonyme des Automobiles et Cycles Peugeot à partir de 1910.
4. *Omnia*, nº 287, 1911, p. 2.

« M. Delâge fut appelé à juste titre le père de la voiture légère ». Il termine son article en observant que « la devise de Delâge est très connue : étudier beaucoup pour construire simplement », ce qui ne pouvait qu'inspirer confiance à l'acheteur. La validité de ce titre de père de la voiture légère semble provenir de la publicité gagnée par les exploits de la marque en compétition; l'ancien patron de Delâge, Peugeot, construisait des voitures légères depuis vingt ans, la Bébé Peugeot ne datant elle-même que de dix ans. On note qu'en Angleterre (le meilleur client de la France en 1925), l'une des plus grandes agences (London and Parisian Motors), choisit de pousser les ventes de Delâge plutôt que celles d'Hotchkiss, marque pourtant bien établie; cette agence revendiquait d'ailleurs à la même époque dix-neuf ans de collaboration avec Delâge et se présentait comme la plus ancienne agence de la firme[1].

Nous ne pouvons malheureusement consacrer plus d'espace à la carrière de cette automobile distinguée, qui après l'interruption de la première guerre mondiale, devint une des favorites du monde sportif automobile britannique.

Au début des années trente, la firme fut moins bien inspirée dans le choix de la ligne, peut-être sous l'influence de la lourdeur des lignes américaines de l'époque, dans l'espoir de conquérir des marchés outre-Atlantique. Le résultat fut inversé et la firme fut absorbée par Delahaye. Pendant quelques années encore, la marque ne disparut pas car la production indépendante continuait; puis, ce fut la fin.

Le dernier chapitre de l'histoire des voitures de luxe offrant un certain degré d'individualité et de haute élégance n'a pas encore été écrit : quiconque a observé un sexagénaire essayant de s'insérer dans l'une des trois voitures de marques américaines qui se rangent elle-mêmes dans cette catégorie « de luxe », sait que la solution n'est pas là, et pourtant ces trois marques régissent actuellement le marché. La France s'est exclue elle-même, par politique, de ce marché; on peut même se demander si le climat social actuel en France pourrait rendre possible le travail d'artisans hautement qualifiés pour la production de véhicules de luxe; la lutte — de classe ou politique — coûte cher. Lorsque Marinoni pouvait se payer une telle voiture, par exemple, l'hostilité était

1. *Autocar*, 25 septembre 1925, p. 84.

absente : il était parti de rien lui-même comme beaucoup de rois de l'automobile des dix années suivantes. La philosophie matérialiste négative qui a été formulée à Genève en 1866 n'avait pas encore pénétré les masses du monde entier et l'ouvrier n'était pas encore aliéné. La voiture, de nos jours, est devenue un objet de consommation; même celui qui n'a pas encore de voiture (dans le monde occidental) peut espérer en acquérir une. Par contre, le président-directeur général qui dépense un ou deux millions de francs dans l'achat d'un « jet » privé, n'excite apparemment pas l'envie de l'ouvrier. L'échéance est trop lointaine.

L'auteur de ces lignes, qui vit dans une de ces nouvelles villes modèles que l'on offre en exemple au monde entier, peut certifier, d'après son observation personnelle et un certain degré d'expérience comme expert de l'automobile, que les triomphes urbains que l'on nous vante, sont essentiellement des triomphes politiques dans le sens le plus étroit du terme : du point de vue automobile, ce qui a été fait dans ce programme de « Villes-Modèles » n'a fait que paver la voie de futurs désastres; nul Haussmann ne s'y est révélé!

Nous offrons donc, en ce qui concerne le problème de la « voiture de classe », une conclusion qui n'est qu'une simple suggestion : le paysage urbain, trop fluide actuellement, ne peut nous permettre de nous prononcer : et pourtant, ce n'est que dans des situations fluides de ce genre que les génies peuvent renverser les solutions imparfaites du présent, et le génie n'a pas de nationalité. La compétition industrielle aujourd'hui, à la différence de certaines courses d'autrefois qui favorisaient les grandes marques, est ouverte aux idées révolutionnaires car les solutions actuelles ne reposent que sur du vent.

CONCLUSION

Lorsque cette étude fut entreprise, notre idée était d'examiner de la façon la plus large et la plus générale le long développement de l'automobile en tant que véhicule pratique, et comme les Français avaient contribué si puissamment à cette période de développement, il s'ensuivait que leurs contributions seraient mises en relief de façon plus particulière.

L'une des plus grosses surprises que nous réservait l'élaboration de ce travail fut le besoin apparent de réhabilitation de quelques-unes des principales figures de l'histoire des contributions françaises à l'automobilisme mondial. Des années entières consacrées à l'étude de l'automobilisme ne nous avaient cependant pas préparé à découvrir que chacune des principales figures françaises dans cette histoire du progrès vers l'automobile avait été violemment attaquée — et toujours par un Français. Cette situation curieuse commanda une réorientation du concept original; nous nous tournâmes alors vers un essai de réhabilitation de gloires oubliées.

A l'encontre de certains partisans de l'invention « héroïque », sortant tout armée du cerveau de son promoteur, nous estimons qu'une invention comme l'automobile est essentiellement un conglomérat ou une série d'additions et d'améliorations; toutefois, à l'intérieur de cette limite de base il est possible de discerner les contributions individuelles dans la mesure où elles sont connues, et, par là même, de tenter de rectifier les histoires individuelles qui ont contribué à déformer la vision d'ensemble.

Un mot encore sur un phénomène étonnant auquel se heurte le chercheur dans notre champ d'investigation : il n'existe pas d'études sérieuses de l'automobilisme. (On ne parle pas des études particulières des fabricants, quelles qu'elles soient.) Certaines spécialités propres à des techniques industrielles, telles que la métallurgie, ont donné naissance à une littérature propre. Ne parlons pas de disciplines de base, comme la physique ou la chimie, qui ont vu éclore toute une littérature de spécialité. Mais l'automobile est le produit ouvré qui a révolutionné la vie dans toutes les sociétés, sauf les plus arriérées; elle est même aujourd'hui acceptée comme une mesure mal définie du niveau de civilisation. S'il existe une chaire d'études automobiles à un niveau universitaire quelconque dans le monde entier, ce fait nous a échappé, et pourtant l'avion a été moins mal traité. Le précédent a été créé, nous l'avons vu, en France voici plus de soixante ans, lorsque le Pr Marchis abandonna son cours sur l'automobile dans le département de physique à Bordeaux pour aller enseigner l'aéronautique à la Sorbonne. Quelque temps après, Deutsch et Zaharoff firent des donations à la Sorbonne pour soutenir cet enseignement.

A l'intérieur des limites qui lui sont propres, nous pouvons donc considérer le présent ouvrage comme purement exploratoire, et n'offrant qu'un échafaudage assez primitif pouvant permettre à une recherche véritable de s'engager. C'est dans cette optique que nous l'avons présenté.

Partant de ces considérations, il semble que nous puissions tirer raisonnablement les conclusions suivantes :

L'intelligence française a surtout contribué à la connaissance et à l'utilisation de la vapeur, première source d'énergie motrice susceptible d'être employée pour faire se mouvoir un véhicule au moyen d'un moteur situé sur ce véhicule même; en l'occurrence, les Français peuvent prétendre remonter jusqu'au xe siècle, et Gerbert d'Aurillac, comme nous l'avons vu selon des preuves respectables, démontra que la vapeur pouvait être domestiquée à des fins utiles. Les troubles du Moyen Age plongèrent de telles expériences dans des ténèbres qui devaient persister jusqu'au xviie siècle, lorsque Papin, se saisissant de ces principes nébuleux, utilisa à nouveau la vapeur à des fins utilitaires, d'abord à Paris, puis devant la vague d'agitation sociale qui secouait la France, à Londres, et enfin à Marburg et à Cassell. Dans le pays de Hesse, il jouit d'un maximum de tranquillité, et pourtant une lecture attentive de sa correspondance avec de grands penseurs comme Leibnitz et Huygens révèle que les troubles sociaux empêchèrent l'exploitation complète de ses projets; il réussit néanmoins à passer au stade des réalisations, et construisit, le premier au monde à le faire, un modèle fonctionnant de char routier. Plus tard, il fit un bateau à vapeur qui devait être détruit à Münden par les membres ignorants d'une guilde qui se croyait en danger.

Nous avons examiné les documents se rapportant aux chars construits par et pour Cugnot, et les vues prophétiques du maréchal de Saxe en ce qui concerne l'amélioration du matériel et des manœuvres des armées. Il faut sans doute attacher plus d'importance, comme nous l'avons fait, au phénomène que constituent les

Le stand Georges Richard au Salon de l'Automobile, du Cycle et des Sports, 1901, montre l'influence de ces manifestations. A noter : 4 voitures conduite intérieure, la galerie pour malles, les ailes en cuir vernis, le confort grand tourisme 1901. (Voir p. 435.)

(Cliché Archives du Touring-Club de France.)

nombreuses allusions infamantes ou péjoratives à l'œuvre de Cugnot qui parsèment les études françaises sur cet auteur. Nous avons critiqué ces opinions et tenté de redresser la balance.

Les effets de la Révolution française sur la création de Cugnot, et la manière dont elle a pu, en fait, étouffer pendant trente ans tout progrès en ce domaine en France ont été mis en relief; comme précisément ces trente années furent mises à profit en Angleterre de la manière que l'on sait, nous nous sommes permis de faire une digression afin d'examiner les progrès accomplis en Grande-Bretagne et en Amérique.

Nous avons ensuite répertorié les différentes initiatives qui se sont manifestées en France pendant le demi-siècle suivant; tout ceci pour montrer que les facteurs techniques s'opposant au progrès de l'art automobile ont été secondaires pendant toute cette période, par rapport aux facteurs économiques et politiques qui affectaient ce développement.

Nous avons examiné l'intérêt quasi simultané de Galy-Cazalat en France et de Brown en Angleterre, pour l'emploi d'une forme de moteur à combustion interne au lieu de la vapeur sur des véhicules terrestres et marins. Nous avons montré que Brown utilisait un moteur à implosion, et en l'absence d'emplois similaires ultérieurs dans les applications commerciales de moteurs à combustion interne à des véhicules terrestres, nous avons décidé qu'en tant que tel, ce système ne pouvait pas être inclus dans la chaîne de développement conduisant à l'automobile telle que nous la connaissons aujourd'hui.

Nous avons considéré le véhicule de Lenoir et établi :

1) Que ce véhicule avait fonctionné et avait conduit des passagers à une distance considérable de son lieu de naissance à Joinville-le-Pont;

2) Qu'il était actionné par un moteur à explosion employant un carburant voisin de celui qui est aujourd'hui d'un usage courant en automobile;

3) Qu'il possédait un allumage électrique du même genre que celui que nous connaissons de nos jours; ce en quoi il fut suivi par une série de pionniers dont Delamare-Deboutteville, Markus, Benz et d'autres, alors qu'une autre série, avec Daimler, Levassor, ne revint à ce système qu'après un assez long détour du côté du tube à incandescence et, plus tard, de la magnéto.

Nous avons noté que l'existence du véhicule Lenoir fut utilisée avec succès pour combattre en justice les prétentions de Selden; ce dernier trust menaça en effet longtemps (jusqu'à ce que Panhard & Levassor choisissent de s'allier avec Ford), d'exiger des droits extrêmement lourds à toute firme française désirant s'implanter aux Etats-Unis. Nous en avons donc conclu que le rôle de Lenoir et ses titres de gloire étaient donc beaucoup plus fondés qu'on l'a généralement admis, des experts hautement qualifiés ayant parcouru l'Europe et examiné les activités des pionniers dans tous les pays avant d'arriver à la conclusion que Selden ne possédait aucun degré d'antériorité.

Nous avons établi que ni les inventions de Benz, ni celles de Daimler n'avaient servi à démolir les prétentions de Selden. En d'autres termes, le procès Selden permit de déterminer que deux voitures françaises avaient anticipé les brevets Selden : la Lenoir et la Rosenwald. Puisque la Rosenwald était une voiture à moteur à implosion (moteur Otto & Langen), nous ne pouvons la placer dans l'arbre généalogique de l'automobile. C'était en tout cas la seule utilisation (même à l'état de projet), d'un moteur allemand sur un véhicule avant l'apparition des véhicules Benz et Daimler.

L'antériorité de la voiture Benz sur sa rivale, la Daimler, a été réaffirmée, à l'encontre de la tendance actuelle de l'organisation résultant de la fusion de ces deux maisons.

Nous avons fait porter l'accent sur la façon dont les deux pionniers allemands se sont appuyés sur les Français pour la mise en œuvre de leurs modèles, et pour la commercialisation des produits, fait de première grandeur ignoré jusqu'ici.

Une autre considération de grande importance a été la façon dont l'accord entre Panhard-Levassor et Daimler a créé très tôt la confusion, et le fait que l'importance commerciale de la firme d'Ivry interféra avec un développement normal et sans entraves de beaucoup d'autres pionniers français de l'automobile : ce qui, à son tour, rendit Panhard-Levassor si vulnérable lorsque le plan Jellinek fut introduit *afin de permettre l'infiltration des marchés belges et français* par la firme de Canstatt (on se rappellera que selon les termes du contrat ces marchés étaient concédés à Panhard-Levassor).

On hésite à conclure qu'il pouvait y avoir une autre raison que l'excellence du produit à l'enthousiasme avec lequel le nouveau modèle des usines de Canstatt avait été accueilli par la presse spécialisée en 1901. Par contre, l'injure favorite des journalistes rivaux disputant le nombre de fabricants en 1900 était précisément que la publicité rédactionnelle n'existait pas sans subvention. Certains enthousiasmes délirants, vu le début désastreux à Pau, restent pour le moins curieux. Néanmoins, il faut admirer l'adresse de Jellinek détournant le contrat Daimler-

Panhard par la plus simple des ruses : il baptisa le produit « Mercédès » et le vendit à son riche client auquel il ne pouvait vendre un produit nommé Daimler.

Nous avons examiné les efforts d'une centaine de sociétés en vue de l'établissement d'une forme ultime d'automobile, mais il est impossible ici d'énumérer les conclusions que nous avons pu tirer au sujet de telle ou telle marque. Pourtant, en synthétisant, nous pouvons avancer les deux conclusions suivantes :

1) La prolifération de centaines de sociétés, chacune à la recherche de la solution idéale, et se battant pour arriver à s'imposer sur le marché, est une remarquable manifestation de la vitalité et de la liberté de l'entreprise telle qu'elle existait en France au tournant du siècle.

2) Cette évolution, suivie d'une stabilisation de la forme automobile (qui se perpétua jusqu'à la première guerre mondiale) étaient dues bien plus au génie inventif de ces rêveurs enthousiastes poursuivant leurs projets jusqu'aux limites du succès ou de la faillite, qu'aux réalisations des bureaux d'études des grandes marques commerciales.

De la même manière, nous avons suivi le développement de la compétition automobile comme moyen de stimulant de la recherche, et vu de plus près quelques-unes des plus importantes parmi ces courses; à partir de ces observations et de celles que nous avons pu recueillir sur le Salon automobile considéré comme le forum disséminant les idées nouvelles, nous pouvons proposer la conclusion suivante : le processus d'évolution que nous avons discerné et suivi pas à pas a été grandement facilité par ces deux institutions typiquement françaises : le Salon de l'Automobile de Paris, et les Grands Prix. Ceci ne veut pas dire que ces techniques n'aient pas été imitées ailleurs et n'aient pas été suivies des mêmes résultats, mais au cours des années qui virent les progrès les plus rapides, les courses françaises furent les plus importantes, et nul Salon étranger n'égala celui de Paris entre le début du siècle et 1939 dans son rôle de lieu de rencontre des plus grands de l'automobile — les penseurs, les cerveaux.

Voici cinquante ans, il y avait environ 300 fabricants d'automobiles en France, dont moins d'un tiers fonctionnaient sur de réelles bases commerciales, mais à en juger de la façon dont les autres continuaient à se maintenir bon an, mal an, on peut penser que leur clientèle était en tout cas satisfaite. Sur ces 300 fabricants, on ne trouve que deux descendants en ligne directe et deux qui paraissaient l'être. D'abord, peut-être 290 des 300 achetaient les moteurs, les essieux, les châssis, les ressorts, les roues, le tout pour l'assemblage chez eux. Le propriétaire d'une telle voiture pouvait ainsi trouver les pièces de rechange sans peine — moteur de Dion, essieu Lemoine, etc. L'avantage vanté du constructeur autarcique est illusoire : une guerre publicitaire a détruit les indépendants. Maintenant la complexité est reine. L'une des marques françaises de réputation mondiale a un catalogue de 280 pages consacrées aux pièces de rechange pour l'un de ses modèles! Une autre firme (Ford U.S.A.) donne aux agents 27 000 pages, dont il faut remplacer 26 000 chaque année pour rester au courant! Combien la maxime de Louis Delâge, au début de sa carrière : « Etudier beaucoup pour construire simplement », était judicieuse!

Si nous voulions développer cette pensée, nous atteindrions bien vite les dimensions d'un volume. En fait on a laissé la loi de Parkinson s'installer et régir l'industrie automobile pendant toutes ces années, ce qui n'a rien de surprenant, puisque cette loi accompagne le gigantisme industriel; et, bien que l'origine de sa découverte soit militaire, elle ne s'en applique pas moins à d'autres secteurs.

Nous avons vu combien l'attitude bienveillante du gouvernement français pendant les années de formation contribua à donner à l'industrie automobile française la place d'honneur qui resta la sienne si longtemps. A l'inverse de leurs collègues allemands que le Kaiser, dans son enthousiasme gênait plutôt, les industriels français semblent avoir joui de la plus grande liberté d'action, les seules restrictions étant celles imposées à l'intérieur même de l'industrie par ses propres dirigeants (comme ce fut le cas dans l'affaire de la Coupe Gordon-Bennett). Ce que nous n'avons pu montrer, c'est la façon dont cette bienfaisante liberté fut peu à peu rognée. Il est regrettable que, les dimensions de cet ouvrage ayant dû être ramenées à des proportions plus réduites, l'essentiel de notre enquête sur ce sujet se soit vu supprimé. Par contre, il s'agit d'un problème relativement délimité, qui se prête mieux à la synthèse; deux aspects l'illustreront ici :

1) L'établissement d'un impôt direct. Les chiffres que nous allons citer et qui parurent en 1911 dans *Omnia* montreront qu'en ce domaine les Français allèrent trop tôt un peu trop loin. Les chiffres indiquent les impôts à payer sur une voiture de 10 CV roulant 10 000 kilomètres par an, et le nombre total de voitures :

Impôts pour	New York	21	francs[1] par an	180 000	voitures
	Londres	217,50	—	83 000	—
	Paris	661,60	—	50 000	—

1. On peut estimer à 1 000 francs les taxes new-yorkaises 1970.

2) La base d'établissement de cet impôt fut fixée à une date assez ancienne selon l'alésage (ou calibre) et non la cylindrée du moteur. Les ingénieurs français se mirent aussitôt à concevoir des moteurs à très longue course afin de tourner la loi. Ce qui donna certains types de moteur d'une conception fondamentalement malsaine, avec une usure accrue du cylindre et d'autres effets peu désirables. Les formules de course furent révisées, et un culte mécanique de la longue course vit le jour, justifiant cette déviation. Certains succès temporaires s'ensuivirent, et des modèles extravagants comme la Lion-Peugeot de course, au moteur si haut que le tuyau d'échappement passait au-dessus du conducteur, trouvèrent une certaine faveur. Le résultat final ne fut pas aussi heureux, car une conception plus saine s'imposa aux constructeurs que ne gênaient pas les impôts français, et des marchés furent perdus.

Pendant les années de reconstruction, à partir de 1946, la taxation resta un facteur paralysant, surtout dans la catégorie des voitures de luxe. En l'occurrence, le climat était à peine moins favorable en Grande-Bretagne, et là aussi les voitures élégantes et chères furent chassées du marché par une conception de la taxation qui était plus doctrinaire que rentable. A ceci s'ajoutaient des restrictions de matière première imposées par le gouvernement. Nous avons vu que ce fut aussi autrefois le sort de la vénérable Delaunay-Belleville.

Cette même politique fiscale fut déterminante dans l'apparition sur le marché des 2 CV Citroën et des 4 CV Renault, qui se révélèrent invendables sur des marchés non soumis au fisc français — c'est-à-dire à l'exportation.

L'ingénieur français et l'artisan français ont démontré pendant plus de cent ans qu'ils étaient capables de résoudre des problèmes posés par la fabrication d'automobiles. Quant aux problèmes de la commercialisation des produits au-delà des frontières d'un marché libre ou non contrôlé, la leçon du passé nous montre que, tant que la législation le leur permet, les Français sont parfaitement capables de les résoudre.

BIBLIOGRAPHIE [1]

Académie des Sciences, voir : *Bulletin de la Société d'Encouragement* ; *Comptes rendus à l'Académie des Sciences* ; *Mémoires de l'Académie des Sciences.*

Ackermann, Rudolph, *Observations on Ackermann's Patent Moveable Axles, for four-wheeled carriages,* Londres, 1819. *67.*

Allen, James T., *Digest of U.S. Automobile Patents, 1789 to 1899.* *90^{4}.*

Annales de chimie, 1809. *80.*

Annales du Conservatoire impérial des Arts et Métiers, 1861. *108, 109^{3}.*

Annals of Mercedes-Benz, etc., voir Nallinger.

Annuaire général de l'automobile, 1897 et sq. *221, 226, 324, 387^{2}.*

Annuaire historique, Lesur, voir Lesur.

Arago, voir *Mémoires de l'Académie des Sciences.*

The Autocar, Londres. *343, 379^{2}, 384, 409, 418, 422, 429.*

Automobile Quarterly, New York. *20, 189, 345, 413^{2}.*

The Automobile Review [*and Automobile News*], Chicago. *306, 307.*

Automobile Topics, New York. *278-309, 378, 379.*

Automobile Trade Journal, Silver Anniversary (25e année). *226^{2}.*

Auto-Vélo. *281.*

Bachaumont, L.-P., *Mémoires secrets pour servir,* etc., 1769-1770. *30.*

Bathe, Greville et Dorothy, *Oliver Evans, a Chronicle,* Philadelphie, 1935. *20.*

Baudin, Cl., *Images du passé (1883-1926),* 1937. *134, 135, 252.*

Baudry de Saunier, L., « L'automobile », VIe partie, *L'Histoire de la locomotion terrestre,* Paris, 1935. *20, 124, 125, 159, 160, 162, 165, 176, 385.*

— *L'automobile t. et p., Traité élémentaire de locomotion à moteur mécanique,* t. II, *Voitures à pétrole,* Levallois, 1900. *20, 116, 148, 159, 176, 318^{2}, 329, 362^{2}, 387, 403.*

— *L'automobile,* t. I., 1898. *318^{2}, 362^{2}.*

Beaumont, William Worby, *Motor vehicles and motors,* vol. I, 1900, 1902. *68^{2}.*

— vol. II, 1906. *68^{2}, 335, 341, 342^{2}, 343, 420^{2}.*

— *Cantor Lectures,* voir *Journal of the Society of Arts.*

Beauvais, Vincent de, *Spec. Hist. Vincentij,* Liber 24, an 997. *21.*

Benz, Carl, *Lebensfahrt eines deutschen Erfinders,* Leipzig, 1925. *20, 141, 142, 145.*

B.I.O.S., report n° 21, *The Motor Car Industry in Germany 1939-1945,* Olley and Earl, German Racing Cars 1934-1939, H.M.S.O., 1949. *20, 90.*

Bonneville, Louis, *Le moteur roi, origines de l'automobile,* Paris, 1949. *73.*

Bouquet, R.-P., voir Milandre, Ch.

Bourdelin, Emile, voir *Le Monde illustré,* 1860.

Bramah, Joseph, *A letter to the Right Honorable Sir James Eyre,* 1797. *41.*

Bulletin de la Société d'Encouragement. *31, 39, 47, 78^{4}, 80^{2}, 81, 82.*

Bulletin de la Société industrielle de Mulhouse, 1883. *119.*

Bulletin de la Société scientifique industrielle de Marseille, 1875. *88.*

Bulletin officiel de l'Union syndicale des Maîtres Imprimeurs de France. *101^{4}.*

(1) Les chiffres en *italique* indiquent les pages où sont cités les ouvrages.

Canestrini, Giovanni, *L'automobile*, Rome, 1938. *20, 67*[2], *70*[2], *108*[2].
Cautner, C. F., *The History and development of light cars*, Londres, 1957. *257*.
Chasseloup-Laubat, comte de, *Compte rendu historique* (Congrès international d'automobilisme, Paris, 1900). *49*.
Chauffeur (Le), Paris, 1897 (jadis *Le Technologiste*). *144, 157, 194, 224, 406*.
Chauveau, Gustave, *Traité t. et p. des moteurs à gaz, gaz de houille, gaz pauvres, air carburé (pétroles)*, etc., Paris, 1891. *65*[2], *100, 181*[2].
Chicago Times Herald, 1895. *143*.
Circuit Court, etc., Procès Selden, voir U.S. Circuit Court.
Clerk, Dugald, *The Gas and oil engine*, 8e éd. revue, New York. *95, 96*[3], *101*[3], *106*.
Comptes rendus à l'Académie des Sciences, Paris, 1851-1876. *65, 107*[2], *117*[2].
Comptes rendus, Ier Congrès international d'Automobilisme, 1900. *49, 61*.
Conservatoire national des Arts et Métiers, Paris, 1956, *La voiture à vapeur de Cugnot (1770)*. *29*[3].
Corti, comte, *Reign of the House of Rothschild* (trad. Lunn), Londres, 1928. *77*.
Cosmos (Le), voir Moigno.
Crowther, Samuel, voir Henry Ford.
Cycle and Automobile Trade Journal (puis *Automobile Trade Journal*), 1903. *256*.
Daimler-Benz Aktiengesellschaft, *Selected Passages, G. Daimler and Karl Benz* (voir aussi Nallinger), Stuttgart, 1961. *177*.
S.A. Delaunay-Belleville, *Les Voitures Delaunay-Belleville*, c. 1929. *419-424*.
Dictionnaire de l'industrie, par une Société des Gens de Lettres, 1776. *30*[2].
Dietz, J. C., *Histoire de l'automobile : Ch. Dietz, précurseur oublié*, 1955. *71-76*.
Dollfus, Charles, « La locomotion mécanique », Ve partie, *L'histoire de la locomotion terrestre*, Paris, 1935. *20, 29*[4], *59, 64, 69, 74, 101*[6], *124, 252*[2].
Doolitle, I. (trad. d'Oliver Evans), *Manuel de l'ingénieur mécanicien constructeur de machines à vapeur*, Paris, 1821, 1825, 1838. *52*[3].
Doyle, G. R., *The World's Automobiles, 1880-1958*, 3e éd. rev., 1959. *128, 387*[4].
Duncan, Herbert O., *World on Wheels*. *20, 100*[2], *117, 130*[2], *160*[2], *161, 177*[2], *186*[2], *349, 363, 384*[2], *425*.
Earl, Cameron C., German Racing Cars 1934-1939, voir B.I.O.S., report no 21.
Echo de Paris (L'). *128*[2].
Enciclopedia Italiana, vol. 5, éd. de 1929, p. 556. *29*.
Enciclopedia universal illustrada, vol. 6, éd. de 1907, p. 1137. *29*[2].
Encyclopedia Britannica, 11e éd. *145*.
The Engineer, Londres, -1901-. *127, 404*[2], *408*.
Ernouf, baron Alfred Auguste, *La vie de Denis Papin*, Paris, 1868. *23*.
Evans, Oliver, *The Young Millwright and Miller's Guide*, Philadelphie, 1795. *52*.
— *The Abortion of the Young Steam Engineer's Guide*, Philadelphie, 1805. *52*[2].
Farman, Dick, *Autocars*, éd. anglaise, 1896. *23*.
Fetis, Mlle (trad. de) Stafford, *Histoire de la musique*. *21*[5].
Figaro (Le). *363*.
Figuier, *Merveilles de la Science*. *16, 30*[4].
Ford, Henry (Samuel Crowther), *My Life and Work*, Garden City 1922. *20, 142*.
Fournier, Edouard, *Le Vieux-Neuf*. *21*[5].
Fournier, Henri, « Automobile Races, 1901 », voir Smithsonian Institution.
France automobile (La), 1897-. *101, 102, 157, 178, 224, 225, 263, 287, 329*.
Freyer, « Automobilwagen », voir *die Umschau*.
Galtier-Boissière, Dr, voir Lafreté, Gustave, *Les sports modernes*.
Galy-Cazalat, Antoine, *Voitures à vapeur sur routes ordinaires*, Paris, 1837. *62*[2].
— *Mémoire t. et p. sur les bateaux à vapeur*, Paris, 1837. *62*[2], *64*.
Gartmann, Heinz, *Traümer, Forscher, Konstrukteure*, Düsseldorf, 1955. *20*.

Gentleman's Magazine, 1769. *40*.
GERBERT d'Aurillac, ses lettres, voir LATTIN, Harriet P.; HAVET, J.
GERLAND, Ernst, *Leibnizens und Huygens' Briefwechsel mit Papin*, Berlin, 1881. 64. *23²-28*,
GÉRONDEAU, Henri, *Note sur les machines à gaz*, Paris et Liège, 1864. *114*.
GORDON, Alexander, *Elemental Locomotion*, 1832-1836. *54²*, *73*.
GRAFFIGNY (de) (pseud.), voir MARQUIS, Raoul.
GRAND-CARTERET, John, *La voiture de demain*, Paris, 1898. *20*, *32²*, *58³*, *89²*, *120²*, *135²*, *136*, *253*.
Grossen Deutschen (Die), voir NALLINGER.
HANCOCK, Walter, *Narrative of 12 years of experiment (1823-1836)*, Londres. *56*, *57*.
HASLUCK, Paul, *The Automobile*, 1902 (trad. de G. LAVERGNE, 1900, q.v.). *216*.
HAVET, J., *Les lettres de Gerbert (983-997)*, Paris, 1889. *21³*.
HEINZ, V., et KLEMENT, Vaclav, *Z Dejin Automobilu*, Prague, 1931. *20*, *70*.
HORCH, Auguste, *Ich Baute Autos*, Berlin, 1937. *20*.
Horseless Age. *278*.
IATCA, Michel, voir ROUSSEAU, Jacques.
Illustration (L'). *418*.
Italia nei Cento Anni de Secolo XIX Giorno per Giorno, Illustrata (L'). *70*.
JACOBSSONS, Johan Karl Gottfried, *Technologisches Wörterbuch*, Berlin, 1793. *30³*.
JARROTT, Charles, *Ten Years of Motor Racing*, 1906. *410*.
JENKINS, Rhys, *Power locomotion on the highways*, Londres, 1896. *20*, *23*, *90²*, *123²*.
— *Motor Cars and the application of mechanical power to road vehicles*, Londres, 1902. *36²*, *45*, *123³*, *186*.
Journal of Arts and Sciences, 1824. *55*.
Journal of the Automobile Club of Great Britain and Ireland, 1901. *197²*.
— 1902. *408²*.
— 1903. *333-334*, *367*.
Journal of the Society of Arts, 1895, Cantor Lectures, by BEAUMONT, W. W. *44*.
Journal des Sports. *89*.
KARSLAKE, K., voir NICKOLS, I., *Motoring Entente*.
KEATS, John, *Insolent Chariots*, Philadelphie et New York, 1958. *425²*.
KLEMENT, Vaclav, voir HEINZ, V.
LAFRETÉ, Gustave de, ROBIDA, Léo, et GALTIER-BOISSIÈRE, Dr, *Les sports modernes illustrés*, Paris, 1905. *128²*.
LA SALLE DE ROCHEMAURE, *Gerbert Sylvestre II*, Rome, 1914. *22*.
LATTIN, Harriet, *The Letters of Gerbert with his Papal Privileges*, 1961. *21³*.
LAVERGNE, Gérard, *L'automobile sur route*, 1900. *(Voir aussi Revue générale des Sciences.)* *20*, *124*, *190*, *197*, *314*, *315*, *316²*, *318*, *322*, *324*, *326*.
LEFÈVRE, J., *Les moteurs*, Paris, 1896. *109*.
LESUR, *Annuaire historique*, 1835. *74*.
LOCKERT, Louis, *Traité des chaudières et machines à vapeur*, Paris, 1876. *60*, *62*.
— *Voitures à vapeur*, 1896. *29*, *78*, *86*, *87*, *115*, *120*, *121²*, *135*, *136*.
— *Voitures à pétrole*. *85*, *89*, *127*, *156*, *178*, *183*, *191*, *213-220*, *414*.
Locomotion (La) (BAUDRY DE SAUNIER, rédacteur), -1903-. *255*, *258*.
Locomotion automobile, 1899-. *176*.
Loudon's Gardener's Magazine, Londres, -1838-. *51*.
LUNN (traducteur), voir CORTI, comte.
Lyon en 1906, 2 vol. *129*.
MACERONI, Francis, *Memoirs of the Life and Times of Col. Maceroni*, c. 1840. *58²*.
MARCHIS, Pr L. R. A. E., *Les moteurs à essence pour automobiles*, Paris, 1904. *264-274*.
MARQUIS, Raoul (H. de Graffigny, pseud.), *Les moteurs anciens et modernes*, Paris, 1881. *53*, *113*, *125*.

The Mechanic's Magazine, new series, vol. 21, 1861. *78*[2].

Melot, Paul, *Mémoire traitant des premières automobiles à Lyon.* *129*.

Mémoires de l'Académie des Sciences, Paris, Arago, t. XVII. *22*[2].

Migne, J.-P., *Patrologiae, cursus completus*, t. 179, Paris, 1855. *21*[2].

Milandre, Charles, et Bouquet, R.-P., *Traité de la construction, de la conduite et de l'entretien des voitures automobiles*, 1898. *82, 222, 223*.

Moigno, abbé, *Le Cosmos*, 1860-. *98, 101*.

— *Les Mondes*, -1867-. *78*[3].

Monde illustré (Le), -1860-. *93, 99, 101*[5], *109*[2].

Moniteur universel, ou *la Gazette nationale*, etc. *29*[5], *33, 34*.

Montagu, Lord, The General Aspects of British Automobile Manufacture, Conférence du 14 févr. 1900 au club; *Journal de l'A.-C. G.-B. and I.* *197*[2].

Montagu de Beaulieu, Lord, *Rolls of Rolls-Royce*, Londres, 1966. *344*.

Morton, Frederic, *The Rothschilds*, New York, 1962. *77*.

Motorwagen (Der), Zeitschrift des mitteleuropäischen Motorwagen-Vereins, Berlin, 1898- (Journal de l'A.-Club d'Europe centrale). *144*[2], *145, 193, 195, 207, 209, 218, 219, 220, 387*[3].

Nader, Ralph, *Ces voitures qui tuent*, Paris, 1967. *7*.

Nallinger, Fritz, Gottlieb Daimler und Karl Benz (dans *Die Grossen Deutschen*, vol. 5, Berlin, 1956). *20, 208*.

— *The Annals of Mercedes-Benz motor vehicles and engines*, Stuttgart-Untertürkheim, 1956, nouv. éd., 1961. *185, 193*[3], *209, 226*.

Nature (La), -1887-1895-. *18, 48, 146, 147, 148*[2], *149, 150, 151, 152, 153, 154, 181*[2], *182*.

Neren, John, *Automobilets Historia*, Stockholm, 1937. *20*.

New York Herald (The) (incl. *The Paris Herald*), -1895- (N. Y. Tribune). *205*.

New York Journal-American, -1903-. *299*.

New York Sun (The), août 1902. *308, 309*.

Nickols, I., and Karslake, K., *Motoring Entente*, Story of Sunbeam, Talbot, Darracq, Londres, 1955. *362, 365, 368, 371*[2], *385*.

Nixon, St. John, *The Invention of the Automobile*, Londres, 1936. *68*.

Norbye, Jan, Panhard et Levassor, Limelight to Twilight, in *Automobile Quarterly*, vol. 6, n° 2, automne 1967. *189*.

Notes and notices, Aut. Club. de G.-B. and I., -1902-. *238, 239, 240, 241, 242-245, 250, 290*[2].

Nouveau Larousse illustré, 7 vol., Paris, c. 1900. *48*[2].

Olley, Maurice, voir B.I.O.S., report n° 21.

Omnia, revue pratique de la locomotion, 1906-1911-. *76, 128*[3], *226*[3], *341, 419, 421, 425*[3], *426, 427, 428*[4].

Pemberton, Max, *The Amateur Motorist*, Londres, 1907. *386*.

Perissé, Lucien, *Automobiles sur routes*, Paris, 1898. *90*[3], *121, 317*.

Petit Journal, *101, 152, 156*.

Pomeroy, Laurence, *The Grand Prix Car, 1906-1939*, Londres, 1949. *379*[3], *407*.

Pound, Arthur, *The Turning Wheel*, history of General Motors, New York, 1934. *340*.

Practical Mechanics Journal (The), *95*.

Procès-verbal de la séance du 21 thermidor, an VIII (1801). *39*.

Repertorium, etc., voir Schubarth.

Revue générale des Sciences, -1899-, 1903- (articles de Lavergne, G.). *124, 316, 409*.

Richard, Gustave, *Les nouveaux moteurs à gaz et à pétrole*, Paris, 1892. *111, 112, 158, 175*.

Robida, Léo, voir Lafreté, Gustave, *Les sports modernes*, etc.

Rolland, L.-N., *Rapport de 4 pluviôse*, an VIII (1801). *34*.

Rose, Gerard, *A Record of Motor Racing, 1894-1908*, publié par le R.A.C., Londres, 1909, nouv. éd., 1949. *167, 254, 263, 330, 404, 409*[2], *415*.

ROUSSEAU, Jacques, et IATCA, Michel, *Histoire mondiale de l'automobile*, Paris, 1958. *20, 119*[2]*, 124, 160, 165, 214, 327, 428.*
— (seul) in *Automobile Quarterly*, vol. 3, n° 2, été, 1964. *413*[2]*.*
SAXE, comte Maurice de, *Reveries or Memoirs concerning the art of war*, Edimbourg, 1759. *32.*
SCHMID, Ernst, *Automobiles suisses*, 1967. *81.*
SCHMITTO, F., *Automobilets Historie*, Copenhague, 1938. *20.*
SCHUBARTH, *Repertorium der Technischen Literatur* die Jahr 1823-. *80, 90, 96*[2]*, 107.*
SCHULZ-WITTHUN, Gerhard, *Von Archimedes bis Mercedes*, Francfort, 1952. *20, 145.*
SCOTT-MONCRIEFF, David, with St. John NIXON and C. PAGET, *Three-Pointed Star*, New York, 1956. *96, 104, 105, 125, 155, 180, 186, 193*[2]*.*
SÉGUIER, baron, voir *Bulletin de la Société d'Encouragement.*
Selden trial (Procès Selden), voir U.S. Circuit Court of, etc.
SENCIER, comte Gaston, in *Locomotion automobile*, 1899, cité par BAUDRY DE SAUNIER, *Histoire de la locomotion terrestre*, 1935. *176.*
SLABY, Dr, *Nicolas Auguste Otto*, Berlin, 1891. *111*[2]*.*
Smithsonian Institution, *Annual Report*, 1901, Washington, D.C., article, « Automobile Races » par Henri FOURNIER. *306*[2]*.*
SOUVESTRE, Pierre, *Histoire de l'Automobile*, Paris, 1907. *20, 135*[4]*, 413.*
STAFFORD, *History of Music*, voir Mlle FÉTIS.
STUART, Robert, C.E., *A descriptive history of the steam engine*, 1824. *41*[2]*.*
Technologiste (Le), voir *Le Chauffeur.*
THURSTON, Robert H., A.M., C.E., *Growth of the Steam Engine*, New York, 1878. *20, 49*[2]*.*
— (traduction), *Histoire de la machine à vapeur*, 2 vol., 1882. *49*[2]*.*
— rédacteur, *Reports of the Commissioners of the U.S. to the International Exhibition (Vienna, 1873)*, vol. III, Washington, 1876. *32*[3]*.*
TREVITHICK, Francis, *Life of Richard Trevithick*, Londres et New York, 1872. *45*[2]*.*
Times-Herald (Chicago). *278.*
TRESCA, *Bulletin de la Société d'Encouragement.* *78*[4]*, 80*[2]*, 117*[2]*.*
Umschau (Die), 10 septembre 1898, article, « Automobilwagen » par FREYER. *20.*
U.S. Circuit Court, So. District of N.Y., n° 8616 : *Electric Vehicle Co.*, and Geo B. Selden, Complainants, vs. S.A. des Anciens Etablissements Panhard & Levassor and André Messenat, Defendants, vol. IV : *Defendant's Record.* *163-165, 181, 184, 185*[2]*, 186, 191.*
Vélo (Le). *281, 292.*
Vélocipède. *254.*
Vie au grand air (La), 1898-1902-. *229, 240, 246, 263*[2]*, 299, 321, 329*[2]*, 330, 336, 349, 360, 361, 362, 364, 388, 405.*
Vie automobile (La), -1904-1907-. *189, 341, 392, 393, 394, 395, 410*[2]*, 416, 419*[2]*, 420.*
VIGREUX, C., voir MILANDRE, Ch., et BOUQUET, R.-P.
Wall Street Journal (The), Sept. 30, 1968, p. 1, col. 6. *414*[2]*.*
WEEKS, Lyman Horace, *Automobile Biographies*, New York, 1904. *41*[2]*, 143, 155.*
WILLIAM of Malmesbury, *Gesta Regum Anglorum*, voir MIGNE, J.-P., *Patrologiae.*
WILLELMI Malmsburiensis Monachi, voir MIGNE, J.-P., *Patrologiae.*
WITZ, Aimé, *Etudes sur les moteurs à gaz tonnant*, Lille, 1882. *126.*
— *Traité t. et p. des moteurs à gaz*, Paris, 1892, 3e éd. *101*[2]*, 126, 143*[2]*, 158, 215.*
— *Moteurs à gaz*, t. III, 1899. *123, 124, 187, 213*[2]*, 214, 215, 261.*
YOUNG, Filson, *The Joy of the Road*, Londres, 1907. *371.*

TABLE DES PLANCHES

TABLE DES MATIÈRES

TROISIÈME PARTIE

L'INDUSTRIE AUTOMOBILE EST NÉE

QUATRIÈME PARTIE

L'ÉTONNANT ESSOR

CINQUIÈME PARTIE

L'AVANCE SUR L'AMÉRIQUE

SIXIÈME PARTIE

MARQUES SECONDAIRES

1971. — Imprimerie des Presses Universitaires de France. — Vendôme (France)
ÉDIT. N° 400 IMPRIMÉ EN FRANCE IMP. N° 22 467